LE MENDIANT ET LE VOLEUR

IRWIN SHAW

LE MENDIANT ET LE VOLEUR

Roman

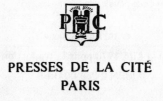

PRESSES DE LA CITÉ

PARIS

Le titre original de cet ouvrage est :
BEGGARMAN, THIEF

Traduction de
Nina de Voogd et Nicole Aufan

Photo de couverture : Universal Television

© *Presses de la Cité,* 1978 pour la traduction française.

ISBN 2-258-00413-6

Pour Jim et Gloria

REMARQUE DE L'AUTEUR

Un roman ne nécessite pas d'ordinaire de préface, mais à cause de la série télévisée intitulée « Le Riche et Le Pauvre » (Livre I et Livre II), il me semble que les lecteurs de « *Le Mendiant et Le Voleur* » ont besoin de savoir que ce nouveau livre donne suite à la version *écrite* de *Le Riche et Le Pauvre* et non pas à la version télévisée, et que toute ressemblance avec ce qui a été donné à la télévision n'est que pure coïncidence.

Le contrat qu'avaient signé les producteurs les autorisait à faire de cette suite ce que bon leur semblait sans autre permission de la part de l'auteur. Par conséquent, ils ont créé leur propre version de la suite de l'histoire de la famille Jordache.

J'espère que cette remarque servira à mettre fin à toute confusion qui pourrait exister dans l'esprit de ceux des lecteurs de ce livre qui auraient également vu l'une ou l'autre des séries télévisées, ou les deux.

VOLUME UN

CHAPITRE PREMIER

Du carnet de Billy Abbott (1968).

JE NE VAUX RIEN, DIT Monika. Elle n'est qu'à moitié sérieuse en disant cela. En revanche, Monika vaut quelque chose. Le fait d'en être amoureux voile sans aucun doute l'idée que je me fais d'elle. Davantage à ce sujet plus tard.

Un jour elle m'a demandé ce que j'écris dans ce carnet. Je lui ai dit que le colonel ne cesse de répéter qu'ici à l'O.T.A.N. nous sommes en première ligne de la civilisation. Je lui ai dit que pour les générations à venir il est important de savoir comment c'était de se trouver en première ligne de la civilisation à Bruxelles dans la seconde moitié du XXe siècle. Quelque érudit poussiéreux et irradié fera peut-être des fouilles dans les ruines de la ville et tombera sur ce carnet, un peu carbonisé sur les bords et, qui sait, raidi des taches brunes de mon sang, et sera reconnaissant à Wm. Abbott Junior, pour la prévenance dont il a fait preuve en notant ses observations sur la manière dont vivait le troufion américain moyen en défendant la civilisation aux marches de l'Europe. Le prix des huîtres, la forme et la dimension des seins de sa bien-aimée, ses plaisirs simples, tels que baiser et voler de l'essence à l'armée, des choses de ce genre. Monika a demandé si j'ai besoin d'être toujours aussi frivole, et j'ai dit : que faire d'autre ?

Ne crois-tu en rien ? m'a-t-elle demandé.

Je crois qu'il ne faut pas aller à contre-courant, je lui ai dit. Si un défilé passe dans la rue, je me mets dans les rangs et prends le pas, tout en saluant la populace de la main, les amis comme les ennemis.

Retourne à tes griffonnages, a-t-elle dit. Ecris que tu n'es pas caractéristique de ta génération.

Griffonnages est peut-être le mot qui convient à ce que je fais. Je suis issu d'une famille littéraire. Ma mère et mon père sont, ou étaient, tous deux écrivains. D'une certaine manière. Mon père s'occupait de relations publiques, profession qui n'est pas tenue en très haute estime dans le monde académique ni dans celui de l'édition Néanmoins, quels que soient les succès ou les échecs que l'on puisse lui imputer, c'est une machine à écrire qui les lui a valus. Il vit maintenant à Chicago et il

11

m'écrit souvent, en particulier quand il est ivre. Je me fais un devoir de répondre. Nous sommes d'excellents amis lorsque plus de six mille kilomètres nous séparent.

Ma mère écrivait autrefois des critiques pour de vilaines petites revues. Nos communications sont réduites au strict minimum. Maintenant elle fait quelque chose dans le cinéma.

J'ai grandi dans la musique des machines à écrire et il me paraît normal de mettre mes pensées, telles qu'elles sont, sur papier. Les distractions ici sont limitées, bien que l'on y soit mieux qu'au *Nam*, comme le dit toujours le colonel. Je joue au tennis avec le colonel et lui fais des compliments sur son revers, ce qui est une façon d'avoir de l'avancement dans l'armée.

Si la première vague d'assaut russe ne s'abat pas sur l'O.T.A.N., comme le prédit le colonel, je continuerai mes griffonnages. Cela m'occupe lorsque les activités ralentissent au pool des véhicules, où j'ai le titre de Préposé aux Camions.

Je me demande ce que le type qui est chargé du pool des véhicules au quartier général des Forces du pacte de Varsovie fait ce soir pendant que j'écris ceci.

* * *

Alexandre Hubbell était journaliste. Ou du moins il travaillait pour le magazine *Time* à Paris. Cette semaine, il n'était pas censé exercer ces fonctions car il était en vacances avec sa femme. Celle-ci faisait la sieste à l'hôtel au pied du Cap, et Alexandre Hubbell se dirigeait vers le commissariat de police d'Antibes. Il était préoccupé par un nom qu'il avait lu dans *Nice-Matin* trois jours auparavant : Jordache. Un Américain nommé Jordache avait été assassiné dans le port d'Antibes cinq jours à peine après son mariage. On recherchait le ou les assassins. Pour l'instant, on n'avait trouvé aucun mobile à ce crime. La victime, propriétaire d'un yacht baptisé *Clothilde*, ancré dans le port d'Antibes, avait été tuée à coups de gourdin sur le pont de son propre bateau.

Hubbell tirait fierté de sa mémoire de journaliste et il avait été vexé de constater qu'un nom qu'il estimait avoir dû reconnaître et classifier n'arrivait pas à franchir les limites de sa conscience. Il fut soulagé lorsque le souvenir lui revint. A l'époque où il travaillait encore à New York, il y avait eu dans un numéro du magazine *Life* les photos de dix jeunes politiciens pleins d'avenir à travers les Etats-Unis, et l'une des photos était celle de quelqu'un du nom de Jordache, le prénom lui échappait maintenant, qui était maire d'une petite ville appelée Whitby, à environ deux cents kilomètres de New York. Puis il s'était souvenu d'autre chose encore. Après l'article dans *Life*, il y avait eu un scandale à l'Université de Whitby lorsque des étudiants contestataires avaient manifesté devant le domicile du maire, et la femme de ce dernier était apparue à la porte d'entrée, ivre et nue. Quelqu'un avait pris une photo et l'épreuve avait fait le tour des bureaux.

Tout de même, un homme dont l'épouse avait montré ses fesses à une foule vociférante d'étudiants pouvait fort bien s'en être débarrassé pour épouser une femme au comportement moins flamboyant.

12

Il pouvait évidemment s'agir d'une personne totalement distincte portant le même nom, se dit Hubbell en attendant que le feu passe au vert. Un yacht à Antibes, c'était loin de Whitby, New York. Malgré tout, cela méritait d'être approfondi. S'il s'avérait qu'il s'agissait du même jeune politicien plein d'avenir, cela ferait un petit article pas inintéressant, vacances ou pas. Il y avait déjà cinq jours qu'il était en congé et il commençait à s'ennuyer.

Dans l'antichambre vide aux murs écaillés, le planton solitaire somnolait derrière son bureau, mais il s'anima, heureux d'avoir de la compagnie, lorsque Hubbell lui dit, en bon français, qu'il était journaliste et qu'il était venu s'enquérir sur le meurtre. Le planton disparut dans une autre pièce et en sortit un instant plus tard pour lui dire que le chef pouvait le recevoir immédiatement. Apparemment Antibes ne regorgeait pas de crimes cet après-midi-là. Le chef était un petit homme brun aux yeux ensommeillés, en T-shirt bleu et pantalon de coton fripé. Une incisive en or brillait quand il parlait : « Que puis-je faire pour vous, monsieur ? »

Hubbell expliqua que les détails du meurtre d'un Américain en France, surtout s'il s'agissait bien du Jordache auquel il pensait, un homme d'une importance considérable dans son pays d'origine, intéresserait certainement le public américain. Lui-même et ses directeurs seraient très reconnaissants envers le commissaire pour toute lumière qu'il pourrait jeter sur cette affaire.

Le commissaire était habitué aux journalistes français, qui avaient traité ce meurtre comme un quelconque règlement de comptes de port. Cet Américain à l'œil perspicace, qui représentait une revue prestigieuse et enquêtait sur la mort d'un compatriote dans une station balnéaire fréquentée par de nombreux Américains, c'était autre chose. Le policier aurait été plus heureux si le coupable avait déjà été arrêté et mis sous les verrous, mais on ne pouvait rien y faire pour le moment.

— A-t-on une idée, dit l'homme, sur l'identité présumée du meurtrier, ou ses mobiles ?

— Nous y travaillons avec diligence. répondit le Français, vingt-quatre heures sur vingt-quatre.

— Avez-vous des pistes ?

Le commissaire hésita un moment. Dans les films, les reporters trouvaient toujours des indices que la police avait négligés. Cet Américain semblait être un homme intelligent et il n'était pas exclu qu'il puisse fournir des éléments utiles.

— Le soir de son mariage, M. Jordache a été mêlé à une altercation — une très violente altercation, m'a dit sa belle-sœur, dans un bar de Cannes appelé la Porte Rose, avec un homme connu de la police. Un étranger. Yougoslave. Qui s'appelle Danovic. Nous l'avons interrogé. Il a un alibi inattaquable, mais nous aimerions lui poser d'autres questions. Malheureusement, il semble avoir disparu. Actuellement nous le recherchons.

— Une violente altercation, dit Hubbell Vous voulez dire une bagarre ?

Le policier approuva de la tête.

— D'une extrême brutalité, selon la belle-sœur.

— En connaissez-vous la cause ?

— La belle-sœur prétend que l'étranger était sur le point de la violer lorsque M. Jordache est intervenu.

— Je vois, dit Hubbell. Est-ce que Jordache avait l'habitude de se bagarrer dans les bars ?

— Pas à ma connaissance. Je connaissais M. Jordache. En fait, nous prenions un verre ensemble de temps en temps. J'ai été très peiné d'apprendre sa mort. Tel que je l'ai connu, c'était un homme paisible. Il était très aimé. On ne lui connaissait pas d'ennemis. Tout de même, j'ai du mal à croire qu'il ait été un homme d'une certaine importance en Amérique, comme vous le disiez.

— D'après *Nice-Matin* il possédait un yacht, dit Hubbell avec un léger rire. Ce n'est pas rien.

— Son yacht, il l'exploitait. Il se louait avec son bateau. C'était son gagne-pain.

— Je vois, dit Hubbell. — Il ne pouvait pas imaginer l'un des dix jeunes politiciens les plus prometteurs d'Amérique gagnant sa vie en promenant des vacanciers à son bord autour de la Méditerranée, quel que soit le nombre de fois où sa femme s'était montrée nue dans son pays. Cette histoire commençait à perdre de son intérêt. — Peut-être un assassinat politique ? demanda-t-il avec une lueur d'espoir.

— Je ne crois pas. M. Jordache n'avait rien à voir avec la politique. Nous avons nos renseignements sur les gens qui font de la politique.

— De la contrebande ?

— Cela m'étonnerait. Dans ce domaine également, nous avons nos renseignements. Ou du moins, des soupçons.

— Comment est-ce que vous le décririez, alors ? persista Hubbell par simple routine.

Le commissaire haussa les épaules.

— Bon travailleur. Brave type. — Eloge mesuré, légèrement condescendant venant d'un flic français. Il continua : — Honnête, pour autant que l'on ait pu en juger. Nous n'étions pas vraiment intimes. Il parlait très peu le français, pas comme vous, Monsieur. — Hubbell hocha la tête au compliment. — Et mon anglais, je le regrette, est plutôt rudimentaire. — Le policier sourit de son incapacité. — Nous n'avions pas de discussions philosophiques.

— Que faisait-il avant de venir ici ? Le savez-vous ?

— Il était dans la marine marchande.

Le commissaire hésita. Jordache lui avait dit, à l'occasion d'un verre de vin, lorsque le Français avait fait des commentaires sur son nez cassé, ses tissus cicatriciels, qu'il avait été boxeur. Mais il lui avait demandé de ne pas en parler. Dans les bistrots du port, les boxeurs étaient les cibles favorites des costauds rendus belliqueux par l'alcool. « Je ne suis pas venu en France pour me battre, avait dit Jordache. Ce n'est pas un pays qui me porte chance au combat. J'ai fait un seul match à Paris, et je me suis fait défoncer le crâne. » Il avait ri en disant cela. D'après l'état de son cadavre, le combat qu'il avait livré avant de mourir ne lui avait pas porté chance non plus.

Eh bien, se dit le commissaire, pourquoi ne pas le dire au journa

14

liste ? Cela ne pouvait plus faire de mal à Jordache, qui n'aurait plus tellement l'occasion de boire dans les bistrots du port, dorénavant.

— Il paraît qu'il était pugiliste professionnel. Il a même combattu à Paris. Une fois. Il était tête d'affiche. Il a été mis K.-O.

— Un boxeur ?

L'intérêt de Hubbell s'éveilla de nouveau. La rubrique sportive lui prendrait peut-être quelques centaines de mots. Si ce type avait combattu en tête d'affiche à Paris, il avait dû jouir d'une certaine réputation. Le public serait intéressé par le meurtre d'un boxeur américain en France.

Il enverrait un télex au bureau donnant autant d'éléments qu'il pourrait en glaner ici, et leur dirait de chercher les renseignements biographiques aux archives. De toute façon tous ses articles étaient remaniés à New York.

— Jordache ? dit Hubbell. Je ne me souviens pas d'un boxeur de ce nom.

— Il boxait sous un nom d'emprunt, dit le policier, tout en pensant qu'il faudrait vérifier cette partie-là de la vie de Jordache. La boxe professionnelle était un milieu auquel les gangsters étaient toujours mêlés. Il y avait peut-être une piste là — une promesse non tenue, un contrat non respecté. Il aurait dû y penser plus tôt. — Il boxait sous le nom de Tommy Jordan.

— Ah, fit le journaliste, j'y suis. Certainement. Je me souviens de quelques articles sur lui dans les journaux. Disant qu'il promettait.

— Je ne suis pas au courant de cela. Seulement du match à Paris. Je l'ai vérifié dans *l'Equipe*. Il a été très décevant, d'après *l'Equipe*. — Il voulait maintenant appeler un organisateur de combats de Marseille, qui était en contact avec le Milieu. Il se leva. — Je vais être obligé de retourner travailler, maintenant. Si vous désirez de plus amples informations, vous pourriez peut-être vous adresser aux membres de sa famille. Sa femme, son frère, son fils.

— Son frère ? Il est ici ?

— Toute la famille, dit le commissaire. Ils venaient de faire une croisière ensemble.

— Connaîtriez-vous le prénom du frère, par hasard ?

— Rudolph. La famille est d'origine allemande.

Rudolph, se dit Hubbell ; il se souvenait. Rudolph Jordache, c'était ce nom-là, dans *Life*.

— Alors, dit-il, ce n'était pas lui qui s'était marié ici ?

— Non, dit le commissaire avec impatience.

— Et sa femme aussi est ici ?

— Oui, et vu les circonstances, elle, la belle-sœur, vous sera sans doute plus utile que moi...

— La belle-sœur ? dit Hubbell, debout également, celle du bar ?

— Oui. Je pense que vous devriez la questionner. Si vous découvrez quelque chose qui puisse m'être utile, je vous serais très reconnaissant de revenir me voir. Maintenant je crains...

— Où puis-je la trouver ?

— Elle est à l'Hôtel du Cap, à présent. — Il avait donné l'ordre à Jean Jordache de ne pas quitter Antibes pour le moment, et lui avait retiré son passeport. Il aurait besoin de l'aide de Jean Jordache dans cette affaire lorsqu'il trouverait Danovic. *Si* jamais il le retrouvait. Il avait interrogé cette femme, mais elle était hystérique et ivre, et il n'avait pu en tirer qu'une version confuse et décousue. Et maintenant, un imbécile de médecin lui avait donné des sédatifs. Le médecin avait dit que c'était une instable, une alcoolique invétérée, et qu'il ne répondait pas de sa raison si le commissaire continuait à la harceler de questions. — Quant aux autres, je pense que vous pourrez les trouver sur la *Clothilde*, au port. Merci de votre intérêt, monsieur. J'espère que je ne vous ai pas fait perdre votre temps.

Il tendit la main.

— Merci bien, monsieur, dit Hubbell.

Il avait obtenu tous les renseignements qu'il pouvait obtenir, et il partit. Le policier se rassit à son bureau et décrocha le téléphone pour appeler Marseille.

Le petit bateau blanc avançait lentement dans le soleil de l'après-midi sur la houle de la Méditerranée. Au loin sur la côte, le long du rivage et dans les collines derrière, les bâtiments formaient un motif rose et blanc contre le fond vert des pins, des oliviers et des palmiers. Dwyer se tenait debout à tribord, portant le nom du bateau, *Clothilde*, imprimé sur son tricot blanc et propre. C'était un petit homme râblé et il pleurait. De tout temps on l'avait appelé Bunny (1) à cause de ses longues incisives en saillie. En dépit de ses muscles et de ses vêtements de travail, il y avait indéniablement en lui quelque chose de féminin. « Je ne suis pas une pédale », avait-il dit la première fois qu'il avait eu une conversation avec le défunt dont on venait de disperser les cendres sur la mer. Il fixait la jolie côte de ses yeux doux et noirs, voilés de larmes. Un temps de riche, avait dit l'homme assassiné.

Et comment, pensait Dwyer. Pas un temps pour lui, ni pour moi. Nous nous sommes fait des illusions. On s'est trompés d'endroit.

Tout seul dans le poste de pilotage, vêtu comme Dwyer d'un pantalon de coton et d'un maillot blanc, se tenait Wesley Jordache, la main sur un rayon de la barre polie de chêne et de cuivre, le regard fixé sur le point de la côte où se trouvait la citadelle d'Antibes. Il était grand pour son âge, dégingandé, bronzé, puissant et osseux, ses cheveux blonds décolorés par mèches par le soleil et le sel. Comme Dwyer, il pensait à celui dont il venait de confier les cendres à la mer, à l'homme qui avait été son père. « Pauvre stupide salaud », dit amèrement le garçon à haute voix. Il se souvenait du jour où son père, qu'il n'avait pas vu depuis des années, était venu le sortir de l'académie militaire sur l'Hudson, où il s'était battu avec une rage aveugle, incompréhensible, inexplicable contre la moitié des élèves de tous âges, de toutes classes et de toutes tailles.

— Tu t'es bagarré pour la dernière fois, avait dit son père. — Puis le silence. Et l'homme rude qui disait : — Tu m'as entendu ?

— Oui, monsieur.

(1) Sobriquet donné aux lapins.

— Ne m'appelle pas monsieur, avait dit l'homme, je suis ton père.

Son père s'était trompé de membre de la famille à qui imposer ses règles, pensait le garçon, les yeux fixés sur la citadelle où, à ce qu'on lui avait dit, Napoléon avait été enfermé une nuit au retour de l'île d'Elbe.

Au bastingage arrière, incongrûment vêtus de noir, se tenaient l'oncle du jeune homme, Rudolph Jordache, et sa tante, Gretchen Burke, frère et sœur de l'homme assassiné. Des citadins, plus habitués à la tragédie qu'à la mer ; rigides silhouettes de mort contre l'horizon ensoleillé. Ils ne se touchaient pas, ne se parlaient pas, ne se regardaient pas. Ce qui n'était pas dit par cet après-midi d'azur estival ne nécessiterait plus tard ni explication, ni regrets, ni excuses.

La femme avait à peine la quarantaine, grande, mince et droite, ses cheveux noirs doucement agités par la brise marine, encadrant un visage d'une pâleur lumineuse, les stigmates de l'âge se limitant encore à de simples présages, des signes avant-coureurs de ce qui serait plus tard. Elle avait été belle dans sa jeunesse, et maintenant elle était belle d'une autre façon, avec son visage sévère, marqué par le chagrin, une sensualité tourmentée qui n'était pas temporaire ou passagère, mais une habitude permanente. Ses yeux, plissés sous la lumière éblouissante, étaient d'un bleu profond qui tournait au violet sous certains éclairages. Aucune larme ne les avait abîmés. Cela devait arriver, pensait-elle. Evidemment. On aurait dû s'en douter. Lui s'y attendait probablement. Peut-être pas consciemment, mais il le savait tout de même. Toute cette violence ne pouvait pas se terminer sans violence. Le vrai fils de son père, cet étranger dans la famille avec ses cheveux blonds, différent du frère brun et de la sœur brune, bien que du même lit.

* *
*

L'homme aussi était mince, d'une minceur soignée, aristocratique, toute yankee, qu'il n'avait hérité d'aucun parent, mais acquise par un acte de volonté, accentuée en ce moment par la stricte coupe américaine du costume sombre, presque digne d'un ambassadeur. Il avait deux ans de moins que sa sœur et paraissait plus jeune encore, avec un faux et doux air de jeunesse dans le visage, et l'allure d'un homme dont les paroles et les gestes étaient toujours délibérés et prémédités, un homme qui avait eu beaucoup d'autorité, avait lutté toute sa vie, avait gagné et perdu, avait pris des responsabilités en toutes circonstances, était parti de la misère et de la pauvreté pour amasser une fortune considérable, qui avait été impitoyable quand il l'avait fallu, rusé quand il convenait de l'être, dur envers lui-même et envers les autres, généreux, à sa manière, lorsqu'il était possible d'être généreux. A sa bouche pincée, à ses yeux en alerte, on pouvait découvrir ou deviner la résignation qui lui avait été imposée. C'était le visage d'un jeune général des forces aériennes qui aurait été privé de son commandement à cause d'une faute commise au-dessous de lui, et dont il pouvait avoir ou non été responsable.

Il y est allé seul, se disait Rudolph Jordache ; il est entré dans la cabine où je dormais et il a refermé la porte doucement puis il est parti seul. Parti vers ce qui allait devenir sa mort, dédaignant mon aide, me dédaignant, dédaignant ma virilité ou ce qu'il aurait considéré, si jamais il lui était arrivé de penser, comme mon manque de virilité dans une situation où il fallait un homme.

En bas, Kate Jordache faisait sa valise. Elle n en avait pas pour longtemps. Au-dessus de ses autres affaires elle mit d'abord le tricot blanc avec le nom du bateau, qui avait fait rire Thomas quand il avait vu comment sa poitrine épanouie avait déformé l'inscription, puis la robe de couleur vive qu'il lui avait achetée pour leur mariage il y avait sept jours à peine.

Elle avait harcelé Thomas pour qu'il l'épouse. Harcelé — c'était le mot. Ils avaient été parfaitement heureux auparavant, mais quand elle avait su qu'elle était enceinte — modeste petite ouvrière anglaise comme il faut, bien élevée, obéissante... Vive la mariée. S'il n'y avait pas eu la noce, cette affreuse femme caquetante et affectée, cette précieuse épouse de Rudolph n'aurait jamais eu ce prétexte pour se saouler, ne serait pas partie avec un gigolo yougoslave, n'aurait pas ôté son coûteux pantalon rose, n'aurait pas eu besoin que l'on vienne à son secours ni qu'un homme se batte pour elle, et un homme qui valait beaucoup mieux que son propre mari serait en vie aujourd'hui.

Assez, pensa Kate. Assez. Assez.

Elle ferma la valise d'un geste sec et s'assit sur le bord de la couchette, son robuste corps bronzé commençant à peine à trahir la forme de l'enfant qu'elle portait ; ses mains agiles et industrieuses étaient pliées tranquillement sur ses genoux, alors qu'elle parcourait du regard pour la dernière fois, c'était décidé, la cabine exiguë, dans le bruit familier de la mer qui battait la coque près du hublot ouvert. Thomas, pensa-t-elle, Thomas, Thomas.

— Qui était Clothilde ? avait-elle demandé un jour.

— Une reine de France. Quelqu'un que j'ai connu quand j'étais très jeune. Elle avait la même odeur que toi.

Jean, la femme de Rudolph Jordache, était absente du petit groupe en deuil qui se dirigeait en bateau vers la côte française. Elle était assise sur un banc dans le parc de l'hôtel et observait sa fille qui jouait avec l'adolescente que Rudolph avait engagée pour s'occuper de l'enfant jusqu'au jour où, selon l'expression de Rudolph, elle-même serait de nouveau en état de prendre Enid en charge. Dans combien de temps ? s'était demandé Jean. Deux jours, dix ans, jamais ?

Elle portait un pantalon et un pull-over. Elle n'avait pas apporté de vêtements qui conviennent pour un enterrement. Rudolph avait été soulagé quand elle avait dit qu'elle n'irait pas. Elle ne pouvait supporter l'idée de remettre les pieds sur la *Clothilde*, d'affronter les regards silencieux et accusateurs de l'épouse, du fils, de l'ami bien-aimé. En se regardant dans le miroir ce matin-là, elle avait eu un choc en voyant ce que ces derniers jours avaient fait de son charmant petit visage enfantin.

La peau de son visage, de son corps tout entier, semblait tendue à craquer par des tendeurs invisibles. Elle avait l'impression qu'à tout moment son corps pouvait exploser et ses nerfs traverser sa peau, grésillant et crépitant comme des fils électriques fous, crépitant sous des décharges mortelles.

Le médecin lui avait donné du Valium, mais elle avait dépassé le stade du Valium. S'il n'y avait pas l'enfant, pensa-t-elle, elle descendrait vers la mer et se jetterait des rochers.

Assise là à l'ombre d'un arbre, dans l'odeur épicée de pin et de lavande chauffée au soleil, elle se dit : je détruis tout ce que je touche.

*
**

Hubbell était assis devant un crème à la terrasse d'un café de la place principale, réfléchissant à ce que lui avait dit le policier. Ce dernier en savait manifestement plus qu'il n'en disait, mais on ne pouvait pas s'attendre à autre chose de la part de la police, surtout quand elle avait un meurtre gênant et inexpliqué sur les bras. La belle-sœur devrait pouvoir vous aider mieux que moi, avait dit le flic ; la belle-sœur. La dame nue, l'épouse du jeune maire plein d'avenir. Cela méritait certainement plus qu'un entrefilet. Le port attendrait.

Il paya son café, se dirigea vers un taxi en stationnement, y monta et dit : « A l'Hôtel du Cap. »

Mme Jordache n'était pas dans sa chambre, dit le concierge, mais il l'avait vue sortir dans le parc avec sa fille et la bonne d'enfant. Hubbell demanda au concierge s'il y avait un télex à l'hôtel, et on lui dit qu'il y en avait un. Il demanda s'il pourrait l'utiliser ce soir-là et après un moment d'hésitation le concierge dit qu'il pensait que cela pouvait se faire. Hubbell interpréta correctement cette hésitation qui signifiait qu'un pourboire serait nécessaire. Tant pis. *Time* en avait les moyens. Il remercia le concierge et sortit sur la terrasse vers les marches conduisant à la longue allée qui, à travers le parc majestueux, menait au pavillon de bains, le restaurant et la mer. Il ressentit un instant de jalousie en pensant à la chambre étroite du petit hôtel bruyant près de l'autoroute où sa femme faisait la sieste. *Time* payait bien, mais pas assez pour qu'il s'offrît l'Hôtel du Cap.

Il descendit les marches et pénétra dans le parc odorant. Un instant plus tard, il vit une petite fille en maillot de bain blanc qui jouait à la balle avec une jeune fille. Tout près de là se trouvait une femme en pantalon et en pull-over, assise sur un banc. Ce n'était pas le genre de scène qui vous fait normalement penser à un meurtre.

Il s'approcha lentement du groupe, s'arrêtant un moment comme pour admirer un parterre de fleurs, puis sourit à l'enfant tout en s'avançant vers le groupe. « Bonjour », dit-il.

La jeune fille dit « Bonjour », mais la femme sur le banc ne dit rien. Hubbell nota qu'elle était très jolie, avec sa silhouette mince et sportive, que son visage était exsangue et pâle, avec des cernes noirs sous les yeux.

— Mrs Jordache ? dit-il.
— Oui ?

Le ton de sa voix était plat et monocorde. Elle leva vers lui un regard morne.

— J'appartiens au magazine *Time*. — Il était un homme d'honneur et ne voulait pas prétendre être un ami de son mari ou de l'homme assassiné, ni un touriste américain qui avait eu vent de ses difficultés et tenait à lui faire part de sa sympathie, avec toute la franchise américaine. Mieux valait laisser les supercheries aux jeunes confrères qui luttaient pour voir leur nom figurer en tête de leurs articles. — On m'a envoyé pour écrire un article sur votre beau-frère.

Un pieux mensonge, mais, selon son propre code, admissible. Lorsque les gens pensaient que vous aviez été envoyé pour faire un travail, ils se sentaient souvent quelque peu obligés de vous aider. Néanmoins, la femme ne dit rien, se contentant de le fixer de ses yeux sans vie.

— Le chef de la police m'a dit que vous pourriez peut-être me donner quelques renseignements sur cette affaire. Des renseignements d'ordre général.

« D'ordre général » avait une résonance anodine, laissant entendre que ce qui serait dit ne serait pas effectivement publié, mais simplement utilisé pour guider un journaliste responsable qui tenait à éviter des erreurs en écrivant son article.

— Avez-vous parlé à mon mari ? demanda Jean.

— Je ne l'ai pas encore rencontré.

— Pas encore rencontré, répéta Jean. J'aimerais pouvoir en dire autant. Et je parie que *lui* aussi voudrait pouvoir le dire.

Hubbell resta abasourdi, autant par l'intensité avec laquelle la femme avait parlé que par ce qu'elle avait dit.

— Est-ce que le policier vous a dit pourquoi je pourrais vous renseigner ? demanda la femme d'une voix devenue dure et âpre.

— Non, mentit Hubbell.

Jean se leva brusquement.

— Adressez-vous à mon mari, dit-elle. Adressez-vous à toute cette maudite famille. Mais laissez-moi tranquille.

— Une seule question, Mrs Jordache, si vous le permettez, dit Hubbell, la gorge serrée. Seriez-vous prête à porter plainte contre l'homme qui vous a attaquée ?

— Qu'est-ce que cela changerait ? dit-elle d'une voix atone. — Elle se rassit lourdement sur le banc, fixa son enfant qui courait après la balle au soleil. — Allez-vous-en. Allez-vous-en, je vous en prie.

Hubbell descendit du taxi et s'en fut à pied sur le port. Pas vraiment un endroit pour mourir, pensa-t-il en se dirigeant vers la guérite du capitaine du port pour savoir où la *Clothilde* était amarrée. Le capitaine du port était un vieillard buriné qui fumait la pipe en se dorant au soleil de l'après-midi, assis devant sa guérite, sa chaise inclinée contre le mur.

Le capitaine du port désigna de sa pipe l'entrée du port, où un bateau blanc s'avançait lentement.

— La voilà. Ils resteront ici pendant quelque temps, dit le vieil homme. Ils ont esquinté l'hélice et l'arbre. Vous êtes Américain ?

— Oui.

— C'est affreux, ce qui est arrivé, n'est-ce pas ?

— Horrible, dit Hubbell.

— Ils viennent de jeter ses cendres à la mer, ajouta le vieillard. Un endroit pas plus mal qu'un autre pour les restes d'un marin. Moi-même je n'aurais rien contre.

Même en pleine saison, le capitaine du port avait tout son temps pour bavarder.

Hubbell remercia l'homme, fit le tour du port et s'assit sur une embarcation retournée sur le quai, près de l'endroit où la *Clothilde* était en train de manœuvrer. Il vit les deux silhouettes en noir à la poupe, et le drapeau américain qui flottait dans la brise derrière elles. Il vit un petit homme râblé qui s'occupait de la chaîne à l'avant et un grand garçon blond qui tournait la barre dans le poste de pilotage, tandis que le bateau entrait lentement à reculons, le moteur maintenant coupé puis le garçon blond qui se précipitait à l'arrière pour jeter une corde a un marin sur le quai, pendant que l'homme courait à la poupe et sautait prestement sur le quai pour attraper la seconde amarre que le garçon lui jeta. Lorsque les deux amarres furent attachées, l'homme sauta de nouveau sur le pont et, avec le garçon, ils mirent la passerelle en place, avec expérience et adresse, sans échanger un mot. Les deux personnes en noir s'étaient éloignées de l'arrière pour se mettre à l'écart, superflues.

Hubbell se leva de l'endroit où il était assis sur l'embarcation, se sentant gauche et lourd après cet étalage d'agilité marine, et mit le pied sur la passerelle. Le garçon le dévisagea d'un air maussade.

— Je cherche Mr Jordache, dit Hubbell.

— Je m'appelle Jordache, dit le garçon.

Il avait une voix profonde, pas une voix d'adolescent.

— Je crois qu'il s'agit du monsieur qui est là-bas, dit Hubbell en montrant Rudolph.

— Oui ?

Rudolph vint en haut de la passerelle.

— Mr Rudolph Jordache ?

— Oui ?

Le ton était bref.

— Je viens de la part du magazine *Time*... — Hubbell vit l'expression de l'homme se figer. — Je suis navré de ce qui est arrivé...

— Oui ?

Un ton impatient, interrogateur.

— Je n'aime pas beaucoup vous importuner dans un moment pareil... — Hubbell se sentait décontenancé de parler de loin, bloqué par le mur invisible de l'hostilité du garçon, et maintenant de l'homme.

— Mais je voudrais savoir si je peux vous poser quelques questions sur...

— Adressez-vous au chef de la police. C'est son problème maintenant.

— Je lui ai déjà parlé.

— Alors vous en savez autant que moi, monsieur, dit Rudolph avant de se détourner.

Il y avait un petit sourire froid sur le visage du garçon.

Hubbell resta encore là un moment, se disant qu'il s'était peut-être trompé dans le choix de sa profession, puis il dit « Je regrette » à personne en particulier, parce qu'il ne trouvait rien d'autre à dire ni à faire, et il s'en retourna vers l'entrée du port.

Quand il arriva à son hôtel, sa femme était en train de se faire bronzer, assise en bikini sur le petit balcon de leur chambre. Il l'aimait profondément, mais il ne pouvait s'empêcher de la trouver absurde en bikini.

— Où as-tu été tout l'après-midi ? demanda-t-elle.

— Je travaille à un article, dit-il.

— Je croyais qu'on allait être en vacances, dit-elle.

— Moi aussi, dit-il.

Il sortit sa machine à écrire portative, enleva sa veste et se mit au travail.

CHAPITRE II

Du carnet de Billy Abbott (1968).

L E TELEGRAMME DE MA mère est arrivé à mon numéro de Secteur Postal. Ton oncle Tom a été assassiné, disait le télégramme. Te suggère d'essayer de venir à Antibes pour l'enterrement. Ton oncle Rudolph et moi sommes à l'Hôtel du Cap Antibes. Tendresse. Maman.

J'avais rencontré mon oncle Tom une fois, lorsque j'étais venu en avion de Californie à Whitby pour l'enterrement de ma grand-mère, quand j'étais petit. Les enterrements sont de bonnes occasions pour les familles de refaire connaissance. J'ai été désolé de la mort de mon oncle Tom. Il m'avait plu, la nuit où nous avions partagé la chambre d'amis chez mon oncle Rudolph. J'avais été très impressionné par le fait qu'il portait un revolver. Il me croyait endormi lorsqu'il avait sorti le revolver de sa poche et l'avait mis dans un tiroir. Cela m'avait donné un sujet de réflexion pendant l'enterrement le lendemain.

S'il fallait qu'un oncle meure assassiné, j'aurais préféré que ce fût Rudolph. Nous n'avons jamais été amis et à mesure que je grandissais il me faisait comprendre très poliment qu'il me désapprouvait, moi et mes vues sur la société. Mes vues n'ont pas radicalement changé. Figées, dirait probablement mon oncle, à supposer qu'il se donne la peine de les examiner. Mais il est riche, et je figurerai peut-être dans son testament, sinon par tendresse pour moi, du moins par amour fraternel pour ma mère. D'après ce que j'avais entendu des conversations entre Rudolph et ma mère et entre ma mère et ses deux maris, Thomas Jordache n'était pas le genre de type à laisser une fortune derrière lui.

J'ai montré le télégramme au colonel et il m'a donné dix jours de permission spéciale pour aller à Antibes. Je ne suis pas allé à Antibes, mais j'ai envoyé un télégramme de condoléances à l'hôtel disant que l'armée ne me laissait pas aller à l'enterrement.

Monika a aussi obtenu un congé, et nous sommes allés à Paris. Nous avons fait un séjour merveilleux. Monika est exactement le genre de fille avec qui on a envie d'aller à Paris.

23

*
* *

— Je crois qu'il est temps, dit Rudolph, d'aborder quelques questions que nous avons évitées jusqu'à présent. Nous devons discuter de ce que nous allons faire maintenant. L'héritage. Aussi pénible que ce soit, nous allons devoir parler d'argent.

Ils étaient tous dans le salon de la *Clothilde*. Kate était vêtue d'une robe foncée manifestement vieille et devenue trop étroite pour elle, sa valise de cuir synthétique éculé était posée par terre à côté de son siège. Le salon était peint en blanc, avec des moulures bleues et des rideaux bleus aux hublots, et sur la cloison étanche il y avait des gravures anciennes de voiliers que Thomas avait dénichées à Venise. Tous les yeux étaient fixés sur la valise de Kate, bien que personne n'y eût encore fait allusion.

— Kate, Bunny, poursuivit Rudolph, savez-vous si Tom a laissé un testament ?

— Il ne m'a jamais parlé d'un testament, dit Kate.

— A moi non plus, dit Dwyer.

— Wesley ?

Wesley secoua la tête. Rudolph soupira. Toujours le même, ce vieux Tom, conséquent avec lui-même jusqu'au bout, se dit-il. Marié, avec un fils et une femme enceinte, il n'a jamais pris un après-midi pour rédiger un testament. Lui-même avait rédigé son premier testament à vingt et un ans dans l'étude d'un avocat, et cinq ou six autres depuis lors, le dernier à la naissance de sa fille Enid. Et maintenant que Jean passait de plus en plus de temps dans des cliniques de désintoxication, il en préparait un nouveau.

— Et un coffre-fort ? demanda-t-il.

— Pas que je sache, dit Kate.

— Bunny ?

— Je suis pratiquement sûr que non, dit Dwyer.

— Avait-il des valeurs ?

Kate et Dwyer se regardèrent, perplexes.

— Des valeurs ? demanda Dwyer. Qu'est-ce que c'est ?

— Des titres, des obligations.

Où est-ce que ces gens ont donc été toute leur vie ? se demanda Rudolph.

— Ah, ça ? dit Dwyer. Il disait toujours que c'était un moyen de plus qu'ils avaient inventé pour voler le travailleur.

Il avait dit aussi : « Ces trucs-là sont bons pour mon sacré frère », mais c'était avant l'ultime réconciliation entre les deux hommes, et Dwyer pensa que ce n'était pas le moment de citer cette phrase-là.

— Bon, pas de valeurs, dit Rudolph. Alors, que faisait-il de son argent ?

Il s'efforçait de parler sans irritation.

— Il avait deux comptes, dit Kate. Un compte courant en francs au Crédit Lyonnais ici à Antibes et un compte sur livret en dollars au Crédit Suisse à Genève. Il préférait être payé en dollars. Ce compte-là est illégal, puisque nous résidons en France, mais il n'y a pas à s'en faire. Personne n'a jamais posé de questions.

24

Rudolph hocha la tête. Au moins son frère n'avait-il pas été *totalement* dépourvu de sens financier.

— Le livret et les derniers relevés du Crédit Lyonnais avec le chéquier sont dans le tiroir sous la couchette, dans la cabine, dit Kate. Wesley, si tu pouvais y aller...

Wesley se dirigea vers la cabine du capitaine, à l'avant.

— Si je peux me permettre cette question, Bunny, dit Rudolph, comment Thomas vous payait-il ?

— Il ne me payait pas, dit Dwyer. Nous étions associés. A la fin de l'année, nous partagions ce qui restait.

— Aviez-vous un papier — un contrat, un accord écrit de quelque sorte ?

— Bon Dieu, non, dit Dwyer. Pour quoi faire ?

— Est-ce que le bateau est à son nom, ou à vos deux noms, Bunny ? Ou peut-être à son nom et celui de Kate ?

— Nous n'étions mariés que depuis cinq jours, Rudy, dit Kate. Nous n'avions pas eu le temps de penser à ce genre de choses. La *Clothilde* est à son nom. Les papiers sont dans le tiroir avec ceux de la banque. Avec la police d'assurance du bateau et les autres papiers.

Rudolph soupira de nouveau.

— J'ai vu un avocat.

Evidemment, pensa Gretchen. Elle était restée debout près de la porte, regardant vers l'arrière. Elle ruminait le télégramme de Billy. C'était le message bref d'un étranger bien élevé, sans le moindre sentiment de chagrin ni le moindre effort de consolation. Elle ne connaissait pas l'armée si bien que ça, mais elle savait que les soldats obtenaient des permissions, s'ils les demandaient, pour assister aux enterrements. Elle avait déjà écrit à Billy pour qu'il vienne au mariage, mais il avait répondu en disant qu'il était trop occupé à expédier des poids lourds et des command-cars par les rues et les routes qui menaient de Bruxelles à Armageddon pour aller danser aux noces de parents à demi oubliés. Elle aussi faisait partie des parents à demi oubliés, pensa-t-elle avec amertume. Qu'il continue de se la couler douce à Bruxelles. Digne fils de son père. Elle concentra son attention sur son frère, en train d'essayer patiemment de démêler des vies enchevêtrées. Evidemment, Rudy était allé immédiatement voir un avocat. La mort, après tout, était une affaire juridique.

— Un avocat français, continua Rudolph, qui heureusement parle bien anglais ; c'est le directeur de l'hôtel qui m'a donné son nom. Il semble être un homme de confiance. Il m'a dit que bien que vous soyez tous domiciliés en France, puisque vous vivez sur le bateau et que vous n'avez pas de résidence à terre, et que selon la loi française le bateau est techniquement territoire américain, il serait préférable d'ignorer les Français et de vous soumettre à la juridiction du consul américain à Nice. Y voyez-vous quelque objection ?

— Comme vous voudrez, Rudolph, dit Kate. Ce qui vous paraît le mieux.

— Si vous pouvez le faire sans histoires, d'accord en ce qui me concerne, dit Dwyer.

Il avait l'air de s'ennuyer en disant cela, comme un petit garçon à l'école pendant une classe d'arithmétique, qui aimerait mieux être dehors à jouer au base-ball.

— Je tâcherai de parler au consul cet après-midi, dit Rudolph, et je verrai ce qu'il nous conseille.

Wesley entra avec le livret du Crédit Suisse et le chéquier du Crédit Lyonnais et les relevés des trois derniers mois.

— Vous permettez que j'y jette un coup d'œil ? demanda Rudolph à Kate.

— C'était votre frère.

Comme d'habitude, pensa Gretchen, près de la porte, tournant le dos au salon, personne n'épargne rien à Rudy.

Rudolph prit les carnets et les papiers des mains de Wesley. Il examina le dernier relevé du Crédit Lyonnais. Il y avait un crédit d'un peu plus de dix mille francs. Environ deux mille dollars, calcula Rudolph en lisant le chiffre à haute voix. Puis il ouvrit le livret.

— Onze mille six cent vingt-deux dollars, dit-il.

Il était étonné que Thomas ait économisé autant.

— Si vous voulez mon avis, dit Kate, tout est là. Tout le saint-frusquin.

— Naturellement, il y a le bateau, dit Rudolph. Que va-t-on en faire ?

Il y eut un silence dans la cabine.

— Je sais ce que *moi* je vais faire du bateau, dit Kate calmement, sans émotion, en se levant. Je vais le quitter. A l'instant même.

La robe démodée et trop serrée remonta au-dessus de ses genoux potelés, ronds et bronzés.

— Kate, protesta Rudolph, il faut décider quelque chose.

— Je suis d'accord avec tout ce que vous déciderez, dit Kate. Je ne passerai pas une nuit de plus à bord.

Quelle femme adorable, normale, les pieds sur terre, pensa Gretchen, elle a attendu pour dire un dernier adieu à son homme, et maintenant elle part, sans chercher à obtenir le moindre profit ou avantage de ce qui avait été son foyer, son moyen d'existence, la source de son bonheur.

— Où allez-vous ? demanda Rudolph à Kate.

— Pour le moment à l'hôtel en ville, dit Kate. Après, je verrai. Wesley, veux-tu porter ma valise jusqu'à un taxi ? — Sans un mot, Wesley souleva la valise dans sa grande main. — Je vous appellerai à votre hôtel quand je me sentirai en état de parler, Rudy. Merci pour tout. Vous êtes un type bien.

Elle l'embrassa sur la joue, un baiser qui était comme une bénédiction, un geste tacite d'exonération, et suivit Wesley sur le pont, en passant devant Gretchen pour sortir du salon.

Rudolph se laissa tomber sur la chaise qu'elle avait occupée et se frotta les yeux avec lassitude. Gretchen vint vers lui et lui toucha affectueusement l'épaule. L'affection, elle le savait, n'était pas incompatible avec la critique, avec le mépris même.

— Ne t'en fais pas, Rudy, dit-elle, tu ne peux pas régler la vie de tout le monde en un après-midi.

— J'ai parlé avec Wesley, dit Dwyer. Il savait que Kate allait partir. Il veut rester sur la *Clothilde* avec moi. Au moins quelque temps. Au moins jusqu'à ce que l'hélice et l'arbre soient réparés. Ne vous inquiétez pas pour lui, je m'en occuperai.

— Bon, dit Rudolph. — Il se leva, un peu voûté, un fardeau sur les épaules. — Il se fait tard. Je ferais mieux d'essayer d'arriver à Nice avant la fermeture du consulat Gretchen, veux-tu que je te dépose à l'hôtel ?

— Non merci, dit Gretchen. Je crois que je vais rester ici un moment, et prendre un verre avec Bunny. Peut-être deux verres.

Ce n'était pas un après-midi à laisser Dwyer tout seul.

— Comme tu veux, dit Rudolph. — Il posa sur la table les livrets de banque et les relevés qu'il tenait toujours à la main. — Si tu vois Jean, avertis-la que je ne rentrerai pas dîner.

— Ce sera fait, dit Gretchen.

Ce n'était pas non plus un après-midi à être obligée de parler à Jean Jordache, pensa-t-elle.

— A mon avis nous serions mieux sur le pont, dit Gretchen à Dwyer après le départ de Rudolph.

Le salon qui jusque-là lui avait paru accueillant et agréable s'était transformé pour elle en un sombre et sinistre bureau de comptabilité, où des vies étaient consignées dans des registres, des vies devenues symboles, crédits et débits, et non plus chair et sang. Elle avait déjà connu cela. Quand son mari avait été tué dans cet accident de voiture, il n'y avait pas eu de testament, non plus. Peut-être Colin Burke, qui n'avait jamais frappé un homme de sa vie, qui avait vécu entouré de livres, de pièces de théâtre, de scénarios, qui avait traité avec douceur et diplomatie les écrivains et les acteurs qu'il avait dirigés, et souvent détestés, avait-il plus en commun qu'il n'y paraissait à première vue avec son vaurien de frère à peine lettré.

A défaut de testament, il y avait eu des complications sur la façon dont il fallait disposer des biens de Colin. Il y avait une ex-femme qui vivait d'une pension alimentaire, une maison hypothéquée, des droits d'auteur. Les avocats s'en étaient mêlés, la succession avait été immobilisée pendant plus d'un an. Rudy s'était alors occupé de tout, comme il faisait maintenant, comme il faisait toujours.

— Je vais apporter les verres, disait Dwyer. C'est gentil à vous de me tenir compagnie. Le plus dur, c'est d'être seul. Après tout ce que nous avons vécu, Tom et moi. Et maintenant Kate est partie. La plupart des femmes auraient créé des problèmes à bord. Entre deux hommes amis et associés depuis si longtemps. Kate, non. — La bouche de Dwyer tremblait presque imperceptiblement. — Elle est bien, notre vieille Kate, non ?

— Beaucoup mieux que bien, dit Gretchen. Bien tassé, Bunny.

— Whisky, c'est bien ça ?

— Avec beaucoup de glace, s'il vous plaît.

Elle se dirigea vers l'avant, là où la cabine et le poste de pilotage la dissimuleraient aux yeux des passants sur le quai. Elle en avait assez des amis de Tom, de Dwyer et de Kate des autres bateaux du port, qui venaient à bord avec des visages peinés pour murmurer des condoléances. Leur chagrin était évident. Elle n'était pas si sûre du sien.

A la proue. avec les rouleaux de cordages bien nets, les cuivres brillants et le pont de teck briqué et immaculé, elle regarda la scène devenue familière du port encombré qui l'avait enchantée lorsqu'elle l'avait vue pour la première fois : les mâts qui se balançaient, les hommes qui travaillaient avec lenteur et application aux milliers de petites tâches qui semblaient constituer la routine quotidienne des gens de la mer. Même maintenant, après tout ce qui s'était passé, elle ne pouvait s'empêcher d'être touchée par cette beauté tranquille.

Dwyer arriva derrière elle, nu-pieds ; la glace tintait dans les verres qu'il tenait. Il lui donna le sien. Elle le leva vers lui, avec un sourire mélancolique. Elle n'avait rien mangé ni bu de tout le jour, et la première gorgée lui picota la langue.

— Je ne bois pas d'alcool, d'habitude, dit Dwyer, mais je devrais peut-être m'y mettre. — Il buvait à petites gorgées, savourant avec attention le goût et l'effet. — Je vous le dis, votre frère Rudy est un sacré bonhomme. Un type qui s'accroche.

— Oui, dit Gretchen.

C'était une des façons de le décrire.

— On aurait été dans un drôle de pétrin sans lui...

Ou pas dans le pétrin du tout, pensa Gretchen, s'il avait laissé sa femme à la maison et était resté sur l'autre continent.

— On se serait fait plumer sans lui..., dit Dwyer.

— Par qui ?

— Les avocats, dit Dwyer vaguement. Les courtiers maritimes, la loi. Tout le monde.

Voici un homme, se dit Gretchen, qui a connu les tempêtes en pleine mer, qui a fait son travail jusqu'aux limites de l'endurance physique, à des moments où la moindre défaillance l'aurait envoyé au fond, lui et ceux qui dépendaient de lui, qui a survécu à la compagnie d'hommes violents et brutaux, mais qui se sent complètement désarmé devant une feuille de papier, une allusion à l'autorité terrestre. Autre race, pensa Gretchen, dont toute la vie d'adulte avait été environnée d'hommes qui évoluaient parmi les papiers, dans des bureaux comme ailleurs, le pied aussi sûr et confiant qu'un Indien dans la forêt. Son frère défunt avait appartenu à une autre race, peut-être dès sa naissance.

— Celui qui me préoccupe, dit Dwyer, c'est Wesley.

Préoccupé, non pas pour lui-même, pensa-t-elle, qui ne voit pas la nécessité des contrats, qui se contente de partager ce qui reste à la fin de l'année, qui n'a aucun droit légal, pas même, en ce moment, d'avoir les pieds sur le pont bien astiqué du joli bateau sur lequel il gagne sa vie depuis des années.

— Wesley ira très bien, dit-elle. Rudy se chargera de lui.

— Il n'acceptera pas, dit Dwyer, en buvant. Wesley. Il voulait être comme son père. C'était marrant, quelquefois, de le voir essayer de marcher comme son père, de parler comme son père, d'être à la hauteur de son père. — Il avala une goulée, fit une légère grimace, regarda d'un air pensif le verre dans sa main comme s'il tentait de décider s'il contenait un ami ou un ennemi. Il soupira, incertain, puis continua : — Ils restaient debout dans le poste de pilotage des nuits entières ; en mer ou au port, on pouvait les entendre parler en bas, Wesley qui posait une

question. Tom qui prenait son temps pour lui répondre, longuement
Un jour j'ai demandé à Tom de quoi diable ils pouvaient tant parler.
Tom a ri. « Le môme me pose des questions sur ma vie, et je lui
réponds. Je suppose qu'il veut rattraper les années manquées. Je
suppose qu'il veut savoir de quoi est fait son vieux. Moi, j'ai fait pareil
avec mon père, mais lui ne me répondait pas, il me donnait un coup de
pied au cul. » D'après ce que Tom laissait entendre, dit Dwyer,
prudent, d'un ton anodin, j'imagine que ce n'était pas le grand amour,
entre eux, non ?

— Non, dit Gretchen, ce n'était pas un homme sympathique, notre
père. Il ne débordait pas d'amour. S'il en avait, il le réservait pour
Rudolph.

— Ah, les familles, soupira Dwyer.

— Les familles, répéta Gretchen.

— J'ai demandé à Tom quel genre de questions Wesley lui posait sur
lui-même, continua Dwyer. « Les questions habituelles, me dit Tom. A
quoi je ressemblais quand j'étais un môme qui allait à l'école, comment
étaient mon frère et ma sœur » — vous et Rudy — « comment je suis
devenu boxeur, puis marin dans la marine marchande. Quand j'ai eu
ma première fille. Comment étaient les autres femmes que j'ai connues,
sa foutue mère... » J'ai demandé à Tom s'il disait la vérité au gosse.
« Rien que la vérité, a dit Tom. Je suis un père moderne. Je dis aux
gosses d'où viennent les bébés, tout. » Il avait un sens de l'humour bien
à lui, Tom.

— Ça devait être de drôles de conversations, dit Gretchen.

— « Cacher la vérité, c'est gâter l'enfant », m'a dit Tom un jour. De
temps en temps il parlait comme s'il avait ramassé un peu d'instruction çà et là. Pourtant il n'était pas très porté sur l'instruction. Tom se
méfiait profondément de l'instruction. Peut-être que je ne devrais pas
vous le dire, dit Dwyer avec sérieux, en faisant tourner dans son verre
les restes de glaçons, mais il prenait toujours votre frère Rudy comme
exemple. Il disait : « Regarde Rudy, il a reçu tout ce que le cerveau
d'un homme peut emmagasiner comme instruction, et regarde le
résultat, sec comme un vieux raisin, on se moque de lui après ce que son
ivrogne de femme a fait dans leur propre ville, et il se retrouve Gros-
Jean comme devant à se demander ce qu'il va faire du reste de sa vie. »

— Je crois que je prendrais bien un autre verre, Bunny, dit Gretchen.

— Moi aussi, dit Dwyer. Je commence à aimer le goût.

Il lui prit son verre et alla vers l'arrière dans le salon. Gretchen
réfléchit à ce qu'avait dit Dwyer. Cela en disait plus long sur Dwyer que
sur Tom ou Wesley. Elle comprit que Tom avait été le centre de la vie
de Dwyer ; Dwyer pouvait probablement répéter mot pour mot tout ce
que Tom lui avait dit du début à la fin. Si Dwyer était une femme, on
dirait qu'il était amoureux de Tom. Quoique, même étant un homme...
Cette bouche de jeune fille, cette manière bien particulière de se servir
de ses mains... Pauvre Dwyer, pensa-t-elle, c'est peut-être lui qui
souffrira le plus, en fin de compte. Quant à Wesley, il lui échappait un
peu. Il lui avait paru un garçon bien élevé, plein de santé, lorsqu'ils
étaient arrivés à bord. Depuis la mort de son père, il était devenu
silencieux, son visage était fermé, il les évitait tous. Rudy se chargerait

de lui, avait-elle dit à Dwyer. Elle se demanda si Rudy ou qui que ce soit d'autre en serait capable.

Dwyer revint avec les whiskies. Le premier verre commençait à faire son effet. Elle se sentait rêveuse, lointaine, tous les problèmes devenus flous, distants. Elle se sentait mieux ainsi que de la façon dont elle s'était sentie ces derniers temps. Peut-être que Jean, avec ses bouteilles cachées, connaissait là quelque chose qu'il était utile de savoir. Reconnaissante, elle but une gorgée de son deuxième verre.

Dwyer avait un air différent, comme préoccupé, alors qu'il se tenait là, appuyé contre le bastingage dans son maillot blanc tout propre et son pantalon de coton, se mordant la lèvre avec les dents comiquement en saillie qui lui avaient valu son sobriquet. On aurait dit qu'il avait pris une décision, une décision difficile, pendant qu'il était seul dans la cabine pour remplir les verres.

— Je ne devrais peut-être pas dire ça, Mrs Burke...

— Gretchen.

— Merci, madame. Mais je sens que je peux vous parler. Rudy est un homme très bien, je l'admire, on ne pourrait pas souhaiter avoir quelqu'un de meilleur à ses côtés dans la situation où nous nous trouvons aujourd'hui ; mais il n'est pas le genre d'homme à qui un type comme moi peut parler — je veux dire *vraiment* parler — vous voyez ce que je veux dire ?

— Oui, dit-elle, je comprends.

— C'est un homme très bien, comme je disais, continua Dwyer mal à l'aise, la bouche frémissante, mais il n'est pas comme Tom.

— Non, c'est vrai, dit Gretchen.

— Wesley m'a parlé. Il ne veut rien avoir à faire avec Rudy. Ni avec sa femme. Ce qui est tout simplement naturel et humain, après ce qui est arrivé, vous ne trouvez pas ?

— Et comment, dit Gretchen. Après ce qui est arrivé !

— Si Rudy met le grappin sur le gosse — avec les meilleures intentions du monde, j'en suis sûr — il va y avoir des histoires. Des histoires terribles. Impossible de savoir ce que ce gosse fera.

— Je suis d'accord avec vous, dit Gretchen. — Elle n'y avait pas pensé auparavant, mais dès l'instant où les mots avaient franchi les lèvres de Dwyer elle avait vu qu'il avait raison. — Mais que faire ? Kate n'est pas sa mère et elle a ses problèmes. Vous ?

Dwyer rit avec tristesse.

— Moi ? J'ignore où je serai dans vingt-quatre heures. Tout ce que je connais, c'est les bateaux. La semaine prochaine, je voguerai peut-être vers Singapour. Dans un mois vers Valparaiso. De toute façon, je ne suis pas fait pour être le père de qui que ce soit.

— Alors ?

— Je vous ai observée de très près, dit Dwyer. Même si vous n'avez pas plus fait attention à moi qu'à un meuble...

— Oh, n'exagérons rien, Bunny, dit Gretchen qui se sentait coupable parce que la même pensée lui avait traversé l'esprit quelques minutes auparavant.

— Je ne vous en veux pas, et je ne vous juge pas, madame.

— Gretchen, dit-elle machinalement.

— Gretchen, répéta-t-il obéissant. Mais depuis que c'est arrivé — et puis vous êtes restée avec moi et vous me laissez parler — je vois quelqu'un d'humain. Je ne veux pas dire que Rudy n'est pas humain, ajouta Dwyer hâtivement, seulement il n'est pas le genre d'homme qu'il faut pour Wesley. Quant à sa femme...

Dwyer se tut.

— Ne parlons pas de sa femme.

— Si *vous*, vous alliez voir Wesley et vous lui disiez franchement et ouvertement : « Viens avec moi !... », il le comprendrait. Il verrait que vous êtes le genre de femme qu'il pourrait accepter comme mère.

Une idée nouvelle dans le processus de la conception naturelle, se dit Gretchen, les fils qui choisissent leur mère. N'arrêtera-t-on jamais l'évolution ?

— Je ne suis pas ce qu'on pourrait appeler une mère exemplaire, dit-elle brièvement. — L'idée d'être responsable en quelque façon de ce garçon dégingandé et boudeur qui portait dans son sang les gènes sauvages de Tom l'effarouchait. — Non, Bunny, je crois que ça n'irait pas.

— J'aurai au moins essayé, dit Dwyer avec résignation. Je ne veux pas voir Wesley livré à lui-même. Il est trop jeune pour être livré à lui-même, quoi qu'il en pense. Il y a beaucoup de bouleversements en perspective pour Wesley Jordache.

Elle ne put s'empêcher de sourire un peu au mot « bouleversements ».

— Pinky Kimball, le mécanicien du *Véga*, poursuivit Bunny — c'est lui qui avait vu Mrs Jordache au night-club avec le Yougoslave —, il me dit que Wesley lui court après. Il veut que Pinky l'aide à retrouver le gars, qu'il le lui montre... Je me trompe peut-être mais je crois, et Pinky aussi, que ce que veut Wesley, c'est venger son père.

— Bon Dieu, dit Gretchen.

— Quand vous regardez autour de vous — Dwyer fit un geste englobant le port tranquille, les collines verdoyantes, la citadelle inutile et les fortifications pittoresques et anachroniques —, vous vous dites : quel endroit merveilleux et paisible. Mais la vérité c'est qu'entre Nice et Marseille, vous avez presque autant de truands que partout ailleurs dans le monde. Entre les putains et la drogue, la contrebande et le jeu, on joue beaucoup du revolver et du couteau par ici, et il y a plein de gars qui tueraient leur mère pour dix mille francs, ou même pour rien. Et d'après ce que m'a dit Pinky Kimball, le mec avec qui Tom s'est battu est de ceux-là. Si Wesley se met à chercher ce type, et qu'il le trouve, qui sait ce qui peut lui arriver. A l'école militaire où il était, ils étaient obligés de l'arracher aux autres mômes dans les bagarres ; ce n'étaient pas de simples combats d'entraînement sportif, il les aurait tués si personne d'autre n'avait été là. S'il veut que Pinky Kimball lui désigne quelqu'un, il y a de fortes chances que ce soit parce qu'il veut le tuer.

— Seigneur, dit Gretchen, que voulez-vous dire par-là, Bunny ?

— Ce que je veux dire, c'est que quoi qu'il arrive il faut que vous fassiez partir le gosse d'ici, hors de France. Et ce n'est pas Rudolph Jordache qui peut le faire. Maintenant, dit-il, je suis ivre. Je n'aurais pas parlé comme ça si je ne l'avais pas été. Mais je maintiens ce que j'ai dit. Saoul ou pas. Je maintiens chaque mot de ce que j'ai dit.

— Bunny, dit Gretchen, merci de m'avoir dit tout cela. — Mais elle regrettait d'avoir décidé de rester avec lui après le départ des autres. Ce n'était pas son problème, pensa-t-elle avec ressentiment, et la solution n'était pas à sa portée. — J'en parlerai à mon frère, pour voir ce qu'on peut faire. Est-ce que vous pensez que ce serait une bonne idée si j'attendais le retour de Wesley et que nous allions dîner tous les trois ?

— Vous voulez que je sois franc ?

— Bien sûr.

— Je crois que Wesley vous aime bien. Je le sais, en fait, il me l'a dit. Mais ce soir, je crois qu'il ne veut pas voir un seul Jordache au dîner. Je l'inviterai moi-même. Nous avons à parler ensemble, de choses privées, lui et moi.

— Merci pour le pot, dit Gretchen.

— C'est la maison qui l'offre.

— Envoyez-moi une carte postale. De Singapour, ou de Valparaiso, ou de n'importe où.

— Sans faute.

Dwyer rit, d'un petit rire sec.

Elle faisait durer son verre. Elle avait le sentiment que si elle laissait Dwyer tout seul, il s'effondrerait, s'assiérait sur le pont pour pleurer. Elle ne voulait pas que Wesley le trouvât dans cet état à son retour.

— Je vais finir ce verre, puis...

— Vous en voulez un autre ? Je vais vous le chercher.

— Ça ira, merci.

— Je me suis mis au whisky, qu'est-ce que vous dites de ça ? — Dwyer secoua la tête. — Croyez-vous aux rêves ? demanda-t-il soudain.

— Parfois.

Elle se demanda si Dwyer avait entendu parler de Freud.

— J'ai fait un rêve cette nuit, dit Dwyer. J'ai rêvé que Tom était étendu par terre — je ne sais pas où c'était — il était simplement étendu par terre et il avait l'air d'être mort. Je l'ai soulevé et je savais que je devais le porter quelque part. Dans le rêve, je n'étais pas assez grand pour le porter dans mes bras alors je l'ai chargé sur mon dos. Il est beaucoup plus grand que moi, de sorte que ses jambes traînaient par terre ; j'ai passé ses bras autour de mon cou pour avoir une bonne prise et je me suis mis à marcher, je ne sais pas où j'allais, quelque part où je savais que je devais le porter. Vous savez comment c'est dans les rêves, je transpirais, il était lourd, il était un poids mort autour de mon cou, sur mon dos. Puis tout d'un coup j'ai senti qu'il commençait à bander contre mon derrière. J'ai continué à marcher. Je voulais lui dire quelque chose mais je ne savais pas quoi dire à un mort en pleine érection. Il bandait de plus en plus. Et j'avais chaud partout. Et même dans mon rêve, j'avais honte. Et vous savez pourquoi j'avais honte ? Parce que j'en avais *envie*. — Il secoua la tête. Il avait parlé sur un ton rêveur, comme sous la contrainte. Il secoua la tête avec colère. — Il fallait que je le dise à quelqu'un, dit-il d'une voix rauque. Excusez-moi.

— Ça va bien, Bunny, dit Gretchen doucement. Nous ne sommes pas responsables de nos rêves.

— *Vous*, vous pouvez dire ça, Mrs Burke, dit-il.

Cette fois elle s'abstint de le reprendre et de lui dire de l'appeler Gretchen. Elle n'osait pas regarder Dwyer parce qu'elle craignait de ne pas contrôler ce que son expression révélerait. La pitié était ce qu'elle pourrait faire de mieux, et elle redoutait l'effet de sa pitié sur cet homme.

Elle étendit la main et toucha la sienne. Il la saisit durement entre ses rudes doigts de marin, puis, d'un geste rapide et spontané, il la porta à ses lèvres et la baisa. Il lâcha la main et se détourna d'elle.

— Je suis désolé, dit-il, la voix brisée. C'était... Je ne sais pas... je...

— Vous n'avez pas besoin de parler, Bunny, dit-elle doucement.

En ce moment, le silence guérirait les blessures, étancherait le sang. Elle se sentait troublée, désemparée. Et si elle lui disait : Emmène-moi dans ta cabine, fais-moi l'amour ? Pensée de femme, l'acte central. Est-ce que son corps serait pour lui une consolation ou un reproche ? Qu'est-ce que cela signifierait pour elle ? Un acte de charité, une confirmation que la vie continuait, ou un dernier cri dérisoire de désespoir ? Elle regarda le dos musclé et massif du petit homme qui venait de lui baiser la main et qui s'était détourné. Elle amorça un pas vers lui, puis recula en un mouvement de retraite plus psychologique que physique.

Sa main était froide autour du verre de whisky dans lequel les glaçons fondaient. Elle posa le verre.

— Il faut que j'y aille. Il y a tellement de décisions à prendre. Dites à Wesley de m'appeler s'il a besoin de quoi que ce soit.

— Je le lui dirai, dit Dwyer. — Il ne la regardait pas, l'œil perdu vers l'entrée du port, la bouche tremblante. — Voulez-vous que j'aille au café vous appeler un taxi ?

— Non merci, je crois que j'irai à pied. Une petite marche me fera du bien.

Elle le laissa là à l'avant de la *Clothilde*, nu-pieds et impeccable dans son tricot blanc, avec les deux verres vides.

Elle s'éloigna lentement des bateaux, entra dans la ville par la rue étroite, la nuit se dessinant devant elle comme une menace. Elle regarda la vitrine d'un antiquaire. Il y avait là une lampe de bateau en cuivre qui lui plaisait. Elle aurait aimé l'acheter, la rapporter chez elle ; elle illuminerait un coin de pièce. Puis elle se souvint qu'elle n'avait pas de vrai foyer, qu'elle venait de quitter un appartement loué pour six mois à New York ; elle ne possédait aucune pièce qu'une lampe pourrait illuminer.

Elle s'enfonça dans la ville, encombrée de gens qui vendaient et achetaient, lisaient des journaux attablés dans des cafés, grondaient des enfants, leur offraient des glaces, personne ne se préoccupait de la mort. Elle aperçut une affiche de cinéma — on donnait ce soir-là un film américain doublé en français — décida de dîner seule en ville et d'aller le voir.

Elle passa devant la cathédrale, s arrêta un moment pour la regarder faillit y entrer. Si elle y était entrée, elle aurait trouvé Wesley sur un banc, au fond de la nef déserte, remuant les lèvres en une prière jamais apprise.

CHAPITRE III

Du carnet de Billy Abbott (1968).

MON PERE A ETE UNE FOIS A Paris, quand on l'a lâché de l'hôpital, tout de suite après la guerre. Il ne connaissait pas encore ma mère. Il a dit qu'il était trop ivre pendant les trois jours qu'il y a passés pour se souvenir de quoi que ce soit. Il a dit qu'il ne saurait pas reconnaître Paris de Dayton, Ohio. Il ne parlait pas beaucoup de la guerre, ce qui faisait de lui un compagnon beaucoup plus agréable que certains autres anciens combattants à qui j'ai eu affaire. Mais pendant certains des week-ends que je passais avec lui selon les termes du divorce, dès qu'il avait suffisamment bu, ce qui arrivait habituellement très vite, il se moquait de ce qu'il avait fait quand il était soldat. Je m'intéressais surtout aux filles de la Croix-Rouge et à ma sécurité personnelle, disait-il, j'étais dans l'aviation et je pilotais mon bureau d'une main ferme, tapant des articles pour les journaux de province sur les courageux garçons qui partaient en mission.

Pourtant, il s'était enrôlé, il avait été blessé même, au retour d'une mission. Je me demande si j'en aurais fait autant. L'armée est une commode farce macabre, si j'en juge par ce que je vois ici et par ce que je lis à propos du Vietnam dans les journaux. Bien sûr, comme ils disent tous, c'était une guerre différente. Devant le colonel je prends une pose des plus martiales, mais si la guerre éclatait en Europe, je déserterais probablement au premier coup de feu.

L'O.T.A.N. pullule d'Allemands, tous très copain-copain et frères d'armes, et ils ne sont pas très différents du reste de la faune. Monika, qui est Allemande, c'est autre chose.

* * *

Il faisait presque nuit lorsque Rudolph sortit du consulat. Le consul s'était montré agréable, avait écouté attentivement, pris des notes, fait venir un collaborateur, avait promis de faire tout ce qu'il pourrait pour l'aider, mais cela prendrait du temps, il faudrait qu'il appelle Paris, qu'il demande un avis juridique, il n'était pas convaincu que l'avocat d'Antibes était dans le droit chemin lorsqu'il avait dit à Rudolph d'ignorer les lois françaises, il faudrait demander à des autorités plus haut placées quels étaient les documents nécessaires pour le transfert de propriété de la *Clothilde* et la libération des comptes bancaires. La mort d'un Américain dans un pays étranger posait toujours des problèmes épineux, avait dit le consul, d'un ton laissant entendre que le fait de commettre un acte d'une telle importance sur un sol étranger frisait la trahison. Ce même jour, pensa Rudolph, des centaines d'Américains étaient morts au Vietnam, pays qui pouvait être considéré comme étranger, mais ces morts-là n'avaient posé aucun problème épineux au moindre consul. Le décès de Thomas Jordache allait créer encore plus de complications, avertit le consul ; rien ne serait réglé du jour au lendemain. Rudolph était sorti dans le crépuscule envahissant, démoralisé, se sentant piégé dans un sinistre réseau de procédures qui l'enserrerait encore plus étroitement à chaque mouvement qu'il ferait pour se libérer. Piégé une fois de plus, pensa-t-il, s'apitoyant sur lui-même, piégé à cause des autres.

Que faisait-on, se demandait Rudolph en laissant le consulat derrière lui, au temps où l'Amérique était un pays sauvage, quand le chef de la tribu était tué au combat ? Pour qui le wampum (1), les veuves, les enfants, le tepee, les coiffures de guerre, les plumes d'aigle, les lances et les flèches ? Quel habile non-guerrier, quel shamane ou guérisseur prenait en main l'administration et la justice ?

Il avait laissé sa voiture sur le bord de mer, devant l'Hôtel Négresco sur la Promenade des Anglais, car il n'avait pas voulu courir le risque de se perdre dans les rues d'une ville inconnue, et il avait pris un taxi pour se rendre au consulat. A pied maintenant, ne sachant pas très bien où il allait, ce qui lui était égal, il prit plus ou moins la direction du Négresco, sans s'occuper des gens autour de lui qui se dépêchaient de rentrer dîner chez eux. Soudain il s'arrêta. Ses joues étaient humides. Il porta la main à ses yeux : il pleurait. Il s'était mis à pleurer sans s'en rendre compte, en marchant en aveugle vers la mer. Bon Dieu, pensa-t-il, il a fallu que je fasse tout ce chemin entre l'Hudson et Nice pour pleurer pour la première fois depuis mon enfance. Personne ne semblait remarquer ses larmes ; personne ne le dévisageait avec curiosité. Peut-être les Français avaient-ils l'habitude de voir des adultes pleurer en marchant dans les rues ; peut-être était-ce une coutume locale. Peut-être, se dit-il, qu'après ce que leur pays avait enduré depuis Louis XVI ils avaient largement de quoi pleurer.

Il faisait déjà nuit lorsqu'il arriva à sa voiture. Il avait erré à travers les rues, en changeant de direction au petit bonheur. *Bella Nizza,* se souvint-il. Les Italiens l'avaient reprise pendant la Seconde Guerre mondiale. Pour peu de temps. Dans l'équivalent italien du Pentagone il y avait probablement un plan pour la reconquérir dans un avenir belligérant. De bons voisins. Pour le moment, ils cultivaient du jasmin et des roses sur tous les champs de bataille, en attendant la prochaine guerre. Pauvres généraux italiens, perdus mais si pleins d'optimisme.

(1) Coquillages utilisés comme monnaie ou comme ornements.

Elle n'en valait pas la peine, elle ne valait pas les os d'un seul paysan calabrais. Ce n'était plus *Bella Nizza*, c'était une ville moderne, dégradée et commerciale, un pêle-mêle de H.L.M. froides, vantant sa beauté révolue dans des brochures touristiques truquées, tandis que les boutiques de disques déversaient à pleins haut-parleurs de la musique rock. Toutes choses empiraient.

Les lampadaires de la Promenade des Anglais étaient allumés et se reflétaient dans les toits du flot ininterrompu de voitures, scintillant sur la mer polluée qui murmurait le long de l'étroite frange de plage couverte de gravier. Le consul avait dit dans la conversation que Nice était un bon poste, aux Affaires Etrangères. Le consul devait connaître des aspects de Nice qui ne sautaient pas aux yeux. Ou bien il avait été en poste au Congo ou à Washington, et alors même Nice devait lui plaire. Rudolph se demanda si quelque part entre le consulat et la mer il n'avait pas croisé l'assassin de son frère. Tout à fait possible. La police arrêtait tout le temps des assassins à Nice. Il se mit à penser à ce qu'il ferait si quelqu'un s'asseyait à côté de lui dans un café, le reconnaissait et lui disait calmement : « Bonjour, monsieur, peut-être vous intéresserait-il de savoir que c'est moi le coupable. »

Il ouvrit la portière de sa voiture, puis resta là, sans y monter, pensant à la soirée qui l'attendait : le retour à l'hôtel à Antibes, avoir à expliquer à Jean qu'ils devaient envisager de rester encore dans cet endroit qu'ils avaient pris en horreur, avoir à expliquer à Kate, Wesley et Dwyer que rien n'était résolu, que tout était en suspens, qu'ils étaient indéfiniment liés à la mort, qu'il n'y avait aucun moyen de savoir quand ils pourraient reprendre leur vie quotidienne.

Il ferma la portière. Il ne pouvait affronter ce qui l'attendait à Antibes. Aussi peu attrayante que soit Nice, cela valait mieux qu'Antibes, ce soir-là. En tout cas, il ne pleurait plus.

Les narines assaillies par des fumées que les savants de son pays avaient garanties mortelles pour le genre humain, il s'aventura prudemment dans la circulation pour traverser la Promenade des Anglais, éclairée par les vitrines illuminées et les lumières des cafés. Il entra dans un café, s'installa à une table à la terrasse, commanda un whisky-soda. Remède éprouvé, palliatif, népenthès, démêleur éphémère des problèmes épineux. Quand le whisky arriva, il but lentement, content que Jean ne fût pas avec lui, puisqu'il ne pouvait pas boire en sa présence. Il avait parfois l'impression qu'il ne pouvait pas respirer, en sa présence — il faudrait s'occuper de cela une autre fois. Il but encore une gorgée.

Soudain il se sentit une faim de loup. Il n'avait rien mangé depuis le petit déjeuner où il n'avait pris qu'un croissant et un café. Le corps avait son propre rythme, ses propres exigences, élémentaires et impérieuses. La faim chassa toute autre pensée de son esprit. Il s'enfonça dans sa chaise et composa luxueusement le menu de son dîner. Pour commencer, du melon au porto, puis une soupe de poissons, décida-t-il, spécialité de la région, avec des croûtons à l'ail et du fromage râpé, un steak et une salade, une pointe de brie, comme dessert des fraises. Une demi-bouteille de blanc de blanc avec la soupe et une demi-bouteille d'un capiteux vin rouge de Provence avec la viande et le fromage. La soirée s'étala devant lui dans sa splendeur gourmande. Il n'avait jamais eu de problèmes d'embonpoint, mais il savait que s'il n'avait pas été seul il aurait eu honte de commander un tel repas de sybarite en de pareilles circonstances. Mais il ne connaissait personne à Nice. Ceux qui étaient en deuil se trouvaient dans une autre ville. Il régla son whisky et longea la Promenade jusqu'au Négresco où il demanda au concierge le nom du meilleur restaurant de Nice. Il se rendit à pied à l'adresse qu'on lui avait indiquée, marchant d'un pas ferme, les yeux secs.

Le meilleur restaurant de Nice était éclairé aux chandelles, décoré d'éclatants bouquets de roses roses, et de la cuisine s'échappaient juste ce qu'il fallait d'effluves appétissants. Les dîneurs étaient peu nombreux, mais ils avaient l'air prospères et bien nourris. La salle était calme, l'atmosphère d'un sérieux de bon aloi, le maître d'hôtel était un Italien au sourire lumineux qui parlait anglais. C'est peut-être un espion de l'armée italienne, pensa Rudolph, et chaque soir en rentrant chez lui il dessine les plans du port qui sont reproduits sur microfilm par un complice. *Bella Nizza.*

Assis à une table couverte d'une nappe d'une blancheur éclatante, tout en rompant un petit pain croustillant pour y étaler du beurre, Rudolph se dit qu'il avait peut-être eu tort de penser que cette ville ne valait même pas les os d'un seul paysan calabrais. Il ne connaissait personne en Calabre. Pour aiguiser encore davantage son appétit il commanda un Martini dry. Le Martini arriva sur la table, pâle et glacé. Il pêcha l'olive et la grignota. Elle sentait le genièvre et le soleil de la Méditerranée. D'un geste de la main il refusa le menu que lui présentait le maître d'hôtel. « Je sais ce que je vais prendre », dit-il.

Le repas qui lui fut servi justifia l'opinion qu'avait le concierge de la qualité de la cuisine de ce restaurant. Rudolph mangea et but lentement, se sentant restauré par chaque bouchée de nourriture, chaque goutte de vin. Quelquefois, pensa-t-il, les meilleures vacances peuvent tenir en deux heures d'une vie.

Lorsqu'il eut terminé les fraises, il demanda l'addition. Il voulait faire quelques pas, repu, anonyme, sans entraves, et s'asseoir quelque part pour prendre un café et un cognac. Il laissa de généreux pourboires au maître d'hôtel et aux garçons, et sortit dans la nuit enbaumée. Il rejoignit la plage en quelques minutes. La mer la plus ancienne. Ulysse lui avait survécu. Attaché au mât, les oreilles de ses marins bouchées par de la cire pour ne pas entendre les chants. Nombreux étaient les hommes courageux qui reposaient au fond. Tom les avait rejoints, à présent. Rudolph se tenait debout sur la berge empierrée, à quelques mètres de l'endroit où les faibles vagues se glissaient en territoire français, en une petite dentelle d'écume. C'était une nuit sans lune, mais les étoiles brillaient et le long de la courbe de la côte obscure des milliers de points lumineux formaient des guirlandes de joyaux sur le fond des collines.

Il inhala profondément l'air salé. Malgré le bruit de fond de la circulation derrière lui il se sentait merveilleusement seul, sur la plage déserte, rien d'autre devant lui que la noire étendue d'eau. Demain, il le savait, serait un jour de culpabilité et de tumulte, mais c'était demain.

Il se pencha, ramassa un caillou lisse et rond et le lança, en le faisant ricocher, à la surface de la mer. Il ricocha trois fois. Il gloussa. S'il avait été plus jeune, un adolescent, il se serait mis à sprinter sur la plage comme un joueur de football, au ras de l'eau, esquivant le flux et le reflux irréguliers. Mais à son âge, avec son costume noir, il ne lui semblait pas indiqué d'attirer sur lui l'attention des gens qui flânaient sur la Promenade au-dessus de la plage, aussi détendu qu'il se sente après son dîner.

Il regagna la Promenade, pénétra dans un café brillamment éclairé, et choisit une table d'où il pouvait observer le trottoir plein de monde, tous ces hommes et ces femmes qui flânaient, leur journée de travail ou leur devoir de touriste accompli, se contentant maintenant de goûter le climat, les brefs échanges de regards, la possibilité de déambuler sans hâte dans la douceur de la nuit, bras dessus, bras dessous avec un être aimé.

Il n'y avait pas foule dans le café. Deux tables plus loin, une femme lisait un magazine, la tête penchée de sorte qu'il ne pouvait voir son visage. Elle avait levé les yeux lorsqu'il était entré, puis s'était aussitôt replongée dans son magazine. Il y avait sur la table devant elle un verre à moitié plein de vin blanc. Elle avait les cheveux foncés, de jolies jambes, remarqua-t-il, et portait une robe bleu clair.

Il était conscient d'une autre faim, vague.

Ne gâche pas la soirée, se conseilla-t-il.

Il commanda au garçon un café et un cognac, en anglais. Il nota que la femme levait de nouveau les yeux à ses paroles. Il aperçut, ou crut apercevoir, la lueur d'un sourire fugace sur son visage. Elle n'était pas jeune, pas loin de la quarantaine, estima-t-il, à peu près le même âge que lui, soigneusement maquillée, les paupières fardées. Un peu vieille pour une prostituée mais séduisante tout de même.

Le garçon apporta le café et le cognac ainsi que la petite fiche, et retourna à l'intérieur du bar. Rudolph but une gorgée de café, qui était noir et fort. Puis il prit le petit verre de cognac et le huma. Au moment où il allait boire, la femme leva vers lui son verre de vin. Cette fois, pas de doute. Elle souriait. Sa bouche était charnue et vermeille, ses yeux gris foncé, ses cheveux noirs. Poliment, Rudolph leva légèrement son verre en guise de salut, et but un peu.

— Vous êtes Américain, n'est-ce pas ?

Elle avait à peine un léger accent.

— Oui.

— Je le savais dès que vous êtes entré, dit-elle. Les vêtements. Etes-vous en voyage d'agrément ?

— En quelque sorte, dit-il.

Il ne savait pas s'il souhaitait ou non poursuivre la conversation. Il n'était pas à l'aise avec les inconnus, surtout les femmes. Elle ne ressemblait pas aux prostituées qu'il avait vues rôder dans les rues de New York, mais il se trouvait dans un pays étranger et ne savait pas très bien comment les prostituées françaises s'habillaient et parlaient. Il n'avait pas l'habitude d'être accosté par des femmes. Il y avait en lui quelque chose de rébarbatif, d'austère, lui avait dit son ami et avocat Johnny Heath Johnny Heath était abordé partout où il allait, dans la rue, dans les bars, dans les soirées. Johnny Heath, lui, n'avait rien d'austère.

Depuis l'adolescence, Rudolph s'était forgé une attitude froide et distante, croyant que cela lui donnerait l'air d'appartenir à une autre classe que les garçons et les hommes parmi lesquels il avait grandi, avec leur facile camaraderie, leur jovialité bruyante et plébéienne. Peut-être suis-je allé trop loin, pensa-t-il en regardant la femme à l'autre table.

— Est-ce que vous vous amusez ? demanda la femme.

Sa voix était rauque, avec une certaine âpreté qui n'était pas désagréable.

— Modérément, dit-il.

— Etes-vous dans un hôtel ici à Nice ?

— Non, dit-il. — Il supposa qu'il existait un rituel routinier auquel se livraient les dames comme celle-ci. Il se dit qu'elle devait compter parmi les membres les mieux payés de sa profession, de celles qui n'allaient pas droit au but mais flattaient un homme en feignant de s'intéresser à lui, plaçant la transaction à un niveau qui n'était pas seulement physique et commercial. — Je suis de passage, dit-il. — Il commençait à penser : Pourquoi pas ? Pour une fois dans ma vie, pourquoi ne pas voir comment c'est ? En outre, il y avait longtemps qu'il était chaste. Trop longtemps. Il n'avait pas dormi dans la même chambre que Jean depuis qu'elle avait fait sa fausse couche. Plus d'un an. Quelquefois, pensa-t-il, tu dois te souvenir que tu es un homme. Animal nu et fourchu. Même lui. Il sourit à la femme. C'était bon de sourire. — Puis-je vous offrir un verre ?

Il n'avait encore jamais offert un verre à un inconnu, homme ou femme. Presque temps de s'y mettre. Pourquoi donc me suis-je préservé, qu'ai-je voulu prouver ? Dans la seule ville de Nice, en ce moment même, il y avait probablement des milliers d'hommes et de femmes en train de se rouler sur des lits joyeux, sans le moindre regret, jouissant du plaisir pour lequel leur corps était fait, oubliant les peines et les appréhensions de la journée. Pour quelle raison serait-il au-dessus du commun des mortels ?

— Je suis seul, osa-t-il. Je ne parle pas vraiment le français, je serais heureux d'avoir de la compagnie. Quelqu'un qui parle anglais.

Toujours la clause de salut, modificatrice et hypocrite, pensa-t-il.

La femme regarda sa montre, feignit de prendre une décision.

— Bon, dit-elle, ce serait très agréable. — Elle lui sourit. Elle était jolie quand elle souriait, trouva-t-il, avec ses dents blanches et régulières et de charmantes petites rides autour de ses yeux gris sombre. Elle ferma son magazine, prit son sac à main, et se mit debout pour franchir les trois pas qui séparaient les deux tables. Il se leva et lui offrit une chaise. Elle dit « merci » en s'asseyant. — J'aime parler avec des Américains quand l'occasion se présente. J'ai passé trois ans à Washington et j'ai appris à aimer les Américains.

Ouverture, se dit Rudolph en gardant une expression agréable sur le visage Si j'étais Suédois ou Grec, elle aurait dit qu'elle aime les Suédois et les Grecs. Il fit des suppositions sur les conditions dans lesquelles elle avait passé ces trois ans à Washington. Distraction pour éminences grises, payée pour corrompre des membres du Congrès dans des chambres de motel ?

— Il y a des Américains qui me sont sympathiques à moi aussi, dit-il.

Elle gloussa, un petit gloussement de femme du monde. Elle n'avait décidément rien de commun avec les rôdeuses sauvages et voyantes des rues de New York, quel que fût leur lien professionnel. Il avait entendu dire qu'il y avait aussi, en Amérique, des putains aux bonnes manières, qui prenaient cent dollars ou plus pour une visite d'une heure, et qu'on ne pouvait faire venir que par téléphone, des actrices et des mannequins en chômage, des ménagères élégantes qui voulaient s'offrir un manteau de vison, mais il n'en avait jamais rencontré. En fait, il n'avait jamais dit plus de deux mots à une prostituée : « Non merci ».

— Et les Français, dit la femme, vous les trouvez sympathiques ?

— Modérément, dit-il. Et vous ?

— Certains.

Elle gloussa de nouveau.

Le garçon se présenta, impassible, habitué aux mouvements de table en table.

— La même chose, un vin blanc ? demanda Rudolph à la femme en français.

— Ah, dit-elle, vous parlez français ?

— Un petit peu, dit Rudolph. — Il se sentait folâtre, un peu gris. C'était une nuit à jeux, à mascarades, à jolis jouets français. Quoi qu'il arrive ce soir-là, cette dame allait voir que celui qu'elle avait entre les mains n'était pas un simple touriste américain. — Je l'ai étudié à l'école. Au *high school*. Comment dit-on en français ?

— Collège ? Lycée ?

— Lycée, dit-il avec un sentiment de triomphe.

Le serveur piaffa légèrement, pour rappeler qu'il ne pouvait pas rester planté là toute la nuit à écouter un Américain qui s'efforçait de se remémorer son français d'écolier pour impressionner une dame qui venait de le racoler.

— Monsieur, dit le garçon, un autre cognac ?

— S'il vous plaît, dit Rudolph très digne.

Après, ils continuèrent la conversation dans un mélange des deux langues, riant ensemble du français que Rudolph réussit à exhumer du fond de sa mémoire, en lui parlant de la Française à la poitrine généreuse qui avait été son professeur quand il était adolescent, lui racontant comment il s'était cru amoureux d'elle, lui avait écrit des lettres ardentes en français, l'avait un jour dessinée nue, dessin qu'elle lui avait confisqué. De son côté, la femme semblait heureuse de l'écouter, de corriger ses fautes de langage, de le féliciter chaque fois qu'il réussissait à aligner correctement plus de trois mots. Si toutes les prostituées françaises sont comme elle, pensa Rudolph, éméché après une bouteille de champagne, je comprends pourquoi la prostitution est un élément si respecté de la culture française.

Puis la femme — il lui avait demandé son nom, elle s'appelait Jeanne — avait regardé sa montre et s'était ressaisie.

— Il se fait tard, dit-elle en anglais, ramassant son sac et son magazine, je dois rentrer.

— Je suis navré de vous avoir fait perdre votre temps, dit il.

Il avait la voix pâteuse, et les mots sortaient difficilement.

Elle se leva.

— Je me suis bien amusée, Jimmy, dit-elle. — Il lui avait dit que c'était son nom. Encore un masque. On ne le retrouverait pas. — Mais j'attends un coup de fil important...

Il se leva pour prendre congé, mi-soulagé mi-désolé à l'idée qu'il ne ferait pas l'amour avec elle. En se levant, sa chaise se renversa et il tituba légèrement.

— C'était ss... charmant, dit-il.

Elle fronça les sourcils.

— Où est votre hôtel ? demanda-t-elle.

Où était son hôtel ? Pendant un instant la carte de France s'effaça de sa mémoire.

— Où est mon... mon hôtel..., dit-il d'une voix indistincte. Oh, Antibes.

— Vous êtes en voiture ?

— Oui.

Elle réfléchit un moment.

— Vous n'êtes pas en état de conduire, vous savez.

Il baissa la tête, confus. Il se dit qu'elle entendait par-là, avec dédain, que les Américains qui venaient en France n'étaient pas en état de conduire. Pas en état de faire quoi que ce soit.

— Je n'ai pas vraiment l'habitude de boire, dit-il, comme pour s'excuser. J'ai eu une journée pénible.

— Les routes sont dangereuses, surtout la nuit, dit-elle.

— Surtout la nuit, confirma-t-il.

— Voulez-vous venir avec moi ? demanda-t-elle.

Enfin, se dit-il. Maintenant ce ne serait plus un péché, simplement une mesure de sécurité. En bon homme d'affaires, il devrait, au fond, lui demander quel serait le prix, mais après les pots pris ensemble et la conversation amicale, ce serait grossier. Autant remettre à plus tard. Quel que soit le prix, il pouvait certainement s'offrir une nuit en Europe avec une courtisane. Il était tout fier d'avoir pensé à ce mot — courtisane. Du coup, il se sentit la tête plus claire.

— Volontiers, dit-il, utilisant sa langue à elle pour lui montrer qu'il n'était pas aussi ivre qu'elle le pensait.

Il appela le garçon d'une voix forte et sortit son portefeuille. Il couvrit son portefeuille de ses mains afin qu'elle ne pût voir combien de billets il contenait. Dans de pareilles situations, bien qu'il n'y fût pas accoutumé, il savait qu'il fallait être prudent.

Le garçon arriva et lui dit, en français, combien il devait. Il ne comprit pas et se tourna vers la femme, désemparé, honteux.

— Qu'a-t-il dit ?

— Deux cent quinze francs, dit-elle.

Il sortit trois billets de cent francs de son portefeuille et d'un geste arrêta le garçon qui cherchait la monnaie.

— Vous n'auriez pas dû lui laisser un aussi gros pourboire, glissa-t-elle en prenant son bras pour le guider vers la sortie.

— Les Américains, dit-il. Race noble et généreuse.

Elle rit, lui serra le bras davantage.

Ils trouvèrent un taxi et il admira le geste gracieux avec lequel elle leva le bras pour héler le chauffeur, le galbe de ses jambes. la chaude rondeur de ses seins.

Dans le taxi elle lui tint la main, sans plus. Le trajet était court. Il flottait à présent dans le taxi un parfum musqué, où l'on distinguait à peine un effluve de fleurs. Le taxi s'arrêta devant un petit immeuble dans une rue sombre. Elle paya, puis lui reprit le bras et le guida vers l'intérieur de la maison. Il monta un étage derrière elle, l'admirant de dessous cette fois. Elle sortit une clef pour ouvrir la porte, le conduisit le long d'un couloir obscur puis ils franchirent une porte, et elle alluma une lampe. Il fut surpris de voir combien la pièce était vaste et meublée avec goût, bien que la lumière tamisée de l'unique lampe ne lui permît pas de distinguer trop de détails. Elle doit avoir une clientèle généreuse, se dit-il, des Arabes, des industriels italiens, des barons de l'acier allemands.

— Alors..., commença-t-elle, lorsque le téléphone sonna.

Elle n'avait pas menti, pensa-t-il, elle attendait bien un coup de téléphone. Elle hésita, comme si elle ne voulait pas décrocher le combiné.

— Cela vous ennuierait... ? dit-elle. — Elle indiqua une autre porte. — Je crois qu'il vaudrait mieux que je sois seule pour cela.

— Bien sûr.

Il entra dans la pièce à côté et alluma une lumière. C'était une petite chambre à coucher, avec un lit à deux places déjà ouvert. Il entendit sa voix derrière la porte qu'il venait de refermer. Il eut l'impression qu'elle était en colère contre la personne avec laquelle elle parlait, bien qu'il ne pût comprendre ce qu'elle disait. Il regarda le grand lit d'un air pensif. La dernière occasion de partir. Au diable, se dit-il, et il se déshabilla, jetant ses vêtements en désordre sur une chaise, et changeant son portefeuille de poche. Il se mit au lit et rabattit les couvertures sur lui.

Il avait dû s'assoupir, car, quand il reprit conscience un corps chaud et parfumé était à son côté dans le lit, la pièce était plongée dans l'obscurité, une jambe ferme et satinée était posée sur lui, une main douce et exploratrice se promenait sur son ventre, une bouche murmurait contre son oreille des mots qu'il ne pouvait comprendre.

Il ne savait pas quelle heure il était quand, tous les nerfs au repos, le corps glorieusement détendu, il se retrouva enfin allongé immobile, le bout de ses doigts touchant à peine le corps à présent familier qui lui avait donné tant de plaisir. Humanité parfumée, fortuite, gisant dans le lit à ses côtés. La bête cachée dans le costume noir méritait toutes les louanges. Ignoré, glorieusement ignoré, le puritain dépossédé. Il leva la tête, se pencha vers la femme, appuyé sur un coude, déposa un baiser tendre sur sa joue.

— Il doit être tard, chuchota-t-il, je dois partir, maintenant.

— Sois prudent sur la route, chéri, dit la femme, rêveuse, comblée. Grâce à lui.

— Ça va, maintenant, dit-il. Je ne suis plus ivre.

La femme se tourna, tendit un bras et alluma une lampe de chevet. Il sortit du lit, fier de sa nudité. Vanité d'adolescent, s'avoua-t-il à lui-même avec ironie, et il s'habilla. La femme se leva aussi, découvrant un corps souple et fort, une poitrine pleine, des hanches musclées ; elle enfila un peignoir, puis s'assit sur une chaise et le regarda mettre ses vêtements avec un petit sourire. Il aurait préféré qu'elle n'allumât pas la lumière, qu'elle ne s'éveillât pas. Il aurait alors pu laisser sur la cheminée cent francs, peut-être mille, l'obscurité et le sommeil dissimulant son ignorance de provincial américain en la matière ; il aurait pu se glisser hors de l'appartement et de la maison, tous liens rompus. Mais la lumière était allumée, la femme l'observait en souriant. Attendait-elle ?

Pas moyen de se dérober. Il sortit son portefeuille.

— Est-ce que mille francs suffiront ? demanda-t-il, trébuchant un peu sur le mot « suffiront ».

Elle regarda avec curiosité, tandis que son sourire s'effaçait. Puis elle se mit à rire. D'abord un rire bas, puis devenant rauque. Elle se pencha en avant, la tête dans les mains, sa chevelure épaisse et luisante tombant en une sombre cascade devant son visage, et continua de rire. Il l'observait, sentant ses nerfs se contracter, regrettant d'avoir été dans son lit, de lui avoir offert à boire, d'être à Nice, regrettant d'avoir jamais mis les pieds en France.

— Je suis désolé, dit-il bêtement. C'est que je n'ai pas l'habitude...

Elle releva la tête, son visage encore déformé par le rire. Elle se mit debout, vint vers lui et l'embrassa sur la joue.

— Pauvre chéri, dit-elle, le rire encore présent au fond de la gorge, je ne savais pas que je valais tant.

— Si tu veux davantage..., dit-il, raide.

— Beaucoup plus, dit-elle. Je ne veux rien. Le prix le plus exorbitant. Quel homme charmant. Qui pendant tout le temps m'a prise pour une professionnelle. Et avec ça, si poli et si tendre. Si tous les clients étaient comme toi, je pense que nous deviendrions toutes des putains. J'aimais déjà les Américains, mais je les aime encore plus maintenant.

— Bon Dieu, Jeanne, dit-il. — C'était la première fois qu'il prononçait son nom. — Il ne me serait jamais venu à l'idée qu'une femme puisse me remarquer, m'emmener chez elle, et... Je ne sais pas quoi dire.

— Ne dis rien. Tu es trop modeste, mon séduisant Américain, beaucoup trop modeste.

— Eh bien, dit-il, cela ne m'était jamais arrivé.

Il avait peur qu'elle ne se remette à rire.

Elle secoua la tête d'un air étonné.

— Que leur faut-il, aux femmes américaines ? dit-elle. — Elle revint vers le lit et s'assit sur le bord. Elle le tapota. — Viens t'asseoir ici, s'il te plaît, dit-elle.

Il s'assit à côté d'elle. Elle lui prit la main, comme une sœur maintenant.

— Si cela peut te rassurer, chéri, dit-elle, cela ne m'était jamais arrivé non plus. Mais je me sentais si seule — affamée — tu ne l'avais pas remarqué ?

— Non, admit-il. Je ne suis pas vraiment un homme à femmes.

— Pas un homme à femmes, dit-elle, en se moquant gentiment. Pas un homme qui boit. Exactement le genre d'homme qu'il me fallait ce soir. Laisse-moi te parler un peu de moi. Je suis mariée. Avec un officier, un commandant. Il était adjoint de l'attaché militaire à Washington.

Voilà pourquoi elle parle anglais, pensa-t-il. Pas d'éminences grises, pas de membres du Congrès ni de motels.

— Actuellement il est temporairement en poste à Paris. A l'Ecole Militaire, dit-elle. Temporairement. — Elle eut un petit rire bref et dur. — Cela fait maintenant trois mois qu'il y est. J'ai deux enfants à l'école ici à Nice. Ce soir ils sont chez leur grand-mère.

— Tu ne portais pas d'alliance, dit-il. J'ai regardé.

— Pas ce soir. — Son expression se fit sévère. — Je ne voulais pas être mariée ce soir. Cet après-midi, quand j'ai reçu le télégramme de mon mari disant qu'il allait m'appeler, je savais ce qu'il allait me dire. Il allait me dire qu'une fois de plus il était trop pris par son travail pour venir à Nice. Cela fait trois mois qu'il est trop pris. Ils doivent préparer une guerre terrible, à l'Ecole Militaire, pour qu'un pauvre petit commandant ne puisse même pas obtenir un jour de congé pour prendre l'avion et venir voir sa femme à Nice une fois tous les trois mois. Je vois très bien quel genre de guerre mon commandant est en train de préparer à Paris. Tu m'as entendue au téléphone ?

— Oui, dit Rudolph. Je n'ai pas pu entendre ce que tu disais... Tu semblais en colère...

— Ce n'était pas une conversation amicale, dit Jeanne. Non, pas amicale du tout. Alors maintenant, tu commences à comprendre pourquoi j'étais assise à une table de café, sans alliance ?

— Plus ou moins, dit Rudolph.

— J'étais sur le point d'abandonner et de partir quand tu es entré dans le café et tu t'es assis, dit-elle tranquillement.

— J'avais été abordée par deux hommes auparavant. Des hommes poseurs, guindés, des experts, des connaisseurs en — quelle est l'expression américaine — *one-night... ?*

— *One-night stands* (1), dit Rudolph.

— C'est ça.

— Au moins ils ne t'ont pas prise pour une putain, dit-il d'un air morose. Pardonne-moi.

Elle lui tapota la main.

— Il n'y a rien à pardonner, dit-elle. Cela a ajouté exactement la note comique qu'il fallait à la soirée. Quand tu es entré et que tu t'es assis, avec ta tête émaciée d'Américain honnête et respectable, j'ai décidé de rester. — Elle sourit. — Pas tout de suite. Il s'avère que je ne me suis pas trompée. Tu ne dois plus jamais être si modeste. — Nouveau tapotement de main fraternel. — Maintenant il est tard. Tu disais que tu devais partir... Veux-tu mon numéro de téléphone ? Est-ce que je peux te revoir ?

— Je suppose que moi aussi je devrais te parler un peu de moi, dit

(1) Amours d'une nuit.

Rudolph. Tout d'abord, je ne m'appelle pas Jimmy. Je ne sais pas pourquoi... — Il haussa les épaules. — J'imagine que j'avais honte de ce que je faisais. — Il sourit. — De ce que je *croyais* faire. Peut-être étais-je à moitié persuadé que si ce n'était pas mon nom, ce n'était pas vraiment moi qui le faisais. Plus probable, si jamais nous nous rencontrions et que je sois avec quelqu'un d'autre, et que tu me dises bonjour Jimmy, je pourrais te dire : Désolé, madame, vous devez confondre avec quelqu'un d'autre.

— J'aimerais oser tenir un journal, dit Jeanne. J'y écrirais tout ce qui est arrivé ce soir, en détail. Tous les détails. Cela donnerait à mes enfants de quoi rire lorsqu'ils le découvriraient après ma mort. Sans blague, chère vieille maman si sensée ?

— Je m'appelle Rudolph, dit-il. Je n'ai jamais aimé ce nom. Quand j'étais gosse, je trouvais qu'il ne faisait pas américain, bien qu'il soit devenu difficile de nos jours de dire ce qui fait américain et ce qui ne le fait pas. Ni pourquoi on devrait s'en soucier. Mais quand on est adolescent, qu'on a la tête remplie de livres dont les héros se nomment Huckleberry Finn, Daniel Boone, Studs Lonigan... enfin, il me semblait que Rudolph faisait penser à... à de la cuisine allemande bien lourde. Surtout pendant la guerre.

Il n'avait jamais livré à personne ses sentiments sur son prénom, ne se les était même jamais formulés clairement, et constatait maintenant qu'il ressentait à la fois du soulagement et une amertume amusée de pouvoir en parler ouvertement à cette belle inconnue, ou quasi inconnue. Et puis, assis à la lumière douce de la lampe, sur le lit qui avait été le lieu d'un plaisir exquis, il voulait offrir davantage de lui-même à cette femme, trouver des raisons de retarder le départ, oublier avec elle que l'aube était proche, le départ inévitable.

— Rudolph, dit Jeanne. Ni bien ni mal. Fais comme si c'était Rodolfo. Cela sonne mieux, non ?

— Beaucoup mieux.

— Bon, taquina-t-elle. A partir de maintenant je t'appellerai Rodolfo.

— Rodolfo Jordache, dit-il. — Cela lui donna une nouvelle opinion, plus fougueuse, de lui-même. — Jordache. C'est mon nom de famille. Je suis à l'Hôtel du Cap. — Plus aucune défense à présent. Noms et adresses. Chacun à la merci de l'autre. Encore une chose. Je suis marié.

— Je m'en doutais, dit Jeanne. C'est ton affaire. De même que mon mariage est mon affaire.

— Ma femme est avec moi à Antibes. — Il considérait qu'il n'avait pas à lui dire aussi qu'ils n'étaient pas exactement en bons termes. — Donne-moi ton numéro de téléphone.

Elle se leva, alla vers un petit bureau où il y avait un stylo et du papier et nota son numéro de téléphone. Elle lui donna le bout de papier qu'il plia soigneusement avant de le mettre dans sa poche.

— A l'avenir, dit-elle, il faudra que tu prennes une chambre d'hôtel. Les enfants seront là.

A l'avenir...

— Maintenant, dit-elle, je vais t'appeler un taxi. — Ils allèrent au salon et elle composa un numéro sur le cadran, parla rapidement

pendant un instant, attendit un peu, puis dit « très bien » et raccrocha.
— Le taxi sera là dans cinq minutes, dit-elle. — Avant d'ouvrir la porte
d'entrée ils s'embrassèrent, un long baiser reconnaissant et réparateur.
— Bonne nuit, Rodolfo, dit-elle.
Elle sourit, d'un sourire dont il savait qu'il se souviendrait long-
temps.

* * *

Lorsqu'il sortit dans la rue, le taxi l'attendait, son moteur diesel
faisant le même bruit qu'une vedette prête à partir en mer. Les voyages.
« L'Hôtel Négresco », dit Rudolph en montant. Quand le taxi
démarra il se retourna pour regarder la maison. Il devait impérative-
ment pouvoir la retrouver, la reconnaître dans ses rêves. En arrivant au
Négresco, il prit bien soin de ne pas se faire écraser en traversant la rue
pour atteindre l'endroit où sa voiture était garée. Puis, au volant de sa
voiture de location, il roula lentement et très prudemment sur la route
déserte qui longeait la mer jusqu'à Antibes.
Lorsqu'il arriva au port, il ralentit encore davantage, puis engagea
brusquement la voiture dans le parking, descendit et alla à pied le long
du quai jusqu'à l'endroit où était amarrée la *Clothilde* dans le port
silencieux. Il n'y avait pas de lumière sur la *Clothilde*. Il ne voulait pas
réveiller Wesley ni Bunny. Il se déchaussa et se glissa du pont dans
l'embarcation amarrée sur le côté, défit l'amarre, s'assit au milieu et
sans bruit mit les avirons en place. En ramant il s'éloigna presque
silencieusement du bateau vers le milieu du port puis, en augmentant
son effort, vers l'entrée du port, ses narines pleines de l'odeur goudron-
née de l'eau, mêlée à la senteur de fleurs du rivage.
Il avait agi presque automatiquement, sans se demander pourquoi.
L'effort qu'il sentait dans ses épaules et dans ses bras en ramant lui
procurait un plaisir sobre, et le murmure de la petite lame d'étrave
contre les flancs de l'embarcation semblait être exactement la musique
qu'il fallait pour terminer la soirée.
La ville d'Antibes, masse sombre piquetée de lumières, s'éloignait
lentement à mesure qu'il s'approchait des feux vert et rouge qui
marquaient le chenal vers la haute mer. Le rythme de son corps se
ployant d'avant en arrière l'emplissait de satisfaction. Combien de fois
ces mêmes rames avaient-elles servi dans les mains de son frère. Ses
mains à lui étaient douces contre le bois lisse, poli par les mains
puissantes de son frère. Il était content de penser que ses paumes
seraient peut-être couvertes d'ampoules le lendemain matin. Le fait
d'être seul à la surface obscure de l'eau était pour lui une bénédiction,
et les feux clignotants de l'entrée du port le réconfortaient, par leur
promesse d'un abri sûr. Ici le chagrin était possible, mais l'espoir aussi.
« Thomas, Thomas », dit-il doucement en atteignant la haute mer et en
sentant la houle légère soulever l'embarcation. Tout en ramant il se
remémorait toutes les occasions où ils avaient failli l'un à l'autre, et la
fin, lorsqu'ils avaient oublié ces manquements, ou du moins les avaient
pardonnés.
Il se sentait reposé et serein, seul dans la nuit profonde. lorsqu'il

entendit derrière lui les toussotements d'un petit bateau de pêche qui prenait la mer, une petite lampe à acétylène à la proue. Le bateau de pêche passa près de lui et il put y voir deux hommes qui le fixaient avec curiosité. Il était conscient de l'étrange spectacle que constituait pour eux cet homme en costume de ville sombre, partant en mer tout seul à cette heure. Il continua de ramer jusqu'à ce qu'ils disparaissent de sa vue, puis laissa pendre les rames et leva les yeux vers le ciel étoilé.

Il pensa à son père, ce vieillard enragé et pitoyable, qui lui aussi avait ramé dans l'obscurité, qui avait choisi une nuit de tempête pour son dernier voyage. Pour son père, qui avait trouvé dans la mort la paix qu'il n'avait jamais connue de son vivant, le suicide avait été possible. Pour lui, non.

Il était un homme différent, de qui il était exigé autre chose. Il prit une profonde aspiration, puis fit demi-tour et regagna la *Clothilde*, les mains en feu.

Sans bruit il s'amarra à l'arrière de la *Clothilde*, grimpa l'échelle et alla à terre. Il mit ses chaussures, un rite ayant été observé, une cérémonie célébrée, puis il monta dans sa voiture et mit le moteur en marche.

Il était plus de trois heures du matin lorsqu'il arriva à l'hôtel. Le hall était désert, le concierge de nuit bâillait derrière le comptoir. Il demanda sa clef et se dirigeait déjà vers l'ascenseur lorsque le concierge le rappela.

— Ah, monsieur Jordache. Mme Burke a laissé un message pour vous. Il faut que vous l'appeliez dès que vous arrivez. Elle a dit que c'était urgent.

— Merci, dit Rudolph avec lassitude.

Quoi que ce soit, Gretchen attendrait jusqu'à demain matin.

— Mme Burke m'a dit de la prévenir dès votre retour. A n'importe quelle heure.

Elle avait deviné qu'il essaierait de l'éviter, et avait pris ses dispositions pour l'en empêcher.

— Je vois, dit Rudolph. — Il soupira. — Appelez-la, s'il vous plaît. Dites-lui que j'irai la voir dans sa chambre aussitôt que j'aurai vu ma femme.

Il aurait dû passer la nuit à Nice. Ou ramer jusqu'à l'aube. Tout affronter à la lumière du jour.

— Autre chose, dit le concierge. Il y a un monsieur qui vous a demandé. Un certain M. Hubbell. Il a dit qu'il travaillait pour le journal *Time*. Il a utilisé le télex.

— S'il revient et me redemande, dites-lui que je ne suis pas là.

— Je comprends. Bonne nuit, monsieur.

Rudolph appela l'ascenseur. Il avait pensé téléphoner à Jeanne, lui souhaiter bonne nuit, essayer de lui dire ce qu'elle avait fait pour lui, entendre sa voix rauque au timbre rugueux et sensuel, s'endormir dans le souvenir de cette nuit pour rendre ses rêves légers. Il devrait s'en passer maintenant. Il entra dans l'ascenseur d'un pas traînant, il se sentait vieux ; il sortit à son étage, ouvrit la porte de la suite aussi silencieusement que possible. Il y avait de la lumière, aussi bien dans le salon que dans la chambre de Jean. Depuis le meurtre, elle refusait de dormir dans le noir. Au moment où il approchait de sa porte, elle appela : « Rudolph ? — Oui, chérie. » Il soupira. Il avait espéré qu'elle serait endormie. Il entra dans sa chambre. Elle était assise dans le lit et le regardait fixement. Machinalement il chercha du regard un verre ou une bouteille. Il n'y avait ni verre ni bouteille et à sa figure il pouvait voir qu'elle n'avait pas bu. Elle a l'air vieille, pensa-t-il, vieille. Les traits tirés, les yeux mornes au-dessus de la chemise de nuit de dentelle la faisaient ressembler à une ébauche méchante de la femme qu'elle serait dans quarante ans.

— Quelle heure est-il ? demanda-t-elle avec âpreté.

— Trois heures passées. Tu ferais mieux de dormir.

— Trois heures passées. Le consulat à Nice a de curieux horaires, on dirait ?

— J'ai pris une soirée de liberté.

— Pour te libérer de quoi ?

— De tout, dit-il.

— De moi, dit-elle amèrement. Cela devient presque une habitude, non ? Une façon de vivre avec toi, tu ne crois pas ?

— Parlons-en demain matin, d'accord ? dit-il.

Elle renifla.

— Tu pues le parfum, dit-elle. On parlera de ça aussi demain matin ?

— Si tu veux, dit-il. Bonne nuit.

Il se dirigea vers la sortie.

— Laisse la porte ouverte, dit-elle. J'ai besoin de garder toutes les issues libres.

Il laissa la porte ouverte. Il aurait voulu ressentir de la pitié pour elle.

Il gagna sa chambre de l'autre côté du salon, ferma la porte derrière lui. Puis il ouvrit la porte qui donnait sur le couloir et sortit. Il ne tenait pas à expliquer à Jean qu'il devait voir Gretchen à propos de quelque chose qu'elle jugeait urgent.

La chambre de Gretchen se trouvait plus loin dans le couloir. Il passa devant les paires de chaussures que des clients avaient laissées dehors pour qu'on les cire pendant leur sommeil. L'Europe était au bord du Communisme, pensa-t-il, mais il y avait encore de futurs commissaires du peuple, des Trotsky en herbe, qui ciraient les souliers entre minuit et six heures du matin.

Il frappa à la porte de Gretchen. Elle ouvrit aussitôt, comme si, prévenue par l'appel du concierge, elle s'était tenue derrière la porte, incapable d'attendre les deux secondes de plus qu'il lui aurait fallu pour traverser la pièce et être face à son frère. Elle portait un peignoir de bain en tissu éponge bleu clair, presque du même bleu que la robe que portait Jeanne au café. Avec son petit visage pâle, ses cheveux bruns et son corps robuste et gracieux, elle ressemblait étonnamment à Jeanne, se dit-il. Des échos partout. L'idée ne lui en était pas venue auparavant.

— Entre, dit-elle. Je me suis fait tellement de mauvais sang. Bon Dieu, où étais-tu passé ?

— Trop long à raconter, dit-il. Ça ne peut pas attendre demain ?

— Ça ne peut pas attendre demain, dit-elle en fermant la porte. —

Elle renifla. — Tu sens divinement bon, mon cher frère, dit-elle sarcastique. Et on dirait que tu viens juste de baiser.

— Je suis bien élevé, dit Rudolph, s'efforçant de prendre l'accusation à la légère. — Les hommes bien élevés ne parlent pas de ces choses.

— Les femmes si, dit-elle.

Elle avait son côté vulgaire, Gretchen.

— Laissons tomber, s'il te plaît, dit-il. J'ai besoin de dormir. Qu'est-ce qu'il y a donc de si urgent ?

Gretchen se laissa tomber dans un grand fauteuil, avachie, comme si elle était trop fatiguée pour rester debout plus longtemps.

— Bunny Dwyer a téléphoné il y a une heure, dit-elle d'un ton monocorde. Wesley est en prison.

— Quoi ?

— Wesley est en prison à Cannes. Il s'est bagarré dans un bar et a presque tué un homme avec une bouteille de bière. Il a frappé un flic, et la police a dû le maîtriser. Est-ce que cela te paraît assez urgent, cher frère ?

CHAPITRE IV

Du carnet de Billy Abbott (1968).

AUJOURD'HUI IL Y A EU DES émeutes à Bruxelles et des bombes ont explosé. C'est pour savoir si les gosses des familles parlant flamand devraient recevoir un enseignement dans leur propre langue ou en français et si les panneaux de signalisation devraient être écrits dans les deux langues. Et les Noirs dans les unités ici parlent de révolte si on ne leur permet pas d'être coiffés à l'Afro. Les gens sont prêts à s'entre-déchirer à propos de *n'importe quoi*. Et c'est triste à dire, mais c'est pour ça que je suis en uniforme, bien que je n'aie pas le moindre désir de faire du mal à qui que ce soit, et en ce qui me concerne chacun est libre de parler flamand, basque, serbo-croate ou sanscrit, et tout ce que je dirais c'est que je trouve ça très bien.

Y a-t-il quelque chose qui manque à mon caractère ?

Je crois que oui. Si on est fort, on cherche à dominer tout ce qui vous entoure. C'est difficile de dominer les gens qui ne parlent pas votre langage et si on est fort, on réagit par la colère, comme les touristes américains dans les restaurants en Europe qui se mettent à crier quand le garçon ne comprend pas ce qu'ils commandent. En termes politiques, cela se traduit par des C.R.S. et des gaz lacrymogènes.

Monika parle allemand, anglais, français, flamand et espagnol, et elle dit qu'elle peut lire le gaélique. Pour autant que je puisse en juger elle est aussi pacifique que moi, mais à cause de son travail de traductrice à l'O.T.A.N. il lui arrive de proférer les menaces les plus terrifiantes, rédigées par des vieillards belliqueux à l'adresse d'autres vieillards belliqueux qui habitent l'aile opposée de la grande maison de fous où nous vivons tous.

J'ai passé la journée au lit avec elle.

Cela nous arrive de temps en temps.

*
* *

Dwyer attendait devant la préfecture de Cannes lorsque Rudolph arriva en taxi. Le taxi, s'était dit Rudolph, était préférable à sa propre

51

voiture Il ne voulaît pas entrer au pas de charge dans un poste de police français pour réclamer la libération de son neveu, et se voir forcé de subir l'alcootest. Malgré son gros pull de marin bleu foncé Dwyer grelottait, appuyé contre le mur, et son visage était blême et verdâtre, dans la lumière glauque des lampes de la préfecture. Rudolph regarda sa montre en descendant du taxi. Quatre heures passées. Les rues de Cannes étaient désertes. toutes les missions de la nuit ayant été accomplies ou remises au matin, sauf la sienne.

— Bon Dieu, dit Dwyer, je suis content de vous voir. Quelle nuit ! Merde alors, quelle nuit.

— Où est-il, demanda Rudolph, en s'efforçant de garder un ton calme pour émousser l'hystérie qui se lisait sur le visage de Dwyer, et dans la façon dont il frottait les phalanges d'une main contre la paume de l'autre.

— Quelque part là-dedans. Dans une cellule, je suppose. Ils n'ont pas voulu que je le voie. Je ne peux pas entrer. Ils ont dit qu'ils me boucleront aussi si je montre mon nez encore une fois à l'intérieur. La police française, dit-il amèrement. Autant s'adresser à Hitler.

— Comment va-t-il ?

En regardant Dwyer, voûté contre l'air froid de la nuit, Rudolph sentit lui aussi de petits frissons courir le long de sa colonne vertébrale. Il était habillé pour la chaleur de la journée et n'avait pas pensé à prendre un manteau à l'hôtel.

— Je ne sais pas comment il va *maintenant,* dit Dwyer. Il n'allait pas trop mal quand ils l'ont traîné ici. Mais il a frappé un flic et Dieu sait ce qu'ils lui ont fait depuis qu'ils le tiennent là-dedans.

Rudolph aurait aimé qu'il y ait un café ouvert, un endroit éclairé qui aurait au moins l'apparence de la chaleur. Mais hormis la faible lueur des lampadaires, la rue s'étalait étroite et sombre des deux côtés.

— Bon, Bunny, dit-il d'un ton apaisant. Je suis là. Je vais voir ce que je peux faire. Mais vous devez me mettre au courant. Que s'est-il passé ?

— Je l'avais emmené dîner à Antibes, dit Bunny. — Il avait l'air de se justifier en disant cela, comme si Rudoph l'accusait, comme si son innocence devait être revendiquée et prouvée avant de faire ou de dire quoi que ce soit d'autre. — Je ne pouvais pas laisser le môme tout seul un soir pareil, n'est-ce pas ?

— Bien sûr que non.

— On a bu du vin. Wesley a toujours bu du vin avec nous tous, devant son père, son père lui en versait comme s'il était adulte, on oublie qu'il n'est qu'un môme... En France, vous savez...

Il ne termina pas sa phrase, comme si la bouteille de vin qu'il avait partagée avec le garçon au restaurant à Antibes était une injuste accusation de plus contre lui.

— Je sais, dit Rudolph, s'efforçant de ne pas parler d'un ton impatient. Et après ?

— Après le môme a voulu un cognac. Deux cognacs. Je me suis dit, pourquoi pas ? Après tout, le jour où on enterre son père. Même s'il se saoulait, on était tout près du port, je pouvais facilement le ramener à bord. Seulement, il n'a pas voulu rentrer à bord. Tout à coup il s'est levé de table et il a dit : « Je vais à Cannes. — Pourquoi diable veux-tu aller à Cannes, à cette heure-ci ? je lui ai dit. Je vais rendre visite à une boîte de nuit », il a dit. Textuellement. Rendre visite. Je vais rendre visite à la Porte Rose. Dieu sait ce que le cognac, la journée, tout le reste, a fait dans la tête de ce gosse. J'ai essayé de le raisonner, je jure que j'ai essayé. « Va te faire foutre, Bunny », il a dit. Il ne m'avait encore jamais dit de jurons. Il avait un drôle de regard sans vie. Même avec un bulldozer on n'aurait pas pu le faire bouger. « Personne ne t'a demandé de m'accompagner, il a dit. Va dormir pour avoir bonne mine. » Il était déjà presque sorti du restaurant quand j'ai pu le rejoindre, l'attraper par le bras, du moins. Je ne pouvais tout de même pas le laisser aller tout seul dans cet endroit maudit, non ?

— Non, dit Rudolph, très las. Vous avez bien fait.

Il se demandait s'il aurait fait mieux ou moins bien que Dwyer, à sa place. Moins bien, se dit-il.

— Alors on a pris un taxi et on est allés à la Porte Rose, continua Dwyer, rendu volubile par le chagrin, ou la peur, ou l'impuissance. Dans le taxi, il n'a pas dit un mot. Pas un seul. Il était assis et il regardait par la fenêtre, comme un touriste. Qui pouvait bien savoir ce qu'il avait dans la tête ? Je ne suis pas psychologue, je n'ai jamais eu d'enfants, qui sait à quoi ils peuvent bien penser ? — Sa voix avait de nouveau ce ton d'innocence qui ne s'attend pas à être crue ou reconnue. — Alors, poursuivit Dwyer, je me suis dit : d'accord, il est perturbé. Qui ne l'est pas, aujourd'hui, un jour pareil, peut-être qu'il a l'idée folle qu'il doit ça à son vieux, d'aller voir l'endroit où tout a commencé. Il a vu la fin, les cendres qui flottaient sur la mer, peut-être qu'il lui fallait aussi voir le début.

Le début, pensa Rudolph, évoquant ce frère féroce dont il avait partagé le lit au-dessus de la boulangerie, le début n'était pas une boîte de nuit à Cannes. Il fallait remonter plus loin. Beaucoup plus loin.

— Je me suis dit que c'était peut-être une bonne idée, continua Dwyer. En tout cas, une chose était certaine, c'est que le Yougoslave avec lequel Tom s'était battu ne serait pas là — la police le recherche depuis le jour où ils lui ont parlé le lendemain du meurtre, et ils n'ont pas encore trouvé la moindre trace de lui. Et comme je n'ai jamais vu ce type, pas plus que Wesley, on ne le reconnaîtrait pas même s'il se tenait au bar à côté de nous éclairé par un spot. Ce ne serait pas une partie de plaisir pour moi, mais après tout, un verre ou deux et puis au lit et puis une gueule de bois demain et voilà...

— Je comprends, Bunny, dit Rudolph, grelottant. Etant donné les circonstances, vous ne pouviez pas faire autrement.

Dwyer hocha la tête vigoureusement.

— Etant donné les circonstances.

— Comment est-ce que la bagarre a commencé ? demanda Rudolph.
— Les excuses de Dwyer pouvaient attendre un autre jour. Il était quatre heures du matin et il avait froid et Wesley était à l'intérieur du poste de police et les flics étaient peut-être en train de le tabasser. — C'était la faute de Wesley ?

— La faute ? Qui peut dire à qui est la faute quand il arrive un truc pareil ? — La bouche de Dwyer tremblait. — On était debout au bar, sans se parler, après peut-être deux, peut-être trois whiskies, on était au scotch — Wesley avait voulu du scotch — il n'avait pas l'air saoul — ce môme doit avoir une tête d'acier — et à côté de lui il y avait un gros Anglais qui buvait de la bière et parlait fort, il était d'un bateau qui était au port, on voyait que c'était un marin, il disait quelque chose sur les Américains à la fille, j'imagine que ce n'était pas très flatteur parce que tout d'un coup Wesley s'est tourné vers lui et lui a dit, très calme : « Ferme ta grande gueule pour ce qui est des Américains, *limey* (1). »

Seigneur, se dit Rudolph, voilà bien le moment et le lieu pour faire du patriotisme.

— Il disait quelque chose sur la façon dont les Américains avaient laissé les Anglais faire la guerre à leur place — Wesley n'était même pas né à ce moment-là, qu'est-ce que ça pouvait bien lui faire ? Bon sang, son père, lui, ne se serait jamais battu dans un bar même si dix Anglais avaient dit que tous les Américains étaient des maquereaux et des putassiers. Mais Wesley cherchait la bagarre. Je ne l'avais encore jamais vu se battre — mais Tom m'en avait parlé et je voyais ce qui se préparait, et je l'ai pris par le bras, et je lui ai dit : « Allez, mon vieux, on s'en va. » Mais l'Anglais, bon Dieu, il devait bien peser dans les cent kilos, trente, trente-deux ans — qui buvait toute cette bière — il a dit : « Tu peux répéter ça, s'il te plaît, fiston ? » Alors, très calme, Wesley a dit : « Ferme ta grande gueule pour ce qui est des Américains, *limey*. »

« Même à ce moment-là, on aurait pu tout éviter, parce que la fille tirait sans cesse la manche de l'Anglais et disait : « Rentrons, Arnold. » Mais il s'est dégagé et il a dit à Wesley : « Tu es de quel bateau, mon pote ? » Et je le voyais avancer lentement la main vers la bouteille sur le bar. « La *Clothilde* », dit Wesley, et je sentais tous ses muscles se bander. L'Anglais a ri. « Tu ferais mieux de te chercher une couchette ailleurs, fiston. dit-il, j'ai idée qu'à partir de maintenant la *Clothilde* ne sera plus un bateau très bien vu. » Je crois que c'est son rire qui a provoqué Wesley. Tout d'un coup c'est lui qui a attrapé la bouteille le premier et il l'a cassée à travers la figure de l'homme. L'Anglais s'est effondré, tout couvert de sang et tout le monde hurlait autour et Wesley a commencé à le bourrer de coups de pied, avec une expression de fou comme je n'en ai jamais vu chez un môme. Où est-ce qu'il a appris à se battre comme ça, on ne le saura jamais. Des coups de pied, bon Dieu. Et il riait comme un fou, et moi qui m'étais agrippé à lui pour le tirer en arrière, et qui ne lui faisais pas plus d'effet qu'un moustique bourdonnant à ses oreilles.

« Ça n'a pas traîné. Il y avait deux flics en civil à une table et ils lui ont sauté dessus. Il en a cogné un tellement bien qu'il est tombé à genoux. Mais l'autre flic a sorti une matraque qu'il lui a fichue sur la nuque et ça a été tout de suite la fin du match. Ils ont traîné Wesley dans une voiture de police qui était dehors et ils n'ont pas voulu que je vienne avec eux, alors j'ai couru jusqu'au poste de police et une ambulance est passée à toute allure, tous feux allumés et la sirène qui marchait et Dieu sait dans quel état est l'Anglais en ce moment. — Dwyer soupira. — Voilà, dit-il à bout de souffle, c'est à peu près tout

(1) Anglais Sobriquet datant de la Première Guerre mondiale

Maintenant vous savez de quoi il s'agit, pourquoi j'ai appelé votre hôtel.

Rudolph soupira lui aussi.

— Vous avez bien fait de m'appeler, dit-il. Attendez ici. Je vais voir ce que je peux faire.

— J'irais bien avec vous, dit Dwyer. Mais ils ne peuvent pas me voir.

Rudolph carra ses épaules dans la veste de son costume et entra dans le poste de police : la brusque lumière l'aveugla, mais la chaleur, même à cette occasion, fut la bienvenue. Il était conscient du fait qu'il avait besoin de se raser, que ses vêtements étaient fripés. Il aurait eu plus d'assurance si, selon les termes de Gretchen, il n'avait pas eu l'air de venir de baiser. Il était également conscient du parfum musqué dont il était encore imprégné. Tu n'es ni correctement vêtu ni assez désodorisé pour la circonstance, se dit-il en s'approchant du haut bureau derrière lequel était assis un gros policier aux mâchoires bleues, qui le dévisageait d'un air menaçant.

Les voyages, pensa-t-il en souriant, ou en espérant avoir l'air de sourire au policier, les voyages vous ouvrent des horizons ; on visite des cathédrales, les lits des femmes de militaires continentaux, on vogue au-dessus des carcasses de navires coulés dans maintes guerres, on se familiarise avec des coutumes étrangères, des produits inconnus, des postes de police, des fours crématoires...

— Mon nom, dit-il au policier derrière le bureau, dans un français lent, est Jordache. Je suis Américain... — Le policier avait-il entendu parler de La Fayette, du Plan Marshall, du Jour J ? Misons sur la gratitude. Une chance sur cent. — Je crois que vous détenez mon neveu Wesley Jordache.

Le policier dit quelque chose dans un français rapide que Rudolph ne put saisir.

— Parlez lentement, s'il vous plaît, dit-il. Je ne parle pas très bien le français.

— Revenez à huit heures du matin, dit le policier assez lentement pour que Rudolph comprenne.

— J'aimerais le voir maintenant, dit Rudolph.

— Vous avez entendu ce que j'ai dit.

Le policier parlait avec une lenteur exagérée avec les deux mains en l'air, en tendant huit doigts.

Rudolph en conclut que le policier ignorait tout de La Fayette ou du Jour J.

— Il a peut-être besoin d'un médecin, dit-il.

Le policier parla de nouveau avec une lenteur moqueuse.

— Il est très bien soigné. Huit heures du matin. Heure française.

Il rit.

— Y a-t-il ici quelqu'un qui parle anglais ?

— Ici c'est un poste de police, monsieur, dit le policier. Pas la Sorbonne.

Rudolph aurait aimé des renseignements sur la liberté sous caution mais il ne connaissait pas le mot en français. Il devait y avoir cinquante mille touristes américains et anglais à Cannes chaque année, on pourrait s'attendre à ce qu'au moins un de ces salauds se soit donné la peine d'apprendre l'anglais.

— Je voudrais parler à votre supérieur hiérarchique, dit-il, obstiné.

— Il n'est pas là pour le moment.

— Quelqu'un.

— Je suis quelqu'un. — Le policier se remit à rire. Puis il prit un air menaçant, ce qui lui était plus naturel que le rire. — Vous êtes prié de partir, monsieur, dit-il sévèrement. Cette pièce doit rester libre.

Un instant, Rudolph songea à lui glisser de l'argent. Mais ce soir-là il avait déjà commis une fois l'erreur de proposer de l'argent quand il ne fallait pas. Ici ce serait bien plus dangereux.

— Sortez, sortez, monsieur. — Le policier balaya l'air impatiemment d'une main épaisse. — J'ai du travail.

Battu, Rudolph quitta la salle. Dwyer était toujours dehors en train de frapper son poing fermé dans la paume de l'autre main.

— Alors ? demanda Dwyer.

— Rien à faire, dit Rudolph d'une voix morne. Pas avant huit heures du matin. Autant prendre une chambre d'hôtel ici. Ça ne sert à rien de retourner à Antibes pour deux heures.

— Je n'aime pas abandonner la *Clothilde,* dit Dwyer. On ne sait jamais, avec tout ça... — Il n'acheva pas sa pensée. — Je serai de retour au matin.

— Comme vous voudrez.

Rudolph avait l'impression d'avoir couru pendant des heures. Demain matin, de bonne heure, il appellerait l'avocat à Antibes. Il se souvint de Teddy Bolan, dont la famille possédait l'usine de briques de Port Philip où Rudolph était né, et qui l'avait pris en amitié, si c'était là le mot, et en quelque sorte, éduqué. Teddy Boylan lui avait conseillé de faire son droit. « Ce sont les avocats qui mènent le monde », avait dit Boylan. Un bon conseil peut-être pour ceux qui voulaient mener le monde. Il avait été l'un d'entre eux, autrefois. Plus maintenant. S'il avait suivi le conseil, s'il avait été admis au barreau, est-ce que le policier aux joues bleues se serait moqué de lui et l'aurait jeté dehors ? Est-ce que Wesley serait sous les verrous en ce moment, à la merci d'un flic assommé par lui dans une bagarre ? Est-ce que Tom serait en vie ou du moins aurait eu une mort plus propre ? Pensées de quatre heures du matin.

Il se traîna par les rues désertes, maintenant libres de putains, de joueurs et d'ambulances, vers le Carlton où il pourrait prendre une chambre pour quelques heures et où Dwyer pourrait trouver un taxi qui le ramènerait à la *Clothilde.*

**

Mon père a dû se sentir comme ça cent fois dans sa vie, assommé et endolori, sans avoir envie de bouger, se dit Wesley, allongé sur la planche nue qui se rabattait contre le mur de la cellule où on l'avait jeté. D'une certaine façon cette pensée le réconforta, lui donna l'impression d'être plus proche de son père, ce que la prière de la veille ne lui avait pas donné. Il se sentait calme maintenant, détendu, indifférent à tout, au moins pour l'instant. Il était content qu'on l'ait arraché à l'Anglais et il espérait qu'il n'avait pas tué ce salaud.

Si ce salaud n'était pas mort, son oncle Rudy le sortirait de là. Ce bon vieux monsieur Arrange-Tout, Rudy Jordache. Il ne put s'empêcher de sourire à cette pensée, même si sourire lui faisait mal.

Le sourire ne dura pas. Il n'avait pas connu son père assez longtemps. Il ne savait pas combien de temps il lui aurait fallu, mais il savait qu'il n'en avait pas eu assez. Ils n'auraient plus de ces longues conversations dans l'obscurité du poste de pilotage. Du temps de rattrapage, son père appelait ça, pour combler les blancs, et rattraper les années pendant lesquelles sa mère avait fui avec lui, l'avait traîné d'une école minable à l'autre, en lui disant que son père l'avait abandonné, avait pris le large avec une grue de bas étage, était probablement mort, avec la vie qu'il menait, buveur, coureur, flambeur, bagarreur, dépensier, ennemi de tout le monde. Sa mère portait une lourde responsabilité.

D'ailleurs, il portait lui-même une lourde responsabilité. S'il avait été un peu plus vigilant, s'il avait vu ou pressenti le tronc immergé qu'ils avaient accroché, et s'ils n'avaient pas été forcés de rentrer à Antibes pour réparer, ils seraient tous en ce moment sur la côte italienne, Portofino, Elbe, la Sicile ; son père serait en train de parler de sa voix basse et rude, pendant que tout le monde dormirait en bas, il lui parlerait de Clothilde Deveraux, la femme dont le bateau portait le nom, la domestique de la maison de son gros oncle allemand Harold, qui le frottait tout nu dans la baignoire, lui servait des repas gigantesques, lui faisait l'amour. Son premier amour véritable, avait dit son père tristement, vite disparue.

Ou alors, s'il n'avait pas dormi comme un bébé, il aurait entendu les pas sur le pont, comme son père le faisait toujours, aussi fatigué ou profondément endormi qu'il fût, et il serait monté et aurait vu son père partir au secours de Jean Jordache, seul, il aurait pu aller avec lui, il aurait peut-être eu l'idée de lui faire appeler la police, il aurait pu au moins être à ses côtés et le Yougoslave se serait rendu compte que ça ne servait à rien de se battre.

Pourquoi se raconter des histoires ? se dit Wesley. Ce serait arrivé un soir à Portofino, ou à Elbe, ou en Sicile. Il n'y avait pas moyen d'empêcher Jean Jordache de s'attirer des ennuis et d'en causer à tout le monde. Dès le début elle lui avait déplu et il l'avait dit à son père. Son père avait dit : « Je reconnais qu'elle a ses problèmes. *Moi* je ne l'aurais jamais épousée, mais Rudy est un autre genre d'homme. Elle est riche, elle était jolie et intelligente. — Tom avait haussé les épaules. — Peut-être que ça se paie, riche, jolie et intelligente. » Seulement c'était son père qui avait payé. Trop courageux pour son propre bien, trop sûr de lui. « Moi aussi j'ai eu un tas de problèmes avec les femmes. » Il avait souri un peu tristement dans le noir en disant cela, et avait parlé à son fils des jumelles qu'on l'avait accusé d'avoir engrossées à Elysium, Ohio, après quoi on l'avait mis en prison pour viol de mineures. « Avec le recul, avait dit Tom avec philosophie, ça en valait peut-être la peine, mais je ne disais pas ça à l'époque. Je suppose que je pourrais te dire d'être prudent, mais je pense que ça ne servirait à rien, pas vrai, Wesley ? — Je suis à moitié prudent » avait dit Wesley Il avait baisé deux dames mariées au cours de voyages différents, en prenant des risques, les maris étaient à bord, et il savait que son père était au courant. « J'ai remarqué que tu aimes ça, avait dit Tom laconiquement. — Normalement, je suppose, avait dit Wesley. Je ne saurais pas dire. — Moi aussi, j'aimais ça, dit Tom. Il y avait une Anglaise complètement folle qui s'appelait... voyons si je peux me rappeler le nom... Betty, Betty Quelque chose — Betty Johns — qui a failli me faire tuer à Paris parce que j'avais passé quinze jours à Cannes avec elle à gaspiller mon argent et à m'engraisser avec du vin et des repas somptueux avant un combat. A la fin de ce combat à Paris, où ce Français m'avait frappé avec tout sauf avec le seau à eau, j'étais prêt à rentrer dans les ordres et à me faire moine. » Tom avait gloussé.

Il y avait dans ses réminiscences du passé d'autres noms qu'il citait à son fils, des noms qui ne le faisaient pas glousser : le garçon avec qui il avait mis le feu à la croix sur la pelouse des Boylan et qui l'avait dénoncé ; Schultzy, son manager ; l'homme qu'il avait fait chanter cinq mille dollars au Revere Club ; Falconetti, qu'il avait déshonoré devant vingt-sept autres membres de l'équipage d'un bateau et poussé au suicide. C'était comme s'il pensait que, ayant été affamé de père, le garçon, maintenant qu'il en avait enfin trouvé un, pourrait avoir de lui une impression fausse de noblesse que Tom ne pourrait pas honorer, et qu'il devait corriger pour lui épargner une désillusion amère et inévitable.

Il lui donnait des conseils pratiques : « Tu aimes la mer. Suis-la. C'est une vie agréable, du moins si tu as de la chance, comme moi. C'est un agréable mélange d'oisiveté et de travail, c'est varié et tu es à l'air libre. Tu finiras par avoir la *Clothilde* ou peut-être un meilleur bateau. Sache de quoi il s'agit. Soigne-le avec amour, comme Dwyer et moi. Et je te conseillerais de ne pas baiser les hôtes féminins. » Il avait un large sourire. Père ou pas, il pouvait difficilement faire la morale à un jeune garçon qui portait un tel intérêt au sexe. « Sois ton propre patron, car le grand piège, c'est de travailler pour les autres. Apprends tout. Sur le pont et dans la cale. Tu as une bonne occasion avec moi et Bunny et Kate qui sommes là pour te surveiller. Ne lésine pas sur le matériel. Si l'un des types que tu engages ne te plaît pas, quelle qu'en soit la raison, débarque-le au prochain port. Si tu surprends un client avec de la drogue, jette la drogue par-dessus bord sans commentaire. Si possible, ne trinque pas avec eux. Tu auras de quoi te payer ta propre gnôle. Ne sois pas avide. Ça se sait. Très vite. Si l'aspect de la mer ne te revient pas, rentre dans un port, même s'il y a une grosse huile à bord qui te raconte qu'il doit absolument être à Rome, Cannes ou Athènes pour une importante réunion de travail ou pour aller chercher une petite amie. Ne t'engage dans aucun conflit. Ne recule pas, mais ne cherche pas la bagarre... »

Il aurait dû l'enregistrer, se dit Wesley en évoquant cela, et l'écouter chaque soir avant de s'endormir.

« Garde une arme à bord. On ne sait jamais. Sous clef. Ça peut servir. » Le testament de son père — ne lésine pas sur le matériel, et garde une arme à portée de la main.

Wesley ignorait où l'arme de la *Clothilde* était rangée. Bunny devait le savoir, mais il était sûr que Bunny ne le dirait pas. Elle n'avait pas été accessible quand on en avait eu besoin.

Son père continuait de parler dans l'obscurité de la cellule d'une voix calme, légèrement amusée, mais les paroles étaient incompréhensibles.

La douleur de sa nuque se fit lancinante, le souvenir de la voix de son père s'estompa, comme le bruit d'une bouée laissée à l'arrière dans le brouillard, et il s'endormit.

CHAPITRE V

Du carnet de Billy Abbott (1968).

J'AI UN FAIBLE POUR MON père, qui est un homme faible. Je lui ai pardonné. Je n'ai aucun faible pour ma mère, qui est une femme forte et à qui je ne pardonne pas. Que le savant qui passera au crible les ruines de Bruxelles au siècle prochain s'y retrouve. Nous sommes tous hantés par nos parents, d'une façon ou d'une autre. Je suis hanté par deux pères. William Abbott, qui m'a engendré, était, et je suppose, est toujours, un petit homme délicieux, charmant et inutile.

Colin Burke, le second mari de ma mère, était un homme brillant, égoïste et talentueux, qui pouvait faire jouer les acteurs comme des anges et embraser l'écran de feux de joie. Je l'aimais et l'admirais et je rêvais de lui ressembler quand je serais grand. Ce n'est pas le cas. Je suis devenu, malheureusement, comme Willie Abbott, mais sans certaines de ses sympathiques qualités essentielles. Je l'aimais, lui aussi. Je l'ai mis au lit, ivre, cinquante fois.

J'avais pris des paris sur cinq sets au tennis aujourd'hui, et je les ai tous gagnés.

* *
*

Il était retourné au consulat à Nice, deux fois dans la semaine à la prison de Grasse où Wesley avait été transféré, et trois fois chez l'avocat. Le consul avait été évasif et s'en était excusé, l'avocat avait été coopératif dans une certaine mesure, Wesley pas coopératif du tout, juste taciturne, sans regret, en bonne forme physique après tout, et moins préoccupé de son propre sort que de celui des hommes emprisonnés avec lui, dont un voleur de bijoux, un passeur de chèques volés et un faussaire en œuvres d'art. Il ne s'était pas rasé depuis son arrestation et sa barbe naissante épaisse et blondasse lui donnait l'aspect d'un loup mal soigné à l'aise parmi les criminels. Lorsqu'il entra dans la petite pièce où Rudolph avait été autorisé à lui parler, une forte odeur de fauve, de carnassier mis en cage dans un zoo insalubre se dégagea.

L'odeur rappelait désagréablement à Rudolph la pièce au-dessus de la boulangerie familiale, le lit qu'il partageait avec son frère Tom lorsqu'ils étaient adolescents, quand Tom rentrait tard après avoir fait la noce toute la soirée. Il prit son mouchoir et feignit de se moucher pendant que Wesley s'asseyait en face de lui, avec un léger sourire, de l'autre côté de la petite table de bois blanc éraflée, garantie provençale ancienne, aimablement fournie par la police de la cité fleurie de Grasse.

Rudolph prit une expression solennelle, pour indiquer qu'il n'y avait pas de quoi rire. La police, par l'intermédiaire de l'avocat, avait fait savoir à Rudolph que le cas était grave — une bouteille de bière pouvait être considérée comme une arme dangereuse — et que Wesley ne serait pas libéré avant quelques semaines au moins.

Rudolph avait aussi parlé à plusieurs reprises à son avocat à New York, Johnny Heath, qui lui avait dit que s'il pouvait se libérer des Français, la succession devrait sans doute être réglée à New York, dernier domicile connu de la victime aux États-Unis, et que cela prendrait du temps.

Nous serons tous noyés sous la paperasse, se dit Rudolph. Il voyait déjà la *Clothilde* sombrer corps et biens dans un océan d'actes judiciaires, d'ordonnances et de papier ministre, tout en écoutant Johnny Heath lui dire qu'à son avis le juge nommerait très vraisemblablement Kate Jordache, l'épouse, exécutrice testamentaire, malgré sa nationalité britannique, et que la succession serait probablement partagée en un tiers pour elle et deux tiers pour le fils, bien que l'enfant à naître compliquât la situation. Le fils, étant mineur, aurait besoin d'un tuteur jusqu'à l'âge de dix-huit ans, et il ne voyait aucun obstacle à ce que cette responsabilité fût confiée à Rudolph, qui était le parent mâle le plus âgé et le plus proche. La succession devrait probablement être liquidée et il y aurait des impôts à payer, ce qui signifiait qu'il faudrait vendre la *Clothilde* avant un an. Mais, avertit Heath, il ne pouvait pas encore être formel, il devait demander d'autres avis.

Il ne dit rien à Wesley des problèmes qu'avait évoqués Heath. Il se contenta de lui demander s'il était bien traité, s'il avait besoin de quelque chose. Désinvolte, le garçon dit qu'on le traitait comme tout le monde, qu'il ne voulait rien. Ingrat et déroutant jeune homme, pensa Rudolph avec irritation, immuablement hostile. Il écourta au maximum les visites.

Lorsqu'il rentrait épuisé à l'hôtel, ce n'était pas mieux. C'était pire, en fait. Les scènes avec Jean devenaient de plus en plus violentes. Elle voulait rentrer, sortir de sa prison, comme elle disait ; c'était sans doute la première fois de toute son histoire que l'Hôtel du Cap avait reçu ce qualificatif. Elle s'était mis dans la tête que c'était la faute de Rudolph si elle ne pouvait pas partir, et il avait beau lui dire que c'était le policier qui avait son passeport, et non pas lui, il ne pouvait endiguer le flot de son hystérie. « Merde, alors, avait-elle dit au cours de leur dernière dispute, ton crétin de frère aurait pu se mêler de ses affaires. J'aurais été baisée, et alors ? Ça n'aurait pas été la première fois qu'une Américaine se serait fait baiser en France, et maintenant je serais en route pour la maison. »

Pendant que la voix stridente écorchait ses oreilles, il eut une brève vision de Jean telle qu'elle était lorsqu'ils étaient jeunes mariés, une fille vive et ravissante, passionnée pendant leurs chaudes étreintes de l'après-midi dans la chambre donnant sur la mer (était-ce la même chambre que celle où elle dormait maintenant ? — il ne se souvenait pas), qui lui avait proposé de lui acheter un yacht, au cours de cet après-midi surprenant où elle lui avait avoué qu'elle était beaucoup plus riche que lui, qui l'avait prise avant leur mariage pour une pauvre employée. Mieux valait ne pas penser à ces temps-là...

Le fait que Wesley avait failli tuer un homme constituait aux yeux de Jean une preuve que c'était la soif innée de violence des Jordache qui avait été cause de la tragédie, et pas du tout son ivresse ou son instabilité émotionnelle à elle. « D'une manière ou d'une autre, avait-elle hurlé à son mari, avec ou sans moi, avec les caractères qu'ils ont, ces deux hommes, le père et le fils, étaient condamnés depuis le début. C'est dans le sang. » Gretchen, il s'en souvenait, avait dit à peu près la même chose, et il la maudit pour l'avoir dit. Il avait vu Wesley en prison. Il n'y avait pas que du sang des Jordache dans les veines de Wesley. Il évoqua la mère, Teresa, boudeuse, aux yeux durs et aux rondeurs accusées. Qui pouvait dire quels bandits siciliens avaient contribué à cette odeur forte, à ce rictus de loup ? La culpabilité, s'il s'agissait de cela, devait être équitablement répartie.

« Je sais à quoi m'en tenir sur ton fou de père », avait divagué Jean, le mettant en accusation, lui et ses ancêtres allemands entachés de crime. « Je me demande comment toi et ta sainte sœur y avez échappé si longtemps. Et regarde ta sœur — comment est mort son mari ? Tué, tué, tué... — Dans un accident de voiture. » Rudolph essaya d'interrompre sa litanie perçante et psalmodiée. « Cinquante mille personnes par an... — Tué, répétait Jean, têtue. Je suis terrifiée en pensant à la vie que va avoir notre enfant avec toi comme père... »

Rudolph se sentait désarmé devant ces attaques. Il était sûr de lui, capable de résoudre des problèmes rationnels, mais l'irrationnel l'effrayait, le confondait, le laissait sans défense. Lorsqu'il quitta la pièce, Jean s'était jetée à plat ventre sur un divan, et frappait les coussins de ses mains comme un enfant, en sanglotant : « Je veux rentrer à la maison, je veux rentrer à la maison... »

Bien qu'elle n'en dise rien, Gretchen, elle aussi, devenait rétive. Il y avait du travail qui l'attendait, un homme lui téléphonait sans arrêt de New York, les attraits de la Côte d'Azur avaient depuis longtemps perdu leur charme pour elle, et Rudolph se rendait compte qu'elle ne restait que par fidélité envers lui. Une dette de plus.

Une fois, au cours de la semaine, alors qu'ils étaient seuls, elle lui demanda doucement : « Rudy, n'as-tu jamais pensé à te tirer, tout simplement ? — Que veux-tu dire ? — Je veux dire tout plaquer. Ce n'est pas ton pétrin, après tout. Partir, pas plus. D'une manière ou d'une autre, ils finiront tous par survivre. — Non, dit-il d'un ton bref, cela ne m'est jamais venu à l'esprit. — Je t'admire, cher frère », dit Gretchen, bien qu'il n'y eût aucune admiration dans le ton de sa voix. « Je t'admire et je me pose des questions. — Toi, tu n'es pas obligée de rester, tu sais. — Je sais, je n'ai pas l'intention de rester indéfiniment. Je suppose que toi oui, s'il le faut. — S'il le faut. »

Aucun travail ne l'attendait, lui, personne ne lui téléphonait de New York.

« Tu peux ajouter la pitié à ce que je viens de dire, vieux frère, dit Gretchen. Maintenant je vais descendre à la mer et me rôtir au soleil. »

Kate n'avait pas encore appelé de son hôtel, et il lui en savait gré. Mais il redoutait le moment où il lui faudrait aller la voir et lui dire ce qui devrait être fait et ce que cela signifierait pour elle.

Pauvre Bunny Dwyer, pensa-t-il, en se dirigeant lentement une fois de plus vers l'étude de l'avocat par les rues étroites de la vieille ville — vieux compagnon, fidèle associé reconnu ni par la loi ni par les usages, l'amitié et le travail de tant d'années ne pèsent pas lourd dans la balance juridique.

La seule chose qui l'avait aidé à conserver sa raison était les deux après-midi passés avec Jeanne dans un hôtel à Nice. Pas de complications, pas de câbles d'acier de l'amour ou du devoir à prendre en considération, rien que les satisfactions irréfléchies de la chair pour trouver l'oubli, pendant une heure ou deux dans l'obscurité d'une chambre louée dans une ville inconnue.

Était-ce vraiment là la raison pour laquelle il voulait rester, pour ces précieux après-midi à Nice ? Pour l'égoïste sport du double adultère ? L'admirait-on et le plaignait-on pour un mensonge ?

Son pas devenait pesant à l'approche de l'étude de l'avocat, et le soleil éclatant le faisait transpirer désagréablement.

L'avocat avait ses bureaux dans sa propre maison le long des remparts, dans deux des anciens modestes bâtiments de pierre à présent transformés en un seul ravissant hôtel particulier, où avaient jadis vécu les pêcheurs d'Antibes ; ces bâtiments, aménagés et modernisés, appartenaient maintenant à des gens qui n'avaient jamais jeté un filet, jamais tenu une rame ni essuyé un grain. Contrairement aux doctrines économiques établies, pensa Rudolph, ce sont les riches qui suivent les pauvres, et non l'inverse. Au moins aux bons endroits trouvés par hasard par les pauvres, les endroits où ils étaient jadis les premiers citoyens de la ville à être exposés aux pirates, au feu de l'ennemi et à l'érosion des tempêtes.

Le cabinet de l'avocat était impressionnant avec ses murs tapissés d'ouvrages juridiques reliés en box-calf, ses meubles du XVIIIe sombres et élégants, brillants de cire, la grande fenêtre donnant sur la mer qui clapotait au pied des remparts. L'avocat était un homme âgé, mais encore très droit et aussi impressionnant que son environnement, vêtu avec élégance, et ses grandes mains soignées étaient parsemées de taches brunes. Il avait un crâne chauve et luisant surmontant un visage aigu avec un grand nez, et des yeux tristes. Pourquoi ne serait-il pas triste, se dit Rudolph en serrant la main du vieillard, par où n'a-t-il pas dû passer pour aboutir dans cette pièce ?

— J'ai des nouvelles très importantes pour vous, dit l'avocat lorsque Rudolph fut assis de l'autre côté du grand bureau poli. — Il parlait l'anglais lentement mais avec soin. Dès le début il avait laissé entendre à Rudolph qu'il avait passé les années de guerre en Angleterre. Sa voix était onctueuse. — D'abord, votre femme. J'ai ici son passeport. — Il ouvrit un tiroir, se pencha un peu, produisit le passeport et le poussa doucement à travers le bureau vers Rudolph. — La police a retrouvé Danovic, l'homme qu'elle souhaitait interroger plus avant. Ils m'ont assuré que leur interrogatoire avait été... euh... vigoureux. Malheureusement, il a beau avoir été arrêté plusieurs fois pour divers délits, il a toujours été relâché sans jugement. D'ailleurs, son alibi a été confirmé. Il a passé toute la journée à Lyon, pour faire soigner ses dents. Le registre du dentiste est irréfutable.

— Ce qui signifie ?

L'avocat haussa les épaules.

— Ce qui signifie qu'à moins que la police ne puisse prouver que le dentiste a menti ou que Danovic avait des complices qu'il a dirigés, ou engagés ou avec qui il s'est entendu pour commettre le meurtre, on ne peut pas l'arrêter. Pour l'instant, rien ne prouve qu'il ait été au courant du crime. La police aimerait pousser plus loin l'interrogatoire, naturellement, mais à l'heure actuelle ils ne peuvent pas le retenir. A moins que...

Il fit une pause.

— A moins que ?

— A moins que votre épouse souhaite porter plainte pour tentative de viol contre lui.

Rudolph gémit. Il savait qu'il était impossible de convaincre Jean de faire une chose pareille.

— Tout ce que ma femme désire, dit-il, c'est partir d'ici.

L'avocat hocha la tête.

— Je comprends tout à fait cela. Et bien sûr, il n'y a aucun témoin.

— Le seul témoin était mon frère, dit Rudolph, et il est mort.

— Dans ce cas, je pense que la meilleure chose que puisse faire votre femme, c'est de partir le plus tôt possible. J'imagine quelle épreuve cela doit être...

Non, tu ne peux pas imaginer, mon vieux, pensa Rudolph, pas une seconde. Il pensait plus à lui-même qu'à sa femme.

— De toute façon, les procès pour viol sont très difficiles à soutenir, dit le vieillard. Surtout en France.

— Ce n'est pas facile en Amérique non plus, dit Rudolph.

— C'est un délit devant lequel la loi se trouve dans une position inconfortable, dit l'avocat.

Il sourit, son âge l'avait accoutumé à l'injustice.

— Elle prendra l'avion demain, dit Rudolph.

— A présent... — L'avocat lissa d'un geste amoureux la surface luisante de son bureau, sa main blanche se reflétant faiblement dans le bois, maintenant qu'un des problèmes était écarté. — En ce qui concerne votre neveu. — Il lança à Rudolph un regard oblique, de ses yeux pâles nichés dans des poches jaunies de peau ridée. — Ce n'est pas un garçon communicatif. Du moins pas avec moi. Ni avec la police, d'ailleurs. Quand on l'interroge, il refuse de divulguer pour quel motif il a attaqué cet homme dans le bar. Peut-être vous a-t-il dit quelque chose ? — Nouveau regard oblique, vieux, perspicace.

— Pas à moi, dit Rudolph. J'ai une petite idée, mais... — Il haussa les épaules. — Naturellement, cela ne voudrait rien dire devant un tribunal.

— Donc, il n'y a pas de défense. Pas de circonstances atténuantes. Les attaques physiques sont graves aux yeux de la loi française. — L'avocat respira bruyamment. Un rien d'asthme, pensa Rudolph, ou un signe d'approbation, une tacite fierté devant le caractère civilisé de la France, où le fait de frapper un homme avec une bouteille de bière était considéré comme une affaire de la plus haute gravité, alors qu'en Amérique régnait encore l'esprit des pionniers où tout le monde frappait tout le monde d'un cœur léger en toute impunité. — Par chance, continua l'avocat, retrouvant son souffle, l'Anglais est hors de danger. Il sortira de l'hôpital dans quelques jours. Il a lui-même fait plusieurs entorses aux règlements de la police locale et il ne tient pas à porter plainte. Et puis, le juge d'instruction a tenu compte de l'âge du garçon et de la perte qu'il venait de subir, et, dans un esprit de clémence, il s'est contenté d'indiquer que le garçon serait conduit à la frontière la plus proche ou à l'aéroport dans les huit jours. Excusez-moi — cela veut dire une semaine, en français. — Il sourit de nouveau, amoureux de sa langue maternelle. — Ne me demandez pas pourquoi. — Il lissa de nouveau le bureau, faisant un petit bruit de papier. — Si le garçon désire revenir en France, pour poursuivre son éducation, peut-être... — D'un petit reniflement distingué dans son mouchoir, le vieil homme laissa entendre, avec une parfaite courtoisie, que l'éducation était chose rare en Amérique. — Je suis certain qu'au bout d'un an, disons, lorsque tout aura été oublié, je pourrai obtenir qu'on lui permette de revenir.

— Je suis heureux de l'apprendre, dit Rudolph. D'après ce que m'ont dit son père et M. Dwyer, il se plaît ici et a très bien travaillé à l'école.

— Il devrait continuer le lycée, au moins jusqu'au baccalauréat. Pour arriver n'importe où dans le monde, c'est, je dirais, le minimum indispensable de nos jours.

— J'y réfléchirai. Et, bien sûr, j'en discuterai avec le garçon.

— Très bien, dit le vieil homme. J'espère, cher ami, que vous considérez que je vous ai bien et loyalement servi, et que j'ai, si je puis dire, utilisé le peu d'influence que j'ai dans ce... ce... — Pour une fois, il chercha le mot en anglais — dans ce *pays*, — cette partie de la côte, avec succès.

— Je vous remercie, maître, dit Rudolph. — Il avait au moins appris comment s'adresser à un avocat en France. — Comment cela se passera-t-il ? demanda-t-il. Je veux dire... conduit à la frontière la plus proche. — Il se renfrogna. — Je veux dire, je n'ai encore jamais connu quelqu'un qui ait été conduit à la frontière la plus proche.

— Oh, pour cela, dit l'avocat d'un ton léger. — Pour lui c'était une vieille histoire, un lieu commun. — Si vous vous trouvez à l'aéroport de Nice dans huit jours avec un billet pour le garçon, il arrivera accompagné d'un détective qui s'assurera qu'il s'embarque dans un avion pour un pays étranger. Les Etats-Unis, si vous voulez Puisque l'homme ne sera pas en uniforme, cela n'éveillera pas la curiosité ; il pourra passer pour un oncle, un ami de la famille venu lui souhaiter bon voyage.

— Est-ce que le garçon est au courant ? demanda Rudolph.

— Je l'ai informé moi-même ce matin, dit l'avocat.

— Qu'a-t-il dit ?

— Rien, comme d'habitude.

— Avait-il l'air content, triste ? insista Rudolph.

— Il ne semblait ni content, ni triste.

— Je vois.

— Je me suis permis de regarder les vols des lignes américaines qui desservent Nice. Le plus commode serait l'avion qui part à onze heures trente du matin.

— J'y serai, dit Rudolph.

Il prit le passeport de Jean et le mit dans sa poche.

— Je dois vous féliciter, Mr Jordache, dit le vieillard, pour le calme, l'équilibre de bon ton que vous avez manifestés en ces pénibles circonstances.

— Merci.

Dès que je quitterai ce somptueux bureau, se dit Rudolph, je ne manifesterai ni calme ni équilibre d'aucune sorte, de bon ton ou autre. En se levant, il eut un vertige, presque comme s'il allait s'évanouir, et il dut se retenir en s'appuyant au bureau. Le vieil homme lui jeta un regard inquisiteur.

— Un déjeuner trop copieux ? demanda-t-il.

— Pas de déjeuner du tout.

Depuis sept jours il sautait le déjeuner.

— Il est important de préserver sa santé, dit le vieillard, surtout quand on est à l'étranger.

— Voulez-vous mon adresse aux Etats-Unis, demanda Rudolph, pour m'envoyer votre note ?

— Ce ne sera pas nécessaire, monsieur, dit le vieillard d'une voix onctueuse. Mon clerc vous l'a préparée à la réception. Vous n'avez pas besoin de me donner des francs. Un chèque en dollars fera l'affaire, si vous voulez bien l'envoyer à la banque de Genève dont vous trouverez l'adresse sur la facture.

Impressionnant, compétent, dans son décor de meubles cirés du XVIIIe siècle, avec vue sur la mer d'azur et un compte non imposable en Suisse, le vieil homme se leva avec lenteur, conscient de son grand âge, et serra la main de Rudolph, puis il l'accompagna jusqu'à la porte en disant :

— Enfin, je vous présente mes condoléances, à vous et à votre famille, et j'espère que ce qui s'est passé ne vous découragera pas de revenir dans ce beau pays un jour.

D'abord le plus important, se dit-il en allant à pied de la maison de l'avocat vers le port, en longeant les remparts, puis le musée Grimaldi avec tous ses Picasso. D'abord les mauvaises nouvelles. Cela voulait dire Dwyer et Kate. Il fallait qu'il leur parle de sa conversation de la veille avec Heath. Aux deux ensemble, de préférence, afin qu'il n'y ait

66

pas de malentendu, pas de soupçon d'accord secret Après, la bonne nouvelle pour Jean et Gretchen, leur annonçant qu'elles étaient enfin libres de partir. Aucune des deux rencontres ne le réjouissait. Puis ce serait de nouveau la prison, il faudrait décider où et comment et chez qui Wesley vivrait en Amérique. Ce serait peut-être la pire conversation de toutes. Il espérait que maintenant le garçon s'était rasé. Et avait pris une douche.

Il s'arrêta et regarda la mer, au-delà de la baie des Anges, vers Nice. La baie des Anges. Les Français se fichaient pas mal des noms qu'ils donnaient. Antibes, par exemple. Antipolis, l'avaient baptisée les colons grecs. — En face de la ville. Quelle ville ? Athènes, à près de deux mille kilomètres de galère ? Les Grecs nostalgiques ? Lui-même ne ressentait de la nostalgie pour nulle part. Heureux Grecs. Quelles étaient les lois alors, quel châtiment ces politiciens exemplaires auraient-ils considéré juste pour un garçon qui aurait frappé quelqu'un dans une taverne avec une bouteille de bière ? Quel esprit civique, quelle soif de liberté avaient poussé les législateurs évoluant parmi les statues et la rhétorique mesurée à abandonner leurs académies et leurs festivals pour se faire élire, endosser le fardeau de gouverner cette race intelligente et guerrière ? Lui-même avait prononcé des discours du haut d'une tribune, avait cajolé, fait des promesses, entendu les acclamations de la foule, gagné et accepté des fonctions. Pour quoi faire ? Il ne se le rappelait plus.

Il y avait autour de lui un remue-ménage de circulation, même le long de l'étroit chemin de pierre qui courait en haut des remparts. Antibes avait autrefois été une ville somnolente et oubliée, mais regorgeait à l'heure actuelle de bénéficiaires ou de victimes du XXe siècle, qui laissaient l'hiver derrière eux pour se ruer vers le climat du Midi, pour y vivre et y travailler, pas seulement pour y jouer. Les fleurs et l'industrie légère. Il était lui-même un homme du Nord, mais quelques années dans le Sud lui auraient fait du bien. Si ce qui était arrivé n'était pas arrivé, il se serait peut-être douillettement installé ici, anonyme, inconnu, heureux d'être à la retraite à la trentaine, comme le faisaient certains. Il possédait les bases de la langue française — il pensa à Jeanne — il aurait pu les développer, lire Victor Hugo, Gide, Cocteau, les nouveaux auteurs qui méritaient d'être lus, visiter Paris pour aller au théâtre. Rêves. Impossibles désormais.

Il respira profondément l'air marin, salé et embaumé. Presque tous les endroits lui étaient ouverts, mais pas celui-ci, avec sa beauté et ses fantômes.

Il se remit en route, descendit des remparts vers le port. Il demanderait à Dwyer de trouver Kate et ils pourraient se rencontrer dans un café, puisque Kate avait dit qu'elle ne voulait plus jamais revoir la Clothilde. Elle avait peut-être changé d'avis depuis, le premier effet de choc passé, ce n'était pas une femme sentimentale, mais il n'allait pas la forcer.

Il y avait un petit bistrot de marins juste à l'entrée du port. A une minuscule table devant le café, Dwyer était assis avec une femme qui tournait le dos à Rudolph. La femme se retourna lorsqu'il appela Dwyer, et il vit que c'était Kate. Elle avait maigri, ou était-ce la robe noire qu'elle portait qui donnait cette impression ? La couleur noisette de son teint avait pâli et ses cheveux tombaient en désordre autour de son visage. Il ressentit un pincement de colère, ou quelque chose qui ressemblait à de la colère. Sachant tout ce qu'il s'efforçait de faire pour elle, elle ne s'était même pas donné la peine de lui téléphoner pour lui dire où elle était, et elle était assise là avec Dwyer, ils ressemblaient tous les deux à un vieux ménage qui échangeait des secrets au soleil. Elle se leva pour lui dire bonjour et il se sentit gêné.

— Est-ce que je peux me joindre à vous un moment ? demanda-t-il.

Il y avait moments et moments.

Sans un mot, Dwyer approcha une chaise de la table voisine. Il était habillé comme d'habitude, bronzé, musclé, ses bras de poids coq saillant sous les manches courtes de son tricot blanc imprimé. Quel que soit son chagrin, il ne l'étalait pas au grand jour.

— Qu'est-ce que vous buvez ? demanda Dwyer.

— Qu'est-ce que vous buvez, vous ?

— Pastis.

— Pas pour moi, merci, dit Rudolph. — Il n'aimait pas le goût douceâtre de réglisse. Cela lui rappelait les longs bâtons noirs et souples de confiserie, qui ressemblaient à des serpents, que son père lui achetait quand il était enfant. Il n'était pas d'humeur à évoquer son père. — Si je pouvais avoir un cognac ?

Dwyer entra dans le café pour aller chercher le cognac. Rudolph regarda Kate par-dessus la table. Elle était assise là, impassible, aucune émotion ne se lisait sur son visage. On aurait pu la prendre pour une paysanne mexicaine, se dit Rudolph, son travail terminé pour le moment, assise au soleil devant un mur d'adobes (1), en train d'attendre son mari qui allait rentrer des champs. Elle baissa les yeux, refusant de le regarder, un mur de terre sèche enserrant ses pensées primitives. Il la sentait hostile. Est-ce que le baiser d'adieu qu'elle lui avait donné en quittant la *Clothilde* avait été un geste sarcastique ? Ou avait-il été sincère, voulu sur le moment et regretté plus tard ?

— Comment va Wesley ? demanda-t-elle, les yeux toujours détournés. Bunny m'a tout raconté.

— Il va bien. On va le laisser sortir de France dans une semaine. Probablement pour aller aux Etats-Unis.

Elle hocha la tête.

— C'est ce que j'avais pensé, dit-elle. — Sa voix était basse et monotone. — C'est mieux comme ça. Il ne doit pas traîner par ici.

— C'était une bêtise, ce qu'il a fait, dit Rudolph, se bagarrer de cette manière. Je me demande ce qui lui a pris.

— Peut-être qu'il disait adieu à son père, dit Kate.

Rudolph se tut un instant, honteux de ce qu'il avait dit. Il se sentait comme le jour où il était sorti du consulat pour la première fois, en pleurant dans la rue. Il se demanda si ses joues étaient mouillées de larmes maintenant.

— Vous le connaissez mieux que moi, dit-il. — Il fallait qu'il change

(1) Briques de terre séchées au soleil.

de sujet. — Et vous, Kate, comment allez-vous ? s'efforçant à un ton affectueux.

Elle émit un soupir curieux, désabusé.

— Aussi bien que possible, dit-elle. Bunny m'a tenu compagnie.

Peut-être devraient-ils se marier, pensa Rudolph. Tous les deux de la même espèce. Diplômés la même année, de la même dure école. Pour se tenir compagnie, comme elle disait.

— J'avais espéré que vous m'appelleriez, dit-il, mentant.

Elle leva les yeux, le regarda bien en face.

— Je savais où vous trouver, dit-elle sans élever la voix, si j'avais voulu vous dire merde.

Bunny revint avec le cognac et deux nouveaux pastis. Rudolph les regarda verser l'eau dans leurs verres et le pastis devenir d'un jaune laiteux. Rudolph leva son verre machinalement.

— A... — Il s'arrêta, rit d'un rire incertain. — A rien, je pense.

Dwyer leva son verre, mais Kate se contenta de faire tourner le sien lentement sur la table.

Le cognac était fort et Rudolph suffoqua légèrement à la première gorgée.

— Il y a quelques faits nouveaux que vous devriez connaître, il me semble... — Je dois cesser de parler comme si je m'adressais à un conseil d'administration, pensa-t-il. — Je suis content de vous trouver ensemble...

Puis il leur expliqua aussi clairement que possible ce que Heath lui avait précisé à propos de la succession. Ils écoutaient poliment, mais sans intérêt. Cela vous est égal, ce que vous allez devenir ? avait-il envie de leur crier.

— Je ne veux pas être, quel est le mot... ? dit Kate lentement.

— Exécutrice testamentaire.

Heath lui avait dit que c'était probablement ce que déciderait le juge.

— Exécutrice. Je n'y connais rien. De toute façon j'ai l'intention de retourner en Angleterre. A Bath. Ma mère y habite et je peux me faire prendre en charge par la Sécurité sociale pour le bébé, et ma mère pourra s'en occuper quand je travaillerai.

— Quel genre de travail ? demanda Rudolph.

— J'étais serveuse dans un restaurant, dit Kate, avant d'entendre l'appel de la mer. — Elle rit avec dérision. — Une serveuse trouve toujours du travail.

— Il restera de l'argent, dit Rudolph, lorsque la succession aura été réglée. Vous n'aurez pas besoin de travailler.

— Qu'est-ce que je ferai toute la journée, rester assise et regarder la télé ? dit Kate. Je ne suis pas une fainéante, vous savez. — Elle parla sur un ton de défi, sous-entendant clairement que lui et ses femmes étaient tous des fainéants. — L'argent qu'il y aura, et je ne pense pas qu'il en reste beaucoup après les avocats et tous les autres, je le mettrai de côté pour l'éducation du gosse. Avec une éducation, si c'est une fille, elle n'aura peut-être pas besoin de servir à table et de repasser des robes de dames dans une lingerie fumante de bateau, comme sa mère.

Pas moyen de discuter avec elle.

— Si jamais vous avez besoin de quoi que ce soit — de l'argent. n'importe quoi, dit-il, sans espoir, faites-le-moi savoir.

— Ce ne sera pas nécessaire.

Elle baissa les yeux de nouveau et fit toujours tourner son verre sur la table.

— On ne sait jamais. Peut-être, par exemple, qu'un jour vous aurez envie de visiter l'Amérique.

— L'Amérique ne m'attire pas. On se moquerait de moi en Amérique.

— Ne voudriez-vous pas revoir Wesley ?

— Je n'aurais rien contre, dit-elle. S'il veut me voir, il y a des avions tous les jours entre l'Amérique et Londres.

— En attendant, dit Rudolph, en s'efforçant de ne pas avoir un ton suppliant, tant que la succession ne sera pas réglée, vous aurez besoin d'argent.

— Pas moi, j'ai mes économies. Et je me suis toujours fait payer mon salaire par Tom, comme avant, même quand nous couchions dans le même lit et que nous allions nous marier. L'amour, c'est une chose, je lui disais, et le travail en est une autre, dit-elle en une fière déclaration de catégories.

Elle leva enfin son verre et but un peu de son pastis.

— J'abandonne. — Rudolph ne put s'empêcher de parler sur un ton exaspéré. — Vous parlez comme si j'étais votre ennemi.

Elle le fixa avec des yeux vides.

— Je ne me souviens pas d'avoir dit quelque chose qu'on pouvait interpréter comme ça. Pas vrai, Bunny ?

— Je n'ai pas vraiment fait attention, dit Dwyer, mal à l'aise. Je ne pourrais pas juger.

— Et vous ? — Rudolph se tourna vers Dwyer. — Vous n'avez pas besoin d'argent ?

— J'ai toujours été le genre de type à faire des économies, dit Dwyer. Tom me taquinait souvent, il disait que j'étais mesquin et avare. Je suis bien pourvu, merci.

Vaincu, Rudolph termina son cognac.

— Laissez-moi au moins vos adresses. Tous les deux Pour que je puisse garder le contact.

— Laissez l'adresse de Wesley ici au chantier naval, dit Kate. Je leur mettrai un mot de temps en temps et ils lui feront passer une carte postale. J'aimerais lui faire savoir s'il a un frère ou une sœur, quand le moment sera venu.

— Je ne sais pas où sera Wesley, dit Rudolph. — Il commençait à se sentir enroué, sa gorge était irritée par le cognac et par l'effort d'avoir à parler à ces deux êtres évasifs et butés. — Si vous lui écrivez chez moi je veillerai à ce qu'il reçoive votre lettre.

Kate le dévisagea longuement, puis porta de nouveau son verre à ses lèvres. Elle but.

— Je ne voudrais pas que votre femme lise mon courrier dit-elle en posant son verre.

— Ma femme n'ouvre pas mon courrier, dit Rudolph

Il ne pouvait plus s'empêcher de parler avec colère.

— Je suis ravie de voir que c'est une femme qui a un peu de caractère, dit Kate.

Y avait-il une pointe de malice dans ses yeux, ou était-ce une idée ?

— Je ne cherche qu'à rendre service, poursuivit Rudolph avec lassitude, je me sens obligé...

Il s'arrêta, mais c'était trop tard.

— Je vous remercie de vos intentions, dit Kate, mais vous ne me devez rien.

— Moi je crois qu'il vaudrait mieux ne pas en parler, monsieur... Rudy, dit Dwyer.

— D'accord, n'en parlons pas. Je serai à Antibes au moins une semaine. Quand pensez-vous partir pour l'Angleterre, Kate ?

Kate lissa le devant de sa robe de ses deux mains.

— Dès que j'aurai rassemblé mes affaires.

Rudolph se rappela l'unique valise éraflée en imitation cuir que Wesley avait descendue pour elle de la *Clothilde*. Il ne lui faudrait pas plus de quinze minutes pour rassembler ses affaires.

— Combien de temps vous faudra-t-il ? demanda Rudolph patiemment.

— Difficile à dire. Huit jours, quinze jours. J'ai quelques adieux à faire.

— Il me faudra votre adresse ici, au moins. Il peut y avoir du nouveau, quelque chose à signer devant notaire...

— Bunny sait où me trouver.

— Kate, dit Rudolph doucement, je voudrais être votre ami.

Elle hocha la tête lentement.

— Il faut laisser le temps, mon vieux, dit-elle avec dureté.

Le baiser d'adieu dans le salon de la *Clothilde* avait été dû à l'hébétude. Une semaine de réflexion l'avait rendue amère. Rudolph ne pouvait pas lui en vouloir. Il se tourna vers Dwyer.

— Et vous, demanda-t-il, combien de temps pensez-vous rester ?

— Vous le saurez mieux que moi, Rudy. J'ai l'intention de rester jusqu'à ce qu'on me foute dehors. Ils peuvent arriver n'importe quand avec le nouvel arbre et la nouvelle hélice et ça veut dire qu'il faudra mettre le bateau en cale sèche pour au moins trois jours, c'est-à-dire si l'assurance arrive... Voilà un service que vous pourriez me rendre — relancer l'assurance. Ils vous font poireauter si on n'est pas derrière eux. Et vous savez leur parler mieux que moi. Alors, si...

— Merde pour l'assurance, dit Rudolph, se laissant aller. Occupez-vous de l'assurance vous-même.

— Pas la peine d'engueuler ce pauvre Bunny, dit Kate placidement. Il essaie simplement de garder le bateau en état pour que vous n'ayez pas une carcasse pourrie sur les bras au moment de le vendre.

— Excusez-moi, j'ai eu pas mal à supporter...

— Ça c'est bien vrai, dit Kate.

Si c'était de l'ironie, le ton ne le montrait pas. Rudolph se leva.

— Il faut que je rentre à l'hôtel, maintenant. Qu'est-ce que je dois ?

— C'est ma tournée, dit Dwyer. Tout le plaisir est pour moi.

— Je vous tiendrai au courant dit Rudolph

— Très aimable à vous. J'aimerais voir Wesley avant son départ pour les Etats-Unis..

— Il faudra que vous le voyiez à l'aéroport. Il ira directement en sortant de prison. Avec un policier.

— Les flics français. Il vaut mieux ne pas les laisser vous mettre la main dessus, pas vrai ? Dites à Wesley que je serai à l'aéroport.

— Bonne chance, dit Rudolph, à tous les deux.

Ils ne répondirent rien, mais restèrent assis en silence, leur verre devant eux, à l'ombre maintenant que le soleil avait baissé et était caché par le bâtiment de l'autre côté de la rue. Rudolph fit un petit geste et retourna à pied vers l'agence de voyages près de la place, où il pouvait acheter les trois billets d'avion pour le vol du lendemain.

Mari et femme, pensa-t-il amèrement en passant devant les magasins d'antiquités, les marchands de fromages et les marchands de journaux, ils feraient un bon couple. Qu'est-ce qui cloche chez moi ? Qu'est-ce qui me rend si sûr que je peux m'occuper de n'importe qui ? De tout le monde ? Je ressemble à ces chiens stupides aux courses de lévriers. Montre-moi une responsabilité, la mienne, pas la mienne, celle de n'importe qui, et je me lance à sa poursuite, comme les chiens derrière le lapin mécanique, même s'ils ne l'attrapent jamais, même s'ils *savent* qu'ils ne pourront jamais l'attraper. Quelle maladie m'a contaminé quand j'étais jeune ? La vanité ? La peur de ne pas avoir d'amis ? Un substitut pour une religion reniée ? J'ai de la chance de n'avoir jamais eu à faire la guerre — je serais mort dès le premier jour, tué par mes propres hommes pour avoir empêché une retraite, ou en me portant volontaire pour aller chercher des munitions pour un fusil perdu et encerclé. Mon projet pour l'année prochaine, se promit-il, est d'apprendre à dire : allez vous faire foutre ! à tout le monde.

CHAPITRE VI

Du carnet de Billy Abbott (1968).

Ce SOIR MONIKA M'A troublé. Elle était en train de travailler aux épreuves d'un discours qu'elle avait traduit du français en anglais, lorsqu'elle leva la tête et dit : Je viens de remarquer quelque chose. Dans les deux langues — et dans la plupart des autres aussi — les verbes avoir, être, aller, et mourir sont tous irréguliers. En anglais — I have, he has, I had — pas trop de variations, mais il y en a tout de même. C'est plus frappant en français. J'ai, tu as, il a, nous avons. To be s'écarte davantage. I am, you are, he is, we were, you are being, they had been, I shall, he will. En français, je suis, tu es, nous sommes, vous êtes, il sera. Puis soit et soyons et je fus et il fût dans d'autres temps. Songe à I go, I went, I have been gone. Et aller — je vais, nous allons, ils vont. Mourir suit une ligne un peu plus droite, mais mérite qu'on s'y arrête. I die. I am dead. En français, mourir à l'infinitif, mais je meurs, nous mourions, nous sommes morts. Qu'est-ce que tout cela signifie ? Que l'espèce humaine est mal à l'aise dans ses actes les plus fondamentaux : exister, posséder, aller d'un endroit à l'autre, mourir ? Que nous cherchons à renier ou à masquer ou à éluder nos activités essentielles ? En revanche, le verbe tuer est aussi régulier que possible, je tue, tu tues, il tue, j'ai tué, tu as tué. Il a tué. Rien à cacher, là, rien qui mette mal à l'aise. C'est pareil pour baiser. Faut-il y voir un jugement ?

Je suis bien content de ne pas être traducteur, je lui ai dit. Mais cela m'a donné à réfléchir, et j'ai passé la moitié de la nuit à me poser des questions sur moi-même et mes liens avec le langage.

***

Gretchen était au bar lorsque Rudolph rentra à l'hôtel. Elle buvait un cocktail au champagne et parlait à un jeune homme en tenue de tennis. Elle buvait pas mal, ces derniers jours, ce qui ne lui ressemblait pas, et parlait à tous les hommes qui se trouvaient là, ce qui, pensa-t-il avec malice, lui ressemblait beaucoup. Avait-il entendu des pas hier soir passant doucement devant sa porte, devant les paires de souliers. en direction de sa chambre à elle ?

En pensant à Nice, il était mal placé pour y trouver à redire. Et quelles que soient les diversions qu'elle trouve pour s'amuser dans les limbes où elle était. elles étaient en tout cas excusables.

— Puis-je vous présenter mon frère, Rudolph Jordache, dit-elle lorsque Rudolph arriva à la table où ils étaient assis. — Basil... j'ai oublié votre nom de famille, mon cher.

Elle doit avoir bu au moins trois cocktails au champagne, pensa Rudolph, pour dire mon cher à un homme dont elle a oublié le nom.

Le jeune homme se leva. Il était grand et mince, une allure d'acteur les cheveux teints, frivolement beau, décida Rudolph.

— Berling, dit le jeune homme, en s'inclinant légèrement. Votre sœur m'a parlé de vous.

Berling, Basil Berling, pensa Rudolph en hochant la tête en réponse au salut. Qui donc a un nom comme Basil Berling ? Britannique, à son accent.

— Voulez-vous vous joindre à nous ?

— Un instant seulement, dit Rudolph de mauvaise grâce. J'ai certaines choses dont je voudrais discuter avec ma sœur.

— Mon frère aime beaucoup discuter. Gardez-vous de ses discussions.

Quatre cocktails, pas trois, pensa Rudolph.

— Que prendrez-vous, monsieur ? demanda Basil Berling quand le serveur arriva, en bon membre britannique et poli de l'Actors Equity (1), soignant son élocution, conscient du fait qu'il sortait d'une école médiocre.

— La même chose, dit Rudolph.

— Trois fois la même chose, dit Basil Berling au garçon.

— Il m'a fait boire sans arrêt, annonça Gretchen.

— C'est ce que je vois

Gretchen fit une grimace.

— Rudolph est le non-buveur de la famille, expliqua-t-elle à Basil Berling.

— Il faut bien qu'il y en ait un.

— Oh la la, je redoute la discussion qui va suivre, dit Gretchen. — Basil... comment avez-vous dit, déjà, mon cher ?

Elle fait semblant d'être plus partie qu'elle n'est en réalité, pensa Rudolph. Pour m'agacer. Aujourd'hui je suis la cible de tout le monde.

— Berling, dit l'homme, toujours aimable.

— Mr Berling est acteur, quelle coïncidence, dit Gretchen, d'un ton ivre et minaudier à la fois ; nous voici au bout du monde et nous nous rencontrons par le plus grand des heureux hasards dans un bar de basse classe et nous sommes tous les deux dans le cinéma !

Elle se moquait de lui maintenant avec un faux accent britannique, mais le jeune homme semblait inattaquable.

(1) Organisation professionnelle, à laquelle tout comédien doit appartenir pour travailler aux Etats-Unis. (N. des T.)

— C'est vrai ? — L'Anglais parut surpris. — Je veux dire, vous faites du cinéma ? En effet... j'aurais dû le deviner.

— N'est-il pas galant ? — Gretchen toucha le bras de Rudolph avec coquetterie, frère ou pas. — Je dois confesser l'horrible vérité. Je suis dans la partie non romantique.

Elle but une gorgée de son nouveau cocktail, souriant à Basil Berling par-dessus le verre.

— Difficile à croire, fit Berling avec maladresse.

Je dois me débarrasser de lui tout de suite, pensa Rudolph, avant d'avoir à demander au directeur de le jeter dehors.

— Mais si, dit Gretchen. Dans les coulisses. Je fais partie de ces dames aux ongles noirs. Jusqu'au cul dans la pellicule. Monteuse. Voilà, il n'y a plus de secret. Une simple et modeste monteuse.

— Vous faites honneur à la profession, dit Basil Berling.

Que Dieu m'épargne les rites d'accouplement des autres, pensa Rudolph, alors que Gretchen disait « Adorable », en tapotant le dos de la main de Berling. Pendant un instant Rudolph se demanda comment sa sœur était *vraiment* au lit, combien d'hommes figuraient dans son passé, dans son présent. S'il le lui demandait, elle le lui dirait.

— Gretchen, dit Rudolph, pendant que Gretchen penchait sa tête avec trop de charme vers l'acteur, je dois monter pour dire à Jean de faire ses bagages. J'ai son passeport et elle voudra partir demain. Je voudrais te parler d'abord, s'il te plaît.

Gretchen fit une moue charmante. Rudolph aurait voulu la gifler. Les événements de la journée avaient mis ses nerfs à rude épreuve.

— Finissez votre verre, mon cher, dit Gretchen à Berling. Mon frère est un homme très occupé, l'abeille consciencieuse qui va de fleur en fleur.

— Bien sûr. — Le comédien se leva. — Je dois aller me changer, de toute façon. J'ai joué trois simples et je risque d'attraper un rhume monstrueux si je reste encore assis tout mouillé.

— Merci pour le vin, dit Gretchen.

— Tout le plaisir est pour moi.

Dwyer avait dit la même chose, se souvint Rudolph. Tout le monde prenait du plaisir, cet après-midi, se dit-il avec aigreur. Sauf lui-même.

— Est-ce que je vous verrai plus tard, Gretchen ? Pour dîner ? demanda Berling.

Il était grand mais il avait des jambes maigres et noueuses, remarqua Rudolph. Je serais mieux que lui, en short de tennis, pensa-t-il bassement.

— Je le crois, oui, dit Gretchen.

— Heureux d'avoir fait votre connaissance, monsieur, dit Berling à Rudolph.

Rudolph grogna. Si cet homme devait le traiter de monsieur, comme s'il avait un pied dans la tombe, il pouvait être hargneux, comme il convenait à son âge.

Frère et sœur regardèrent l'acteur sortir à grandes enjambées, élastiques et viriles, comme s'il était en scène.

— Bon Dieu, Gretchen, dit Rudolph après le départ de l'acteur, tu as vraiment le chic pour les choisir, n'est-ce pas ?

— Il n'y a pas grand choix en cette saison. Une fille est forcée de prendre ce qui se présente. Bon, de quel désagréable sujet es-tu si pressé de me parler ?

Il vit qu'elle n'était pas ivre du tout.

— Il s'agit d'Enid. J'aimerais que tu prennes l'avion avec Jean et Enid demain et que tu veilles sur elles. Sur toutes les deux.

— Oh, seigneur, dit Gretchen.

— Je ne veux pas confier ma fille à Jean, poursuivit Rudolph avec obstination.

— Et toi ? Tu ne viens pas ?

— Je ne peux pas. Il reste trop de problèmes à régler, ici. Et en arrivant à New York, je veux que tu restes avec elles dans mon appartement. Mrs Johnson est encore en vacances à Saint Louis pour une semaine.

— Ecoute, Rudy, je suis trop vieille pour me lancer dans le baby-sitting.

— Sacrebleu, Gretchen, après tout ce que j'ai fait pour toi...

Gretchen renversa la tête et ferma les yeux, comme si par cette attitude physique elle retenait une réponse courroucée. Toujours dans la même position, les yeux toujours clos, elle dit :

— Je n'ai pas besoin que tu me rappelles tous les jours ce que tu as fait pour moi.

— Tous les jours ? — Rudolph hachait les mots. — C'était quand, la dernière fois ?

— Pas avec les mêmes mots, mon cher frère. — Elle ouvrit les yeux et se pencha de nouveau en avant. — Laissons tomber. — Elle se leva. — Tu l'as, ta baby-sitter. De toute façon, je serai contente de me retrouver dans un pays où les meurtres arrivent dans les journaux, et non pas au sein de ma propre famille. L'avion part à quelle heure ?

— Onze heures et demie. J'ai ton billet.

— Tu penses à tout, n'est-ce pas ?

— Oui, à tout.

— Je ne sais pas ce que je ferais sans toi, mon frère, dit Gretchen. J'ai intérêt à commencer mes bagages, moi aussi. — Elle lui sourit, mais il remarqua qu'elle se forçait. — Trêve ?

— Trêve, dit-il.

En allant vers l'ascenseur il s'arrêta pour prendre sa clef.

— Monsieur Jordache, pendant votre absence une dame est venue et a laissé une lettre pour vous, dit le concierge.

Il sortit une enveloppe du casier et la donna à Rudolph avec sa clé. L'enveloppe ne portait que son nom, d'une écriture féminine qu'il lui sembla avoir déjà vue quelque part. Dans l'ascenseur il déchira l'enveloppe et en sortit une unique feuille de papier.

C'était de Jeanne.

Cher Américain,

Ceci simplement pour te dire de ne pas me téléphoner, s'il te plaît. Tu peux deviner la raison. Je t'appellerai dès que je pourrai. Peut-être pas avant une semaine ou deux. Peut-être qu'ils ont annulé pour de bon la guerre à Paris. J'espère que tu te trouves bien à Antibes et que tu prolongeras ton séjour. Les après-midi sont lugubres sans toi. Si tu

veux m écrire, fais-le Poste Restante, Poste Centrale Nice J'espère que
je n'ai pas fait de fautes d'orthographe.

Sois prudent au volant
Jeanne

Il froissa la lettre et la mit dans sa poche, sortit de l'ascenseur, gagna
la porte de sa suite, se composa un visage, introduisit la clef dans la
serrure et entra.

Jean était debout devant la fenêtre, le regard fixé sur la mer. Elle ne
se retourna pas à son entrée. Dans le contre-jour atténué de la fenêtre
ouverte, sa silhouette était mince et jeune, dans une robe d'été en toile.
Elle lui rappela les filles de son université, ces filles qui portaient sur
leur poitrine les insignes des clubs de leurs petits amis et allaient aux
matchs de rugby du samedi après-midi en volumineux manteaux de
fourrure et bas de laine bariolés ainsi qu'aux bals d'étudiants où lui-
même jouait de la trompette dans l'orchestre, pour aider à payer ses
études. Il resta près de la porte, contemplant l'illusion de jeunesse
vulnérable créée par sa femme, et ressentit pour elle un élan de pitié,
involontaire, inutile.
« Bonsoir, Jean », dit-il en s'approchant d'elle. Jean, Jeanne, pensa-
t-il, qu'y a-t-il dans un nom ?
Elle se retourna lentement. Il vit à ses cheveux lisses et mi-longs
qu'elle était allée chez le coiffeur ce jour-là et qu'elle s'était maquillée.
La vieille femme qu'elle serait un jour avait disparu de son visage.
— Bonsoir, dit-elle gravement.
Sa voix, aussi, était redevenue normale, c'est-à-dire une voix qui
n'était pas rendue stridente par la boisson, la colère ou l'autolacéra-
tion.
— Voilà ton passeport, l'avocat l'a récupéré aujourd'hui.
— Merci, dit-elle.
— J'ai ton billet d'avion pour demain. Tu peux rentrer maintenant.
— Merci, répéta-t-elle. Et toi ?
— Je dois rester encore une semaine au moins.
Elle hocha la tête, ouvrit son passeport, jeta un regard à la photo,
secoua la tête tristement, jeta le passeport sur la table.
La photo qui est dans mon passeport ne me flatte pas non plus, avait
envie de lui dire Rudolph.
— Au moins une semaine..., dit Jean. Tu dois être épuisé.
— Ça va. — Il se laissa tomber dans un fauteuil. Jusqu'à ce qu'elle
dise qu'il devait être épuisé il n'avait pas réalisé à quel point il était
fatigué, en vérité. Il dormait mal, se réveillait souvent au milieu de la
nuit, troublé par des rêves. La nuit précédente il avait fait un rêve fort
étrange et troublant. Il s'était réveillé en sursaut. Il lui avait semblé que
le lit tremblait et la première pensée qui lui était venue était qu'il y
avait un tremblement de terre. Il se souvenait que dans ce rêve il avait
l'impression que des doigts invisibles et malfaisants le pinçaient tout le
long des jambes. Des esprits frappeurs, se rappelait-il avoir pensé dans
son rêve. — Comment va Enid ? demanda-t-il.

— Très bien, dit Jean. Je l'ai emmenée à Juan-les-Pins cet après-midi et je lui ai acheté un tricot rayé de marin en miniature. Elle est très mignonne dedans, et depuis elle passe son temps à poser devant la glace. En ce moment elle est en train de dîner avec la gouvernante.

— J'irai lui dire bonsoir, dit-il. Dans un moment. — Il défit son col et sa cravate. Dételé pour aujourd'hui, il mettrait une chemise à col ouvert pour dîner. — Gretchen voyagera avec toi et Enid, dit-il.

— Ce n'est pas la peine, dit Jean, mais sans le moindre ressentiment. Elle aimerait peut-être rester. Il fait un temps superbe à présent et je l'ai vue revenir de la mer avec un beau jeune homme.

— Elle a hâte de rentrer à New York. Je lui ai demandé de rester avec toi et Enid jusqu'à ce que Mrs Johnson revienne de Saint Louis.

— Ce ne sera pas gai pour elle, dit Jean. Je peux m'occuper d'Enid toute seule. Je n'ai rien d'autre à faire.

Mais toujours avec calme, ne montrant ni ressentiment ni envie de se disputer.

— Je pense qu'il vaudrait mieux que Gretchen soit là pour donner un coup de main, dit-il prudemment.

— Comme tu voudras. Mais je peux rester sobre pendant huit jours, tu sais.

— Je sais, dit-il. Pour plus de sécurité.

— J'ai réfléchi à notre sujet, dit-elle d'un ton uni, sans animosité, ses mains jointes devant elle, doigts entrelacés, comme si elle se trouvait sur une estrade pour prononcer un discours préparé à l'avance. Sur ce que nous venons de vivre.

— Pourquoi ne pas oublier ce que nous venons de vivre ?

Rudolph n'était pas d'humeur à écouter des discours préparés à l'avance.

— J'ai réfléchi à notre sujet. Dans ton intérêt et celui d'Enid je crois que nous devrions divorcer.

Enfin, se dit-il. Au moins ce n'est pas moi qui ai prononcé le mot.

— Pourquoi n'attendrions-nous pas quelque temps avant de parler de ce genre de chose ? dit-il avec douceur.

— Si tu veux. Mais je ne t'apporte rien. Ni à elle. Tu ne veux plus de moi... — Jean leva la main, bien qu'il n'eût pas encore ouvert la bouche. — Tu m'évites depuis plus d'un an. Et je suis sûre que tu as trouvé quelqu'un ici. Ne le nie pas, je t'en prie.

— Je ne le nierai pas, dit-il.

— Je ne te blâme pas, chéri, dit-elle. Je t'empoisonne depuis longtemps. Il y a belle lurette qu'un autre homme m'aurait quittée. Et la foule aurait applaudi.

Elle eut un sourire crispé.

— Je préférerais que tu attendes que nous soyons tous les deux en Amérique..., commença-t-il à dire, bien qu'il sentît que ses épaules étaient soulagées d'un grand poids.

— J'ai envie de parler ce soir, dit-elle, sans insister. J'ai réfléchi à notre sujet toute la journée ; je n'ai rien bu depuis plus d'une semaine et je suis plus saine d'esprit et raisonnable que je ne le serai jamais de ma vie. Ne veux-tu pas entendre ce que j'ai pensé ?

— Je ne veux pas que tu dises des choses que tu regretteras plus tard

— Regretteras. — Elle fit un petit geste gauche, comme si elle chassait une guêpe. — Je regrette tout ce que je dis. Et à peu près tout ce que j'ai fait. Ecoute-moi bien, mon cher. Je suis une ivrogne. Je suis déçue par moi-même et je resterai une ivrogne. Je serai déçue par moi-même et je resterai une ivrogne toute ma vie. Et je n'en sortirai pas.

— Nous n'avons pas encore tout essayé. Les endroits où tu es allée n'étaient pas assez sérieux. Il y a d'autres cliniques où...

— Tu peux m'envoyer dans toutes les cliniques d'Amérique, dit-elle. Tous les psychiatres d'Amérique peuvent fouiller dans mes rêves. Ils peuvent me donner des désintoxiquants et je peux vomir mes tripes. Et je serai toujours une ivrogne. Et je hurlerai toujours comme une mégère et je te déshonorerai. Rappelle-toi, je l'ai déjà fait, et plus d'une fois... et je peux te demander pardon et je peux recommencer et je peux risquer la vie de mon enfant en conduisant en état d'ivresse et je peux tout oublier et me remettre chaque fois à chercher une bouteille jusqu'au jour de ma mort et j'aimerais que ce soit pour bientôt ; seulement je n'ai pas le courage de me tuer, ce qui est encore une déception...

— Ne parle pas comme ça, s'il te plaît, Jean, dit-il.

Il se leva et alla vers elle, mais elle recula, comme si elle redoutait son contact.

— Je suis sobre en ce moment, dit-elle, il y a plus de huit jours que je me dessaoule, profitons de ce merveilleux moment inattendu pour regarder les choses en face et prendre des décisions graves et d'importance mondiale. Je me retirerai quelque part, hors de vue — est-ce que le Mexique est assez loin ? L'Espagne ? Je parle espagnol, tu le savais ? La Suisse ? Les cliniques y sont excellentes, à ce qu'on m'a dit, et on peut s'attendre à des résultats spectaculaires pour deux ou trois mois d'affilée.

— D'accord, dit-il, alors vivons deux ou trois mois d'affilée. Divorce ou pas.

— Inutile de prétendre que je peux encore garder un emploi. — Rien ne pouvait arrêter la voix chantante, obstinée. — Mais grâce à mon cher père défunt je peux vivre plus que confortablement — de façon extravagante. Tu dois m'aider à constituer un portefeuille sous tutelle pour Enid car, lorsque je suis ivre, je risque de rencontrer un jeune Italien éblouissant et intrigant qui conspirera pour me dépouiller de ma fortune et je n'aimerais pas ça. J'ai même trouvé un moyen pour que tu ne te sentes pas coupable de m'avoir abandonnée et de me laisser errer sans protection dans ce monde ténébreux et dangereux. J'engagerai une jeune femme solide et comme il faut, probablement lesbienne, qui me tiendra compagnie et veillera à ce que rien ne m'arrive quand je serai saturée d'alcool... et au besoin s'occupera de ma vie sexuelle de façon innocente et inoffensive...

— Arrête, cria-t-il. Assez, assez !

— Ne sois pas si choqué, mon cher puritain de Rodolphe, dit-elle. Je l'ai déjà fait et ça ne m'a pas déplu et je suis sûre que je peux encore le faire, surtout après une ou deux bouteilles, et y prendre encore goût. La vérité, chéri, c'est que je ne suis plus capable de lutter. Même l'Armée Confédérée a fini par se rendre. J'ai eu assez de morts. Je n'ai plus de place pour manœuvrer, je suis venue à Appomattox. Tu vois, mon éducation n'a pas été inutile. Vous pouvez me rendre mon épée, Général Grant. Non, ça a un ton moqueur. Ce n'est pas mon intention. Je suis au désespoir. Je ne peux plus combattre. Je ne peux pas me battre contre toi, ni contre la boisson, ni la culpabilité, ni le mariage, quel que soit le sens de ce mot pour toi et moi en ce moment. De temps en temps, lorsque je serai dans une période paisible, j'apparaîtrai, avec ma compagne lesbienne, je veillerai à ce que cela ne se remarque pas trop, et nous serons toutes deux habillées de manière féminine, pour rendre visite à Enid. Tu n'aurais pas besoin d'être là. Ne dis rien ce soir, je t'en prie, mais souviens-toi de mon offre demain matin lorsque tu me mettras dans l'avion, et admire mon renoncement. Profites-en avant que je ne change d'avis et m'accroche jusqu'à ma mort à ton cou comme un cadavre.

— Ecoute, dit-il, quand tu seras loin d'ici, loin de cette atmosphère morbide, tu...

— A nous deux, nous avons fait de la merde de ta vie à toi aussi, entonna-t-elle. Et puis, tu ne rajeunis pas, tu ne peux pas te contenter de rester assis au coin du feu pendant cinquante ans encore, il faut que tu fasses *quelque chose*. Sois reconnaissant pour aujourd'hui. Ne laisse pas passer l'occasion. Qui sait pour combien de temps cette marchandise sera encore sur le marché ? Et maintenant, je sais que tu as eu une journée longue et pénible, et que tu voudrais te raser et prendre une bonne douche chaude, puis mettre des vêtements propres, boire un Martini et sortir dîner. Pendant que tu prends ta douche, je commanderai ton apéritif. Ne crains rien, je ne toucherai pas une goutte d'ici New York — je me sens des élans de volonté surhumaine. Et puis, si tu veux bien, tu m'emmèneras dîner, toi et moi en tête à tête — et nous parlerons d'autre chose — comme le reste de ta vie et les écoles qu'Enid devrait fréquenter, et quel genre de femme tu envisagerais finalement d'épouser et qui tu as baisé sur la Côte d'Azur, et puis quand il sera tard et que nous serons fatigués, nous rentrerons ici dans notre merveilleuse suite follement onéreuse et tu me laisseras dormir dans ton lit parce que demain je prends l'avion pour les Etats-Unis et toi tu vas encore profiter de la fin de l'été pour réparer tout ce que j'ai cassé.

Il se leva, alla vers elle et la prit dans ses bras. Elle tremblait violemment. Elle était rouge et il la sentait fébrile.

— Je suis désolée, murmura-t-elle, frissonnant entre ses bras, la tête contre sa poitrine, ses bras s'accrochant à lui. Je suppose que j'aurais dû faire ce discours il y a longtemps — avant que nous soyons mariés, peut-être, sauf que je ne crois pas avoir été comme ça avant notre mariage.

— Chut, chut, dit-il, désemparé. Quand tu seras à la maison tu verras les choses différemment.

— Quand je serai à la maison, dit-elle, la seule différence sera que j'aurai un jour de plus. — Elle se dégagea et lui adressa un pâle sourire.

— On peut difficilement considérer cela comme un grand progrès. Maintenant va prendre ta douche. Quand tu sortiras je serai moins éloquente et il y aura ici un Martini pour te rappeler que tout n'est pas perdu Je trinquerai avec toi. Avec un autre Coca-Cola.

Sous la douche, il s'octroya le droit de pleurer. Au cours des années il avait dû y avoir un moment quelconque où elle aurait pu être sauvée. Il avait été trop occupé, trop préoccupé, pour reconnaître ce moment, pour faire vers elle le geste nécessaire, avant que toutes les issues ne lui fussent définitivement fermées.

Il avait du mal à régler la température de l'eau. Elle arrivait trop chaude et lui brûlait la peau comme un millier d'aiguilles, et lorsqu'il tournait le robinet elle jaillissait glacée, le frigorifiant et le faisant grelotter, comme s'il se tenait nu dans une tempête de grêle.

Il sortit, se sécha avec une grande serviette rugueuse, tout en se regardant dans le long miroir, honteux de son corps soigné et adultère, tous ses muscles bien nets, forts, inutiles à la vie qu'il menait, son sexe un obstacle à la charité. *Chair,* pensa-t-il. Suffisamment proche, du moins pour l'orthographe, de charité. Gardons cela, se dit-il amèrement, pour les après-midi à Nice.

Il s'habilla lentement, savourant le contact des vêtements coûteux et bien coupés contre sa peau. Les petits plaisirs revigorants du corps. Il mit une chemise de laine légère, des chaussettes de cachemire doux, un pantalon de flanelle bien repassé, de souples mocassins bien cirés (les communistes la nuit dans les couloirs), un veston de seersucker cloqué. Ce soir Gretchen ne pourrait pas dire qu'il avait l'air de venir de baiser.

Lorsqu'il regagna le salon le Martini était sur la table près du canapé, et Jean était debout devant la fenêtre, en train de fixer l'obscurité parfumée percée de points brillants et colorés tandis que s'allumaient les lumières de la côte qui s'étalait à l'ouest de la péninsule d'Antibes. Jean avait allumé une seule lampe et tenait un verre de Coca-Cola à la main. Elle se retourna en l'entendant entrer.

— Gretchen a appelé pendant que tu étais sous la douche. Je lui ai dit que nous dînions en tête à tête. Tu n'y vois pas d'inconvénient ?

— Pas du tout, bien sûr.

— D'ailleurs, elle dîne à Golfe-Juan avec un ami, elle a dit.

— Je l'ai rencontré, dit Rudolph.

— Je me demande souvent comment elle s'entend avec les hommes. Elle ne me fait pas de confidences.

— A moi, elle en fait trop, dit Rudolph.

— Comme tout le monde, dit Jean d'un ton léger. Pauvre Rudolph.

Elle errait sans but dans la pièce, touchant d'un geste distrait le dossier d'une chaise, ouvrant un tiroir du bureau. — Dis-moi, Rudy, je ne me souviens pas très bien, dit-elle. Est-ce que c'est la chambre que nous avions lorsque nous sommes venus ici juste après notre mariage ?

— Je ne me souviens pas non plus, dit-il, et il prit son Martini.

— Eh bien, dit-elle, en levant son verre, à... à... quoi ? — Elle sourit. Elle était belle et jeune dans la pénombre de la pièce. — Au divorce, disons ?

Elle but une gorgée de Coca-Cola. Rudolph posa son verre.

— Je le boirai plus tard. Je veux aller dire bonsoir à Enid.

— Vas-y, dit Jean. Je crois que tu devrais donner à la Française une bonne petite gratification. Elle a été très bien avec Enid. Très douce et patiente. Elle est presque une enfant elle-même, mais d'une manière ou d'une autre il semble qu'elle soit toujours parvenue à inventer des jeux pour amuser Enid. C'est un talent que je n'ai pas.

— Moi non plus, dit Rudolph. Tu ne veux pas venir avec moi ?

— Pas ce soir, dit Jean. D'ailleurs, je dois faire quelques retouches à mon maquillage.

— Je ne serai pas long.

— Il n'y a pas d'urgence. Nous avons toute la nuit devant nous.

Enid était en train de finir son dîner, elle portait son tricot rayé de marin. Elle riait au moment où Rudolph entra dans la pièce. Alors que la gouvernante ne parlait pas anglais, ces deux-là semblaient avoir trouvé le moyen de se comprendre parfaitement. L'éducation, se dit Rudolph avec un serrement de cœur, effacera ce don réciproque. Il posa un baiser sur le sommet de la tête d'Enid, dit « Bonsoir » à la jeune fille. Celle-ci dit :

— Je suis désolée pour le tricot. Elle a pris son bain sans problème, mais elle n'a pas voulu mettre son pyjama ; elle tient absolument à dormir avec le tricot sur le dos. J'espère que cela ne vous fait rien ? J'ai pensé qu'il ne valait pas la peine de s'y opposer...

— Bien sûr que non. — Une femme pleine de bon sens et de souplesse, cette Française. — Elle n'en dormira que mieux.

Puis il lui demanda de bien vouloir préparer les bagages de l'enfant dès le matin, car elle partait pour New York. Quand je partirai d'ici, se dit-il, je parlerai suffisamment bien le français pour discuter même avec un policier corse. Voilà pour le côté positif.

La jeune fille dit « Bien, monsieur ».

Rudolph regarda longuement sa fille. Elle avait l'air heureuse et en bonne santé, le soleil avait légèrement épanoui ses joues. Bon, pensa-t-il, encore une chose positive ; il y a au moins quelqu'un qui tire profit de ce voyage. En la voyant assise là, jouant avec bonheur avec sa nourriture, puis tout à coup saisissant la main de la jeune fille, il pensa : en rentrant à New York je vais renvoyer Mrs Johnson. Mrs Johnson avait la cinquantaine, elle était calme et efficace, mais n'était pas douée pour les jeux.

Il embrassa de nouveau Enid sur le sommet de la tête et se pencha davantage pendant qu'elle disait « Bonne nuit, papa », et lui plantait maladroitement sur la joue un baiser humide de flocons d'avoine. Elle sentait le savon et le talc et si la jeune fille n'avait pas été là, il l'aurait soulevée de la chaise où elle était assise, calée par des coussins, et l'aurait serrée très fort.

Mais il dit simplement « Bonne nuit, petit marin, dors bien », et il sortit de la pièce.

Le dîner était excellent, il y avait un clair de lune sur la mer, le restaurant n'était pas bondé et les garçons bourdonnaient avec dévotion autour de leur table. Jean insista pour qu'il commandât une bouteille de vin pour lui et il se laissa convaincre. Ils découvrirent qu'ils avaient beaucoup à se dire, mais rien d'important ni d'inquiétant et il n'y eut aucun silence gênant dans la conversation. Nous sommes tous en caoutchouc, pensait Rudolph, tout en admirant les cheveux souples de Jean pendant qu'elle était légèrement penchée sur son assiette ; nous nous déformons complètement et puis, du moins en apparence, nous reprenons notre forme originale, ou presque.

Ils firent traîner le café, il avait la certitude qu'ils avaient l'air contents d'être ensemble, contents l'un de l'autre, devant la grande baie qui donnait sur la mer obscure, avec son chemin argenté de clair de lune qui scintillait vers les îles lointaines.

Ils rentrèrent lentement à pied à l'hôtel, et lorsqu'ils pénétrèrent dans la suite, Jean dit : « Mets-toi au lit, chéri, j'arrive dans un petit moment ».

Nu, dans la pièce obscure, il attendait au lit. La porte s'ouvrit doucement ; il y eut un frou-frou lorsque Jean enleva sa robe de chambre, et puis elle fut dans le lit avec lui. Il passa son bras autour d'elle, son corps était chaud mais ne tremblait pas, n'était pas embrasé de fièvre. Ils demeurèrent immobiles et peu de temps après ils dormaient tous les deux. Cette nuit-là, il ne rêva pas que l'hôtel oscillait dans un tremblement de terre ou qu'il recevait la visite d'esprit frappeurs.

Quelques portes plus loin, Gretchen dormait d'un sommeil agité, toute seule. Le dîner avait été succulent, le vin avait coulé à flots, le jeune homme était presque le plus bel homme de la salle et s'était montré empressé, puis importun ; elle avait failli dire oui. Mais finalement, elle dormait seule. Avant de s'endormir elle avait pensé : si seulement mon fichu frère n'avait pas dit « Tu as vraiment le chic pour les choisir, non ? », elle n'aurait pas dormi seule cette nuit.

CHAPITRE VII

Du carnet de Billy Abbott (1968).

AI ACHETE PAR HASARD UN exemplaire du dernier numéro de l'édition internationale de *Time*. Et à la rubrique CRIME je tombe sur la saga des Jordache, avec photo nue et toute la désagréable histoire de la famille. Faillite, meurtre et déshonneur en quelques centaines de mots bien choisis.

Je vais découper l'article et le mettre avec mes autres notes. Cela donnera à mes descendants, s'il y en a, un résumé utile de leur arbre généalogique.

Le dernier endroit où l'on s'attendrait à trouver les trois enfants d'un boulanger allemand, émigré dans une ville sur l'Hudson River et suicidé, est un yacht sur la Côte d'Azur. Mais après le récent meurtre sur les quais d'Antibes de Thomas Jordache, mieux connu autrefois comme le poids moyen Tommy Jordan, un certain nombre de noms appartenant au passé sont remontés à la surface d'un dossier de meurtre de la police française. Parmi eux : RUDOLPH JORDACHE, quarante ans, frère de Tom, millionnaire, ex-maire de Whitby, New York ; un adolescent, WESLEY, fils de Jordan ; JEAN PRESCOTT JORDACHE, épouse de Rudolph et héritière de l'empire pharmaceutique Prescott du Middle West, et GRETCHEN BURKE, sœur des deux Jordache et veuve du metteur en scène de théâtre et de cinéma, COLIN BURKE.

Selon nos sources à Antibes, Jordan a été tué à coups de matraque quelques jours seulement après son mariage, et après avoir extirpé sa belle-sœur en état d'ivresse des griffes d'un voyou du port dans un bouge de Cannes.

Descendue au luxueux Hôtel du Cap pendant que la police poursuit son enquête, Jean Jordache dit qu'elle a été accostée alors qu'elle prenait, seule, un dernier verre sur le port. Jordan, faisant irruption, battit sauvagement l'homme qui l'avait accostée. Plus tard, Jordan fut découvert assassiné sur son yacht.

La police française se borne à confirmer qu'elle possède une liste de suspects.

Heureusement, on ne parle pas de moi. Il aurait fallu un hasard extraordinaire pour que quelqu'un fasse le rapprochement entre moi et Mrs Burke, mariée jadis à un metteur en scène en vue, maintenant décédé, et auparavant à un obscur attaché de presse du nom de Abbott. Monika pourrait le faire, évidemment, parce que je lui ai beaucoup parlé de ma mère, mais par chance, Monika ne lit pas *Time*. Information pour distraire, elle appelle ça, non pas information pour dire la vérité.

Je me demande parfois si je ne devrais pas essayer de devenir journaliste. Je suis inquisiteur et malicieux, deux qualités importantes dans la profession.

Monika pas à la maison. Mot sur la table. Sera absente pendant quelques jours. Pour elle, il y a bien deux poids, deux mesures, mais en sens inverse.

Elle me manque déjà.

*
* *

La limousine que le concierge avait commandée pour eux était chargée. Gretchen, Jean et Enid étaient déjà sur la banquette arrière, Enid pleurnichait un peu parce que la jeune fille française allait rester là. Rudolph venait de vérifier pour la troisième fois s'il avait bien tous leurs billets d'avion, et le chauffeur lui tenait la portière pour qu'il puisse monter à l'avant, lorsqu'une voiture entra dans la cour de l'hôtel et s'arrêta. Une petite femme rondelette, grisonnante et vêtue avec banalité en descendit, et un petit homme rondelet en costume de ville surgit de derrière le volant.

— Rudolph Jordache, je vous prie, héla la femme en s'approchant de lui.

— Oui ?

La femme lui rappelait vaguement quelqu'un.

— Je suppose que vous ne vous souvenez pas de moi, dit la femme. — Elle se tourna vers le petit homme rondelet. — Je t'avais bien dit qu'il ne se souviendrait pas de moi.

— Oui, tu me l'avais dit, approuva l'homme.

— Moi je me souviens de vous, pourtant, dit la femme à Rudolph. Très bien. Je suis la femme de Tom, la mère de Wesley. Je suis venue chercher mon fils.

Elle fouilla dans le grand sac à main qu'elle portait et en retira un exemplaire de *Time* qu'elle brandit sous le nez de Rudolph.

— Seigneur, dit Rudolph.

Il avait oublié le journaliste et le télex. Mais apparemment le journaliste, lui, ne l'avait pas oublié. Pauvre Wesley, pensa-t-il, pendant huit jours son nom allait être connu dans des millions de foyers, pendant des années il aurait à affronter les regards des curieux, des inconnus s'approcheraient de lui partout où il irait, en disant : « Excusez-moi, n'êtes-vous pas celui... ? »

— Puis-je voir à quoi ressemble l'article ?

Rudolph tendit la main vers le magazine. Le journaliste était allé sur le bateau avant l'emprisonnement de Wesley, mais il se pouvait qu'il ait continué ses investigations. Il frémit à l'idée de ce que *Time* pouvait avoir fait du récit de la bagarre de Wesley dans la boîte de nuit et de l'Anglais qui était à l'hôpital avec une commotion cérébrale.

Teresa recula en cachant le magazine derrière son dos.

— Vous n'avez qu'à vous en acheter un, dit-elle. D'après ce qui est écrit, vous pouvez largement vous le permettre. Vous et votre extravagante femme nue.

Bon Dieu, pensa Rudolph, ils ont déterré cette vieille photo. Quelle bénédiction ce serait pour le monde entier si les archives de tous les journaux du globe disparaissaient soudain en fumée en un seul jour !

— Tout est dans le magazine, dit Teresa d'un ton malveillant. Cette fois votre argent n'a rien pu pour mon brillant ex-mari, hein ? Il a fini par avoir ce qu'il cherchait, hein ?

— Je suis désolé, Teresa, dit Rudolph.

Tom devait être ivre mort ou complètement drogué lorsqu'il l'avait épousée. La dernière fois que Rudolph l'avait vue, trois ans auparavant, dans le bureau de Heath, lorsqu'il l'avait soudoyée pour aller divorcer à Reno, ses cheveux étaient blond platiné et elle devait peser dix kilos de moins. Ni mieux ni pire que maintenant.

— Pardonnez-moi de ne pas vous avoir reconnue. Vous avez changé quelque peu.

— Je ne vous ai pas fait grande impression, on dirait ? — Sa malveillance était plus prononcée, maintenant. — Je voudrais vous présenter mon mari, Mr Kraler.

— Enchanté, Mr Kraler.

L'homme grogna.

— Où est mon fils ? dit Teresa d'une voix acerbe.

— Rudy, appela Gretchen de la voiture, nous ne voulons pas manquer l'avion.

Elle n'avait rien entendu de la conversation.

Rudolph commença à transpirer, malgré la fraîcheur de la matinée.

— Vous devez m'excuser, Mrs Kraler, dit-il, mais nous devons aller à l'aéroport...

— Vous ne vous en sortirez pas aussi facilement, Mr Jordache, dit Teresa, agitant devant lui le magazine enroulé. Je n'ai pas fait tout ce chemin depuis l'Amérique pour vous laisser vous envoler comme ça !

— Je ne vais pas m'envoler, dit Rudolph, élevant la voix pour être dans le ton. Je dois accompagner ma famille à l'aéroport et je reviens ici. Je vous verrai dans deux heures.

— Je veux savoir où est mon fils, dit Teresa en l'agrippant par la manche et en le retenant alors qu'il commençait à monter en voiture.

— Il est en prison, si vous tenez à le savoir.

Elle poussa un cri perçant : « En prison ! » Elle porta sa main à la gorge en un geste tragique. Sa réaction rassura Rudolph. Au moins, cet épisode ne figurait pas dans l'article.

— N'exagérez pas, dit Rudolph sèchement. — Son hurlement était le bruit le plus fort qu'il avait entendu à l'hôtel depuis qu'il y était arrivé — Ce n'est pas si grave que ça.

— Tu entends ça, Eddie ? hurla-t-elle. Mon fils est en prison et il dit que ce n'est pas grave.

— Je l'ai entendu dire ça, dit Mr Kraler.

— Voilà le genre de famille que c'est. Confiez-leur un enfant, dit-elle aussi bruyamment qu'auparavant, et en moins de deux il a un casier judiciaire. Heureusement que son père s'est fait tuer, sinon je n'aurais jamais su où il était et Dieu sait ce que ces gens auraient fait de lui. Vous savez qui mérite la prison. — Elle lâcha la manche de Rudolph et recula d'un pas pour pointer vers lui un doigt tremblant et accusateur, le bras tendu comme une prima donna. — Vous ! Avec vos combines et vos pots-de-vin et votre argent malhonnête.

— Quand vous serez calmée, dit Rudolph en gagnant l'avant de la limousine, je vous expliquerai tout. — Puis au chauffeur :

— Allons-y.

Elle bondit vers lui et attrapa de nouveau son bras.

— Ah non, vous n'allez pas vous en sortir comme ça, mon bon-homme !

— Lâchez-moi, espèce d'idiote, dit Rudolph. Je n'ai pas le temps de vous parler maintenant. L'avion n'attendra pas, vous pouvez toujours crier.

— Eddie, hurla Teresa à son mari, tu vas le laisser se défiler comme ça ?

— Ecoutez, Mr Jordache..., commença l'homme.

— Je ne vous connais pas, monsieur, dit Rudolph. Ne vous mêlez pas de ça. Si vous voulez me parler, soyez ici à mon retour.

D'un geste brutal il dégagea son bras, et le concierge, qui était sorti pour faire ses adieux, marcha sur elle, calme mais menaçant.

Rudolph monta rapidement dans la voiture, claqua la portière et la bloqua. Le chauffeur se précipita au volant et mit le moteur en marche. Teresa resta plantée là, agitant furieusement le magazine vers la voiture qui franchissait la grille.

— De quoi s'agissait-il ? demanda Gretchen. Je n'ai pas pu entendre ce qu'elle disait.

— Rien d'important, dit Rudolph brièvement. C'est la mère de Wesley.

— Elle a vraiment changé, et pas en mieux. Que veut-elle ?

— Si elle est semblable à elle-même, elle veut de l'argent.

Il faudrait qu'il prenne Gretchen à part et lui dise de veiller à ce que Jean ne vît pas ce numéro de *Time*.

De la terrasse de l'aéroport Rudolph assista au décollage de l'avion. Les adieux avaient été paisibles. Il avait promis de rentrer à New York dès que possible. Il s'était efforcé de ne pas penser à la différence entre les adieux feutrés d'aujourd'hui et la gaieté détendue de leur arrivée à ce même aéroport où Tom les attendait avec sa future épouse, et la *Clothilde* à quai, prête à les emmener tous entre les îles au large de Cannes pour une baignade et un déjeuner de retrouvailles.

Lorsque l'avion eut disparu, Rudolph poussa un soupir traversa le bâtiment en résistant à la tentation d'acheter un exemplaire de *Time* au kiosque à journaux. Quel que fût l'article, il ne pouvait pas le rendre joyeux. Il se demanda comment ceux sur qui on écrivait sans cesse, les hommes politiques, les ministres, les acteurs, des gens comme ça, pouvaient avoir le courage d'ouvrir un journal du matin.

Il pensa à la femme grassouillette et grisonnante qui l'attendait à l'hôtel avec son petit mari tout rond, et poussa un nouveau soupir. Comment cette horrible femme avait-elle réussi à trouver un mari ? Et qui plus est, un second mari. Peut-être, se dit-il, que si l'homme du *Time* était encore à Antibes, il lui demanderait d'exhumer la photo qui avait été publiée de Teresa sous son ancien pseudonyme, emmenée par la police après une descente dans le bordel. Une photo en valait une autre. Pauvre Wesley.

Pour se donner du temps, il demanda au chauffeur d'entrer dans Nice ; il le guida vers la rue où habitait Jeanne. Il ignorait ce qu'il ferait si par hasard il la voyait sortir de la maison avec ses enfants ou son martial époux. Rien, probablement. Mais elle ne parut point. La rue ressemblait à n'importe quelle autre rue.

— Rentrons à l'hôtel, s'il vous plaît, dit-il. Prenez le chemin le plus long, par le bord de mer.

En arrivant à Antibes, ils longèrent le port. Il aperçut la *Clothilde,* au loin, et Dwyer, silhouette minuscule, qui se déplaçait sur le pont. Il ne demanda pas au chauffeur de s'arrêter.

« Je connais mes droits », disait Teresa. Ils étaient tous les trois assis sur des chaises dans une petite clairière dans le parc de l'hôtel, où personne ne pouvait entendre leur conversation. A l'arrivée de Rudolph, le couple était assis raide sur deux chaises se faisant face dans le hall de l'hôtel. Leur expression était lugubre et désapprobatrice, leur présence un tacite reproche aux clients oisifs en quête de plaisirs, qui passaient devant eux en tenue de sport pour aller au tennis ou à la piscine. Ils avaient écouté Rudolph d'un air maussade, alors qu'il les conduisait dans le parc en leur expliquant rapidement, d'une voix calme et neutre, comment Wesley était tombé entre les mains de la police, et son départ pour les Etats-Unis.

— Nous avons un avocat à Indianapolis, où nous habitons, Mr Kraler et moi-même, et je connais mes droits en tant que mère. — La voix de Teresa grinçait à ses oreilles comme un morceau de craie sur un tableau noir. — Wesley est mineur et maintenant que son père est mort, l'avocat a dit que je suis sa tutrice légale. C'est bien ce qu'a dit l'avocat, hein, Eddie ?

— C'est ce que l'avocat a dit, dit Mr Kraler. Exactement.

— Quand je l'aurai sorti de prison, poursuivit Teresa, je vais le remmener dans un foyer convenable où il pourra avoir une éducation chrétienne décente.

— Ne pensez-vous pas qu'il serait plus sage de laisser la religion en dehors de tout cela ? dit Rudolph. Après tout, la vie que vous avez menée...

— Pas la peine de faire des sous-entendus sur la vie que j'ai menée. Mr Kraler est au courant de tout. Pas vrai, Eddie ?

— Entièrement au courant.

Eddie hocha la tête, faisant tressauter en rythme des petits paquets de chair sous son menton.

— J'étais une putain, c'est certain, dit Teresa, presque avec fierté. Mais j'ai vu la lumière. La brebis égarée est plus précieuse aux yeux du Seigneur... — Elle hésita. — Vous connaissez la suite, j'en suis sûre, même si vous et votre famille êtes des mécréants perdus.

— En réalité, dit Rudolph, d'un air faussement innocent, je ne connais pas la suite.

— Ça ne fait rien, dit-elle vivement. Mr Kraler est Mormon et c'est grâce à ses efforts que j'ai été convertie et admise dans le troupeau. Sachez que je ne teins plus mes cheveux, comme vous l'avez peut-être remarqué, si vous daignez jamais remarquer quelque chose à mon sujet, et que je ne bois pas d'alcool, pas même du café ou du thé.

— Voilà qui semble admirable, Teresa, dit Rudolph. — Il avait lu quelque part que la religion mormone était la religion chrétienne qui se répandait le plus rapidement dans le monde moderne, mais avec Teresa dans leur troupeau les fidèles devaient penser qu'ils avaient jeté leur filet trop loin. Il pouvait imaginer quel frisson avait dû parcourir les anciens dans le Tabernacle de l'Eglise de Jésus-Christ des Saints du Dernier Jour à Salt Lake City, lorsqu'ils avaient dû accepter Teresa Jordache en leur sainte compagnie. — Mais je ne vois vraiment pas ce que cela a à voir avec Wesley.

— Cela a à voir une chose, c'est qu'il ne sera plus un gibier de potence. Je connais votre famille, je connais les Jordache, ne vous faites pas d'illusions. Des fornicateurs et des hypocrites, tous tant que vous êtes.

Rudolph remarqua que le vocabulaire de Teresa s'était considérablement enrichi avec sa conversion. Il n'était pas certain que ce fût une amélioration.

— Je ne pense pas vraiment que si Wesley est en prison pour quelques jours après une bagarre dans un bar, c'est parce que je suis athée. Et sachez, ne put-il s'empêcher d'ajouter, que la fornication et l'hypocrisie ne sont pas mes activités principales.

— Je n'accuse personne, dit Teresa, bien qu'il y eût une accusation dans chaque syllabe qu'elle prononçait et dans chacun de ses gestes, mais on ne peut nier qu'il était sous votre responsabilité quand il a failli tuer un homme, puisque vous êtes son oncle et le chef de famille...

— Bon, bon, dit Rudolph avec lassitude. — Il voulait qu'elle parte, qu'elle disparaisse avec son mari grassouillet et vertueux à la bouche en cœur, mais l'idée que Wesley serait à la merci de ce couple à Indianapolis l'épouvantait. Il ne savait pas quoi faire pour empêcher cela, mais il devait essayer de faire son possible. — Que voulez-vous ? — Il avait expliqué que Wesley allait être mis dans un avion pour les Etats-Unis six jours plus tard, mais il ne lui avait pas parlé de son idée à peine germée de mettre Wesley dans un bon internat en Amérique pour un an et de le renvoyer ensuite en France pour y poursuivre son éducation, ni de son propre projet (égoïste ? avunculaire et généreux ?) de retourner lui-même en France pour veiller sur le garçon.

— Ce que je veux ? répéta Teresa. Je veux faire de lui un honnête citoyen, pas un fauve dans la jungle comme son père.

— Bien sûr, vous réalisez, dit Rudolph, que dans un peu plus de deux ans, il sera en âge d'être mobilisé, s'il reste aux Etats-Unis, et d'être envoyé au Vietnam pour s'y faire tuer ?

— Si c'est là la volonté de Dieu, c'est la volonté de Dieu, dit Teresa. Tu es d'accord avec moi, Eddie ?

— La volonté de Dieu, dit Mr Kraler. Mon fils est dans l'armée et j'en suis fier. Ce garçon doit prendre ses risques, comme tout le monde.

— Je n'accepterai aucune faveur pour mon fils à moi.

— Ne croyez-vous pas qu'il conviendrait de demander à Wesley ce qu'il veut faire ?

— Il est mon fils, je n'ai pas à lui demander quoi que ce soit. Et je suis ici pour m'assurer qu'il ne va pas être dépouillé de la part qui lui revient de la bonne grosse succession de son père. — Ah, se dit Rudolph, nous y voilà. — Quand le yacht extravagant dont ils parlent dans le magazine sera vendu, dit Teresa d'une voix stridente, attendez-vous à me trouver en train de regarder par-dessus l'épaule de tout le monde pour être sûre que mon fils ne sera pas laissé nu et cru. Et notre avocat passera chaque bout de papier au peigne fin, vous pouvez être sûr de ça aussi, monsieur Jordache.

Rudolph se leva.

— Dans ce cas, dit-il, je ne vois pas la nécessité de prolonger cette conversation. La belle-mère de Wesley, qui sera probablement nommée exécutrice testamentaire, engagera un avocat, et les deux avocats pourront alors tout régler entre eux. J'ai autre chose à faire. Adieu.

— Une minute, ne vous défilez pas toujours.

— Il faut que je fasse la sieste, je suis debout depuis l'aube.

— Ne voulez-vous pas savoir où nous sommes descendus ici ? cria-t-elle, voyant la victoire lui échapper, la discussion ayant été gagnée si facilement qu'elle était certaine qu'il s'agissait d'une ruse. Notre adresse aux Etats-Unis ? Mr Kraler est un commerçant très respecté à Indianapolis. Il fait de la mise en bouteilles. Il a trois cents employés Des boissons non alcoolisées. Donne-lui ta carte, Eddie.

— Non, non, Mr Kraler, dit Rudolph. Je ne veux votre adresse ni ici, ni à Indianapolis. Allez faire votre mise en bouteilles, ajouta-t-il hors de lui.

— Je veux voir mon garçon en prison, cria Teresa. Je veux voir ce qu'ils ont fait à mon pauvre fils.

— C'est naturel, dit Rudolph. Ne vous en privez pas.

Son instinct maternel avait été moins évident lorsqu'il l'avait soudoyée dans le cabinet de Heath et qu'elle avait signé un papier par lequel elle renonçait à la garde de son fils à la vue d'un chèque à son nom.

— J'ai l'intention de l'adopter légalement, dit Mr Kraler, Mrs Kraler veut lui faire oublier qu'il s'est un jour appelé Jordache.

— C'est un point à régler entre lui et sa mère, dit Rudolph. Mais lorsque j'irai le voir en prison, je lui en parlerai.

— Quand est-ce que vous allez à la prison ? demanda Teresa. Je ne veux pas que vous lui parliez en privé, pour lui bourrer le crâne de poison... J'irai avec vous.

— Non, vous n'irez nulle part avec moi. Je n'aime pas être accompagné quand je visite les prisons.

— Mais je ne parle pas français, gémit-elle. Je ne sais même pas où est la prison. Comment est-ce que je convaincrai les flics que je suis sa mère ?

— Je crains que vous n'ayez à vous débrouiller toute seule, Mrs Kraler, dit Rudolph. Maintenant je ne souhaite vous revoir ni l'un ni l'autre, jamais. Dites à votre avocat que le cabinet juridique qu'il devra contacter est Heath, Burrows et Gordon. Dans Wall Street. Je crois que vous y êtes déjà allée une fois, Mrs Kraler.

— Salaud, dit Teresa, dans un style très peu mormon. Rudolph sourit. « Bon après-midi. » Il fit un petit signe de tête et laissa ces deux petites personnes grassouillettes et courroucées assises en silence sur le banc à l'ombre des pins. Il tremblait de rage, d'impuissance et de désespoir en pensant au pauvre garçon qui était en prison à Grasse, mais pour le moment il ne pouvait rien y faire. Il faudrait une opération de sauvetage de très grande envergure pour arracher Wesley des griffes de sa mère, et aujourd'hui il n'était même pas en état d'envisager le premier pas à faire. Chrétienne ou pas, dès qu'il y avait une odeur d'argent dans l'air, Mrs Teresa Kraler retrouvait les habitudes de son ancien métier. Il redoutait d'avoir à dire à Kate ce qui l'attendait.

Il fit rapidement ses bagages. Le concierge lui avait obtenu une réservation à la Colombe d'Or à Saint-Paul-de-Vence. Un hôtel à Grasse aurait été plus près de la prison où il se rendait presque tous les jours. Saint-Paul-de-Vence était plus près de Jeanne. Il avait choisi Saint-Paul-de-Vence. Il n'avait aucune raison de rester plus longtemps à l'Hôtel du Cap, il avait de nombreuses raisons de le quitter. Il demanda au concierge de lui faire suivre son courrier, mais de ne dire sous aucun prétexte à qui que ce soit où il était. Il écrivit à Jeanne, pour lui donner son adresse, et mit le mot dans une enveloppe qu'il lui envoya Poste Restante, à Nice.

Lorsqu'il descendit à la réception pour payer sa note pendant qu'on chargeait ses bagages dans sa voiture, il fut soulagé de constater que les Kraler étaient partis. Il eut un choc en voyant le montant de la note. La détresse coûte cher sur la Côte d'Azur, se dit-il. C'était un des meilleurs hôtels du monde, mais il savait qu'il n'y reviendrait jamais. Et pas à cause du prix.

Il se rendit d'abord au port. Il fallait que Dwyer et Kate sachent où le trouver. Dwyer était en train d'astiquer une des petites bittes de cuivre à l'avant lorsqu'il monta à bord. Il se leva en voyant Rudolph, et ils se serrèrent la main.

— Comment va ? demanda Rudolph.

Dwyer haussa les épaules.

— On peut pas dire que c'est des vacances, dit-il. Ils n'ont pas encore livré l'arbre et l'hélice. Ça doit venir d'Italie et les Italiens refusent de les expédier avant d'avoir été payés. Je téléphone à l'assurance tous les jours, mais ils ne sont pas pressés. Ils ne le sont jamais. Ils m'envoient tout le temps de nouveaux formulaires à remplir, dit-il d'un ton chagrin. Et ils demandent toujours la signature de Tom. Les Italiens pensent peut-être qu'en France personne ne meurt. Et je suis sans arrêt obligé de faire tout traduire. Il y a une serveuse en ville qui est une copine à moi, elle connaît la langue, seulement elle connaît que dalle aux bateaux, et il fallait toujours qu'elle demande les noms de trucs comme outillage, feux de position, sondes, épave flottante, des choses comme ça. Ça me rend fou.

— Bon, Bunny, dit Rudolph, réprimant un soupir. Envoyez-moi tous les papiers. Je veillerai à ce qu'on s'en occupe.

— Ce sera un soulagement. Merci.

— Je vais m'installer à la Colombe d'Or à Saint-Paul-de-Vence. Vous pourrez me joindre là-bas.

— Je comprends que vous quittiez cet hôtel. Ça a dû vous coûter un paquet.

— Ce n'était pas donné.

— Quand on regarde autour de soi, dit Dwyer, tous ces gros bateaux, tous ces hôtels hors de prix, on se demande d'où vient l'argent. Tout au moins, *moi,* je me le demande.

— Bunny, dit Rudolph, se sentant absurdement sur la défensive, quand j'étais jeune, j'étais plus pauvre que presque tous les gens que vous avez pu connaître.

— Ouais. Tom me l'a dit. Vous avez travaillé dur. Je n'ai rien contre les gens qui sont arrivés comme vous l'avez fait. J'admire ça. A mon avis vous méritez tout ce que vous pouvez avoir.

— Il y a beaucoup de choses que je peux avoir que je rendrais volontiers, dit Rudolph.

— Je vois ce que vous voulez dire, dit Dwyer.

Il y eut un silence bref et gênant entre eux.

— J'avais espéré que Kate serait ici avec vous, il y a eu du nouveau dont il faut qu'elle soit informée. Comme va-t-elle ?

Dwyer le considéra, comme s'il se demandait si oui ou non il devait lui parler de Kate.

— Elle est partie, elle est partie pour l'Angleterre ce matin.

— Vous avez son adresse ?

— Je l'ai, ouais, dit Dwyer prudemment.

— J'en ai besoin.

Aussi brièvement que possible, Rudolph parla à Dwyer de la visite des Kraler, et des problèmes juridiques que Kate aurait à affronter, ou qui du moins seraient à régler au nom de Kate.

Dwyer hocha la tête lentement.

— Tom m'avait parlé de sa femme. C'est une vraie briseuse de couilles, hein ?

— C'est la moindre de ses qualités, dit Rudolph. — Il vit que Dwyer hésitait à lui donner l'adresse de Kate. — Bunny, je voudrais vous poser une question. Ne croyez-vous pas que j'essaie de faire pour le mieux pour Kate ? Et pour Wesley ? Et pour vous aussi, d'ailleurs ?

— Personne n'a besoin de s'en faire à mon sujet. Quant à Kate... — Il fit son curieux geste de mains presque féminin, comme si une explication verbale était au-dessus de ses moyens. — Je sais qu'elle avait l'air... enfin... hargneuse l'autre jour. Ce n'est pas qu'elle soit fâchée contre vous ou quelque chose de ce genre. Ce qui se passe —

encore le petit geste — c'est qu'elle est — il cherchait le mot — elle est *meurtrie*. C'est une femme qui a du bon sens ; elle reprendra le dessus. Surtout maintenant qu'elle est rentrée en Angleterre. Vous avez un crayon et du papier ?

Rudolph sortit un carnet et un stylo de sa poche. Bunny lui donna l'adresse et Rudolph la nota.

— Elle n'a pas le téléphone. J'ai l'impression que sa famille ne roule pas sur l'or.

— Je lui écrirai, dit Rudolph, lorsqu'il y aura du nouveau. — Il regarda autour de lui, vit le pont briqué, la filière et les cuivres astiqués. — Le bateau est bien entretenu, dit-il.

— Il y a toujours quelque chose à faire, dit Dwyer. J'ai pris rendez-vous pour le mettre en cale sèche dans quinze jours. Cette sacrée commande devrait être arrivée d'Italie d'ici là.

— Bunny, demanda Rudolph, à votre avis, combien vaut la *Clothilde ?* Quel prix pourrait-elle être vendue ?

— Ce qu'elle vaut et quel prix on en tirerait sont deux choses différentes. Si vous calculez ce qu'elle a coûté à l'origine plus tous les travaux et les aménagements que Tom et moi avons faits et le nouveau radar que vous lui avez donné comme cadeau de mariage — il faudra l'installer, ça aussi — je crois qu'on arriverait à près de cent mille dollars. Ça c'est ce qu'elle *vaut*. Mais s'il faut la vendre vite, comme vous nous disiez quand vous nous parliez du règlement de la succession — et ce mois-ci, alors qu'on a déjà dépassé la moitié de la saison — personne ne tient à payer l'entretien d'un bateau pendant tout un hiver — s'il y a des acheteurs, ils préfèrent acheter à la fin du printemps — s'il faut la vendre vite hors saison alors que les gens savent que vous êtes forcé de vendre, alors évidemment ils essaient de vous mettre le couteau sous la gorge et vous aurez de la chance peut-être si vous en tirez cinquante mille dollars. Mais ce n'est pas moi qui pourrais vous le dire. Vous devriez faire un tour chez les courtiers en bateaux ici et à Cannes, à Saint-Tropez, vous voyez ce que je veux dire, peut-être qu'ils ont des clients qui seraient intéressés à un prix raisonnable...

— Est-ce que quelqu'un vous a contacté jusqu'à présent ? demanda Rudolph.

Dwyer secoua la tête.

— Je ne crois vraiment pas que quiconque connaît Antibes fasse une offre. Après le meurtre et tout ça. Je pense que vous feriez mieux de le changer de nom et de l'emmener dans un autre port. Peut-être même un autre pays. L'Italie, l'Espagne, par exemple. Peut-être même Le Pirée, c'est en Grèce... Les gens sont superstitieux, quand il s'agit de bateaux.

— Bunny, dit Rudolph, je ne voudrais pas que ce que je vais dire vous fâche, mais, il faut que je vous en parle. Quelqu'un doit rester sur le bateau jusqu'à ce qu'il soit vendu...

— C'est aussi mon avis.

— Et il faudrait qu'on le paie, n'est-ce pas ?

— Ouais, dit Dwyer, mal à l'aise.

— Quel serait le salaire normal ?

— Ça dépend — Dwyer était évasif — du travail que l'on attend de lui, s'il est diplômé ou pas, des choses de ce genre.

93

— Vous, par exemple. Si vous étiez sur un autre bateau ?

— Ben, si j'avais été engagé plus tôt — je veux dire qu'ils ont tous leur équipage maintenant — environ cinq cents dollars par mois, probablement.

— Bon, dit Rudolph, vous aurez cinq cents dollars par mois.

— Je n'ai rien demandé, dit Dwyer d'un ton acerbe.

— Je sais. Mais vous les aurez.

— Mais rappelez-vous que je n'ai rien demandé. — Dwyer tendit sa main et Rudolph la serra. — Si seulement, dit Dwyer, il y avait un moyen de faire savoir à Tom tout ce que vous faites pour moi, pour Kate et le gosse, pour la *Clothilde*.

Rudolph sourit.

— Je n'ai rien demandé. dit-il. mais je l'ai eu.

Dwyer rit.

— Je crois qu'il reste encore un peu de whisky à bord.

— Je n'aurais rien contre un verre.

Pendant qu'ils allaient vers l'arrière, Dwyer dit .

— Votre sœur, Mrs Burke — Gretchen — a fait de moi un buveur de whisky. Elle vous l'a dit ?

— Non. Elle a tenu votre idylle secrète.

Il vit que Dwyer ne souriait pas et il ne parla plus de Gretchen. Ils prirent le whisky chaud dans la timonerie. Dwyer s'excusa de ne pas avoir de glace. Il ne voulait pas gaspiller du mazout en faisant marcher le générateur qui fournissait l'électricité.

— C'est drôle, dit Dwyer, détendu maintenant, son verre à la main, vous et Gretchen et Tom dans la même famille. — Il but une grande gorgée. — Le feu et la glace, murmura-t-il obscurément.

Rudolph ne lui demanda pas d'expliquer ce qu'il voulait dire par là.

— Si je ne vous vois pas avant, je vous verrai à l'aéroport le jour du départ de Wesley. Vous vous rappelez la date ? demanda Rudolph en prenant congé.

— Je l'ai notée. J'emballerai ses affaires et je les apporterai. — Il hésita, toussa un peu. — Il a tout un dossier plein de photos, dans le poste avant. Vous savez — des photos du bateau, des ports où on a été, lui et son père, moi et Kate... ce genre de choses. Est-ce que je dois les mettre avec ?

Il leva son verre et ferma les yeux en buvant, comme si la question n'avait pas grande importance.

— Mettez-les, dit Rudolph. Les souvenirs font mal, mais ce sont des bagages nécessaires.

— J'ai un tas de photos de la noce. Nous tous... vous savez. . en train de porter des toasts, de danser, tout ça, nous tous...

— Je crois qu'il vaudrait mieux les laisser de côté, dit Rudolph. Trop c'est trop.

Dwyer hocha la tête.

— Kate ne les a pas voulues non plus. Et je ne pense pas que moi j'aurai de la place pour les garder. Je finirai par voyager, vous savez...

— Envoyez-les-moi. Je les garderai en lieu sûr Peut-être qu'au bout d'un certain temps Wesley voudra les voir

Il se souvint des photos que Jean avait prises ce jour-là. Il mettrait les autres avec celles-là.

Dwyer hocha de nouveau la tête.

— Encore un verre ?

— Non merci. Je n'ai pas encore déjeuné. Voulez-vous que nous déjeunions ensemble ?

Dwyer secoua la tête.

— Très aimable à vous, Rudy, mais j'ai déjà mangé.

Rudolph vit que Dwyer avait un quota. Il acceptait une faveur par jour. Pas plus. Ils posèrent leurs verres et Dwyer essuya soigneusement avec un chiffon les traces d'humidité. Au moment où Rudolph quittait la *Clothilde*, il se dirigeait vers l'avant pour finir d'astiquer les bittes.

Après s'être enregistré à l'autre hôtel, Rudolph déjeuna sur la terrasse dominant la vallée qui avait l'air d'avoir été conçue d'après un tableau de Renoir. Après déjeuner il téléphona au vieil avocat d'Antibes. Il lui expliqua que la *Clothilde* était à vendre et qu'il souhaitait que l'avocat représentât les héritiers dans cette transaction.

— Si la meilleure offre que vous puissiez obtenir, dit-il, est inférieure à cent mille dollars, faites-le-moi savoir. Je l'acheterai.

— C'est très élégant de votre part, dit l'avocat, d'une voix affaiblie par la ligne téléphonique défectueuse.

— Ce n'est qu'une question d'affaires.

— Je vois, dit l'avocat.

Ils savaient tous les deux qu'il mentait. Tant pis.

Ensuite Rudolph appela Johnny Heath à New York et lui parla longuement. « Oh, quel gâchis ! dit Heath. Je ferai de mon mieux. J'attends avec impatience la lettre de l'avocat de Mr et Mrs Kraler. »

Puis Rudolph enfila son maillot de bain et fit quarante aller et retour dans la piscine, l'esprit vide dans le bruissement de l'eau, ressentant une saine fatigue dans tout son corps quand il eut fini.

Après le bain il s'assit au bord de la piscine pour se faire sécher, en sirotant une bière fraîche. Il se sentait coupable d'éprouver un tel bien-être. Il se demanda, tout en s'en voulant de cette pensée, comment il réagirait si le téléphone sonnait et que l'appel soit pour lui, et qu'une voix annonce que l'avion dans lequel se trouvait sa famille était tombé à la mer.

Le feu et la glace, avait dit Dwyer.

CHAPITRE VIII

Du carnet de Billy Abbott (1968).

La FAMILLE. QUEL SUJET. Aimer et détruire. Pas forcément. Mais assez souvent pour faire une bonne moyenne. Pour Freud le théâtre de la tragédie grecque — l'inceste, le parricide et autres délices intimes. Redoutable d'imaginer ce qu'a dû être la vie de famille du bon docteur à Vienne.

Jung a-t-il été plus indulgent ? Dois poser la question à Monika, source de connaissance. Maintenant que j'y pense, elle ne parle jamais de sa propre famille. Des squelettes dans tous les placards.

N'ai jamais rencontré Wesley Jordache. Pauvre petit bâtard. Egaré dans la confusion. Est-ce que le meurtre de son père aura été une expérience enrichissante pour son âme ? Quand mon grand-père est mort, Rudolph et ma mère étaient relativement jeunes et leurs âmes ne semblent pas notablement enrichies.

J'aimais ma grand-mère parce qu'elle m'adorait. Elle n'adorait pas ma mère et même le jour de son enterrement ma mère ne pouvait pas la souffrir. Est-ce que ma mère pourra me souffrir le jour de *mon* enterrement ? J'ai le pressentiment que je mourrai jeune. Ma mère est faite d'acier, elle vivra éternellement, épuisant un homme après l'autre.

Est-ce que sa sensualité me choque ? Oui.

Est-ce que ma sensualité, celle de Monika, me choquent ? Non. L'injustice est monnaie courante entre générations.

Ma mère est une femme débauchée. Mon père, quand il était jeune et en pleine possession de ses moyens, était, d'après lui, un homme débauché. Pas moi. Comme l'enfant de l'ivrogne, je fuis le vice que je vois chez le parent.

Les fils se révoltent. Les filles s'enfuient. Je n'ai fait ni l'un ni l'autre Je me suis caché. L'armée m'a aidé. Ce serait intéressant de rencontrer mon cousin Wesley, inconnu pour moi jusqu'à présent, et de faire des comparaisons, puisque le même sang coule dans nos veines.

Les « *flower children* » ont modifié la notion de famille. Je ne pourrais pas vivre dans une communauté. Enchevêtrements peu hygiéniques. Tentatives désespérées, vouées à l'échec. Nous sommes trop loin de la tribu. Je ne tiens pas à ce que l'enfant d'autrui me dérange pendant que je lis ou que je me rase ou emmène ma femme au lit.

Est-ce que dans dix ans je vivrai dans une banlieue et je passerai tout le week-end à jouer au bridge et à regarder les matchs à la télévision ? Est-ce que je ferai tous les jours la navette entre le travail et la maison ? Est-ce que je ferai des échanges de partenaire ? Est-ce que je voterai pour le Nixon de l'année ?

Il est tard. Monika me manque.

*
* *

Rasé de frais, impeccable dans le costume que Rudolph lui avait apporté de la *Clothilde,* Wesley était assis et attendait l'agent qui devait l'accompagner à l'aéroport. Le costume lui avait été acheté par son père plus d'un an auparavant, et il était devenu beaucoup trop court des manches et trop serré du buste. Comme il s'y était attendu, son oncle Rudolph l'avait tiré d'affaire. Bien que le fait d'avoir à quitter la France ne fût pas une si bonne solution. Il n'avait jamais été heureux en Amérique — et il avait été heureux en France, au moins jusqu'à la mort de son père.

Les choses ne s'étaient pas trop mal passées à la prison de Grasse. Le flic qu'il avait frappé dans le bar était en poste à Cannes et n'était pas venu l'embêter, et auprès des gardiens et du juge d'instruction qui l'avait interrogé, il avait joui d'une certaine célébrité à cause de ce qui était arrivé à son père et parce qu'il parlait français et qu'il avait assommé l'Anglais, qui avait une certaine réputation de bagarreur de bars auprès de la police locale. Il avait aussi été poli et n'avait causé d'ennuis à personne. Un billet glissé de temps à autre par son oncle aux gardiens et un coup de téléphone du consulat américain inspiré par son oncle n'avaient pas nui non plus.

Ce qui était bien avec l'oncle Rudy, c'est qu'il n'avait jamais insinué que Wesley devrait lui manifester de la gratitude pour ce qu'il avait fait pour lui. Wesley aurait aimé manifester de la gratitude mais il ne savait pas comment. Un jour, pensa-t-il, il devrait se pencher sur le problème. Dans l'état actuel des choses, il ne trouvait pas grand-chose à dire à son oncle, qui semblait gêné de voir Wesley derrière les barreaux comme si c'était un peu sa faute.

Un des gardiens lui avait même apporté clandestinement une photo sortie des fichiers de la police de l'homme nommé Danovic avec qui son père s'était battu à la Porte Rose. Wesley se souviendrait de son visage lorsque ce serait nécessaire.

Il n'en avait rien dit à personne. Il n'avait jamais été un garçon ouvert — même avec son père il lui avait été difficile de parler de lui-même, bien que son père lui eût raconté sur sa propre vie presque tout ce qu'il avait voulu entendre. Maintenant, il gardait ses sentiments pour lui. Il se sentait menacé, tout en n'étant pas sûr de ce qui le menaçait. Quoi que ce fût, le silence était sa première défense. Il y avait longtemps qu'il avait appris cela, quand sa mère l'avait mis dans cette maudite école militaire.

Sa mère, c'était une autre paire de manches. Elle avait crié et pleuré et grondé et larmoyé sur lui et lui avait promis qu'il mènerait une vie différente lorsqu'elle l'aurait ramené à Indianapolis avec son nouveau mari. Il ne voulait pas mener une vie différente. Il avait demandé à son oncle s'il était obligé d'aller à Indianapolis et Rudolph avait eu un air triste pour dire : « Au moins tant que tu es mineur. » Cela avait un rapport quelconque avec l'argent, il ne comprenait pas exactement quoi. Aucune importance. Il pouvait se rendre compte de la situation et se tirer si cela ne lui plaisait pas. Il avait appris à fuir.

En attendant, il regrettait de ne pas pouvoir aller à l'école à la rentrée. La saison de basket commençait en septembre. Il avait été la vedette de l'équipe l'année dernière et il savait qu'ils comptaient sur lui cette année. Il espérait qu'ils auraient une saison dégueulasse, pour qu'ils se rendent compte à quel point ils avaient besoin de lui. Cela paraissait une préoccupation futile pour quelqu'un dont le père venait d'être assassiné, mais l'école tenait une grande place dans sa vie et il ne pouvait pas la supprimer simplement parce que cela ne paraîtrait pas important aux adultes en ce moment. Il sentait que son père aurait compris, même si personne d'autre ne comprenait.

Certains garçons s'étaient moqués de lui à l'école parce qu'il était Américain et parlait d'une drôle de façon. Il ne les avait jamais frappés, comme il en avait eu envie, parce que son père lui aurait cassé la gueule s'il avait appris que Wesley se bagarrait. Ce serait différent maintenant, pensa-t-il amèrement. Avec le chagrin, il y avait un sentiment nouveau de liberté. Je fais mes propres erreurs dorénavant, se dit-il, et les gens n'ont qu'à les prendre ou les laisser. Il lui faudrait du temps pour digérer l'erreur qu'avait faite son père. Il avait prié pour son père, mais il n'était pas près de lui pardonner. Un soir, un grand numéro de fou pour la galerie, et son père l'avait laissé dans la merde. Merde, pensa-t-il assis dans ses vêtements propres, merde.

L'agent qui devait l'accompagner à l'aéroport ouvrit la porte et entra. Il portait un pantalon et une veste sport mais même s'il avait été habillé en danseur classique tout le monde aurait su tout de suite qu'il était flic.

Dehors, l'air sentait délicieusement. Il avait oublié à quel point l'air pouvait sentir bon.

Ils montèrent dans une voiture banalisée, Wesley s'assit à l'avant avec l'agent. L'agent avait un gros ventre et émit un petit « pouf » par son nez cassé en se glissant derrière le volant. Wesley avait envie de lui demander si on l'avait déjà frappé avec une bouteille de bière ou s'il avait déjà tiré sur un homme, mais il décida qu'il valait mieux garder la conversation sur d'autres sujets.

L'agent conduisait lentement le long de la sinueuse route de montagne, toutes fenêtres ouvertes.

— Il fait un temps magnifique, dit-il, autant en profiter. — Pour lui c'était une matinée de travail agréable et il en tirait le maximum. Il sentait déjà le vin. — Alors, plus de France pour toi Dommage. Ça t'apprendra, la prochaine fois, à frapper les gens là où il n'y a pas de témoins. — Il rit de sa plaisanterie de représentant de l'ordre. — Qu'est-ce que tu vas faire en Amérique !

—Eviter la police, dit Wesley.

L'agent rit de nouveau.

— Voilà un jeune homme intelligent. Ma femme me harcèle. Elle dit que nous devrions visiter l'Amérique. — Il secoua la tête. — Avec un salaire de policier, tu te rends compte. — Il regarda Wesley du coin de l'œil. — Ton oncle est un homme très fortuné, n'est-ce pas ? demanda-t-il.

— Parmi les plus fortunés.

— Ça se voit. — Le policier soupira, abaissa le regard vers sa veste fripée. — J'admire ses vêtements. C'est un homme d'une grande autorité. C'est évident Pas étonnant que tu sois en route pour rentrer chez toi.

Chez lui n'était pas le mot qui convenait pour décrire l'endroit où il allait, pensa Wesley.

— Tu reviendras ici un jour — en touriste — et tu dépenseras beaucoup d'argent, j'imagine, dit l'agent.

— Si vous ne devenez pas communistes avant, dit Wesley.

En prison il y avait deux hommes qui disaient qu'ils étaient communistes et que leur jour était proche.

— Ne dis pas des choses comme ça. — L'agent se rembrunit. — Surtout en Amérique. Ils nous tourneraient le dos. — Parlant maintenant de la mauvaise opinion des Américains sur les Français, il dit : — Tu ne vas pas rentrer et raconter aux journaux comment tu as été torturé par la police pour te faire avouer ?

— Je n'avais rien à avouer, dit Wesley. Tout le monde m'a vu frapper ce salaud. Mais je pourrais dire deux mots sur un de vos amis qui m'a rossé dans la voiture en allant au commissariat, ajouta-t-il avec malice.

Il était heureux de rouler à travers la campagne, tout en fruits et en fleurs, après les semaines passées enfermé. Et la conversation désinvolte avec cet homme assez amical l'empêchait de penser à ce qui l'attendait à l'aéroport et à Indianapolis.

— Ah, qu'est-ce que tu veux, dit l'agent contrarié, se faire mettre K.-O. d'un seul coup par un môme devant tout le monde et ne pas se venger un peu dans l'ombre d'une voiture ! Nous ne sommes que des hommes, tu sais.

— Bon, dit Wesley magnanime, je ne dirai rien.

— Tu es un brave garçon. Tu t'es fait une bonne réputation à Grasse. J'ai vu l'homme avec qui ton père a eu cette histoire. On aurait dit qu'une locomotive lui était passée dessus. — Il hocha la tête en connaisseur. — Ton père a fait du beau travail. Excellent. — Il regarda encore Wesley du coin de l'œil, l'air sérieux maintenant. — Cet homme est connu de la police. Défavorablement. Jusqu'à présent il a su éviter la punition qu'il mérite largement. Il fréquente des hommes dangereux. C'est autant pour toi que pour la France qu'on t'expédie.

— Ça semble tout de même curieux, dit Wesley, qu'un homme que tout le monde sait responsable d'un meurtre puisse être libre.

— Tu ferais mieux d'oublier ce que tout le monde sait, mon vieux, dit l'agent d'un ton désapprobateur. Tu ferais mieux de tout oublier et de rentrer chez toi et d'être un gentil petit Américain.

— Oui, monsieur, dit Wesley, se remémorant chaque détail de la photo, les yeux bridés, les pommettes hautes et saillantes, la bouche mince et les cheveux bruns bouclés. — *Vous,* oubliez donc l'homme qui a tué mon père, avait-il envie de dire, mais il n'en fit rien. Essayez d'oublier, vous. — Je me demande si vous pourriez me faire une faveur.

— Quoi donc ?

La voix de l'agent était chargée de soupçons professionnels.

— Pourriez-vous longer le port ? J'aimerais jeter un coup d'œil au bateau.

L'agent regarda sa montre.

— Il est encore tôt, nous avons le temps. Pourquoi pas ?

— C'est très gentil de votre part, monsieur, dit Wesley. C'était une des premières phrases que son père lui avait apprises quand il l'avait amené à Antibes. Bien que son père ne parlât presque pas français, il avait dit : « Il y a deux expressions qui comptent beaucoup pour les Français. D'abord *s'il vous plaît* et *c'est très gentil de votre part*. Vu ? Répète-les. »

Wesley avait retenu la leçon.

— J'ai un fils à peu près de ton âge, dit l'agent. Lui aussi raffole des bateaux. Il traîne toujours près des ports, à la moindre occasion. Je l'ai averti que je le renierais si jamais il devenait marin. Si ce n'était pas pour tous ces bateaux ici, la police serait en chômage. Les gens qu'ils attirent, Algériens, Yougoslaves, Grecs, Corses, Siciliens, nudistes, jeunes Anglais qui ont des problèmes avec la justice de leur pays, filles qui se sont enfuies de chez elles, riches play-boys fortement portés sur la drogue... — Il secoua la tête en énumérant les malandrins de la mer. — Et maintenant la moindre ville puante qui donne sur la Méditerranée se construit un port neuf. Il faudra toute la gendarmerie française pour contrôler tout ça. Regarde ton cas. — Il agita avec colère un doigt vers Wesley, son explosion lui ayant rappelé qu'il conduisait un criminel vers l'exil. — Crois-tu que ce qui t'est arrivé serait arrivé si tu habitais Clermont-Ferrand, par exemple ?

— Dans mon cas c'était un accident, dit Wesley, regrettant d'avoir demandé à voir le port.

— C'est ce qu'ils prétendent tous. Et qui doit réparer les dégâts ? La police.

— Qu'est-ce que vous aimeriez que votre fils devienne ?

Wesley pensait qu'il était temps de changer de sujet.

— Avocat. C'est là qu'est l'argent, mon garçon. Suis mon conseil, retourne en Amérique et deviens avocat. Combien connais-tu d'avocats qui ont fait de la prison ?

— J'y songeais, dit Wesley, tentant de faire revenir le flic à son humeur démonstrative d'avant.

— Penses-y sérieusement.

— C'est mon intention.

Wesley, sage et appréciateur, espérait que le flic se tairait.

— Et ne porte jamais d'arme. Tu m'entends ?

— Oui, monsieur.

— Ecoute les conseils de ton aîné qui s'intéresse à la génération suivante et qui a vu le monde.

Wesley comprenait à présent pourquoi on avait choisi ce flic-là pour la mission de ce matin. Tout était bon pour le faire sortir du commissariat et ne pas avoir à écouter ses sermons. Le flic grogna, sans un mot, et alluma une cigarette ; la voiture fit une embardée quand il lâcha le volant momentanément. La fumée vint vers Wesley et il toussa. Ni son père ni Bunny ne fumaient.

— Et ne fume jamais non plus, dit le flic. Je déteste cette habitude que j'ai.

Il se tut.

Lorsqu'ils arrivèrent au port, Wesley vit la *Clothilde,* ses ponts déserts. De façon irraisonnée, il s'attendait presque à voir son père sortir du poste de pilotage et tirer sur une amarre. Son père craignait toujours qu'une tempête ne se lève brusquement et que les amarres ne lâchent. Assez, pensa Wesley, assez, il ne montera plus jamais sur le pont. Un court instant il se demanda ce qui se passerait s'il ouvrait soudain la portière de la voiture, sautait et se mettait à courir. Il pouvait semer le gros flic en une minute, se cacher, se glisser à bord de la *Clothilde* à la nuit, et la sortir du port, cap sur l'Italie. C'était la frontière la plus proche, en fait. Est-ce que le flic se servirait de son arme ? L'étui formait une bosse sous sa veste sport. Trop risqué. De la folie. Aujourd'hui au moins, il devait être raisonnable. Il reviendrait à Antibes une autre fois.

« Les bateaux », dit le flic avec mépris, et il accéléra. Wesley ferma les yeux. Il ne voulait plus voir la *Clothilde.*

A l'aéroport, Rudolph et Dwyer l'attendaient au comptoir d'enregistrement. Dwyer avait la valise de toile et imitation cuir de Wesley et tenait une grande enveloppe.

— Ta mère et son mari, dit Rudolph, ont déjà passé le contrôle des passeports. Ils t'attendent à l'intérieur. Ils prennent le même avion que toi.

Wesley acquiesça de la tête. Il n'était pas sûr de sa voix.

— Tout est en ordre, monsieur Jordache, dit l'agent respectueusement. Je passerai avec lui et je le mettrai dans l'avion.

— Merci, dit Rudolph.

— Voici tes affaires, dit Dwyer, indiquant la valise. Il faut la faire peser. — Dwyer avait mis un costume pour la circonstance. Wesley ne se souvenait pas avoir vu Dwyer en costume auparavant, même pas pour la noce. Il semblait plus petit que dans son souvenir, et beaucoup plus âgé, avec de minuscules rides sur le front et autour de la bouche. — Et là, continua Dwyer en lui donnant l'enveloppe, il y a quelques-unes des photos que tu gardais dans le poste avant. J'ai pensé que tu aimerais peut-être les regarder un jour.

Sa voix était lointaine, vague.

— Merci, Bunny, dit Wesley en prenant l'enveloppe.

Rudolph lui donna un morceau de papier.

— Il y a là deux adresses, Wesley. La mienne et celle du bureau de mon ami Johnny Heath, au cas où je m'absenterais. Si tu as besoin de quoi que ce soit...

Lui non plus ne semblait pas sûr de sa voix.

Il n'a pas l'habitude de voir des membres de sa famille quitter un pays accompagnés par un flic, pensa Wesley en prenant le bout de papier et en le mettant dans sa poche.

— Prends soin de toi, dit Dwyer, pendant que Rudolph présentait le billet de Wesley à la fille derrière le comptoir et surveillait la pesée de la valise.

— Ne t'en fais pas pour moi, vieux frère, dit Wesley, s'efforçant de prendre un ton cordial.

— Jamais. — Dwyer sourit, mais cela ne ressemblait pas à un sourire. — A un de ces jours, hein ?

— Sûr.

Wesley n'essaya même pas de sourire.

— Bon, dit le flic, il faut y aller.

Wesley serra la main de son oncle, qui avait l'air de s'attendre à le revoir dans une heure ou deux, et de Dwyer, qui avait l'air de s'attendre à ne plus jamais le revoir.

Wesley ne se retourna pas en passant le contrôle des passeports avec l'agent, qui montra sa carte en s'approchant du comptoir et fit un clin d'œil à l'officier de service. Sa mère et son mari, qu'il n'avait encore jamais vus, se tenaient debout dans la salle des départs, tout près du contrôle, comme pour s'assurer qu'il n'allait pas s'échapper.

— Tu es pâle, dit sa mère.

Elle avait les cheveux dans la figure. On aurait dit qu'elle avait été prise dans une tempête force dix.

— Je me sens bien. Voici mon ami. — Il toucha le bras de l'agent. — C'est un agent de police. Il ne parle pas anglais.

L'agent s'inclina légèrement. Tout s'était passé sans incident, et il pouvait s'offrir le luxe d'être galant.

— Explique-leur que je dois t'accompagner à bord, dit-il.

Wesley expliqua. Sa mère recula comme si le policier avait une maladie contagieuse.

— Je te présente ton nouveau père. Mr Kraler.

— Bienvenue, dit Mr Kraler, comme un maître de cérémonie accueillant un invité célèbre à la télévision.

Il tendit la main.

— Ne me touchez pas, dit Wesley calmement.

— Ne t'en fais pas, Eddie, dit sa mère. Il n'est pas dans son assiette aujourd'hui. C'est normal. Ça viendra. Tu veux boire quelque chose, mon chou ? Un Coca-Cola, un jus d'orange ?

— Un whisky, dit Wesley.

— Euh, jeune homme..., commença Mr Kraler.

— Il plaisante, dit sa mère avec empressement. Tu plaisantes, n'est-ce pas, Wesley ?

— Non.

Une voix féminine au haut-parleur annonça le départ de l'avion. L'agent le prit par le bras.

— Je t'accompagne à bord, c'est la consigne.

J'aurais peut-être dû saisir l'occasion quand nous étions sur le port, pensa Wesley en allant vers la porte. Sa mère et son mari leur emboîtèrent le pas.

Rudolph conduisit Dwyer à Antibes. Aucun d'eux ne dit un mot pendant tout le trajet. En arrivant à l'entrée du port, Dwyer dit :

— Je vais descendre ici. J'ai quelqu'un à voir. — Lui et Rudolph savaient qu'il allait s'arrêter dans le petit café et se saouler et qu'il voulait être seul. — Vous allez rester dans les parages quelque temps ?

— A peu près une semaine, jusqu'à ce que j'aie tout réglé.

— A un de ces jours.

Dwyer, entra dans le café, en déboutonnant le col de sa chemise et en arrachant sa cravate qu'il fourra n'importe comment dans sa poche. Rudolph remit le moteur en marche. Dans sa poche il avait une lettre de Jeanne. Elle le retrouverait pour déjeuner à la Colombe d'Or et pouvait le voir tous les après-midi cette semaine. La guerre avait repris à Paris, avait-elle écrit.

Lorsque le signal des ceintures de sécurité s'éteignit dans la cabine de l'avion qui tournait vers l'ouest dans le ciel au-dessus de Monte-Carlo, Wesley était en train de regarder les photos qui étaient dans l'enveloppe que Dwyer lui avait remise. Il ne vit pas sa mère traverser le couloir et se planter au-dessus de lui. Elle regarda les photos qu'il tenait. Tout d'un coup elle allongea le bras et les saisit toutes. « Tu n'en auras plus besoin, dit-elle. Pauvre chou, tu as beaucoup de choses à oublier. »

Il ne voulait pas faire une scène, pas encore tout au moins, aussi ne dit-il rien. Il la regarda debout dans le couloir, en train de déchirer les photos une à une et de laisser tomber les morceaux dans le passage. Elle ne déteste pas les scènes, se dit-il. Eh bien, ça promettait, à Indianapolis.

Il regarda par le hublot et vit la péninsule d'Antibes, verte et chérie, glisser dans la mer bleue au-dessous de lui.

VOLUME DEUX

CHAPITRE PREMIER

Du carnet de Billy Abbott (1969).

ON PARLE BEAUCOUP A l'O.T.A.N. des populations déplacées, des Allemands expulsés de Pologne, des Allemands de l'Est réfugiés en Allemagne de l'Ouest, des Palestiniens, des Arméniens, des Juifs expulsés des pays arabes, des Italiens expulsés de Tunisie et de Libye, des colons français d'Algérie. On en reparlera certainement. Conversations naturelles entre militaires, qui guettent les occasions de faire la guerre.

L'idée m'est venue que je suis une population déplacée à moi tout seul, loin de chez moi, avec des souvenirs sentimentaux et sans doute déformés d'une vie plus heureuse et d'une époque meilleure dans un autre pays ; je n'éprouve aucun sentiment d'allégeance pour la société (l'Armée américaine) au sein de laquelle je passe mon exil, bien qu'elle me nourrisse, m'habille et me rémunère avec plus de générosité que je ne pourrai jamais espérer me nourrir, m'habiller et me rémunérer moi-même dans mon pays natal, avec mes modestes talents et mon manque total d'ambition.

Je n'ai aucun sentiment d'allégeance, ce qui revient à dire que je pourrais devenir un homme désespéré. Mon allégeance à Monika, pour ce qu'elle vaut, est temporaire, et encore. Le hasard d'une mutation par exemple la nomination du colonel à une unité en Grèce ou à Guam et l'incertitude d'y trouver un partenaire de tennis convenable, un changement de commandement décidé à Washington par quelqu'un qui se moque de savoir si j'existe, une proposition d'emploi meilleur pour Monika dans un autre pays, et tout serait détruit.

Cela pourrait même être dû à quelque chose de moins aléatoire que ça. Ces derniers temps Monika est devenue nerveuse. Je la surprends de plus en plus souvent en train de m'observer avec une expression spéculatrice qui ne présage rien de bon. Ce serait de ma part le comble de l'égoïsme aveugle si je croyais que cette spéculation comporterait du chagrin à la pensée de me perdre.

Si Monika s'en va, je me taperai la femme du colonel

* * *

Billy Abbott, en civil, se sentant en paix avec le monde, sortit dans l'air frais de la nuit, au bras de Monika, après un excellent repas au restaurant qui dominait la Grand-Place de Bruxelles. Le repas avait été cher, parce que le restaurant était porté aux nues dans tous les guides, mais il en valait la peine. D'ailleurs, il avait gagné soixante dollars dans l'après-midi en jouant au tennis avec le colonel. Le colonel était un cinglé de tennis et s'efforçait de jouer au moins une heure par jour, et, comme il convenait à un vrai diplômé de West Point, il aimait gagner.

Le colonel avait vu jouer Billy lorsque celui-ci n'était encore que caporal et il avait aimé son style pondéré et astucieux, qui lui permettait de battre des joueurs qui frappaient la balle deux fois plus fort que lui. Billy était aussi très rapide et pouvait couvrir les trois quarts du court dans les doubles. Comme le colonel avait quarante-sept ans, il avait besoin d'un partenaire qui pût couvrir les trois quarts du court. Billy n'était donc plus caporal maintenant, mais sergent-chef responsable du pool des véhicules ; d'où des rentrées d'argent considérables en plus de sa solde de sergent, pourboires occasionnels d'officiers reconnaissants qui avaient à régler des problèmes de véhicules qui ne concernaient pas officiellement l'Armée, ou la possibilité moins occasionnelle de vendre clandestinement l'essence de l'Armée à des prix habilement fixés juste au-dessous de ceux de la ville. Le colonel invitait aussi Billy à dîner. Il aimait savoir ce que pensaient les troupes, comme il disait souvent, et la femme du colonel trouvait que Billy était un jeune homme charmant qui se conduisait comme un officier, surtout quand il était en civil. La femme du colonel, elle aussi, aimait jouer au tennis, et vivait dans l'espoir qu'un jour le colonel serait envoyé en mission pour un mois ou deux en laissant Billy.

Ce n'était pas l'armée d'antan, disait parfois le colonel, mais il fallait bien vivre avec son époque. Tant que le colonel serait son supérieur, il n'y avait aucun danger que Billy soit envoyé au Vietnam.

Billy savait que c'était grâce aux bons offices de son oncle Rudolph à Washington que le bruit déplaisant de l'artillerie ennemie lui avait été épargné, et un jour il ferait preuve de reconnaissance. Pour l'instant, il avait dans sa poche une lettre de son oncle qui contenait un chèque de mille dollars. La source de fonds qu'était la mère de Billy avait tari, et Monika, à qui Billy avait parlé de son oncle fortuné, l'avait poussé à lui écrire pour lui demander de l'argent. Elle avait fait des mystères autour de la raison pour laquelle elle en avait besoin, mais il y avait belle lurette que Billy s'était résigné au fait qu'elle était une fille mystérieuse. Elle ne lui parlait jamais de sa famille à Munich et ne lui dit jamais pourquoi elle s'était mis dans la tête à dix-huit ans de préparer un diplôme à Trinity College à Dublin. Elle partait toujours pour des rendez-vous secrets, mais à part cela, elle était extrêmement agréable à vivre la plupart du temps. C'était la condition qu'elle avait mise quand elle était venue vivre dans son petit appartement douillet près de la Place. Il ne devait poser aucune question lorsqu'elle disait qu'elle devait s'absenter pour un soir ou parfois une semaine. Il y avait certaines réunions délicates entre délégués de l'O.T.A.N. dont on ne pouvait pas parler. Il n'était pas un garçon curieux quand les choses ne le regardaient pas.

Monika n'était pas vraiment jolie, avec ses cheveux noirs en désordre, ses talons plats et ses bas confortables, mais elle avait de grands yeux bleus qui illuminaient son visage quand elle souriait et un adorable petit corps. La petitesse était importante. Billy ne mesurait qu'un mètre soixante-dix et il était mince, et il n'aimait pas le sentiment d'infériorité que lui donnaient les femmes plus grandes.

Si on lui avait demandé ce soir-là quelle profession il avait l'intention de choisir, il aurait très probablement répondu qu'il allait rempiler. De temps en temps Monika se mettait en colère contre lui et dénonçait son manque d'ambition. Avec son grand sourire engageant de jeune athlète, il convenait avec elle qu'il n'avait pas d'ambition. La sombre mélancolie de ses yeux frangés d'épais cils noirs mettait encore plus en valeur son sourire, comme s'il faisait un triste effort particulier de gaieté pour celui à qui il l'adressait. Billy se connaissait suffisamment pour ne pas sourire trop souvent.

Ce soir, Monika avait encore un de ses rendez-vous mystérieux.

— Ne m'attends pas, dit-elle alors qu'ils contemplaient la splendeur dorée des murs et des fenêtres de la Place illuminés par des spots. — Je risque de rentrer tard. Peut-être pas de la nuit.

— Tu gâches ma vie sexuelle, dit-il.

— Tu parles, dit-elle.

Trinity College, plus les troupes de l'O.T.A.N., lui avaient valu une grande aisance en anglais et en américain.

Il l'embrassa légèrement et la regarda monter dans un taxi. Elle y entra d'un bond comme si elle concourait pour le saut en longueur avec élan. Il admirait son énergie. Il n'entendit pas l'adresse qu'elle donnait au chauffeur. Il se rendit compte que chaque fois qu'il la mettait dans un taxi, il n'entendait jamais sa destination.

Il haussa les épaules et se dirigea en flânant vers un café. Il était trop tôt pour rentrer et il n'y avait personne d'autre qu'il eût particulièrement envie de voir ce soir.

Au café il commanda une bière et sortit l'enveloppe contenant le chèque et la lettre de son oncle. Ils avaient eu un échange de correspondance tout à fait cordial, depuis que Billy avait vu dans *Time Magazine* l'article sur la mort de Tom Jordache et l'horrible photo de la femme de Rudolph nue qu'ils avaient déterrée de quelque part. Dans sa lettre à Rudolph il n'avait pas mentionné la photo et il avait été sincère, enfin aussi sincère que possible, en envoyant ses condoléances. L'oncle Rudolph avait été bavard dans ses lettres, apportant des nouvelles de toute la famille. Il donnait l'impression d'être un homme solitaire, plutôt désemparé, et il avait raconté avec tristesse et réticence son divorce, et comment la dame d'Indianapolis avait réclamé le cousin Wesley. Il n'avait pas mentionné les antécédents judiciaires de la mère de Wesley comme prostituée du trottoir, mais la mère de Billy ne lui avait épargné aucun détail. Les lettres de sa mère avaient tendance à être sévères et pleines de remontrances. Elle ne lui avait jamais pardonné son refus d'éviter l'armée — il sentait avec ressentiment qu'elle aurait aimé jouer les martyrs respectés s'il avait préféré aller en

109

prison. A chacun ses principes. Pour sa part, il préférait jouer au tennis avec un colonel de quarante-sept ans, et vivre dans un luxe relatif avec une *Fräulein* intelligente, bien faite, polyglotte, et — avouons-le — aimée, dans la ville civilisée de Bruxelles.

La lettre dans laquelle il demandait un prêt à son oncle avait été gracieuse et peinée plutôt qu'importune. Il avait laissé entendre qu'il avait eu quelques parties de poker malheureuses, une coûteuse défaillance de sa voiture, la nécessité d'en acheter une nouvelle... La lettre de Rudolph, qui était arrivée ce matin, était pleine de compréhension, bien qu'il fît comprendre qu'il s'attendait à être remboursé.

Monika voulait l'argent en espèces le lendemain matin et il faudrait qu'il aille à la banque. Il se demandait pourquoi elle pouvait bien en avoir besoin. Au diable, se dit-il en abandonnant le sujet, ce n'est que de l'argent, et ce n'est même pas le mien. Il commanda une seconde bière.

Le lendemain matin, il apprit pourquoi elle voulait cet argent. En rentrant à l'aube elle le réveilla, lui prépara une tasse de café, le fit asseoir et lui dit que les mille dollars allaient servir à soudoyer un sergent au dépôt d'armes de l'Armée, afin que les gens avec qui elle travaillait, qu'elle refusait de nommer ou de décrire, puissent y pénétrer avec un camion de l'Armée américaine que lui, Billy, était censé fournir du pool des véhicules, et subtiliser une quantité non spécifiée d'armes, de grenades et de caisses de munitions. Lui-même ne serait pas impliqué dans l'affaire. Il n'aurait qu'à conduire le camion hors du pool un soir, avec des ordres authentiques, et le livrer un kilomètre plus loin sur la route à un homme qui serait habillé en lieutenant de la Police Militaire de l'Armée américaine. Le camion serait rendu avant l'aube. Elle disait cela calmement, tandis qu'il était assis, buvant son café en silence et se demandant si elle avait passé la nuit à se droguer. Au cours de son explication, qu'elle donna du même ton qu'elle aurait pu employer à Trinity pour un séminaire sur un obscur poète irlandais, elle lui expliqua également qu'il avait été choisi pour être son amant à cause de son poste au pool des véhicules, bien qu'elle admît que depuis lors elle s'était attachée à lui, réellement.

Lorsqu'il parla enfin, il s'efforça de contrôler sa voix.

— A quoi diable tout ce matériel va servir ?

— Je ne peux pas te le dire, chéri, fit-elle, lui caressant la main par-dessus la table de la cuisine. — Et il vaudrait mieux que tu ne le saches jamais.

— Tu es une terroriste.

— C'est un mot comme un autre. — Elle haussa les épaules. — Je préférerais le mot idéaliste, ou un terme comme personne en quête de justice, ou ennemi de la torture, ou simplement quelqu'un qui aime l'homme moyen ordinaire, traumatisé, à qui on a lavé le cerveau. Choisis.

— Et si j'allais à l'O.T.A.N. et que je te dénonçais. Toi et ton projet de dingue ?

Il se sentait bête assis là, grelottant, dans une petite cuisine bourgeoise et froide, vêtu seulement d'un vieux peignoir de bain à moitié ouvert. les couilles à l'air, en train de parler de faire sauter les gens.

— Je n'essaierais pas, chéri, dit-elle. D'abord ils ne te croiraient pas. Je préviendrais que je t'avais annoncé que je te quittais et que c'était là ta façon étrange de te venger. Et quelques-uns des garçons que je connais peuvent être très très méchants...

— Tu me menaces ?

— Je suppose qu'on peut appeler ça comme ça.

A son regard il vit qu'elle était mortellement sérieuse. Sérieuse était le mot exact. Et mortellement. Il avait froid et peur. Il ne s'était jamais posé en héros. Il n'avait même jamais donné un coup de poing de sa vie.

— Si je fais ça, une seule fois, dit-il, s'efforçant d'empêcher sa voix de trembler, je ne veux plus jamais te revoir.

— C'est à toi de décider, fit-elle d'un ton égal.

— Je te le dirai à midi, dit-il, pendant que son esprit galopait, cherchant le moyen de se dérober, prendre un avion pour l'Amérique, se cacher à Paris, à Londres, six heures de temps pour échapper à ce complot dément et surréaliste.

— Ça suffira, dit Monika. Les banques sont ouvertes l'après-midi. Mais je dois te dire — pour ton bien —, tu seras surveillé.

— Quelle sorte de femme es-tu donc ? cria-t-il, ne contrôlant plus sa voix.

— Si tu n'étais pas si superficiel, frivole et suffisant, dit-elle sans élever la voix, tu le saurais à présent, après avoir vécu aussi longtemps avec moi.

— Je ne vois pas ce qu'il y a de si frivole et suffisant à ne pas vouloir tuer les gens, dit-il, piqué par la description qu'elle venait de faire de lui. — Ne sois pas si fière de toi.

— Tous les jours, tu mets un uniforme. Tous les jours, dans ce même uniforme, des milliers de jeunes gens de ton âge sortent pour tuer des centaines de milliers de gens qui ne leur ont rien fait. C'est *ça* que je trouve frivole.

Pendant qu'elle parlait, ses yeux s'assombrirent enfin de colère.

Et c'est *toi* qui vas y mettre un terme ? dit-il d'une voix forte. Toi et cinq ou six autres meurtriers ?

— Nous pouvons essayer. Entre autres choses. Nous aurons au moins la satisfaction de savoir que nous avons essayé. Et toi, quelle satisfaction auras-tu ? — Elle se moquait de lui, un vilain rictus à la bouche. — La satisfaction d'avoir joué au tennis pendant que tout cela se passait ? Qu'il n'existe pas un seul être humain qui ait quelque respect pour toi ? Que tu ne faisais rien pendant que les hommes à qui tu lèches les bottes matin, midi et soir complotaient pour faire sauter le monde ? Quand tout sautera dans l'explosion finale, est-ce qu'en mourant tu seras fier de toi parce que tu auras bien mangé, bien bu et bien baisé pendant que tout cela se tramait ? Réveille-toi ! Réveille-toi ! Aucune loi ne dit que tu dois être un ver de terre.

— Rhétorique. Et qu'est-ce que tu vas faire — détourner un avion israélien, casser quelques vitres dans une ambassade, tuer un policier pendant qu'il règle la circulation ? C'est comme ça que tu penses sauver le monde ?

— D'abord, ceci n'a rien à voir avec les Israéliens. Mon groupe et moi, nous avons des opinions variées à ce sujet, donc ne t'en fais pas pour tes amis juifs — mes amis aussi, d'ailleurs.

— Merci, dit-il sarcastique, pour ta tolérance bien allemande envers les Juifs.

— Salaud.

Elle essaya de le gifler par-dessus la table, mais il fut plus rapide et lui saisit la main.

— Pas de ça. Tu es peut-être très habile à la mitraillette, mais tu n'es pas boxeur, ma petite dame. Personne ne peut se permettre de me frapper. Tu as hurlé et hurlé après moi, tu m'as menacé et tu m'as demandé de faire une chose qui peut me coûter la vie ou m'envoyer en prison à perpétuité et tu n'as encore rien expliqué. — Avec témérité, il continua, s'emportant maintenant — Si je t'aide, ce ne sera pas parce que tu me fais peur ou que tu m'achètes ni rien de tout ça. Je te propose un marché. Tu as raison — aucune loi ne dit que je doive être un ver de terre. Convaincs-moi et je marche avec toi. Tu vas t'asseoir, tu vas garder pour toi tes sales mains et tes sales menaces et t'expliquer calmement. Sinon, des clous. Tu comprends ?

– Lâche ma main, dit-elle d'un ton boudeur.

Il laissa tomber sa main. Elle le dévisagea avec fureur. Puis elle se mit à rire.

— Eh bien, mon vieux Billy, tu as quand même quelque chose dans le ventre. Qui l'eût cru ? Je crois qu'il va falloir refaire du café. Et tu as froid. Va t'habiller, mets un pull-over et nous aurons une gentille petite conversation autour de la table du petit déjeuner sur la merveille d'être en vie au XXe siècle.

Dans la chambre, tout en s'habillant, il se remit à grelotter. Mais même en grelottant, il se sentait follement excité. Pour une fois, il n'avait pas reculé, ne s'était pas dérobé, n'avait pas fui. Et cela pouvait être une question de vie ou de mort, il en était certain. Il n'y avait aucune raison de sous-estimer la dureté ou la passion de Monika. Les journaux étaient remplis de récits de détournements, de bombes, d'assassinats politiques, de massacres théâtraux, et ils étaient manigancés et exécutés par des gens qui occupaient le bureau voisin du vôtre, qui vous côtoyaient dans l'autobus, qui couchaient avec vous et dînaient avec vous. Et manque de chance pour lui, Monika en faisait partie. Comme elle l'avait dit, il aurait dû se douter de quelque chose. Ses insultes l'avaient blessé ; c'est une chose de savoir qu'on est bon à rien, c'en est une autre que de s'entendre dire par une femme qu'on admire, bien plus, qu'on aime, qui agit comme si elle vous aimait, qu'on ne vaut rien.

Le rire dans la cuisine froide, à la lueur de l'aube, avait été un don de respect, et il l'avait accepté avec reconnaissance. Aux yeux de Monika, il était dorénavant un adversaire respectable et devait être traité comme tel. Jusqu'à présent il avait laissé le monde tourner et avait été satisfait de se trouver dans un coin douillet et sous l'aile du gouvernement Eh bien, le monde l'avait rattrapé et il devait l'affronter. Il était dans le bain, qu'il le veuille ou non. D'un moment à l'autre, presque instinctivement, il avait donné un nouveau prix à son existence.

Qu'elle aille au diable, se dit-il en enfilant son chandail. Respirer, c'était risquer de perdre. Qu'ils aillent tous au diable.

Monika était en train de préparer du café frais quand il rentra dans la cuisine. Elle avait ôté ses chaussures et marchait sur ses bas, ses cheveux bruns emmêlés, comme n'importe quelle ménagère qui venait de se lever du lit conjugal pour faire le petit déjeuner de son mari qui partait au bureau. Terreur dans la cuisine, effusions de sang sur un fourneau allumé, victimes désignées dans un bruit de casseroles. Il s'assit à la table de bois balafrée, sauvée de quelque ferme belge, et Monika lui versa du café. Efficace *Hausfrau* allemande. Elle faisait du bon café. Il le savoura avec délice. Elle se versa aussi du café, lui sourit avec douceur. La femme qui lui avait dit qu'il avait été choisi pour être son amant parce qu'il dirigeait le pool des véhicules, où l'on pouvait obtenir des camions pour des missions mortelles avait disparu. Pour l'instant. Pendant dix minutes par un matin froid, se dit-il en buvant le café brûlant.

— Alors, dit-il, par où commençons-nous ? — Il regarda sa montre. — Il ne faut pas que ce soit trop long. Je dois bientôt aller au travail.

— On commence par le commencement. L'état du monde. Le monde, c'est la pagaille. Les fascistes sont partout.

— En Amérique... ? Allons, Monika.

— En Amérique c'est encore déguisé, dit-elle impatiemment. Ils peuvent encore se permettre de le déguiser. Mais qui fournit les armes, l'argent, les rideaux de fumée, le soutien réel enfin ? Les grosses huiles de Washington, New York, du Texas. Si tu tiens absolument à rester naïf, je ne vais pas prendre la peine de te parler.

— Tu parles comme si tout cela sortait d'un livre.

— Pourquoi pas ? Pourquoi ne pas apprendre dans un livre ? Ça ne te ferait pas de mal de lire quelques livres, d'ailleurs. Si tu te fais tant de souci pour ta patrie bien-aimée, tu seras soulagé d'apprendre que nous ne sommes pas actifs en Amérique en ce moment, en tout cas pas les gens avec qui je suis, ce qui ne veut pas dire que d'autres ne le soient pas. Il y a des bombes qui explosent aussi en Amérique, et il y en aura d'autres, je te le promets. L'Amérique est à la base de la pyramide, et elle finira par devenir la cible principale. Et tu seras étonné de la facilité avec laquelle elle s'écroulera. Car la pyramide est branlante, elle est basée sur des mensonges, des privilèges immoraux, des richesses usurpées, des populations asservies ; elle s'appuie sur du sable qui est creux sous la surface.

— Tu parles plus que jamais comme un livre. Tu n'as qu'à le sortir de la bibliothèque et je le lirai moi-même.

Monika ne releva pas la raillerie.

— Ce que nous devons faire, poursuivit-elle, c'est démontrer qu'elle est aussi vulnérable que malfaisante.

— Comment as-tu l'intention d'y parvenir avec une poignée de gangsters toqués ?

— N'emploie pas ce mot, dit-elle sur un ton d'avertissement.

— Appelle-les comme tu voudras. Bandits, assassins. Comme tu voudras.

— A Cuba, Castro a réussi avec dix-huit hommes.

— L'Amérique n'est pas Cuba, dit-il. Et l'Europe non plus.

— La ressemblance est suffisante. Dans les deux cas. Les attaques vont se multiplier. Les hommes au pouvoir se sentiront mal à l'aise, incertains, et finiront par être effrayés. Ils agiront par peur, commettront une erreur après l'autre, chacune pire que la précédente. Ils feront pression, des concessions désastreuses qui ne serviront qu'à rendre les gens conscients d'être au bord de la défaite, et provoqueront davantage encore d'incidents, davantage de lézardes sur les murs.

— Oh, dit-il, change de disque, tu veux bien ?

— Un président de banque sera assassiné, récita-t-elle, dans une vision d'extase, un ambassadeur kidnappé, une grève paralysera un pays, l'argent se dévaluera. Ils ne sauront pas d'où viendra le coup suivant, ils sauront seulement qu'il y en aura un. La tension augmentera, jusqu'à ce que tout explose. Il n'y aura pas besoin d'armées. Rien que quelques individus dévoués...

— Comme toi ?

— Comme moi, dit-elle d'un ton de défi.

— Et si vous réussissez, qu'est-ce qui arrivera ? Les Russes ramasseront la cagnotte. C'est ça que vous voulez ?

— Le tour de la Russie viendra. Ne me crois pas assez bête pour vouloir *ça*.

— Que veux-tu, alors ?

— Je veux que le monde cesse d'être empoisonné, d'être mené à son extinction, d'une façon ou d'une autre. Je veux arrêter les guerriers que nous avons maintenant, les espions, les bombardiers nucléaires, les politiciens véreux, les tueries pour le profit... Les hommes souffrent, et je veux qu'ils sachent qui les fait souffrir et pourquoi.

— Bon, voilà qui est tout à fait admirable. Mais soyons concrets. Supposons que je te trouve le camion, supposons que tu mettes la main sur quelques grenades, du plastic, des armes. Qu'est-ce que vous allez en faire, précisément ?

— Précisément, nous avons l'intention de faire sauter les vitres d'une banque ici à Bruxelles, d'introduire quelques explosifs à l'intérieur de l'ambassade d'Espagne, de liquider en Allemagne un juge qui est le plus grand porc du Continent. Je ne peux pas t'en dire plus. Dans ton intérêt.

— Tu es prête à faire un tas de choses dans mon intérêt, n'est-ce pas ?
— Il s'inclina ironiquement. — Je te remercie, ma mère te remercie, mon colonel te remercie.

— Ne fais pas l'idiot, dit-elle froidement. Ne fais plus jamais l'idiot avec moi.

— On dirait que tu es prête à me tirer dessus à l'instant, ma chère petite brigande, dit-il, railleur, en se forçant au courage ; pourtant il tremblait encore, malgré son chandail.

— Je n'ai jamais tiré sur personne, dit-elle. Et je n'en ai pas l'intention. Ce n'est pas mon boulot. Et pour calmer tes délicats scrupules, tu seras peut-être heureux d'apprendre qu'ici en Belgique

114

nous avons l'intention d'agir de façon à ce que personne ne soit tué. Nous ne cherchons qu'à inquiéter, avertir, faire un acte symbolique.

— Ça, c'est pour la Belgique. Et pour les autres pays ?

— Ça ne te regarde pas, dit-elle. Tu n'as pas besoin de le savoir. Plus tard, si tu es convaincu et si tu veux prendre une part plus active, tu seras entraîné, tu participeras aux discussions. Pour le moment, tout ce que tu as à faire, c'est d'aller à la banque encaisser le chèque de ton oncle, et fournir un camion pour quelques heures, une nuit. Bon Dieu, dit-elle avec passion, ce n'est pas nouveau pour toi, avec tes combines — tu crois que je ne sais pas comment tu vis si bien avec ta paie de sergent — avec ton marché noir de l'essence...

— Bon Dieu, Monika, dit-il, tu veux dire que tu ne vois pas la différence entre un peu de chapardage et ce que tu me demandes de faire ?

— Oui, l'un est mesquin et détestable et l'autre est noble. Tu as toujours vécu en pleine transe. *Tu n'aimes pas* ce que tu es, tu méprises tous ceux qui t'entourent, je t'ai entendu parler de ta famille, de ta mère, ton père, ton oncle, les animaux avec qui tu travailles... Ne le nie pas. — Elle leva la main pour arrêter sa tentative de parler. — Tu as tout gardé étriqué, à l'intérieur de toi-même. Personne ne t'a mis au défi de t'affronter toi-même, de t'ouvrir, pour voir ce que tout cela signifie. Eh bien, moi, je te mets au défi maintenant.

— En insinuant que quelque chose de terrible m'arrivera si je ne fais pas ce que tu veux ?

— C'est comme ça, blanc-bec. Réfléchis à ce que je viens de te dire pendant que tu travailles ce matin.

— C'est exactement ce que je vais faire. — Il se leva. — Je dois partir au bureau.

— Je t'attendrai à l'heure du déjeuner, dit-elle.

— J'espère bien, dit-il en passant la porte.

Au bureau la matinée passa pour lui dans un brouillard. Tout en vérifiant des ordres, des demandes, des manifestes, des rapports de mission, il prenait des douzaines de décisions, les examinant et réexaminant l'une après l'autre, les rejetant l'une après l'autre. Par trois fois il décrocha le téléphone pour appeler le colonel, lui dire tout, lui demander conseil, aide, puis raccrocha. Il regarda les horaires d'avions entre Bruxelles et New York, décida d'aller à la banque, d'encaisser le chèque de son oncle et de prendre un avion ce matin même. Il pourrait aller à la C.I.A. à Washington, leur expliquer sa difficile position, faire incarcérer Monika, devenir une sorte de héros secret dans ces corridors secrets. Mais le serait-il ? Est-ce que ces hommes, experts en meurtres, en manœuvres souterraines compliquées et en renversements de régimes, le féliciteraient tout en le méprisant en secret pour sa lâcheté, à leur manière habituelle ? Ou pire encore, feraient-ils de lui un agent double, lui ordonnant de devenir membre de la bande à laquelle appartenait Monika, et de faire un rapport hebdomadaire sur leurs activités ? Souhaitait-il voir Monika sous les verrous ? Même ce matin-là, il ne pouvait honnêtement pas se dire qu'il ne l'aimait pas. L'amour ? En voilà un mot. La plupart des femmes l'ennuyaient. D'habitude, il trouvait un prétexte, après l'accouplement, pour sauter du lit et rentrer chez lui. Avec Monika, les étreintes nocturnes ne méritaient jamais le nom d'accouplement. C'était un réel délice. Pour parler en termes crus, se dit-il, avec elle je peux jouir cinq fois par nuit, et attendre avec impatience le moment de la voir nue et rosée à l'heure du déjeuner.

Il ne voulait pas se faire tuer. Il le savait, comme il savait qu'il ne voulait pas renoncer à Monika. Mais il y avait quelque chose de titillant, de profondément excitant, dans l'idée qu'il était assez casse-cou pour faire l'amour à une femme, la faire haleter de plaisir et de douleur à six heures du matin en sachant qu'elle était prête à ordonner son exécution à midi.

Quel effet cela ferait de lui dire ? « Je marche avec toi » ? De se glisser parmi les ombres ? D'attendre une explosion quelque part tout près en jouant au tennis avec le colonel au club immaculé et de savoir que c'est lui qui l'avait programmée ? De passer devant une banque dont son oncle Rudolph était membre du conseil d'administration, et d'y déposer furtivement une bombe qui exploserait le matin avant l'ouverture ? De rencontrer des fanatiques qui voltigeaient d'un pays à l'autre, qui seraient peut-être dans un siècle des héros dans les livres d'histoire, qui tuaient par le poison, à mains nues, qui pourraient l'initier à leurs mystères, qui pourraient lui faire oublier qu'il ne mesurait qu'un mètre soixante-dix ?

Finalement, il n'appela pas le colonel, il n'encaissa pas le chèque, il ne prit aucune disposition au pool des véhicules, il n'alla pas à l'aéroport.

Il passa toute la matinée à la dérive, hébété, et lorsque le colonel téléphona pour dire qu'il y aurait une partie à cinq heures et demie cet après-midi, il dit : « Oui, mon colonel, j'y serai », tout en pensant qu'il y avait de fortes chances pour qu'il fût mort d'ici là.

Elle l'attendait à la sortie du bureau. Il fut soulagé de voir qu'elle s'était coiffée, car tous les autres hommes qui défilaient pour aller déjeuner les regardaient d'un air spéculatif, discrètement lubrique, en grande partie à cause de son rang, et il n'aimait pas l'idée qu'ils pensaient qu'il fréquentait une rustaude.

— Alors ? dit-elle.

— Allons déjeuner, dit-il.

Il l'emmena dans un bon restaurant où il savait qu'il était peu probable de trouver les autres hommes qui en avaient assez de la nourriture du mess de l'Armée. Il voulait être rassuré par des nappes empesées, des tables fleuries, des serveurs attentionnés, un endroit où rien n'évoquait le monde chancelant, les conspirateurs désespérés, les pyramides qui s'effondraient. Il choisit pour eux deux. Elle feignait de ne pas s'intéresser à ce qu'elle mangeait et ne jeta pas un regard au menu. Méchamment, sachant au moins cela d'elle, il comprit pourquoi elle dédaignait la carte. Elle devait mettre d'épaisses lunettes pour lire et était assez coquette pour ne pas vouloir être vue ainsi en public. Mais lorsqu'on apporta la nourriture elle mangea avec appétit, plus que lui. Il se demandait comment elle faisait pour garder la ligne.

Ils mangèrent tranquillement, parlant poliment du temps, d'une conférence qui devait commencer le lendemain et à laquelle elle serait interprète, de son rendez-vous à lui à cinq heures et demie pour jouer au tennis avec le colonel, d'une pièce qui allait passer à Bruxelles et qu'elle voulait voir. Il n'y eut aucune allusion à ce qui s'était passé entre eux le matin jusqu'au café. Puis elle dit :

— Eh bien, qu'as-tu décidé ?

— Rien. — Même dans le restaurant surchauffé et douillet il avait de nouveau froid. — J'ai renvoyé le chèque à mon oncle ce matin.

Elle sourit froidement.

— Donc tu as pris une décision ?

— En partie.

Il mentait. Le chèque était toujours dans son portefeuille. Il ne savait pas qu'il allait dire cela. C'était sorti automatiquement, comme si quelque chose s'était déclenché dans son cerveau. Mais tout en le disant, il savait qu'il allait effectivement renvoyer le chèque, avec des remerciements, en expliquant à son oncle que sa situation financière s'était améliorée et que pour l'instant il n'avait pas besoin d'aide. Cela se révélerait utile plus tard quand il aurait réellement besoin de demander quelque chose à l'oncle Rudolph.

— Très bien, dit-elle calmement. Si tu as eu peur que cet argent ait pu être marqué, je comprends. — Elle haussa les épaules. — Ce n'est pas trop important. Nous trouverons de l'argent ailleurs. Mais pour le camion ?

— Je n'ai rien fait.

— Tu as tout l'après-midi.

— Non, je n'ai pas encore pris ma décision.

— Nous pouvons nous occuper de cela aussi, je suppose, dit-elle. Il suffira que tu regardes de l'autre côté.

— Je ne ferai pas ça non plus. J'ai besoin de réfléchir longuement avant de décider quoi que ce soit. Si tes amis veulent me tuer, dit-il brutalement, mais à voix basse, car il vit approcher le garçon pour resservir du café, avertis-les que je serai armé.

Il avait fait une matinée d'entraînement avec un 45, il pouvait le démonter et le remonter, mais il avait marqué très peu de points au tir sur cible pour sa notation. Règlement de comptes à l'O.K. Corral de Bruxelles, se dit-il. Qui était-ce ? John Wayne ? Qu'aurait fait John Wayne aujourd'hui ? Il ricana.

— Qu'est-ce qui te fait rire ? demanda-t-elle d'un ton acerbe.

— Je pensais à un film que j'ai vu un jour.

— Oui, s'il vous plaît, dit-elle en français au garçon qui se tenait au-dessus d'elle avec la cafetière en argent.

Le garçon remplit leurs deux tasses. Après le départ du garçon, elle lui adressa un étrange sourire.

— Tu n'as pas besoin de porter une arme. Personne ne te tirera dessus. Tu ne vaux pas une balle.

— Voilà qui est agréable à entendre.

— Est-ce que *rien* ne t'impressionne jamais, ne te touche jamais ?

— Je dresserai une liste, et je te la donnerai la prochaine fois que nous nous verrons. Si nous nous voyons.

— Nous nous verrons

— Quand est-ce que tu vas déménager ?

Elle le regarda avec étonnement. Il n'aurait su dire si son étonnement était réel ou feint.

— Je n'avais pas l'intention de déménager. Tu veux que je déménage ?

— Je ne sais pas Mais après aujourd'hui...

— Pour le moment, dit-elle, oublions aujourd'hui. J'aime vivre avec toi. J'ai constaté que la politique n'a rien à voir avec le sexe. Pour d'autres, peut-être, mais pas pour moi. J'adore coucher avec toi. Je n'ai pas eu beaucoup de chance au lit avec les autres hommes. Les orgasmes sont rares dans la Nouvelle Gauche — du moins pour moi — et nous vivons à une époque où on a appris aux dames que les orgasmes sont pour elles un droit divin. Pour cela, tu es le rêve des jeunes filles, chéri, si tu veux bien me pardonner un peu de vulgarité. Du moins pour moi. Et j'aime les bons dîners, que tu as la bonté de m'offrir. Alors — elle alluma une cigarette. Elle fumait sans arrêt et les cendriers de l'appartement étaient toujours pleins de mégots. Cela l'irritait, car il ne fumait pas et prenait au sérieux les avertissements des articles de magazines sur le taux de mortalité des fumeurs. Mais, se dit-il, on ne pouvait pas s'attendre à ce qu'une terroriste vivant constamment dans la crainte de la police ou des pelotons d'exécution redoutât de mourir à soixante ans d'un cancer du poumon. — Alors, dit-elle, en exhalant la fumée par les narines, je compartimenterai ma vie, tant qu'elle durera. Toi pour le sexe, le homard et le pâté de foie gras, et d'autres pour des occupations moins sérieuses telles que l'exécution de juges allemands. N'es-tu pas content de voir à quel point je suis raisonnable ?

Elle est en train de me couper en morceaux, pensa-t-il, en tout petits morceaux.

— Je ne suis content de rien, dit-il.

— N'aie pas un air si lugubre, blanc-bec. A chacun selon ses talents. Et maintenant, je suis libre une grande partie de l'après-midi. Est-ce que tu peux te libérer une heure ou deux ?

— Oui.

Il avait depuis longtemps mis au point un système pour entrer et sortir du bureau sans se faire remarquer.

— Bon. — Elle lui tapota la main. — Allons à la maison, mettons-nous au lit et payons-nous le plaisir délicieux de baiser l'après-midi.

Furieux après lui-même de ne pas être capable de se lever, jeter un billet sur la table pour régler l'addition et sortir du restaurant d'un pas majestueux, il dit :

— Je dois retourner au bureau pour dix minutes. Je te rejoins à la maison.

— Dépêche-toi.

Elle lui sourit, et ses grands yeux bleus illuminèrent son visage d'étudiante bavaroise.

CHAPITRE II

Du carnet de Billy Abbott (1969).

Ceci sera la dernière fois que j'écris dans ce carnet avant quelque temps.

Je ferais mieux de ne plus rien écrire sur Monika. Il y a des fouineurs et des cambrioleurs autorisés partout. Bruxelles en regorge.

Monika plus nerveuse que jamais.

Je l'aime. Elle refuse de me croire.

* * *

Sidney Altscheler était debout près de la fenêtre de son bureau tout en haut du Time and Life Building, fixant sombrement les lumières des immeubles qui entouraient la tour dans laquelle il travaillait. Il était sombre parce qu'il pensait à tout le travail qui l'attendait pendant le week-end. On frappa discrètement à la porte et sa secrétaire entra.

— Il y a là un certain Jordache qui veut vous voir. Altscheler fronça les sourcils.

— Jordache ? Je ne connais personne du nom de Jordache. Dites-lui que je suis occupé, qu'il m'écrive une lettre.

La secrétaire était sur le point de partir lorsqu'il se souvint.

— Attendez une minute. Nous avons publié un article il y a cinq-six mois. Sur un meurtre. L'homme s'appelait Jordache. Dites-lui de monter. J'ai un quart d'heure de libre avant que Thatcher n'arrive avec son adaptation. Il y a peut-être une suite à l'affaire Jordache que nous pouvons utiliser. Il se retourna vers la fenêtre, et continua d'être sombre à l'idée du week-end, en fixant les lumières des bureaux environnants, qui demain seraient dans l'obscurité parce que ce serait samedi et que les vice-présidents, les employés, les comptables, les messagers, tout le monde serait en train de profiter de son congé.

Il était toujours à la fenêtre lorsqu'on frappa à la porte, et la secrétaire entra accompagnée d'un garçon vêtu d'un costume trop petit pour lui. « Entrez, entrez », dit-il, et il s'assit derrière son bureau Il y avait une chaise près du bureau, il la désigna au garçon

— Aurez-vous besoin de moi ? demanda la secrétaire.

— Je vous appellerai, si j'ai besoin de vous.

Il regarda le garçon. Seize, dix-sept ans, estima-t-il, grand pour son âge. Visage fin et beau, avec des yeux intenses et déroutants. Une forme d'athlète.

— Eh bien, Mr Jordache, dit-il vivement, que puis-je faire pour vous ?

Le garçon sortit une page arrachée à *Time*.

— Vous avez publié cet article sur mon père.

Il avait une voix profonde et sonore.

— Oui, je me souviens. — Altscheler hésita. — Lequel était votre père ? Le maire ?

— Non, dit le garçon, celui qui a été assassiné.

— Je vois, dit Altscheler. — Il prit un ton plus bienveillant. — Quel est votre prénom, jeune homme ?

— Wesley.

— Ont-ils trouvé l'assassin ?

— Non. — Wesley hésita. Puis il dit : — C'est-à-dire... techniquement, non.

— C'est ce que je pensais. Je n'ai pas vu de suite.

— En fait je voulais voir la personne qui a écrit l'article, dit Wesley. C'est ce que je leur ai dit en bas à la réception, mais ils ont téléphoné un peu partout et ils ont découvert que c'est un certain Hubbell qui l'avait écrit et qu'il était toujours en France. Alors j'ai acheté un *Time* et j'ai vu votre nom en première page.

— Je vois, dit Altscheler. Pourquoi vouliez-vous voir Mr Hubbell ? Pensez-vous que l'article était injuste ou erroné ?

— Non, pas du tout.

— Y a-t-il du nouveau qu'à votre avis nous devrions savoir ?

— Non. Je voulais parler à Mr Hubbell de mon père et de sa famille. Il en était beaucoup question dans l'article.

— Oui. Mais Mr Hubbell ne pourrait rien faire pour vous. Cela a été fait ici ; les éléments venaient de l'une de nos documentalistes.

— Je n'ai pas bien connu mon père, dit Wesley. Je ne l'avais pas vu depuis que j'étais tout petit jusqu'à il y a quelques années. J'aimerais en savoir plus long sur lui.

— Je comprends cela, Wesley, dit Altscheler avec bienveillance.

— Dans l'article vous aviez l'air d'en savoir beaucoup plus que moi. J'ai une liste de gens à qui mon père a eu affaire à des moments différents de sa vie et j'avais mis *Time* sur la liste, c'est tout.

— Je comprends. — Altscheler sonna sa secrétaire. Elle entra aussitôt. — Miss Prentice, voulez-vous demander qui a fait les recherches pour l'article Jordache ? Si ma mémoire est bonne, c'était Miss Larkin ; accompagnez ce jeune homme jusqu'à son bureau, je vous prie. Dites-lui de faire tout ce qu'elle pourra pour Mr Jordache. — Il se leva. — Je suis désolé mais je dois me remettre au travail, maintenant. Merci d'être venu me voir, Wesley. Et bonne chance.

— Merci, monsieur.

Wesley se leva à son tour et suivit la secrétaire hors du bureau.

Altscheler regagna la fenêtre et regarda dehors. Un garçon poli et triste. Il se demanda ce qu'il aurait fait si son père avait été assassiné et s'il avait été certain de connaître le coupable. A Yale, où il avait passé sa licence, on n'abordait pas ces questions-là.

La documentaliste avait un petit bureau sans fenêtres, éclairé au néon. C'était une petite jeune femme à lunettes, vêtue sans recherche, mais jolie. Elle ne cessa de hocher la tête et de regarder Wesley d'un air timide pendant que Miss Prentice expliquait pourquoi il était là. « Attendez ici une minute, Mr Jordache, dit-elle, je vais aller aux archives. Vous pourrez lire tout ce que j'aurai déterré. » Elle rougit un peu en s'entendant prononcer cette phrase. « Déterrer » n'était pas ce qu'il convenait de dire à un garçon dont le père avait été assassiné. Elle se demanda si elle devait expurger les dossiers avant de les montrer au garçon. Elle se souvenait très bien d'avoir travaillé sur cet article — surtout parce que c'était si différent de tout ce qu'elle avait connu dans sa propre vie. Elle n'était jamais allée sur la Côte d'Azur, en fait elle n'était jamais sortie d'Amérique, mais elle était avide de lecture aux cours de littérature qu'elle avait suivis à l'Université, et dans son imagination le Midi de la France était fermement établi comme un lieu romantique et tragique — Scott Fitzgerald roulant en voiture le long de la Grande Corniche en allant à une soirée ou en revenant, Dick Diver, désespéré et gai sur les plages ardentes, et tous les ennuis qui les attendaient tous lorsque tout s'effondra. Elle avait conservé ses notes, ce qu'elle ne faisait pas d'habitude, avec le vague sentiment d'être en liaison avec une géographie littéraire qu'elle explorerait un jour. Elle regarda le garçon — qui avait été là-bas, qui y avait souffert, et qui se tenait là dans son complet mal coupé — et elle aurait aimé le questionner, découvrir s'il savait quelque chose de tout cela.

— Vous voulez une tasse de café en attendant ? demanda-t-elle.

— Non, merci, madame.

— Voulez-vous feuilleter le numéro de cette semaine ?

— Je l'ai acheté en bas, merci.

— J'en ai pour une minute, dit-elle vivement.

Pauvre petit garçon, se dit-elle en sortant du bureau. Et si beau. Même dans son costume ridicule. Elle était une jeune fille romantique qui avait lu beaucoup de poésie, aussi. Elle l'imaginait, vêtu de vêtements noirs flottants, jumeau du jeune Yeats des premières photographies.

Lorsqu'elle revint avec le dossier, le garçon était assis sur la chaise droite, les épaules en avant, les bras reposant sur les cuisses, les mains entre les genoux, comme un joueur de rugby sur la touche.

— Tout est là. Elle s'était demandé s'il fallait ou non enlever la photo de Jean Jordache nue, puis elle avait décidé que non. Après tout, la photo avait été publiée dans le magazine, et il avait dû la voir. — Maintenant, prenez votre temps. J'ai du travail à faire. — Elle désigna la pile de coupures de journaux sur son bureau. — Mais vous ne me dérangez pas.

Elle était contente de l'avoir dans son bureau. Cela rompait la routine.

Wesley considéra le dossier pendant longtemps sans l'ouvrir, tandis que Miss Larkin s'affairait à sa table de travail, maniant les ciseaux et prenant des notes, en jetant de temps à autre un regard sur le garçon, jusqu'à ce qu'il la surprît, ce qui la déconcerta. Tout de même, se dit-elle pour se trouver une excuse, il ferait bien de s'habituer à ce que les filles le regardent. Elles seront des nuées à le faire.

La première chose qu'elle le vit sortir du dossier fut une photo de son père en tenue de boxe, les poings levés. Il avait l'air féroce et juvénile. A Wesley il semblait à peine plus âgé qu'il ne l'était lui-même. Tous les muscles de ses bras et de son torse saillaient. Il devait terriblement impressionner les gars contre qui il allait se battre.

Miss Larkin aussi avait regardé la photo en la sortant des archives. Elle trouvait que le boxeur avait l'air d'une belle brute, quelqu'un qu'on avait intérêt à éviter. Elle préférait le genre intellectuel. Elle se mit à observer franchement le garçon, concentré sur la photo qu'il tenait à la main. Il ressemblait étonnamment à son père, mais il n'avait rien d'une brute. Il devait avoir au moins dix-neuf ans, se dit-elle ; ce serait peut-être gentil de l'inviter à prendre un verre en bas. A l'heure actuelle, pensa-t-elle, un garçon peut être très mûr à dix-neuf ans. Elle-même n'avait que vingt-quatre ans. On ne pouvait pas dire que l'écart était rédhibitoire.

La photo avait été découpée dans *Ring Magazine* et il y avait un petit article sur Tom Jordan collé au bas de l'image. « Tom Jordan, poids moyen prometteur, invaincu après quatorze combats, huit K.O., en route pour Londres pour se battre contre Sammy Wales, et lui disputer le titre britannique des poids moyens à l'Albert Hall. Arthur Schultz, manager de Jordan, prédit qu'après quatre ou cinq autres combats à son actif, Tommy pourra affronter n'importe qui dans sa catégorie. »

Il y avait une autre feuille dactylographiée agrafée à la photo. Wesley reprit sa lecture. « Remporta match à Londres par K.O. Combattit René Badaud à Paris trois semaines plus tard. K.O. au septième round. Dès lors, carrière irrégulière, descend dans la catégorie inférieure. Engagé comme sparring-partner de Freddy Quayles, à Las Vegas, Nevada (date). Quayles premier challenger pour titre poids moyens. Incident entre Quayles et Jordan. Correspondant local à Las Vegas fait état d'une rumeur concernant bagarre dans chambre d'hôtel cause femme Quayles, plus tard actrice secondaire à Hollywood. Témoin prétend avoir vu Quayles, terriblement meurtri, à l'hôpital. Quayles ne retrouva jamais la forme, abandonna le ring, travaille maintenant comme vendeur articles de sport, Denver, Colorado. T. Jordan disparu de Las Vegas, mandat d'arrêt contre lui, vol de voiture. N'a pas refait surface depuis. »

Et c'était tout. Une vie entière en quelques lignes, résumée en cinq mots : « N'a pas refait surface depuis. » Il avait bel et bien refait surface à Antibes, se dit Wesley avec amertume. Il sortit son stylo et une feuille de papier et écrivit, Arthur Schultz, Freddy Quayles.

Puis il examina de nouveau la photo de son père, main gauche en avant, main droite levée sous le menton, épaules rentrées, le visage féroce, assuré et juvénile, prêt, selon un expert, après quatre ou cinq combats de plus, à affronter n'importe qui dans sa catégorie. Pas refait surface depuis.

Wesley leva les yeux vers Miss Larkin.

— Je ne crois pas que je le reconnaîtrais s'il entrait par cette porte à l'instant tel qu'il est là. — Il eut un petit rire. — Heureusement qu'il n'avait pas l'habitude de frapper les mômes, avec ces épaules.

Miss Larkin vit que Wesley était fier du corps ferme, de la combativité confiante de son père quand il était à peine plus âgé que lui maintenant.

— Si vous voulez la photo, dit-elle, je la mettrai dans une grande enveloppe pour que vous ne la froissiez pas.

— C'est vrai ? je peux vraiment la garder ?

— Bien sûr.

— C'est vraiment chouette, de garder la photo, je veux dire. Je n'ai aucune photo de lui. J'en avais, mais elles avaient toutes été prises plus tard... Il n'était pas comme ça. Il était bien, s'empressa-t-il de dire, comme s'il ne voulait pas que Miss Larkin pensât qu'il critiquait son père, ou que celui-ci était devenu un vieil homme gras et chauve ou quelque chose de ce genre. — Seulement, il était différent. L'expression de son visage, peut-être. Je suppose qu'on ne peut pas toujours avoir l'air d'avoir vingt ans.

— Non, dit Miss Larkin.

Tous les matins elle cherchait les rides autour de ses yeux.

Wesley fouilla dans le dossier et en sortit des notes biographiques préparées par Miss Larkin sur les membres de sa famille. Il parcourut rapidement les notes. Elles contenaient très peu de choses qu'il ne sût déjà, la réussite précoce de son oncle et le scandale à l'université, les deux mariages de sa tante, les grandes lignes de la carrière de son père. Il y avait une ligne qu'il lut deux fois. « Rudolph Jordache, au moment où il prit sa retraite vers trente-cinq ans, était censé être plusieurs fois millionnaire. » Plusieurs fois. Combien de combats son père aurait-il dû faire, combien de saisons en Méditerranée pour être millionnaire seulement une fois ?

Il regarda avec curiosité la jolie jeune fille à lunettes occupée à sa table de travail. Le hasard seul l'avait choisie pour apprendre tant de choses sur sa famille. Il se demanda ce qu'elle dirait s'il lui demandait ce qu'elle pensait vraiment des Jordache. Dans ses notes elle avait écrit que Rudolph représentait la classique histoire américaine de la réussite, le pauvre garçon qui réussit de façon spectaculaire. Que dirait-elle de son père ? le pauvre garçon qui échoue à la classique façon américaine ?

Il fit un drôle de petit bruit, presque un rire. Miss Larkin leva les yeux vers lui.

— C'est à peu près tout ce qu'il y a, dit-elle. Je crains que ce ne soit pas beaucoup.

— Ça ira. C'est bien. — Il ne voulait pas que cette gentille personne puisse penser qu'il n'était pas reconnaissant. Il lui rendit le dossier et se leva. — Merci beaucoup. Je crois que je vais m'en aller.

Miss Larkin se leva aussi. Elle le regarda d'un air bizarre, comme si elle hésitait.

— J'ai à peu près fini pour aujourd'hui, dit-elle. Je me demandais si vous aimeriez descendre avec moi prendre un verre ? — Elle parlait d un ton presque implorant, mais il ignorait dans quel but. — J'ai un rendez-vous plus tard... — Même lui se rendait compte qu'elle mentait. — Et j'ai une heure à perdre...

— Dans un bar on ne me servira pas, dit Wesley. Je n'ai pas encore dix-huit ans.

— Ah bon. — Elle rougit. — Eh bien, merci de votre visite. Si jamais vous repassez par ici, maintenant vous connaissez mon bureau. si je peux vous être utile...

— Oui madame, dit-il.

Elle le regarda sortir du bureau, les épaules puissantes dans la veste étriquée. Pas encore dix-huit ans, pensa-t-elle. Suis-je bête.

Elle resta assise à fixer les papiers sur sa table pendant plusieurs minutes. Elle avait le curieux sentiment que quelque chose d'étrange lui arrivait ou allait lui arriver. Elle relut tout le dossier. Un meurtre, un frère riche, une sœur intellectuelle, un boxeur professionnel querelleur mis à mort, le mystère non résolu. Un fils très beau, encore à peine sorti de l'enfance, avec des yeux étranges et tragiques, en quête de quoi — la vengeance ?

Le roman qu'elle essayait d'écrire traitait d'une fille qui lui ressemblait beaucoup, son enfance dans une famille brisée, solitaire, débordant d'imagination, ses béguins pour les professeurs, son premier amour, sa première désillusion avec les hommes, son arrivée à New York venant d'une petite ville. Maintenant elle y pensait avec dédain. Cela avait été écrit mille fois.

Pourquoi l'histoire du garçon ne ferait-elle pas un roman ? Après tout, Dreiser avait commencé *Une tragédie américaine* après avoir lu un article dans un journal. Personne dans la famille de Dreiser n'avait été assassiné, il n'avait *connu* personne qui ait été assassiné, mais malgré tout il avait écrit un grand roman. Il y avait à peine quelques minutes se trouvait dans la même pièce qu'elle un garçon beau et complexe, portant presque visiblement sur ses épaules le fardeau du remords et du chagrin, se donnant du courage pour l'acte fatidique, pensa-t-elle en frissonnant avec délices. Hamlet dans un enfant américain. Pourquoi pas ? La vengeance était parmi les plus anciennes traditions littéraires. Tends l'autre joue, a dit la Bible, mais aussi œil pour œil. Son père à elle, un Irlandais enragé, jurait chaque fois qu'il lisait ce que les Anglais faisaient encore en Irlande, et quand elle était enfant il y avait un portrait de Parnell dans la salle de séjour.

La vengeance fait autant partie de nous-mêmes, pensa-t-elle, que nos os et notre sang. Nous aimons faire semblant d'être trop civilisés pour cela au xxe siècle, mais l'homme qui, à Vienne, passa sa vie à traquer les nazis qui avaient tué des Juifs a été honoré dans le monde entier. Son père disait qu'il était le dernier héros de la Seconde Guerre mondiale.

Elle regretta de ne pas avoir eu l'idée de demander au garçon où on pouvait le joindre. Il lui faudrait le trouver, l'étudier, le faire vivre sur le papier, avec toute sa colère, ses doutes, sa jeunesse. C'est du cynisme, se dit-elle, mais on est écrivain ou on ne l'est pas. Si jamais il revenait dans son bureau, elle s'assurerait de tout savoir sur lui.

Exaltée comme si elle venait de découvrir un trésor, sentant la sève créatrice couler en elle, elle rangea soigneusement tous les papiers dans le dossier et alla aux archives remettre le tout en place.

Elle était impatiente de rentrer chez elle et de jeter au feu les soixante pages de son roman qu'elle avait écrites.

CHAPITRE III

Rudolph ETAIT ASSIS devant le petit piano droit, cherchant la mélodie de *On a clear day*, lorsqu'il entendit la sonnette, et Mrs Burton sortit de la cuisine pour répondre. Il la vit traverser l'entrée pour aller vers la porte. Elle avait son chapeau et son manteau. Elle ne venait que pendant la journée, car elle devait rentrer chez elle tous les soirs pour s'occuper de sa famille à Harlem. Il entendit le rire d'Enid venir de la cuisine, où elle dînait avec sa gouvernante. Rudolph n'attendait personne et il se remit à la mélodie. L'acquisition du piano s'était avérée une bonne idée. A l'origine il l'avait acheté parce que la nouvelle gouvernante qu'il avait engagée avait une jolie voix et il l'avait entendue chanter doucement pour Enid. Elle avait dit qu'elle savait jouer un peu du piano et il avait pensé qu'il serait bon pour Enid d'entendre quelqu'un jouer vraiment de la musique à la maison. S'il se révélait qu'Enid avait quelque talent, cela vaudrait mieux pour elle que d'entendre la musique sortir d'une boîte, comme si Bach et Beethoven n'étaient rien de plus que la lumière électrique qu'on pouvait allumer et éteindre par un interrupteur. Mais lorsque le piano fut dans la maison, au bout de quelques jours il s'était retrouvé assis devant, s'amusant à chercher des accords, puis des mélodies. Il avait de l'oreille et pouvait passer des heures à se divertir, sans penser à rien d'autre qu'à la musique au bout de ses doigts. Tout ce qui pouvait le distraire, même pour quelques minutes, était bon. Il s'était presque décidé à prendre des leçons.

Il entendit Mrs Burton entrer dans la salle de séjour.

— Il y a un jeune homme à la porte, Mr Jordache, qui dit qu'il est votre neveu. Dois-je le faire entrer ?

Depuis que Rudolph avait emménagé dans les deux étages supérieurs d'un hôtel particulier sans concierge, Mrs Burton avait peur des voleurs et des agressions et elle maintenait une chaîne sur la porte. Elle se plaignait de la négligence des voisins qui laissaient la porte d'entrée ouverte, de sorte que n'importe qui pouvait rôder dans l'escalier.

Rudolph se leva.

— Je vais voir qui c'est.

Dans sa lettre envoyée de Bruxelles la semaine précédente, Billy n'avait pas parlé de venir aux Etats-Unis. D'après les lettres que Billy lui avait écrites, il semblait être devenu un jeune homme bien et intelligent, et Rudolph lui avait envoyé impulsivement les mille dollars que Billy désirait. Maintenant il se demanda si Billy avait eu des ennuis avec l'armée et avait déserté. Cela expliquerait la demande d'argent. Quant à Wesley, il n'avait eu aucune nouvelle de lui depuis Nice, ce qui faisait neuf mois.

Mrs Burton le suivit dans l'entrée. De l'autre côté de la porte entrouverte, entravée par la chaîne, se tenait Wesley, dans la lueur blafarde de l'ampoule du plafond.

— Ça va, Mrs Burton, dit Rudolph. — Il fit glisser la chaîne et ouvrit la porte. — Entre, Wesley.

Il tendit la main. Après une hésitation imperceptible, Wesley la serra.

— Est-ce que vous aurez encore besoin de moi ce soir ? demanda Mrs Burton.

— Non merci.

— Alors je vais rentrer chez moi. Bon week-end, Mr Jordache.

— Merci, Mrs Burton, dit Rudolph.

Il referma la porte derrière elle. Wesley resta planté là, avec son visage émacié, pâle et sans expression, tel le fantôme de son père à son âge, hostile et en éveil. Il portait le même costume que lorsqu'il était sorti de prison à Grasse, et il lui était encore plus petit à présent. Il semblait avoir grandi et s'être élargi considérablement depuis leur dernière rencontre. Rudolph fut heureux de constater que ses cheveux n'étaient pas trop longs et dégagés sur la nuque.

— Je suis content de te voir, dit Rudolph en l'introduisant dans le salon. Est-ce que je peux t'offrir quelque chose à boire ?

— Je prendrais volontiers une bière.

— Installe-toi.

Rudolph alla à la cuisine où Enid dînait avec la gouvernante. Celle-ci était une femme solide d'une quarantaine d'années, qui avait une manière merveilleusement douce de faire tenir Enid sage.

— Ton cousin Wesley est ici, Enid, dit Rudolph en sortant une bouteille de bière du réfrigérateur.

Il allait lui dire de venir dans le salon pour saluer Wesley après son dîner, mais il se ravisa. Il ne savait pas pourquoi Wesley était venu. S'il s'agissait d'un problème affectif ou d'un drame d'adolescent, la présence d'Enid ne ferait que compliquer les choses. Il l'embrassa sur le sommet de la tête et retourna au salon avec la bière et un verre. Wesley se tenait gauchement dans la pièce à l'endroit même où Rudolph l'avait laissé. Rudolph lui versa la bière.

— Merci, dit Wesley, tu ne bois rien ?

— Je prendrai du vin au dîner. Assieds-toi, assieds-toi.

Wesley attendit Rudolph puis s'assit sur une chaise en face de lui. Il but avidement.

— Eh bien, comment va ? Qu'est-ce qui t'amène à New York ?

— Je suis allé à la mauvaise adresse. — Rudolph nota que le garçon ne répondait pas à sa question. — Le concierge ne voulait pas me dire où tu habitais maintenant. Il ne voulait pas croire que j'étais ton neveu. J'ai été obligé de lui montrer ma carte de bibliothèque.

Il avait l'air froissé, comme si Rudolph était allé habiter quatre pâtés de maisons plus au nord dans le seul but de l'éviter.

— Tu n'as pas reçu la lettre que je t'ai envoyée ? demanda Rudolph. Je t'ai écrit ma nouvelle adresse le jour où j'ai loué cet appartement.

— Je n'ai pas reçu la moindre lettre. — Wesley secoua la tête. — Non, pas de lettres.

— Même pas celle où je te disais que la succession allait probablement être bientôt réglée et quelle serait ta part ?

— Rien.

Wesley but une autre gorgée.

— Qu'est-ce qui se passe avec ton courrier ?

Rudolph s'efforçait de ne pas avoir un ton irrité.

— Ma mère trouve peut-être que je n'ai pas à recevoir de courrier. En tout cas, c'est ce que je crois.

— As-tu dîné ?

— Non.

— Je te raconterai pendant le dîner ce qu'il y avait dans la lettre que je t'ai écrite.

— Je n'ai pas fait du stop depuis Indianapolis pour parler d'argent, oncle Rudy, dit doucement Wesley. C'est... enfin, on pourrait dire que c'est une visite de courtoisie.

— Ta mère sait que tu es ici ?

Wesley secoua la tête.

— Nous ne sommes pas en très bons termes, ma mère et moi.

— Tu n'as pas fait une fugue, n'est-ce pas ?

— Non. Ce sont les vacances de Pâques. J'ai laissé un mot disant que je serai de retour à temps pour la reprise des classes.

— Je préfère, dit Rudolph mi-figue mi-raisin. Comment ça marche, à l'école ?

— Ça va. Je suis une vedette en français. — Il eut un large sourire enfantin. — J'enseigne à mes amis tous les gros mots.

— Cela peut servir, dit Rudolph en souriant. Parfois. — Puis plus sérieusement : — Pourquoi as-tu eu besoin de faire du stop ?

— Finances, dit Wesley.

— Ta mère reçoit une belle somme d'argent chaque mois pour ta pension, à l'heure actuelle, dit Rudolph. Il y a largement de quoi payer un billet d'autobus pour New York une fois par an.

— Pas un centime, dit Wesley. Je ne me plains pas. Je travaille après la classe. Je me débrouille.

— C'est vrai ? dit Rudolph, sceptique. C'est le seul costume que tu as ?

— Comme complet, ouais. J'ai quelques pulls et des jeans et des trucs comme ça pour l'école et le boulot. Et puis cet hiver j'ai porté une vieille canadienne qui appartient au fils de Mr Kraler, il est soldat, il est au Vietnam, comme ça je n'ai pas froid.

— Je crois que je vais écrire à ta mère. Elle n'a pas le droit de se servir de ton argent pour elle-même.

— Ne fais pas de vagues, je t'en prie, oncle Rudy, dit Wesley prudemment, en posant son verre par terre à côté de lui. Il y a assez d'histoires dans la maison comme ça. Elle dit qu'elle me donnera jusqu'au dernier centime de cet argent si je vais à l'église avec elle et Mr Kraler, comme un bon chrétien.

— Ah, je commence à comprendre.

— Pas mal, hein ? — Wesley sourit de nouveau largement comme un enfant. — L'Inquisition espagnole à Indianapolis.

— Après tout je crois que je vais boire quelque chose, dit Rudolph. — Il se leva, alla vers le bar et se prépara un Martini dry. — Tu veux une autre bière, Wesley ?

— Volontiers.

Wesley ramassa son verre, se leva et le tendit à Rudolph.

— Enid est à la cuisine. Est-ce que tu as envie d'aller lui dire bonjour ? — Il vit que Wesley hésitait. — Sa mère n'est pas là avec elle. Je t'ai écrit que nous étions divorcés. — Il secoua la tête avec irritation. — Je suppose que cette lettre non plus, tu ne l'as pas reçue.

— Non plus.

— C'est trop fort. A partir de maintenant je t'écrirai Poste Restante. Tu n'as pas trouvé curieux que personne ne t'écrive ?

— Je suppose que je n'y ai jamais beaucoup pensé.

— Tu n'as pas écrit à Bunny ou à Kate ?

— Une ou deux fois. Ils ne m'ont pas répondu, alors j'ai laissé tomber. Tu as de leurs nouvelles ?

— Bien sûr.

Dwyer lui envoyait un rapport mensuel, avec les factures de la *Clothilde*. Il avait fallu apprendre à Dwyer que Rudolph avait acheté le bateau. L'estimation officielle ordonnée par le tribunal avait été de cent mille dollars — Dwyer avait raison — mais aucun autre acheteur n'avait fait d'offre approchante et Dwyer avait emmené le bateau pour l'hiver à Saint-Tropez où il était amarré en ce moment.

— Ils vont bien. Kate a eu un bébé. Un garçon. Tu as un frère. Un demi-frère, en tout cas.

— Pauvre petit malheureux, dit Wesley, mais la nouvelle semblait l'égayer. — Le sang survit, pensa Rudolph. — Quand tu écriras à Kate, dis-lui que j'irai la voir en Angleterre un jour. Les gosses. Ça fait que mon vieux est le seul homme de la famille à avoir plus d'un enfant. Il m'a dit un soir qu'il aurait aimé en avoir cinq. Il était fantastique avec les gosses. Si un couple venait à bord avec le moutard le plus gâté qui soit, en huit jours mon père lui faisait dire monsieur à tout le monde, se lever lorsque des adultes montaient à bord, arroser le pont quand on était dans un port, surveiller son langage — tout. — Il jouait avec sa bière, mal à l'aise. — Je n'aime pas me vanter, oncle Rudy, mais regarde ce qu'il a fait pour moi. Je ne suis peut-être pas grand-chose, même maintenant, mais tu aurais dû me voir quand il m'a tiré de cette école, j'étais un paquet de nerfs.

— Eh bien, tu n'es pas un paquet de nerfs, maintenant.

— En tout cas, *je ne me sens pas* un paquet de nerfs. C'est déjà quelque chose.

— Certainement.

— A propos de gosses.. est-ce que je pourrais aller dire bonjour à Enid ?

— Bien sûr. dit Rudolph, tout heureux.

— Elle parle toujours autant ?

— Oui, dit Rudolph en montrant le chemin de la cuisine, plus que jamais.

Pour une fois, Enid se montra timide lorsqu'ils entrèrent dans la cuisine. Wesley dit :

— Bonjour, je suis ton cousin Wesley. Tu te souviens ?

Enid le regarda, sur la réserve, puis détourna la tête.

— Il est tard, remarqua la gouvernante pour l'excuser. Elle devient un peu capricieuse à cette heure-ci.

— Un jour je viendrai le matin.

Dans la petite cuisine, la voix profonde et mûre de Wesley avait un timbre métallique et dur, et Enid couvrit ses oreilles de ses mains.

— Quelles manières, mademoiselle, dit la gouvernante.

— Je suppose que je parle trop fort, s'excusa Wesley, tout en suivant Rudolph hors de la cuisine. C'est une habitude qu'on prend sur les bateaux, avec le vent, le bruit de la mer et tout.

Dans le salon, Rudolph versa le Martini du shaker dans un verre et tordit un zeste de citron au-dessus de la boisson. Il leva son verre vers Wesley, heureux soudain que le garçon soit venu le voir, ait demandé à voir Enid. Peut-être, pensa-t-il, dans un avenir vague et lointain constituerons-nous de nouveau quelque chose qui ressemble à une famille. Il ne lui restait pas grand-chose, se dit-il en s'apitoyant sur lui-même, une famille était une chose à laquelle on pouvait se raccrocher. Même la lettre qu'il avait reçue de Billy, avec sa timide et désinvolte demande d'argent, avait eu un ton cordial. N'ayant pas de fils lui-même, il savait que si les garçons le permettaient, il serait leur ami, plus qu'un ami. Solitaire, plus marié, Jeanne étant un incident presque oublié du passé, sa propre enfant entre les mains d'une femme fort compétente et étant encore à l'âge où elle n'était pour lui qu'une sorte de jouet charmant, il savait qu'une fois qu'il aurait commencé à communiquer avec ses neveux, il aurait rapidement beaucoup plus besoin d'eux qu'ils n'auraient jamais besoin de lui. Il espérait que ce jour viendrait — et vite.

— Quelle que soit la raison de ta présence à New York, dit-il, ému, en levant son verre, je suis très heureux de te voir.

Wesley leva aussi son verre, embarrassé.

— Merci.

— Plus de bagarres dans les bars, j'espère.

— Ne t'en fais pas, dit Wesley sobrement, je ne me bagarrerai plus. Pourtant, quelquefois, ce n'est pas facile de se retenir. Il y a beaucoup de Noirs à l'école, et les Blancs les provoquent, et eux provoquent les Blancs. Je suppose que je passe pour un lâche. Mais tant pis, ça ne m'empêche pas de vivre. J'ai retenu ma leçon. D'ailleurs, j'en avais fait la promesse à mon père, le jour où il m'a retiré de l'école militaire. Je ne l'ai oubliée qu'une seule fois. Ce n'était pas ce qu'on pouvait appeler des circonstances normales. — Il fixa son verre, l'air farouche, il paraissait plus vieux que son âge. — La seule fois. Eh bien, chaque chien a le droit de mordre une fois, comme on dit. Je suppose que je dois à mon père de tenir ma promesse. C'est le moins que je .

Il s'arrêta. Il serra les lèvres. Rudolph avait peur qu'il ne se mette à pleurer.

— Je pense que tu as raison, dit-il vivement. Où loges-tu à New York ?

— Au Y.M.C.A. C'est pas trop mal.

— Ecoute, dit Rudolph, demain matin j'emmène Enid à Montauk chez sa mère pour la semaine, mais moi je reviens dimanche. Pourquoi ne viendrais-tu pas avec moi, pour respirer un peu l'air marin ?...

Il se tut en voyant Wesley le dévisager avec circonspection.

— Merci, dit Wesley. Ce serait avec plaisir. Mais une autre fois. Je dois rentrer à Indianapolis.

— Tu n'as pas besoin de faire du stop. Je te donnerai l'argent pour prendre l'avion.

Quand donc cesserai-je d'offrir aux gens de l'argent, pensa-t-il avec désespoir, au lieu de ce qu'ils sont réellement venus chercher ?

— Je préfère pas, dit Wesley. En fait, j'aime faire du stop. On a l'occasion de parler avec un tas de gens différents.

— Comme tu voudras, dit Rudolph, repoussé, mais ne blâmant pas le garçon de ne pas vouloir courir le risque de revoir Jean et d'évoquer le passé. — Quand même, reprit-il, si tu préfères passer la nuit ici, je peux t'installer sur le divan... Je n'ai pas de chambre d'amis, mais tu seras à l'aise.

L'hospitalité, la solidarité familiale, pas des dollars.

— C'est gentil à toi, dit Wesley prudemment, mais je suis installé au Y.M.C.A.

— La prochaine fois que tu viens à New York, dis-le-moi à l'avance. Il y a des hôtels agréables dans le quartier et ce serait commode. On pourrait aller voir quelques pièces de théâtre, des choses comme ça.

Il s'interrompit. Il ne voulait pas donner au garçon l'impression qu'il essayait de l'appâter.

— Oui, dit Wesley sans conviction. La prochaine fois. Cette fois-ci, oncle Rudy, je veux te parler de mon père. — Il fixa Rudolph d'un air grave. — Je n'ai pas eu la possibilité de connaître mon père suffisamment. Je n'étais qu'un môme, je le suis peut-être toujours ; mais je veux savoir comment il était, ce qu'il *valait*... Tu comprends ce que je veux dire ?

— Je crois que oui.

— Je fais tout le temps des listes, avec des noms de gens qui ont connu mon père à différentes périodes de sa vie — et toi et tante Gretchen êtes les premiers de cette liste. C'est naturel, non ?

— Sans doute. Oui. C'est naturel.

Il redoutait les questions qu'on allait lui poser, les réponses qu'il serait forcé de donner à ce grand garçon solennel qui avait grandi trop vite.

— Quand je l'ai connu, poursuivit Wesley — le peu de temps que nous avons vécu ensemble —, je pensais qu'il était une sorte de héros, presque un saint, à la façon dont il nous traitait moi et Kate et Dwyer, dont il faisait faire aux gens ce qu'il voulait sans jamais hausser le ton, dont, quoi qu'il arrive, il pouvait faire face. Mais je sais qu'il n'était pas toujours comme ça, je sais que l'opinion que j'avais de lui était une opinion de même. Il faut que j'arrive à bien situer mon père. Dans mon propre intérêt. Parce que ça m'aidera à me situer moi-même. A savoir quelle sorte d'homme je veux être, ce que je veux faire de ma vie... Ça doit paraître confus, non ?...

Il remua ses épaules puissantes, comme s'il était agacé par lui-même.

— Ce n'est pas si confus, Wesley, dit Rudolph avec douceur. Je te dirai tout ce que tu veux savoir, tout ce dont je peux me souvenir. Mais d'abord, je crois que nous devrions sortir dîner.

Remettre le passé à plus tard — la première règle de la civilisation.

— Un bon repas serait le bienvenu, dit Wesley en se levant. Je n'ai mangé que des bricoles, en route. Et ce que je mange à la maison. — Il fit une grimace. — Ma mère est dingue de nourriture biologique. C'est bon pour les écureuils. Oncle Rudolph, sourit-il, tout le monde me parle de ta richesse. Est-ce que tu peux t'offrir le luxe d'un steak ?

— Je pense que je suis assez riche pour cela, dit Rudolph. Plusieurs fois par an, en tout cas. Attends-moi ici pendant que je monte dire bonsoir à la petite et chercher une veste. — Il était en train de sortir la veste du placard lorsque le téléphone sonna. — Allô, dit-il en décrochant.

— Rudy... — C'était la voix de Gretchen. — Qu'est-ce que tu fais pour dîner ?

Elle était toujours très brusque et abrupte lorsqu'elle était un peu embarrassée. Il ne lui avait pas parlé depuis des semaines et c'était pour elle un curieux moment pour appeler, un vendredi soir à sept heures moins le quart.

— C'est-à-dire... — Il hésita. — J'ai une visite inattendue : Wesley. Il est venu en stop d'Indianapolis. Je l'emmène dîner. Tu veux venir avec nous ?

— Est-ce qu'il veut te parler de quelque chose de particulier ?

Elle semblait déçue.

— Pas que je sache. Rien qu'il ne puisse dire devant toi, que je sache.

— Je ne voudrais pas vous gêner...

— Ne sois pas ridicule, Gretchen. Est-ce que *toi* tu veux me parler de quelque chose en particulier ?

La dernière fois qu'ils avaient mangé ensemble, elle avait paru troublée et avait fait assez d'allusions pour qu'il devine qu'elle avait des problèmes avec le metteur en scène de Hollywood avec qui elle travaillait et avait une liaison intermittente. Comment s'appelait-il ? Kinsella. Evans Kinsella. Arrogant fils de pute hollywoodien. Gretchen avait eu de la chance avec un homme une fois dans sa vie et cet homme s'était écrasé en voiture contre un arbre. Rudolph pensa que son appel avait quelque chose à voir avec Kinsella, mais elle pourrait lui en parler, si elle voulait, après qu'il aurait expédié Wesley au Y.M.C.A.

— Je t'appelais comme ça, dit Gretchen, parce que je suis un peu désœuvrée ce soir. Mon ami m'a posé un lapin. Pour changer. — Elle eut un rire sans joie. — Alors j'ai pensé à la famille. Les week-ends sont un bon moment pour le désœuvrement et la famille. — Mais elle ne disait toujours pas si elle allait venir dîner. Au lieu de cela, elle demanda : — Comment va Wesley ?

132

— Ça va, dit Rudolph. Plus costaud que jamais Sérieux comme ¹oujours. Même plus.

— Des ennuis ? demanda-t-elle.

— Pas plus que toi et moi, dit-il d'un ton léger.

— Crois-tu qu'il refuserait de me voir ?

— Absolument pas. En fait nous sommes les premiers sur la liste des gens qu'il veut voir.

— Que veut-il dire par là ?

Elle semblait inquiète.

— Je t'expliquerai après dîner. Il veut un steak.

Il lui donna le nom du restaurant.

Il raccrocha puis enfila sa veste et descendit. Wesley était debout au milieu du salon et examinait le décor.

— Tu sais quoi, dit Wesley avec un grand sourire, voilà ce que j'appelle un véritable foyer chrétien.

En descendant la Troisième Avenue pour aller au restaurant, Rudolph remarqua combien la démarche de Wesley ressemblait à celle de son frère Tom — le même pas un peu traînant, et le même balancement des épaules. Lorsque Tom et lui étaient jeunes, Rudolph pensait que c'était une pose voulue, signifiant : attention, dangereux rapace en liberté, garez-vous. Plus tard, à l'âge adulte, Rudolph vit la démarche de son frère comme une façon de se dérober à la douleur. Un signe qu'il souhaitait que le monde l'ignore.

La démarche lente et glissante de Rudolph lui-même, avec les épaules raides, était une démarche fabriquée, qu'il s'était créée quand il était jeune homme parce qu'il pensait qu'elle faisait bien né, Ivy League. Il ne tenait plus à avoir l'air bien né et il avait rencontré assez de membres de l'Ivy League en affaires pour ne plus tenir à être considéré comme l'un des leurs. Mais sa façon de marcher faisait dorénavant partie de lui-même. La changer maintenant serait une affectation.

Lorsqu'il avait dit à Wesley que Gretchen allait dîner avec eux, le visage de Wesley s'était illuminé.

— Formidable. Elle est bien, une vraie grande dame. Quelle différence entre elle et quelques-unes des bonnes femmes qu'il fallait supporter sur le bateau. — Il remua la tête avec humour. — L'argent leur sortait par les yeux, nichons à l'air jour et nuit, et ça traitait tout le monde comme de la boue. — Les deux bières lui avaient délié la langue. — Tu sais, je me demande quelquefois comment il se fait que des femmes qui n'ont jamais de leur vie levé le petit doigt puissent se comporter comme si la terre entière leur appartenait.

— Elles s'exercent devant une glace, dit Rudolph.

— Devant une glace — Wesley rit. — Il faudra que je me souvienne de ça. Tante Gretchen travaille, non ?

— Très dur.

— C'est sans doute ce qui fait la différence. Si on ne travaille pas, on n'est que de la merde. Ma façon de parler ne te gêne pas ? demanda-t-il avec inquiétude.

— Pas du tout.

— Mon père avait un langage assez libre. Il disait qu'il n'aimait pas les gens qui parlaient comme s'ils avaient une ancre au cul. Il disait qu'il y avait une différence entre parler mal et parler méchamment.

— Ton père n'avait pas tort.

Rudolph, qui n'avait jamais surmonté son aversion d'adolescent pour les mots grossiers et censurait toujours soigneusement ses propos, se demanda soudain si son frère l'avait inclus parmi les gens qui parlaient comme s'ils avaient une ancre au cul.

— Tu sais, poursuivit Wesley, Bunny aussi trouvait que ta sœur était assez exceptionnelle. Il m'a dit que tu aurais dû épouser quelqu'un comme elle.

— Ça aurait été un peu gênant, dit Rudolph, puisque nous sommes frère et sœur et que je ne suis pas le pharaon.

— Quoi ? dit Wesley.

— Excuse-moi, dit Rudolph. — Sa gêne — jalousie ? — devant la franche admiration de Wesley pour sa sœur l'avait rendu pédant pour se défendre. — C'était la coutume dans l'Egypte antique dans les familles des pharaons.

— Je comprends. Je ne suis pas ce qu'on pourrait appeler instruit.

— Tu es encore jeune.

— Ouais, dit Wesley, ruminant sa jeunesse.

Le garçon avait du bon, Rudolph en était certain, et il était criminel que les Kraler aient légalement le droit de le déformer ou de le détruire. Il devait voir Johnny Heath le lendemain matin lorsque celui-ci et sa femme viendraient l'accompagner à Montauk, avec Enid. Il demanderait une fois de plus à Johnny s'il n'y avait pas un moyen légal d'arracher le garçon aux griffes de sa mère.

— Et ton éducation ? demanda Rudolph. Est-ce que tu penses faire des études universitaires ?

Le garçon haussa les épaules.

— Ma mère prétend que pour moi, ce serait de l'argent gaspillé. Je lis beaucoup, mais pas ce qu'on me dit de lire à l'école. J'ai étudié un peu les Mormons. Sans doute parce que je voulais savoir si Mr Kraler et ma mère sont comme ils sont parce qu'ils sont Mormons ou parce qu'ils sont ma mère et Mr Kraler. — Il sourit largement. — Ce que j'en ai déduit maintenant, c'est qu'au départ ils étaient des gens affreux, et leur religion a fait ressortir ce qu'ils ont de pire. Mais, poursuivit-il avec sérieux, c'est une curieuse religion. Il n'y a pas de doute qu'ils étaient courageux, ces Mormons, en se battant contre tous les Etats-Unis et tout ça, et en traversant la moitié de l'Amérique en chariot et en s'installant dans le désert pour le faire fleurir, comme ils disent. Mais toutes leurs femmes ! Je regarde ma mère et je te jure, on se demande comment on peut avoir envie de se marier. On écoute ma mère pendant dix minutes et une femme est une femme de trop... Le mariage en général... — Son visage s'assombrit. — Notre famille, par exemple. Toi tu es divorcé, tante Gretchen est divorcée, mon père était divorcé... Qu'est-ce que tout ça signifie ? Je me le demande.

— Tu n'es pas le premier homme à te poser cette question, dit Rudolph. C'est peut-être l'époque à laquelle nous vivons. Nous sommes en train de nous adapter à de nouvelles attitudes face à nous-mêmes, comme le diraient les sociologues, et peut-être ne sommes-nous pas encore prêts pour tout ça.

— Il y a une fille à l'école, reprit Wesley, le visage sombre de nouveau, jolie comme une pomme rouge et mûre, et plus âgée que moi. Je... enfin... je l'ai pelotée sur le siège arrière d'une voiture, chez elle pendant l'absence de ses parents — quelquefois — et elle a commencé à parler mariage. Pas moyen de la faire changer de sujet. J'ai arrêté de la voir. Tu vas te remarier ?

Il scruta Rudolph d'un regard féroce, soupçonnant des cloches nuptiales.

— C'est difficile à dire. Pour l'instant je n'ai pas de projets.

— C'est curieux, la religion, dit Wesley passant du coq à l'âne comme si la conversation sur le mariage l'avait embarrassé et qu'il voulait s'en écarter le plus vite possible. — Je veux croire en Dieu — Wesley était visiblement sincère. Après tout, il doit bien y avoir quelque chose qui a mis tout ça en marche, non ? Je veux dire par là, comment on est venus ici, ce qu'on fait ici, comment tout ça fonctionne, et comment on a de l'air pour respirer, de l'eau à boire, de quoi manger. J'ai lu la Bible en entier, ces derniers mois. Les réponses n'y sont pas, je te dis, pas pour moi du moins.

Oh, cher neveu, avait envie d'avouer Rudolph, lorsque ton oncle avait seize ans, il est passé par là avant toi. Sans trouver de réponse.

— Qu'est-ce qu'on est censé croire ? demanda Wesley. Est-ce que tu crois à ces plaques de cuivre que, selon les Mormons, Joseph Smith aurait trouvées dans le nord de l'Etat de New York et qu'il n'a jamais montrées à personne ? Comment peuvent-ils s'attendre à ce que les gens croient à des choses comme ça ?

— Eh bien, Moïse est descendu du mont Sinaï avec les Dix Commandements taillés dans la pierre par la main de Dieu, dit Rudolph, soulagé parce que Wesley ne lui avait pas posé de questions sur son nébuleux manque de religion. — Un tas de gens ont cru à cette histoire-là pendant des millénaires.

— Et toi ? Je veux dire, tu y crois, toi ?

— Non.

— En classe aussi, on te raconte un tas de choses qui te font franchement rigoler. Ils passent des heures à t'assurer que noir et blanc c'est pareil et il suffit de sortir et de faire cent mètres pour voir que c'est faux. En France c'était différent. Ou peut-être que *moi* j'étais différent en France. Je me plaisais bien en France, malgré le problème de la langue — mais à Indianapolis... — Il haussa les épaules. — La plupart des professeurs sont des guignols, à mon avis. Ils passent le plus clair de leur temps à empêcher les mômes de crier en classe et de lancer des boulettes de papier, quand ils ne sont pas en train de se poignarder entre eux. Si c'est comme ça à l'université, qu'ils aillent se faire foutre. — Il dévisagea Rudolph d'un regard inquisiteur. Qu'est-ce que tu penses des universités ? Je veux dire, pour moi ?

— Tout dépend de ce que tu veux faire dans la vie, dit Rudolph avec prudence.

Il était touché de la loquacité naïve du garçon, de sa confiance que son oncle ne le trahirait pas auprès du monde adulte.

— Qu'est-ce que j'en sais ? dit Wesley. J'ai quelques vagues idées. Je ne suis pas encore prêt à en parler.

Son ton était devenu froid tout d'un coup.

— Par exemple, dit Rudolph, sans relever le changement dans l'attitude de Wesley, tu connais un peu la mer. Ça te plaît, non ?

— Ça me plaisait, dit Wesley avec amertume.

— Ça te plairait peut-être d'entrer dans la marine marchande.

— C'est une vie de chien, d'après Bunny.

— Pas forcément. Ce n'était pas une vie de chien pour Bunny sur la *Clothilde,* pas vrai ?

— Non.

— Ce n'est pas une vie de chien si tu es officier sur un bateau convenable, si tu arrives à devenir capitaine...

— Peut-être pas.

— Il existe une académie de marine marchande à New York même. En sortant de là on est tout de suite officier.

— Ah, dit Wesley d'un air réfléchi, je devrais peut-être me renseigner.

— Je me renseignerai, et je t'écrirai ce que j'aurai comme information. Mais n'oublie pas d'aller chercher ton courrier à la Poste Restante.

En attendant l'arrivée de Gretchen pour commander, Rudolph but un Martini dry. Le moment était aussi propice qu'un autre pour fournir des explications sur la succession.

— Tout compris, une fois les impôts et les honoraires d'avocats payés, il devrait y avoir un peu plus de cent mille dollars à partager. — Il n'avait pas l'intention d'informer Wesley ni Kate que c'était là le montant qu'il avait payé pour la *Clothilde* pour que la succession puisse être liquidée. — Un tiers pour Kate, poursuivit-il, un tiers sous tutelle pour l'enfant, avec Kate comme exécutrice.

Il passa sous silence les heures interminables de discussions juridiques pour parvenir à ce compromis-là. Les Kraler avaient mené un combat acharné pour que Teresa, en tant que mère de Wesley, fût nommée administratrice de toute la succession. Il y avait quelque justification légale à leur revendication, puisque Kate n'était pas de nationalité américaine et était domiciliée en Angleterre. Il avait fallu que Heath menaçât de faire état des deux condamnations de Teresa pour prostitution et d'entamer une procédure pour la faire déclarer inapte à recevoir la garde de Wesley pour moralité douteuse, bien qu'elle fût réellement la mère du garçon. Rudolph savait que dans l'intérêt de Wesley il n'aurait jamais permis à Johnny d'engager cette procédure, mais la menace avait fait son effet et les Kraler avaient fini par céder et par permettre que Rudolph fût nommé administrateur de la succession, ce qui signifiait que chaque mois il était tenu de répondre à une longue liste de questions vengeresses sur la façon dont chaque sou qui passait entre ses mains était dépensé. D'autre part, les Kraler menaçaient continuellement de porter plainte contre sa conduite incorrecte ou criminelle quant à la sauvegarde des intérêts de Wesley Quel mauvais ange, se répétait Rudolph, avait touché l'épaule de son frère Tom le jour où il avait demandé cette femme en mariage ?

— Cela laisse à peu près un tiers à... — Il se tut. — Wesley, tu m'écoutes ?

— Bien sûr, dit le garçon.

Un serveur était passé avec un énorme steak grésillant sur un plateau et Wesley avait suivi son passage à travers la salle avec des yeux affamés. On pouvait dire de lui ce qu'on voulait, pensa Rudolph, on ne pouvait pas lui reprocher d'être pourri par l'argent.

— Je disais, poursuivit Rudolph, qu'il y a environ trente-trois mille dollars qui seront investis dans un portefeuille sous tutelle en ton nom. Ce qui devrait rapporter grosso modo mille neuf cents dollars par an, que ta mère est censée utiliser pour ton entretien. Quand tu auras dix-huit ans, tu recevras le tout pour en disposer à ta guise. Je te conseille de le laisser en portefeuille. Le revenu ne sera pas énorme mais cela pourra te payer l'université si c'est ça que tu veux. Tu me suis, Wesley ?

Il avait encore une fois perdu l'attention du garçon. Wesley dévisageait d'un regard ouvertement admiratif une dame blonde et voyante en manteau de vison qui venait d'entrer accompagnée de deux hommes bedonnants à cheveux gris et cravates blanches. Rudolph savait que le restaurant était un des lieux favoris des membres de la Mafia qui avaient plus ou moins réussi, et les filles qui venaient là accrochées à leur bras faisaient sévèrement concurrence à la nourriture.

— Wesley, dit Rudolph d'un ton plaintif, je suis en train de parler d'argent.

— Je sais, dit Wesley en s'excusant. Mais, nom d'un chien, c'est quelque chose, non ?

— Ça vient avec l'argent, dit Rudolph. — En tant qu'oncle, il pensait qu'il devait inculquer au garçon un sens des vraies valeurs. — Mille neuf cents dollars, cela ne te dit peut-être pas grand-chose, dit-il, mais quand j'avais ton âge... — Maintenant il savait qu'il aurait l'air pompeux s'il terminait la phrase. — Tant pis. J'écrirai tout ça dans ma lettre.

A ce moment-là il vit Gretchen entrer et agita le bras pour la saluer. Les deux hommes se levèrent lorsqu'elle approcha de la table. Elle embrassa Rudolph sur la joue, puis entoura Wesley de ses bras et l'embrassa, fort. « Oh, je suis si contente de te voir », dit-elle. A la surprise de Rudolph, sa voix tremblait. Il ressentait un élan de pitié pour elle en les regardant tous les deux, pendant que Gretchen fixait intensément le visage du garçon et était en proie à une émotion qu'il ne pouvait identifier. Peut-être pensait-elle à son propre fils qui était perdu pour elle et la rejetait en trouvant de bonnes raisons pour qu'elle ne vienne pas à Bruxelles chaque fois qu'elle lui écrivait qu'elle voulait lui rendre visite.

— Tu as une mine splendide, dit Gretchen, enlaçant toujours le garçon. Mais un nouveau costume ne serait pas de trop. — Ils rirent tous les deux. — Si tu restes jusqu'à lundi, poursuivit-elle en lâchant enfin Wesley et en s'asseyant, je t'emmènerai chez Saks pour voir s'ils ont quelque chose qui te va.

— Je regrette dit Wesley pendant que Rudolph et lui-même se rasseyaient Il faut que je reparte demain

— Tu n'es venu ici que pour un seul jour ? demanda Gretchen, incrédule.

— C'est un homme très occupé, dit Rudolph. — Il ne tenait pas à entendre l'explosion de colère inévitable de Gretchen si elle apprenait quelle était la conception chrétienne de Mr et Mrs Kraler sur les jeunes et l'argent. — Maintenant, commandons. Je meurs de faim.

Pendant le repas, Wesley se mit à poser des questions sur son père.

— J'ai dit à oncle Rudy, quand on était chez lui, dit Wesley en dévorant son steak, pourquoi je veux savoir — pourquoi j'ai *besoin* de savoir, comment était mon père. Je veux dire, vraiment. Il m'a raconté beaucoup de choses avant de mourir, et Bunny m'en a dit encore plus — mais jusqu'à maintenant ça n'a pas suffi. Je veux dire, mon père n'est pour moi que des bribes éparpillées. Il y a toutes ces histoires sur la terreur qu'il semait quand il était môme et quand il était jeune homme, et tous les ennuis qu'il s'attirait... comment les gens le haïssaient. Et comment il haïssait les gens. Toi et oncle Rudy aussi... — Il regarda gravement d'abord Gretchen et ensuite Rudolph. — Et puis, quand je l'ai vu avec vous, il ne vous haïssait pas. Il... enfin... je suppose qu'il faut le dire — il vous aimait. Il avait été malheureux presque toute sa vie, il m'a dit... et puis... enfin, c'est ce qu'il a dit lui-même, il a appris à ne plus avoir d'ennemis — à être heureux. Et je veux apprendre à être heureux moi aussi.

Maintenant le garçon pleurait franchement, tout en mangeant de gros morceaux de steak bleu, comme s'il n'avait pas mangé depuis des semaines.

— Le nœud de l'affaire, dit Gretchen, posant son couteau et sa fourchette et parlant lentement, c'est Rudy. Cela t'ennuie si je dis ça, Rudy ?

— Dis tout ce que tu veux. Si je pense que tu as tort, je te corrigerai.

Une autre fois il raconterait peut-être au garçon comment et quand son père avait appris à être heureux. Le jour où il découvrit qu'à son insu, Rudolph avait investi les cinq mille dollars sur lesquels Tom avait fait main basse en faisant du chantage à un avocat kleptomane de Boston. Tom l'avait qualifié de restitution du prix du sang, la même somme que celle que leur père avait dû payer pour sortir Tom de la prison où il attendait d'être jugé pour viol. Tom avait jeté les billets de cent dollars sur le lit d'hôtel, en disant : « Je tiens à rembourser notre maudite famille et maintenant c'est fait. Pisse dessus. Gaspille-les avec des bonnes femmes. Donne ça à ton œuvre de charité préférée. Moi, je ne sors pas d'ici avec ça. » Cinq mille dollars qui grâce à des soins attentifs étaient devenus soixante mille dollars au cours des années pendant lesquelles Rudolph ne savait pas où était Tom, s'il était mort ou vivant, et qui enfin avaient permis à Tom d'acheter un bateau et de le rebaptiser la *Clothilde*. « Ton père, pourrait-il dire à ce moment futur, est devenu heureux grâce au crime, à la chance et à l'argent, et il a eté suffisamment intelligent pour se servir des trois pour le seul acte susceptible de le sauver. » Il ne pensait pas que le fait de le dire serait d'un grand secours pour Wesley Wesley ne semblait pas avoir d'incli·

nation au crime, jusqu'à maintenant il n'avait eu que de la malchance et son culte de l'argent était nul.

— Rudy, disait Gretchen, était le chouchou de la famille. Si mes parents avaient de l'amour à donner, c'était pour lui. Je ne dis pas qu'il ne le méritait pas — c'était lui qui aidait à la boutique, c'était lui qui avait les meilleures notes à l'école, c'était lui qui était la vedette de l'équipe de course à pied, c'était lui qu'on espérait envoyer à l'université. A lui les cadeaux, les fêtes d'anniversaire ; il était le seul à avoir une chemise fraîchement repassée pour sortir, une trompette coûteuse pour pouvoir jouer dans un orchestre. Tous les espoirs de la famille reposaient sur lui. Quant à Tom et moi... — Elle haussa les épaules. — Nous étions des parias. Pas d'université pour moi — quand j'ai fini mes études secondaires, on m'a envoyée travailler et je devais verser presque tout mon salaire dans la cagnotte familiale. Quand Rudolph sortait avec une fille, ma mère veillait à ce qu'il eût de l'argent de poche pour la soirée. Quand j'ai eu une liaison, elle m'a traitée de putain. Quant à Tom — cent fois j'ai entendu mes parents prédire qu'il finirait en prison. Quand ils lui parlaient, ce qu'ils faisaient le moins possible, c'était sur un ton hargneux. Je crois qu'il a dû se dire : eh bien, si c'est comme ça que vous pensez que je suis, c'est comme ça que je serai. A vrai dire, il me terrorisait. Il avait un côté violent qui était effrayant. Je l'évitais. Si je marchais dans la rue avec quelqu'un de mes amis, je faisais semblant de ne pas le voir, pour ne pas avoir à le présenter. Quand il a quitté la ville et a disparu, j'étais contente. Pendant des années je n'ai même pas pensé à lui. Je me rends compte maintenant que j'avais tort. Nous deux au moins, nous aurions dû former une sorte d'équipe, un front commun contre le reste de la famille. J'étais alors trop jeune pour m'en rendre compte, mais j'avais peur qu'il ne me rabaissât à son niveau. J'étais snob, jamais aussi snob que Rudy tout de même, et je considérais Tom comme un rustre dangereux. Quand je suis allée à New York et suis devenue actrice pendant quelque temps, je mourais de peur qu'il ne me rende visite et ne me fasse perdre tous mes amis. Quand je l'ai vu enfin — Rudy m'a emmenée une fois le voir boxer —, j'ai été horrifiée, par lui et ta mère. Ils semblaient venir d'un autre monde. Un monde affreux. Je les ai snobés et je me suis enfuie. J'avais honte qu'il y ait entre eux et moi un lien quelconque. Tout ceci est peut-être trop douloureux pour toi, Wesley...

Wesley hocha la tête.

— C'est douloureux, dit-il, mais je te l'ai demandé. Je ne veux pas de contes de fées.

Gretchen se tourna vers Rudolph.

— J'espère que je n'ai pas été trop dure pour toi, Rudy, avec mon petit récit de l'enfance heureuse que nous avons vécue ensemble.

— Non, dit Rudolph, Beauté est vérité, véritable beauté — tu connais la suite. J'étais un pédant, Wesley, dit-il, rouvrant de vieilles cicatrices, et j'imagine que tu l'avais deviné. En fait, si tu étais de cet avis maintenant je ne te le reprocherais pas. Je ne pense pas que ton père aurait employé ce mot-là. Ce qu'il aurait dit, s'il l'avait analysé ; c'était que tout ce que je faisais était truqué — pas pour moi, mais pour l'effet que cela faisait sur d'autres gens, surtout des gens plus âgés, des gens en place. De la façon dont je vois ça maintenant avec le recul, j'emploie le mot pédant. Mais à ce moment-là ma manière d'agir était un moyen d'échapper à l'univers dont ma mère et mon père étaient prisonniers. Il rit tristement. — Ce qui est injuste, c'est que ça a marché. J'ai réussi à y échapper.

— Tu te traites trop durement, oncle Rudy, dit Wesley doucement. Pourquoi ne peux-tu pas être un peu indulgent pour toi-même de temps à autre ? Mon père disait que tu lui as sauvé la vie.

— Il a dit ça ? dit Rudolph, étonné. Il ne me l'a jamais dit.

— Il pensait qu'il ne fallait pas louer les gens en leur présence, dit Wesley. Il ne m'a pas fait beaucoup d'éloges à moi, je peux vous le dire... — Il sourit largement. Il avait des dents blanches et régulières et un sourire doux qui transformait totalement l'aspect de son visage aigu et ténébreux, lui donnait un air ouvert et juvénile. Rudolph aurait aimé qu'il sourît plus souvent. — Et il ne faisait pas tellement d'éloges à Bunny ni à Kate, sauf pour sa cuisine, mais ça, c'était plutôt pour rire, parce qu'elle était anglaise. Même les premiers temps où je l'ai connu, quand il était seul et ne se croyait pas observé il y avait quelque chose de triste en lui, comme s'il lui était arrivé dans sa vie beaucoup de malheurs qu'il ne pouvait pas oublier. Mais il a quand même dit que tu lui avais sauvé la vie.

— Je n'ai fait que lui donner de l'argent qui lui revenait, dit Rudolph. Tu dois maintenant te rendre compte que Gretchen voulait te montrer comment et pourquoi ton père est devenu ce qu'il était quand il était jeune homme... Que c'était la famille qui l'avait rendu ainsi.

— Ouais, dit Wesley, je comprends ça.

— C'est vrai, reprit Rudolph, et en même temps ce n'est pas vrai. Il y a des excuses, comme il y en a toujours. Ce n'était pas de ma faute si j'étais le fils aîné, si mon père était un homme ignorant et violent avec un passé hideux dont il n'était pas responsable. Ce n'était pas de ma faute si ma mère était une femme frigide et hystérique avec des prétentions bourgeoises idiotes. Ce n'était pas de ma faute si Gretchen était une petite sotte sentimentale et égoïste... Je te demande pardon, dit-il à Gretchen, je ne fais pas tout ceci pour toi ou pour moi. C'est pour Wesley.

— Je comprends, dit Gretchen, penchée sur son assiette, le visage à moitié caché.

— Après tout, nous avions tous les trois les mêmes gènes, subi les mêmes influences. C'est peut-être pour cela que Gretchen vient de dire que ton père faisait peur. Ce qui lui faisait peur, c'était que ce qu'elle voyait en lui, elle le voyait en elle-même, et cela lui répugnait. Ce que moi je voyais en lui était un reflet de notre père, un homme féroce, enchaîné à un travail impossible, qui avait une peur maladive de terminer sa vie dans l'indigence — à tel point qu'il a fini par se suicider plutôt que d'affronter cette éventualité. Moi, cela m'a fait reculer à ma façon. Vers l'argent, la respectabilité...

Wesley hocha la tête sobrement.

— C'est peut-être une chance que le fils de Kraler soit au Vietnam. Qui sait quel effet ça aurait sur moi si je devais dîner avec lui tous les soirs ?

140

— Il y a eu des seconds fils avant ton père, dit Rudolph, dans des familles bien pires, qui n'ont pas fait tout ce qu'ils pouvaient pour détruire tout ce qu'ils touchaient. Je n'aime pas le dire, Wesley, mais jusqu'au jour de l'enterrement de notre mère, je croyais que ton père était né avec un *penchant* pour la destruction, un penchant qui lui procurait beaucoup de plaisir. La destruction en tous les genres. y compris l'autodestruction.

— En fin de compte, ça a certainement été le cas, dit Wesley avec amertume, n'est-ce pas ?

— Ce qu'il a fait cette nuit-là à Cannes, dit Rudolph, était admirable. A ses yeux. Et pour dire la vérité, à mes yeux aussi. N'oublie pas ça.

— J'essaierai de ne pas l'oublier, dit Wesley. Mais ce n'est pas facile. Du gaspillage, voilà ce que j'en pense en réalité. Du gaspillage de *macho* insensé.

Rudolph soupira.

— Je crois que nous t'avons dit tout ce que nous avons pu pour le moment, aussi honnêtement que possible. Gardons les anecdotes pour une autre fois. Tu dois être fatigué. Je t'enverrai une liste de noms de gens à qui tu voudrais peut-être parler et qui te seront peut-être plus utiles que nous ne l'avons été. Finis ton dîner et puis je te déposerai au Y.M.C.A.

— Pas besoin — le ton de Wesley était bref —, je peux traverser le parc à pied.

— Personne à New York ne traverse le parc à pied seul la nuit, dit Gretchen.

Wesley la fixa d'un regard froid.

— Moi, oui.

Bon Dieu, se dit Rudolph en regardant le garçon terminer la dernière bouchée de son steak, c'est son père tout craché, et il parle exactement comme lui. Que Dieu le préserve.

CHAPITRE IV

Dans le soleil du matin, Rudolph, accompagné d'Enid et de sa gouvernante, attendait sur le trottoir Johnny Heath et sa femme qui devaient passer dans leur Lincoln Continental pour les emmener à Montauk, Enid et lui-même. La gouvernante avait une valise. Elle allait partir voir sa famille dans le New Jersey pour la semaine. Rudolph se dit distraitement que les bonnes d'enfants ne semblaient jamais avoir leur famille dans l'Etat où elles travaillaient. Enid emportait quelques livres scolaires et ses devoirs à faire pendant les vacances. La gouvernante lui avait préparé un sac de voyage. Lui-même avait dans un petit sac de quoi se raser, un pyjama, et une chemise propre.

La veille au soir, après qu'ils eurent pris congé de Wesley, Rudolph avait accompagné Gretchen à pied jusqu'à son appartement. Il l'avait invitée à les accompagner, lui et les Heath, à Montauk. Elle l'avait regardé d'un air bizarre et il s'était souvenu qu'elle avait jadis eu une liaison avec Heath. « Tu tiens à être entouré de beaucoup de témoins quand tu vois ton ex-femme, non ? », avait-elle dit.

Il n'y avait pas vraiment pensé, mais dès qu'elle le dit, il reconnut que c'était la vérité. Jean lui avait rendu visite une fois, avec la robuste masseuse qu'elle avait engagée comme dame de compagnie à Reno, et la rencontre avait été embarrassée, bien que Jean eût été sobre, raisonnable, réservée, même en jouant avec Enid. Elle menait une vie tranquille, dit-elle, dans une petite maison qu'elle s'était achetée à Montauk. Mexico n'avait pas été concluant. C'était un climat pour buveurs d'alcool, avait-elle décidé, trop aigre pour ses nerfs. Elle avait été complètement désintoxiquée, avait-elle dit, avec un tout petit sourire, et avait même recommencé à prendre des photos. Elle n'avait essayé de les placer dans aucun magazine. Elle les faisait seulement pour elle-même, fière de ses mains redevenues fermes. Une fois de plus, mis à part la pesante présence de la masseuse, elle était tellement la femme qu'il avait épousée et aimée pendant si longtemps — cheveux éclatants, son délicat teint rose sain et jeune — que, mal à l'aise, il se remit à se demander s'il avait bien fait en consentant au divorce. Il y avait de la pitié dans ses sentiments, mais aussi de la pitié pour lui-même. Lorsqu'elle avait appelé quelques jours auparavant pour demander si elle pouvait avoir Enid pour une semaine, il n'avait pas pu refuser.

Il ne craignait rien pour Enid, mais craignait pour lui-même, si lui et Jean devaient rester seuls dans ce qu'elle décrivait comme une petite maison douillette remplie du bruit d'un vaste océan peu douillet. Elle l'avait invité à s'installer dans la chambre d'amis, mais il avait fait une réservation dans un motel voisin. Puis il avait eu l'idée d'inviter les Heath. Il ne voulait pas se laisser tenter par une soirée devant un feu flambant dans la cheminée dans une maison silencieuse, bercée par le bruit de la mer, à reprendre la vie domestique. Que le passé demeure le passé. D'où les Heath. D'où la question acerbe de Gretchen.

— Je n'ai pas besoin de témoins, dit-il. Johnny et moi-même avons beaucoup de choses à discuter et je déteste avoir à me rendre à son cabinet.

— Je vois, avait dit Gretchen, sans conviction, et elle avait changé de sujet. — Quelle est ton opinion sur le garçon, Wesley ?

— C'est un jeune homme réfléchi. Peut-être trop... enfin... intérieur. Ce qu'il deviendra dépend entièrement de sa capacité à survivre à sa mère et son mari jusqu'à l'âge de dix-huit ans.

— C'est un très beau garçon, dit Gretchen. Tu ne trouves pas ?

— Je n'y avais pas pensé.

— Il a un visage merveilleux pour le cinéma. L'ossature dure, le sourire doux, le poids moral, pour employer un grand mot, la tendresse dans les yeux.

— Tu es peut-être plus observatrice que moi, fut tout ce que répondit Rudolph.

— Ou plus vulnérable.

Elle sourit.

— Au téléphone tu donnais l'impression qu'il y avait quelque chose dont tu voulais me parler, dit-il. Tu as des ennuis ?

— Pas plus que d'habitude. — Elle sourit de nouveau. — Je t'en parlerai lorsque tu seras de retour en ville.

Il l'avait embrassée pour lui dire bonne nuit devant son immeuble et l'avait regardée entrer dans le hall éclairé, surveillé par un portier. Elle avait l'air mince, compétente, désirable, capable de s'assumer. De temps en temps, se dit-il. De temps en temps seulement.

La Lincoln Continental arriva, Johnny Heath au volant, sa femme Elaine à côté de lui. La gouvernante dit au revoir à Enid en l'embrassant.

— Tu vas être une petite fille sage, n'est-ce pas, mademoiselle ? dit la gouvernante.

— Non, dit Enid, je serai une affreuse petite fille.

Elle pouffa. Rudolph rit et la gouvernante le regarda d'un air désapprobateur.

— Désolé, Anna, dit-il, en reprenant son sérieux.

Elaine Heath descendit du siège avant de la voiture et aida Enid à s'installer à l'arrière avec elle. C'était une femme grande, soignée de façon exquise, aux yeux durs et intelligents, une épouse qui convenait à un homme qui était l'un des associés d'un des cabinets d'avocats les plus éminents de Wall Street. Les Heath n'avaient pas d'enfants.

Il monta à côté de Johnny. Enid salua de la main la gouvernante qui restait sur le trottoir avec sa valise, et ils démarrèrent. « You-ou ! dit Johnny au volant, en route pour les orgies de Montauk, les langoustes et les pique-niques à poil sur les plages blanches. » Son visage était doux et rond, ses yeux trompeusement inoffensifs, ses mains sur le volant étaient pâles, à peine un soupçon de graisse sous sa veste sport à carreaux, et sa bedaine à peine un avant-goût de ce qui allait venir. Il conduisait bien et avec autorité. Les autres conducteurs étaient forcés de respecter la priorité de Johnny Heath, tout comme les autres avocats devaient respecter sa ténacité et sa volonté dans une salle de conseil ou au barreau. Rudolph ne voyait pas souvent Johnny ; après le mariage des Heath ils s'étaient un peu perdus de vue, et chaque fois que Rudolph voyait son vieil ami après une période de plusieurs mois, il pensait, sans regrets : j'aurais pu lui ressembler.

Derrière lui il entendait l'enfant babiller gaiement. Il entendait Elaine qui lui chuchotait à l'oreille et la faisait rire. A la regarder, on aurait pu croire qu'Elaine redouterait d'embrasser un enfant, et serait épouvantée à l'idée que son beau tailleur de tweed serait froissé ou sali. En se retournant, Rudolph vit Enid en train d'ébouriffer l'impeccable mise en plis d'Elaine, et celle-ci qui souriait avec bonheur. On ne pouvait jamais savoir à quoi s'en tenir avec personne, se dit Rudolph en se retournant pour regarder la route. Ils traversaient le Triborough Bridge et New York s'étendait le long du fleuve, tours, verre, fumées, énorme vieil engin impossible qui brillait au soleil d'une matinée de printemps. A certains moments seulement, des moments comme celui-ci, lorqu'il voyait la ville comme une entité vaste et provocante, dont l'impériale et dure beauté formait un dessin cohérent, ressentait-il cette émotion, cette satisfaction d'en faire partie qui le touchait quotidiennement lorsqu'il était plus jeune.

En bas, sur les eaux rapides du fleuve, un petit yacht pétaradait courageusement à contre-courant. Peut-être, se dit-il, que cet été je m'embarquerai sur la *Clothilde* et je mettrai à la voile pour l'Italie. Autant profiter du bateau. Ils étaient partis pour Portofino, mais n'avaient jamais atteint leur destination. Des fantômes à dissiper. Obtenir de Jeanne qu'elle se soustraie à son mari et ses enfants pour quinze jours, pour lui faire l'amour à douze nœuds et dans un climat plus clément, boire du vin frais local en carafon dans les cafés de la côte ligure. Je ne dois pas me laisser aller et ne devenir qu'un vieillard usé. *Fantasia italiana.*

Il se secoua pour sortir de sa rêverie.

— Johnny, dit-il, tu m'as dit au téléphone que tu voulais me parler. De quoi s'agit-il ?

— J'ai un client, en fait c'est un client décédé dont il faut régler la succession. — Johnny, se dit Rudolph malicieusement, gagne plus d'argent avec les morts qu'une ville entière d'entrepreneurs des pompes funèbres. Les avocats. — Les héritiers sont en train de se chamailler, dit Johnny comme le font tous les héritiers. Tu connais ça.

— C'est devenu ma spécialité, dit Rudolph.

— Pour éviter les litiges, poursuivit Johnny, une partie de la succession est en vente à un prix très bas et honnête. Il s'agit d'un grand ranch au Nevada. Il y a les avantages fiscaux habituels. Je n'ai pas besoin de te les expliquer, n'est-ce pas ?

— Non, dit Rudolph.

— Tu ne fais rien à New York, tu n'as pas bonne mine, on ne peut pas dire que tu aies l'air heureux, je ne sais pas ce que diable tu fais toute la journée.

— Je joue du piano, dit Rudolph.

— Je n'ai pas vu ton nom récemment sur les affiches devant Carnegie Hall.

— Continue à surveiller.

— Tu ne fais que sombrer dans la décrépitude, ici, poursuivit Johnny. Tu n'as plus d'activité. Bon Dieu, on ne te voit même plus à aucune réception ces jours-ci.

— Comment sont les réceptions, au Nevada ?

— Des jamborees, dit Johnny, sur la défensive. C'est un des Etats de l'Union qui se développent le plus vite. Les gens y deviennent millionnaires par douzaines. Rien que pour te montrer que je ne plaisante pas, si tu dis oui, j'entre dans l'affaire pour moitié. J'arrangerai les hypothèques, je t'aiderai à trouver des gens pour s'en occuper. Je ne suis pas seulement altruiste, vieux pote, ça m'arrangerait d'avoir un endroit pour me cacher de temps à autre, moi aussi. Et ça m'arrangerait aussi d'avoir un petit refuge fiscal dans notre bon vieil Ouest. Je n'ai pas visité l'endroit personnellement, mais j'ai vu les comptes. C'est viable. Avec quelques investissements judicieux en plus, beaucoup plus que viable. Il y a une immense maison qui avec quelques aménagements serait un rêve. Et il n'y a pas de meilleur endroit pour élever des enfants — pas de pollution, pas de drogue, à deux cents kilomètres de la ville la plus proche. Et la politique y est gentiment dirigée ; c'est une bonne opération sans bavures — tu pourrais t'y plonger comme un poisson dans l'eau. Et ils n'ont jamais entendu parler de Whitby, New York. De toute façon, tout ça est oublié maintenant, même à Whitby, même malgré ce maudit article dans *Time*. Dans dix ans tu pourrais finir par être sénateur. Tu m'écoutes, Rudy ?

— Bien sûr. — En fait, il n'avait pas trop bien écouté durant les quelques dernières secondes. Ce qu'avait dit Johnny sur le fait que c'était un endroit pour élever des enfants l'avait intrigué. Il devait penser à Enid, évidemment, mais il y avait aussi Wesley et Billy. Sa chair et son sang. Il se faisait du souci pour eux. Billy était un instable — même adolescent à l'école, il était cynique, sans ambition, un marginal sardonique. Quant à Wesley, pour autant que Rudolph puisse en juger, il n'avait pas de talents particuliers, et quelle que fût l'éducation qu'il pouvait recevoir, elle n'était pas susceptible d'améliorer ses chances d'une vie honorable. Dans un ranch moderne, avec ses éternels problèmes de sécheresse, d'inondations et de fertilité, et la nouvelle nécessité d'une manipulation experte des machines, des employés, du marché, il y aurait suffisamment de travail pour que ces deux-là soient à l'abri des histoires. Et ils finiraient par fonder leurs propres familles. Et puis il y avait toujours la possibilité qu'il se remarie — pourquoi pas ? — et qu'il ait d'autres enfants. — Le rêve du patriarche, dit-il à haute voix.

— Comment ? demanda Johnny intrigué.

— Rien, je parlais tout seul. Je me voyais entouré de mes troupeaux et ma progéniture.

— Ne crois pas que tu serais perdu dans le désert, dit Johnny, se méprenant sur le sens de ce qu'avait dit Rudolph, et le considérant comme une boutade. Il y a une piste d'atterrissage sur la propriété. Tu pourrais avoir ton avion particulier.

— Le rêve américain, dit Rudolph. Une piste d'atterrissage sur la propriété.

— Eh bien, qu'est-ce que tu as contre le rêve américain ? rétorqua Johnny. La mobilité n'est pas un péché véniel. Tu pourrais aller à Reno ou à San Francisco en une heure, quand tu voudrais. Qu'en penses-tu ? Ce n'est pas une retraite, bien que cela en ait pas mal des avantages. C'est une façon de reprendre une activité — un nouveau genre d'activité.

— J'y réfléchirai, dit Rudolph.

— Pourquoi ne déciderais-tu pas — ne déciderions-nous pas *tous les deux* — de faire un saut là-bas la semaine prochaine et jeter un coup d'œil ? On ne risque rien, et cela me donnerait un bon prétexte pour sortir de ce sacré bureau ; même si ça devait s'avérer sans valeur, ce seraient des vacances, que diable. Tu pourras apporter ton piano.

Ironie épaisse, se dit Rudolph. Il savait que Johnny considérait sa retraite comme une sorte de déviation capricieuse, symptôme plus que précoce de la ménopause masculine. Le jour où Johnny prendrait sa retraite, ce serait pour aller au cimetière. Ils avaient accompli leur ascension ensemble, ils avaient gagné beaucoup d'argent ensemble, ils ne s'étaient jamais roulés l'un l'autre, ils se comprenaient, et Rudolph savait que Johnny avait le sentiment qu'il devait sceller leur amitié en le sortant de sa léthargie.

— Bon, dit Rudolph, j'ai toujours rêvé de traverser le désert à cheval.

— Ce n'est pas le désert — Johnny s'irritait —, c'est de la prairie. Et c'est au pied de la montagne. Il y a un ruisseau à truites sur la propriété.

— Je peux prendre quelques jours cette semaine, pendant qu'Enid est chez Jean. Tu peux t'absenter, toi ?

— J'achèterai les billets, dit Johnny.

Pendant qu'ils roulaient le long des cimetières interminables de Long Island, où des générations de New-Yorkais avaient caché leurs morts, Rudolph ferma les yeux et rêva des mesas et des montagnes du Nevada argenté.

D'habitude, Gretchen aimait travailler le samedi, seule avec son assistante, Ida Cohen, dans la salle de montage de l'immeuble désert et silencieux. Mais aujourd'hui, Ida voyait que Gretchen n'y prenait aucun plaisir alors qu'elle faisait avancer et reculer la Moviola et défiler la pellicule entre ses mains gantées de blanc avec irritation, appuyant sur la manette à petits coups secs et en sifflant lugubrement, sauf quand elle soupirait de désespoir. Ida savait pourquoi Gretchen était de mauvaise humeur ce matin. Le metteur en scène, Evans Kinsella, faisait encore des siennes, en filmant paresseusement, de façon incohérente, en luttant contre une gueule de bois, en passant aux comédiens tous leurs caprices, et en comptant sur Gretchen pour donner un sens quelconque aux kilomètres de pellicule qu'il lui déversait en pure perte. Et Ida était présente la veille lorsque Kinsella avait téléphoné pour dire qu'il ne pouvait emmener Gretchen dîner comme il l'avait promis.

Ida, qui avait pour la femme avec laquelle elle travaillait une loyauté absolue, détestait maintenant Kinsella avec une intensité qu'elle réservait normalement pour le Mouvement de Libération de la Femme, aux réunions duquel elle assistait religieusement et pendant lesquelles elle prononçait des discours passionnés et un peu déments. Petite et grosse, elle était même allée jusqu'à renoncer au port du soutien-gorge, jusqu'au moment où Gretchen lui avait fait la grimace en disant : « Bon Dieu, Ida, avec des pis comme les tiens, tu ramènes le Mouvement d'un siècle en arrière. »

Agée de quarante-cinq ans et laide, sans homme dans sa vie privée pour la tyranniser, Ida était d'avis que Gretchen, qui était belle et douée, se faisait exploiter par les hommes. Elle avait convaincu Gretchen de l'accompagner à deux des réunions, mais Gretchen s'était ennuyée et avait été irritée par la virulence de quelques-uns des orateurs et était partie de bonne heure en disant : « Quand vous monterez sur les barricades vous pourrez compter sur moi. Pas avant. — Mais nous avons besoin de femmes exactement comme toi, avait imploré Ida. — Peut-être, avait dit Gretchen, mais moi je n'ai pas besoin d'*elles*. » Ida avait soupiré avec désespoir devant ce qu'elle avait décrit à Gretchen comme une abdication politique coupable.

Assise à la table de montage, Gretchen avait d'autres problèmes ce matin-là que la qualité du film sur lequel elle travaillait. Durant la semaine, Kinsella lui avait lancé un scénario et lui avait demandé de le lire et de lui dire ce qu'elle en pensait. L'auteur était jeune, inconnu de tous les deux, mais son agent avait insisté pour que Kinsella y jette un coup d'œil.

Gretchen l'avait lu et l'avait trouvé excellent, et l'avait dit à Kinsella lorsque celui-ci avait téléphoné la veille pour se décommander pour dîner. « Excellent ? avait-il dit au téléphone. Je trouve que c'est un tas de merde. Rends-le à ma secrétaire et dis-lui de le renvoyer. » Il avait raccroché avant qu'elle eût pu émettre des objections. En revanche, elle avait veillé jusqu'à deux heures du matin pour le relire. Bien qu'écrit par un jeune homme, le rôle central était celui d'une jeune femme décidée de la classe ouvrière, submergée par la grisaille et le désespoir de son environnement, une fille qui, seule de sa génération dans la petite ville sinistre où elle habitait, avait la présence d'esprit et le courage de se libérer et de réaliser l'image qu'elle avait d'elle-même.

Cela pourrait constituer un antidote tonifiant, pensait Gretchen, à la récente marée de films qui, abondant dans le sens contraire des contes de fées aux *happy ends* que Hollywood avait produits pendant si longtemps, faisaient maintenant errer tous leurs personnages sans but, les faisaient réagir contre leur destin par un pauvre petit clignotement de révolte, et puis les faisaient re-sombrer sans espoir dans leur léthargie, laissant ainsi le spectateur avec un goût de boue dans la bouche. Si les anciens films de Hollywood, avec leur optimisme artificiel et sucré, étaient faux, se dit Gretchen, ces nouvelles lamentations apathiques l'étaient tout autant. Il émergeait des héros tous les jours. S'il était vrai qu'ils ne montaient pas avec leur classe, il n'était pas vrai qu'ils *sombraient* tous avec leur classe. Lorsqu'elle eut fini sa lecture, elle était plus convaincue que jamais que sa première impression avait été bonne et que si Kinsella pouvait être ramené à la qualité de son travail précédent, il finirait par en faire un film éblouissant. Elle avait même téléphoné à son hôtel à deux heures et demie du matin pour le lui dire, mais cela ne répondait pas. Tout cela lui trottait dans la tête, comme un morceau de film monté en boucle où une scène se répète sans cesse, pendant qu'elle travaillait sur les résultats médiocres de la dernière semaine de travail de Kinsella.

Soudain, elle arrêta l'appareil.

— Ida, dit-elle, il y a quelque chose que je voudrais que tu fasses pour moi.

— Oui ?

Ida leva les yeux de son travail de classement et d'enregistrement des chutes.

Gretchen avait le scénario dans le grand sac à bandoulière qu'elle portait toujours pour aller travailler. Elle alla à l'endroit où il était accroché et sortit le scénario.

— Je vais aller passer une heure ou deux dans un musée, dit-elle. En attendant, je veux que tu laisses tomber la camelote que tu es en train de trifouiller, et que tu me lises ceci. — Elle tendit le scénario à Ida. — A mon retour, on ira déjeuner entre filles, toi et moi, et je voudrais en discuter avec toi.

Ida la regarda d'un air indécis en prenant le scénario. Il n'était pas dans les habitudes de Gretchen d'interrompre son travail pour autre chose qu'un café. « Bien sûr », dit-elle. Elle ajusta ses lunettes et abaissa son regard vers le scénario qu'elle tenait à la main comme si elle avait peur qu'il ne contînt une bombe à retardement.

Gretchen enfila son manteau et descendit dans le tintamarre de la Septième Avenue, où se trouvait l'immeuble. Elle traversa la ville d'un pas rapide et entra dans le musée d'Art Moderne, pour calmer ses nerfs, se dit-elle, à tort, par d'honnêtes œuvres d'art. Lorsqu'elle en ressortit elle n'était pas plus apaisée que lorsqu'elle était entrée. Elle ne pouvait supporter l'idée de retourner à la table de montage après plus d'une heure de Picasso et Renoir et Henry Moore, de sorte qu'elle téléphona à la salle et demanda à Ida de la retrouver dans un restaurant tout proche. « Et maquille-toi un peu et redresse tes bas, dit-elle à Ida avec cruauté. C'est un restaurant français et chic, mais alors très chic. C'est moi qui invite — parce que j'ai des problèmes. »

Tout en attendant Ida dans le restaurant, elle prit un scotch au bar. Elle ne buvait jamais d'alcool pendant la journée, mais, se dit-elle avec défi, aucune loi ne l'interdit. C'est samedi. Lorsque Ida entra et vit Gretchen au bar, elle demanda, soupçonneuse :

— Que bois-tu ?

— Du scotch.

— Tu as vraiment des problèmes.

Philosophiquement à l'avant-garde de la pensée moderne comme elle croyait l'être, dans sa vie quotidienne Ida était sévèrement puritaine.

— Deux scotchs, s'il vous plaît, dit Gretchen au barman.

— Je ne peux pas travailler après avoir bu de l'alcool, dit Ida sur un ton plaintif, tu le sais.

— Tu ne vas pas travailler cet après-midi. Personne ne va travailler cet après-midi. Je te croyais contre l'exploitation du travail des femmes. Surtout le samedi. Ne me dis-tu pas continuellement que ce dont ce pays a besoin, c'est de la semaine de vingt heures ?

— Ce n'est que la théorie, dit Ida, sur la défensive, examinant avec aversion le verre que le barman posait devant elle. Personnellement, je *choisis* de travailler.

— Pas aujourd'hui, dit Gretchen avec fermeté. — Elle fit signe au maître d'hôtel. — Une table pour deux, s'il vous plaît. Et faites-nous porter nos verres.

Elle laissa avec largesse deux dollars de pourboire au barman.

— C'est un énorme pourboire pour seulement trois consommations, chuchota Ida pendant qu'elles suivaient le maître d'hôtel vers le fond du restaurant.

— L'une des choses qui nous rendra, nous femmes, égales aux hommes, dit Gretchen, c'est l'importance de nos pourboires.

Le maître d'hôtel tira les deux chaises d'une des tables tout près de la cuisine.

— Tu vois ! — Ida regarda autour d'elle avec colère. — Le restaurant est presque vide et il nous met à côté de la cuisine. Uniquement parce qu'il n'y a pas d'homme avec nous.

— Bois ton whisky, dit Gretchen. On se vengera au ciel. Ida but une petite gorgée et fit une grimace.

— Tant qu'à faire, tu aurais pu commander quelque chose de sucré.

— Aux barricades, où il n'y a pas de boissons sucrées. Et maintenant dis-moi ce que tu penses du scénario.

Le visage d'Ida s'illumina. Une scène réussie dans un film, un passage qu'elle admirait dans un livre, pouvaient la mettre dans un état d'euphorie.

— C'est merveilleux, dit-elle. Bon Dieu, quel film ça va faire !

— Sauf que je n'ai pas l'impression qu'il va être fait. Je crois qu'il a fait le tour et que notre bien-aimé Evans Kinsella était la dernière chance de l'agent littéraire.

— L'a-t-il déjà lu — Evans ?

— Oui. Il trouve que c'est un tas de merde. Textuellement. Il m'a dit de donner le scénario à sa secrétaire pour qu'elle le renvoie.

— Vulgaire personnage, dit Ida avec chaleur. Et quand on pense à ce qu'il représente. Combien va coûter le film sur lequel nous travaillons ?

— Trois millions et demi de dollars.

— Il y a quelque chose qui ne tourne bigrement pas rond dans le métier, dans le monde aussi, d'ailleurs, si un crétin pareil reçoit trois millions et demi de dollars pour faire joujou.

149

— Il a eu deux grands succès dans les trois dernières années, dit Gretchen.

— Il a eu de la chance, c'est tout — de la chance.

— Je ne suis pas si sûre que ce ne soit que ça. Il a ses moments.

— Pas pour trois millions et demi de dollars, dit Ida obstinée. Et je ne sais pas pourquoi tu le défends. La façon dont il te traite. Et je ne parle pas seulement du travail, d'ailleurs.

— Oh, dit Gretchen avec une légèreté qu'elle ne ressentait pas, un rien de masochisme n'a jamais fait de mal à une femme.

— Quelquefois, Gretchen, dit Ida d'un air pincé, tu me rends folle, vraiment.

Maintenant le garçon se tenait au-dessus de leurs têtes, crayon et calepin prêts.

— Il faut commander, dit Gretchen. — Elle regarda le menu. — Ils ont du canard aux olives. Pour deux personnes. Tu veux le partager avec moi ?

— D'accord. Je n'aime pas les olives. Tu n'auras qu'à les prendre toutes.

Gretchen commanda le canard et une bouteille de pouilly fumé.

— Pas une grande bouteille, dit Ida. Je t'en prie. Je n'en boirai qu'un demi-verre.

— Une grande bouteille, dit Gretchen au garçon, sans lui prêter attention.

— Tu vas être ivre, l'avertit Ida.

— Tant mieux, je dois prendre quelques grandes décisions et je ne les prendrai pas si je suis tout à fait sobre.

— Tu as un drôle de regard, aujourd'hui, dit Ida.

— Tu peux miser ton soutien-gorge libéré là-dessus, dit Gretchen.

Elle finit son deuxième whisky en une seule lampée.

— Qu'est-ce que tu mijotes ? demande Ida. Mais ne sois pas témé-raire. Tu es en colère et tu as ingurgité tout cet alcool...

— Je suis en colère, et j'ai bu un tout petit peu de whisky et une partie de mes projets est de boire la plus grande partie de la bouteille de vin à moi toute seule, si tu ne veux pas m'aider. Et après ça...

Elle se tut.

— Après ça, quoi ?

— Après ça, je ne sais pas encore. — Elle rit. Son rire était si curieux qu'Ida était persuadée que Gretchen était dans les premières phases du naufrage dans l'alcoolisme. — Après ça je vais avoir un petit entretien avec Evans Kinsella. Si je peux le trouver, ce qui n'est pas certain.

— Que vas-tu lui dire ? demanda Ida anxieusement.

— Quelques vérités élémentaires peu courtoises, dit Gretchen, pour commencer.

— Sois raisonnable. — Ida était soucieuse. — Après tout, quelles que soient ses autres relations avec toi, il est quand même ton patron.

— Ida, personne ne t'a jamais dit que tu as un respect maladif pour l'autorité ?

— Je n'emploierais pas le mot maladif, dit Ida blessée.

— Que dirais-tu, alors ? Exorbitant, servile, adorateur ?

— Je dirais normal, si tu veux le savoir. Mais cessons de parler de moi pendant un moment Que vas-tu lui dire ?

— Je vais lui dire que le film sur lequel nous travaillons pue. Voilà pour l'ouverture.

— Oh, je t'en prie, Gretchen..

Ida leva les mains comme si elle voulait l'arrêter physiquement.

— Quelqu'un devrait t'acheter des bagues, dit Gretchen. Tu as de jolies mains et des bagues les mettraient bien en valeur. Peut-être passerons-nous l'après-midi à te chercher des bagues si nous ne pouvons pas trouver ce salaud de Kinsella.

Ida regarda autour d'elle d'un air inquiet. Le restaurant s'était rempli maintenant et deux hommes étaient assis près d'elles.

— On peut t'entendre.

— Qu'ils entendent. Je tiens à propager la bonne parole.

Le garçon était à leur table en train de découper le canard de façon experte. Le vin avait été mis dans un seau à glace.

— Pas d'olives pour moi, s'il vous plaît, dit Ida. Donnez-les toutes à la dame.

Gretchen observa le garçon avec admiration pendant qu'il sectionnait adroitement le canard.

— Je parie que *lui* il ne boit pas pendant le boulot, dit-elle.

On savait que Kinsella faisait cela, aussi, de temps à autre.

— Chut, dit Ida.

Elle sourit au garçon, pour excuser son amie excentrique.

— Vous buvez pendant le travail ? demanda Gretchen au garçon.

— Non, madame, dit-il. — Il sourit largement. — Mais je le ferais si on me le proposait.

— Je vous enverrai une bouteille dès demain matin, dit Gretchen

— Gretchen, dit Ida, je ne t'ai jamais vue comme ça. Qu'est-ce qui t'arrive ?

— De la rage. Rien qu'une bonne vieille rage. — Elle goûta le canard. — Mmm, dit-elle et elle but goulûment de son vin.

— Si j'étais toi, dit Ida, mangeant du bout des lèvres, je laisserais passer le week-end avant de faire quoi que ce soit.

— Il ne faut jamais remettre la rage. C'est une vieille devise de ma famille, dit Gretchen. Surtout pendant le week-end. Il est difficile d'être furieux le lundi matin. Il faut toute une semaine pour arriver à se mettre dans l'état d'âme qui convient pour la rage.

— Si tu lui parles comme ça, Kinsella ne te le pardonnera jamais, dit Ida.

— Après l'ouverture, dit Gretchen sans relever l'interruption d'Ida, nous entamerons la partie principale. Je lui dirai que je n'avais consenti à travailler sur cette saleté qu'il est en train de faire que parce que je voulais continuer à recevoir les faveurs de son corps blanc et pur.

— Gretchen, dit Ida sur un ton de reproche, tu m'as dit un jour que tu l'aimais.

Dans son cœur de vieille fille, l'amour occupait une place importante.

— Un jour, dit Gretchen.

— Tu le rendras furieux.

— C'est exactement mon intention, poursuivit Gretchen. Pour continuer, je lui dirai que j'ai lu le scénario qu'il m'a dit de renvoyer à l'agent et que je le trouve original, spirituel et trop bon pour des gens comme lui. Néanmoins, puisqu'il est le seul metteur en scène avec qui je me trouve plus ou moins en ménage en ce moment, et en tout cas, le seul metteur en scène avec qui je suis intime qui puisse obtenir des capitaux pour un film sur son nom, je lui dirai que s'il a l'intelligence qu'il a reçue en naissant, il l'achètera demain, même s'il ne le fait que parce que je le lui demande.

— Tu sais bien qu'il dira non, dit Ida.

— Probablement.

— Alors, qu'est-ce que tu feras ? Tu vas fondre en larmes et lui demander pardon ?

Gretchen la regarda avec étonnement. D'ordinaire, Ida n'était pas portée sur le sarcasme. Gretchen comprit que toute la conversation la troublait.

— Ida, chérie, dit-elle avec douceur, tu ne dois pas te faire tant de souci. Après tout, c'est moi qui vais me battre.

— Je n'aime pas te voir te créer des ennuis.

— Quelquefois c'est inévitable, comme maintenant. Tu m'as demandé ce que je ferai s'il dit non.

— *Quand* il dira non, dit Ida.

— Je lui dirai que j'abandonne le film sur-le-champ...

— Tu as un contrat..., s'exclama Ida.

— Qu'il me fasse un procès. Il pourra faire la même chose pour me faire revenir dans son lit.

— Tu sais que si tu le laisses tomber, je le laisserai tomber aussi, dit Ida d'une voix qui tremblait devant l'énormité de ce qu'elle disait.

— Dans une guerre, dit Gretchen avec dureté, il faut parfois sacrifier les troupes.

— Ceci n'est pas une guerre, protesta Ida. Ce n'est qu'un film comme des milliers d'autres.

— C'est exactement mon argument, dit Gretchen, je ne tiens pas à passer ma vie à travailler sur des films qui ressemblent à des milliers d'autres films. — Elle vit qu'Ida était au bord des larmes car ses yeux doux et sombres se troublaient. — Tu n'es pas obligée de payer le prix de mes idées bizarres, Ida. Il n'y a pas de raison pour que tu partes si moi je pars.

— Je ne veux pas en parler, dit Ida.

— O.K. ! L'incident est clos. Maintenant finis ton canard. Tu l'as à peine touché. Ce n'est pas bon ?

— Je... je... j'adore ça, pleurnicha Ida.

Elles mangèrent en silence pendant plus d'une minute, et Gretchen se resservit du vin. Elle vit qu'Ida faisait un effort pour composer son visage doux qui aurait pu être celui d'un enfant rondouillard, et pendant un moment elle regretta d'avoir donné le scénario à lire à Ida et de lui avoir infligé ses propres problèmes. Pourtant, à cause de l'expérience qu'elle avait de l'intégrité inébranlable et du goût irréprochable d'Ida, elle avait voulu une confirmation de la valeur du scénario Sans cela, elle n'aurait jamais eu assez d'assurance pour affronter

152

Kinsella. Evans Kinsella, se dit-elle farouchement, va avoir un après-midi difficile, s'il est chez lui, Ida Cohen ou pas. S'il est chez lui.

Enfin, Ida se mit à parler.

— Je viens de réfléchir, dit-elle d'une voix presque timide. Il y a une autre façon de s'y prendre. Tu n'as quand même pas besoin de faire tout en fonçant tête baissée, si ?

— Je suppose que non. Mais je ne suis pas douée pour aborder les choses de biais.

Ida gloussa.

— Non, c'est vrai. Mais — peut-être que cette fois-ci tu m'écouteras. Tu sais aussi bien que moi qu'il ne dira jamais oui. Surtout si tu essaies de le raisonner.

— Comment se fait-il que tu le connaisses si bien ? demanda Gretchen en feignant le soupçon. Tu as eu une vilaine petite histoire avec lui derrière mon dos ?

Ida rit tout haut, ayant retrouvé sa bonne humeur.

— Comment pourrais-je ? demanda-t-elle. Il n'est même pas Juif.

Elles rirent toutes les deux. Puis le visage d'Ida redevint sérieux.

— Voici mon idée : finis de monter le film.

— Mon Dieu, dit Gretchen.

— Tais-toi. Ecoute-moi une minute. Moi je t'ai écoutée, non ?

— Ça c'est vrai, admit Gretchen.

— Ne lui parle même plus du scénario. Fais semblant de l'avoir oublié.

— Mais je ne l'ai pas oublié. Il me hante déjà. Je vois déjà chaque plan...

— J'ai dit *fais semblant,* dit Ida avec humeur. Trouve quelqu'un qui mette l'argent pour une option et achète-le toi-même.

— Même si je pouvais trouver l'argent, dit Gretchen, en pensant aussitôt au pauvre Rudy, et après ?

— Après, dit Ida d'un air triomphant, mets-le en scène toi-même.

Gretchen s'appuya contre le dossier de sa chaise. De la part d'Ida, elle se serait attendue à tout, sauf à cela.

— Ciel, dit-elle, quelle idée.

— Pourquoi pas ? dit Ida avec ardeur, oubliant une fois de plus de manger. — Dans le temps la plupart des metteurs en scène sortaient des salles de montage.

— Dans le temps, et c'étaient tous des hommes.

— Tu sais bien que je n'aime pas ce langage, dit Ida d'un air réprobateur.

— Excuse-moi. Sur le moment, j'avais oublié. Mais rien que pour rire, Ida, donne-moi les noms de vingt-cinq metteurs en scène femmes.

— Dans le temps il n'y avait pas non plus vingt-cinq femmes dans l'armée. — Les réunions auxquelles elle assistait donnaient aux arguments d'Ida une base solide dont elle tirait parti au maximum. — Tu refuses d'aller aux réunions, tu ne veux même pas lire les brochures que nous publions — mais tu pourrais nous faire beaucoup plus de bien en sortant un beau film qu'en allant à un million de réunions. Et si tu as des doutes sur ta capacité de le faire ou pas, permets-moi de te dire que tu en sais plus long sur le cinéma qu'Evans Kinsella n'en a jamais su et n'en saura jamais.

— C'est une idée, dit Gretchen pensive, maintenant que le premier choc est passé, c'est une idée.

— Ce n'est pas un film qui coûtera cher, poursuivit Ida rapidement. Une petite ville, beaucoup d'extérieurs et des scènes d'intérieur faciles, peu de rôles, des gosses pour la plupart ; tu ne pourrais pas trouver d'acteurs célèbres pour ces rôles même si tu avais l'argent. Je connais des gens qui investissent dans le cinéma. Je pourrais aller les trouver. Toi, tu pourrais aller voir ton frère...

Pauvre Rudy, pensa Gretchen de nouveau.

— Combien a coûté le premier film d'Evans Kinsella ? demanda Ida.

— Cent vingt-cinq mille dollars, dit aussitôt Gretchen.

Kinsella se vantait sans cesse du fait que son premier film, qui avait été un énorme succès commercial, avait été fait avec des clopinettes et il ne manquait jamais de mentionner le chiffre exact.

— Cent vingt-cinq mille. Et maintenant on lui en donne trois millions et demi.

— C'est ça, le show-business.

— Les temps ont changé, dit Ida, et cent vingt-cinq mille, c'est impossible aujourd'hui. Mais je parie que nous pourrions faire celui-ci pour pas plus de sept cent cinquante mille. La plupart des acteurs travailleraient au minimum syndical, et avec des rôles de ce genre les vedettes accepteraient d'être en participation au pourcentage. Tout l'argent serait sur l'écran, pas ailleurs.

— Chère Ida, dit Gretchen, tu commences déjà à parler comme un magnat du cinéma.

— Promets-moi seulement une chose.

— Quoi donc ? demanda Gretchen soupçonneuse.

— N'appelle pas Kinsella aujourd'hui ni demain. Réfléchis au moins jusqu'à lundi.

Gretchen hésita.

— O.K., mais tu me prives d'une bonne bagarre.

— Tu n'as qu'à penser à la tête de Kinsella quand le film sortira, et tu ne regretteras pas de renoncer à la satisfaction de lui dire quel con il est.

— Bon, je promets, dit Gretchen. Maintenant commandons un dessert français divin et crémeux et puis on s'abandonnera entièrement à la distraction pour le reste de l'après-midi. Dis-moi, combien de fois as-tu vu *Les Fraises sauvages* de Bergman ?

— Cinq fois.

— Et moi aussi je l'ai vu cinq fois, dit Gretchen. Plantons tout pour cet après-midi et faisons la demi-douzaine.

En rentrant en voiture dans la circulation du dimanche après-midi, à l'arrière de la Continental, avec Johnny Heath au volant et Elaine à l'avant à côté de lui, Rudolph médita sur le week-end. Cela avait été un succès, pensa-t-il. La maison de Jean était confortable, comme elle l'avait promis, et la vue de l'océan grandiose. La masseuse ne semblait pas être lesbienne et s'était avérée très bonne cuisinière. Il n'y avait pas eu d'orgies, ni de pique-niques nus sur la plage, malgré les prédictions de Johnny, mais il y avait eu de longues promenades sur le sable dur laissé par le reflux, tous ensemble, Enid tenant sa mère par la main. Ces deux-là avaient été ravies l'une par l'autre, et sans rien en dire, Rudolph avait pensé que ce serait peut-être une bonne idée si Enid habitait chez sa mère et fréquentait une petite école rurale plutôt que d'affronter les dangers des rues de New York. Bien sûr, s'il devait prendre au sérieux l'idée saugrenue de Johnny à propos du Nevada, il y aurait des complications. De toute façon, ce ne serait ni demain ni la semaine prochaine, probablement même pas l'année suivante.

Jean avait l'air en bonne santé et en bonne forme. La masseuse et elle-même faisaient des exercices spartiates tous les matins et Jean errait sur des kilomètres tous les jours le long de la plage en quête de sujets à photographier. Elle paraissait heureuse, d'une manière rêveuse et réticente, comme un enfant qui viendrait de se réveiller d'un rêve agréable. Elle avait été heureuse de voir les Heath et contente de passer ce court week-end en groupe. Ni elle ni la masseuse, qui s'appelait Lorraine, n'avaient essayé de le prendre à part pour un entretien privé. Si Jean avait des amis dans le voisinage, ceux-ci ne s'étaient montrés ni samedi ni dimanche. Lorsque Rudolph avait demandé à voir ses photos, elle avait dit : « Je ne suis pas encore prête. Dans un mois ou deux, peut-être. »

Assis à l'arrière de la confortable voiture qui roulait à toute allure vers la ville, il se rendit compte, non sans une pointe de chagrin, que Jean avait semblé être plus heureuse ce week-end-là qu'elle ne l'avait presque jamais été depuis leur mariage. Il y avait eu du vin à table, mais pas d'alcool. Jean n'avait pas tendu la main vers la bouteille et Rudolph n'avait pas intercepté de regards d'avertissement à son adresse venant de Lorraine.

Elle avait transigé avec elle-même, se dit Rudolph. Il ne pouvait pas en dire autant pour lui-même.

En entrant dans New York par le pont, il vit les immeubles se dresser comme des remparts contre le soleil mélodramatique qui descendait à l'ouest. Des lumières s'allumaient aux fenêtres, d'infimes points clignotants, comme autant de bougies aux meurtrières des archers dans une forteresse au crépuscule. C'était une vue et une heure de la journée qu'il aimait — les rues vides du dimanche qu'ils traversaient avaient l'air propres et accueillantes. Si seulement c'était toujours dimanche à New York, se dit-il, personne ne le quitterait jamais.

Lorsque la voiture s'arrêta devant chez lui, il demanda aux Heath s'ils voulaient monter prendre un verre, mais Johnny dit qu'ils devaient aller à un cocktail et qu'ils étaient en retard. Rudy remercia Johnny pour le voyage, se pencha et embrassa Elaine sur la joue. Le week-end l'avait rendu plus attaché à elle qu'auparavant.

— Tu es tout seul ce soir ? demanda Elaine.

— Oui.

— Pourquoi ne remontes-tu pas dans la voiture pour passer la soirée avec nous ? dit-elle. Nous irons dîner chez Gino's après le cocktail.

Il était tenté, mais il avait besoin de réfléchir à beaucoup de choses et il pensa qu'il valait mieux rester seul. Il ne lui dit pas que ces jours-ci il se sentait mal à l'aise entouré de beaucoup de monde. Il était certain que ce n'était là qu'une phase passagère, mais il fallait en tenir compte.

— Merci, dit-il, mais j'ai une pile de lettres auxquelles je dois répondre. Faisons cela au cours de la semaine, rien que nous trois.

— Je t'appellerai demain, dit Johnny, quand j'aurai organisé le pèlerinage au Nevada.

— Je serai chez moi toute la journée, dit Rudolph.

En regardant la voiture s'éloigner, il regretta d'avoir dit ça. Il craignait que dans la voiture, l'un ou l'autre des Heath ne dise : « Il sera chez lui toute la journée parce qu'il ne sait pas quoi faire de lui-même. »

Son sac à la main, il gravit les marches. Il n'eut pas besoin de la clef pour ouvrir la porte d'entrée. Encore les gens d'en bas. Il lui faudrait leur parler. Au moment où il pénétrait dans l'entrée obscure une voix d'homme dit : « Ne bougez pas et ne faites pas de bruit. J'ai une arme braquée sur vous. »

Il entendit la porte d'entrée claquer derrière lui.

« Lequel est votre appartement, m'sieur ? » dit la voix.

Il hésita. Si Enid avait été en haut, il n'aurait pas répondu. Il remercia Dieu qu'elle soit en sécurité auprès de sa mère, à plus de deux cents kilomètres de distance. Et la gouvernante était dans le New Jersey. Il n'y avait personne là-haut. Il sentit ce qui aurait pu être un revolver qui lui entrait brutalement dans les côtes. « Nous vous avons posé une question, m'sieur », dit la voix. Il était conscient de la présence d'un deuxième homme qui se tenait à côté de lui. « Deuxième étage », dit-il.

« Grimpez ! », ordonna la voix. Il se mit à monter l'escalier. Il n'y avait aucune lumière qui passait sous la porte de l'appartement du rez-de-chaussée. Personne à la maison ; dimanche soir, pensa-t-il, tout en montant l'escalier comme un automate, avec le bruit des pas lourds de deux personnes derrière lui.

Ses mains tremblaient lorsqu'il sortit les clefs, ouvrit la porte et entra. « Allumez une lumière », dit la même voix.

Il chercha l'interrupteur à tâtons, le trouva et appuya. La lampe de l'entrée s'alluma et il se retourna pour voir les deux hommes qui s'étaient embusqués dans le vestibule en bas. Ils étaient jeunes, noirs, l'un grand, l'autre de taille moyenne, tous deux habillés avec soin. Leurs visages étaient maigres et tendus, et pleins de haine. Des camés, pensa-t-il. L'homme grand tenait un revolver braqué sur lui, d'un bleu noir, qui luisait sombrement à la lueur de la lampe.

« Dans le salon », dit-il.

Ils le suivirent dans la salle de séjour et le deuxième homme trouva l'interrupteur. Toutes les lampes s'allumèrent. La pièce avait l'air confortable et propre, avec les rideaux tirés devant les fenêtres. La gouvernante avait tout rangé avant de partir la veille au matin. La pendule sur la cheminée faisait un tic-tac bruyant. Il vit qu'il était cinq heures et demie. « Donnez-nous votre portefeuille, dit le grand, et pas de blague. »

Rudolph plongea la main dans sa veste et sortit son portefeuille. L'homme au revolver le saisit brutalement et le lança à l'autre homme. « Regarde ce qu'il y a dedans », dit-il.

Le second homme fouilla le portefeuille. « Trente dollars », dit-il, tenant les billets à la main.

« Merde, dit l'homme armé. Qu'est-ce que vous avez dans vos poches de pantalon ? »

Rudolph sortit sa pince à billets et deux pièces de vingt-cinq centimes. Le second homme tendit la main et saisit la pince à billets et la monnaie. « Tu peux encore dire merde, mon pote. Il n'y a que huit dollars ici. » Il laissa tomber les deux pièces de monnaie sur le tapis.

— Vous avez le culot d'arriver ici en Lincoln Continental et vous n'avez pas plus de trente-huit dollars sur vous ? dit l'homme armé. Vous êtes malin, hein ? Peur d'être attaqué, hein, Mr Rockefeller ?

— Je suis désolé, dit Rudolph. C'est tout ce que j'ai. Et puis ces cartes de crédit.

Les cartes de crédit étaient maintenant éparpillées par terre.

— Cet établissement n'accepte pas les cartes de crédit, pas vrai, Elroy ? dit l'homme.

— Ça c'est sûr, dit Elroy.

Ils partirent tous les deux d'un rire rauque.

Rudolph se sentait détaché, comme si ce n'était pas à lui que cela arrivait, mais à un petit personnage figé dans le lointain.

— Où est-ce que vous gardez l'argent dans cette maison ? demanda l'homme armé. Où est le coffre-fort ?

— Je ne garde pas d'argent chez moi, dit Rudolph. Et il n'y a pas de coffre-fort.

— De plus en plus malin, hein ? dit l'homme.

De sa main libre il gifla Rudolph, d'un geste sec, en travers des yeux. Rudolph fut momentanément aveuglé par les larmes et il recula en trébuchant.

— Ça, ce n'est que pour vous ramener un peu à la réalité, m'sieur, dit l'homme armé.

— Cherchez vous-même, dit Rudolph aveuglé.

— Vous avez une dernière chance de nous montrer où c'est, m'sieur, dit l'homme.

— Je regrette, je n'y peux rien.

L'homme armé respirait lourdement, de façon irrégulière, et ses yeux clignotaient en reflétant la lumière des diverses lampes par intermittence.

— Qu'est-ce que tu en dis, Elroy ? demanda-t-il.

— Fous une leçon à cette lavette, dit Elroy.

L'homme au revolver l'escamota d'un geste brusque et frappa Rudolph à la tempe. En s'effondrant, Rudolph avait l'impression de tomber lentement et pas désagréablement à travers l'espace et le sol lui sembla être un magnifique lit moelleux lorsqu'il l'atteignit. Au bout d'un certain temps une voix quelque part au loin dit : « Ça suffit, Elroy, tu ne veux quand même pas tuer ce salaud, non ? »

Il rêvait. Tout en rêvant il savait que c'était un rêve Il était à la recherche d'Enid sur une plage. Il y avait le mugissement des brisants Curieusement, il y avait des autocars garés sur la plage, en formation irrégulière et des gens y entraient et en sortaient sans cesse en courant, des gens qu'il ne connaissait ni ne reconnaissait, qui ne lui prêtaient aucune attention, qui parfois le bloquaient, parfois se dissipaient pour devenir des ombres, au fur et à mesure qu'il se frayait un chemin à travers eux en criant : « Enid ! Enid ! » Il savait que c'était un rêve mais il était tourmenté tout de même parce qu'il savait qu'il ne la retrouverait jamais. Le sentiment de perte était insupportable.

Puis il se réveilla. Les lampes étaient toujours allumées. Elles jetaient maintenant une lumière crue qui lui vrillait les yeux. Il était étendu par terre, et tout lui faisait mal, la tête, l'aine. Tout mouvement était une torture. Son visage était mouillé. Lorsqu'il y porta la main, il la retira ruisselante de sang.

Autour de lui, la pièce était dévastée. Toutes les chaises capitonnées et le divan avaient été tailladés avec des couteaux et le rembourrage gisait par terre comme des tas de neige. La pendule, brisée, se trouvait sur le tablier de brique de la cheminée. Tous les tiroirs du bureau, des commodes et du buffet avaient été sortis et leur contenu éparpillé autour de la pièce. Le miroir au-dessus de la cheminée était brisé en éclats. Les chaises en bois et la table basse ainsi que le petit buffet avaient été fracassés avec le tisonnier du jeu d'ustensiles de cheminée et le tisonnier lui-même était complètement tordu. Toutes les bouteilles du buffet avaient été jetées contre le mur et il y avait du verre brisé partout et une odeur pénétrante de whisky. Le panneau de façade du piano était appuyé contre le divan et les cordes nues et arrachées pendaient, coupées et défaites, sur les touches, comme les intestins d'un animal. Il s'efforça de regarder sa montre pour voir depuis combien de temps il était couché là inconscient, mais la montre avait été coupée de son poignet et il y avait là une vilaine plaie qui suintait.

En un effort surhumain et en gémissant, il rampa jusqu'au téléphone. Il décrocha l'appareil, écouta. Il fonctionnait, Dieu merci. Il lui fallut ce qui lui sembla de nombreuses minutes pour se rappeler le numéro de Gretchen. Péniblement il le composa. Cela sonna et sonna. Il était étendu par terre avec le téléphone près de sa joue. Enfin il entendit qu'on décrochait le téléphone à l'autre bout du fil.

— Allô !

C'était la voix de Gretchen.

— Gretchen, dit-il.

— Où étais-tu ? dit-elle d'un ton vexé. Je t'ai appelé à cinq heures ; tu m'avais dit que tu serais de retour à partir de...

— Gretchen, dit-il d'une voix rauque, viens ici. Tout de suite. Immédiatement. Si la porte est fermée, va chercher un policier pour qu'il l'enfonce. Je...

Puis il sentit qu'il chutait de nouveau. Il ne pouvait plus parler. Il était couché par terre, la voix de Gretchen dans son oreille, qui criait, « Rudy ! Rudy ! Rudy, tu m'entends... ? » Puis le silence.

Il se laissa aller complètement et s'évanouit de nouveau.

Il passa quinze jours à l'hôpital et ne réussit jamais à aller au Nevada avec Johnny Heath.

VOLUME TROIS

CHAPITRE PREMIER

Il AVAIT LIVRE POUR DIX-sept dollars d'épicerie du supermarché chez Mrs Wertham et Mrs Wertham l'avait invité à prendre une tasse de café. Mr Wertham travaillait dans l'entreprise de mise en bouteilles de Mr Kraler, et cela, pensa Wesley, comblait dans l'esprit de Mrs Wertham la distance sociale et sexuelle entre une maîtresse de maison aisée et un livreur de seize ans. Il avait accepté le café. C'était la dernière livraison de la journée et on ne lui servait jamais de café chez les Kraler.

Après le café, Mrs Wertham lui dit avec coquetterie et un certain nombre de petits rires qu'il était un très beau jeune homme et l'invita dans son lit. Le café n'était pas la seule chose qu'on ne lui servait pas chez les Kraler et Mrs Wertham était une dame artificiellement blonde, de proportions généreuses. Il accepta cette invitation-là également.

Le café était bon, mais le lit meilleur encore. Il dut s'exécuter rapidement, parce que la bicyclette du magasin, avec la caisse de livraison sur la roue avant, était garée dehors, et c'était un quartier plein de gosses sur qui on pouvait compter pour voler tout ce qu'ils pouvaient, même une bicyclette portant le nom UM Supermarché peint en grosses lettres sur la caisse.

Il y avait de cela un mois à peine. Il avait fait dix livraisons chez Mrs Wertham depuis. Les commandes d'épicerie de la maison Wertham dépendaient des fluctuations de la libido de Mrs Wertham.

Cette fois-ci, alors qu'il se rhabillait, Mrs Wertham mit un peignoir et le regarda, assise, en souriant comme si elle venait de manger un gros dessert à la crème.

— Tu es vraiment un garçon fort et bien bâti, dit-elle admirative. Tu pourrais soulever mon mari d'une main.

— Merci, madame.

Wesley enfilait son chandail et il n'avait aucune envie de soulever Mr Wertham d'une main.

— Je n'ai pas l'habitude de faire des choses de ce genre, dit Mrs Wertham, oubliant peut-être que Wesley savait compter, mais... — elle soupira — ça fait une agréable coupure dans la journée, non ?

— Oui, madame, dit Wesley.

— Ce serait un gentil geste de ta part, dit Mrs Wertham, si, la prochaine fois que tu as une livraison à faire ici, tu te débrouillais pour glisser un petit cadeau dans le carton. Un demi-jambon, quelque chose comme ça. Je suis toujours chez moi entre trois et cinq heures.

— Oui, madame, dit Wesley avec ambiguïté. — C'était la dernière fois que Mrs Wertham l'aurait dans son lit. — Je dois partir maintenant. Ma bicyclette est dehors...

— Je comprends, dit Mrs Wertham. Tu te souviendras du jambon, n'est-ce pas ?

— Oui, madame, dit Wesley.

La bicyclette était toujours en bas. Il l'enfourcha et pédala, dégoûté de lui-même, vers le bureau de poste. Un demi-jambon. Elle croyait pouvoir l'avoir au rabais. C'était dégradant. Il sentit qu'il était arrivé à un tournant de son existence. A partir de maintenant il n'accepterait plus rien, simplement parce qu'on le lui offrait. L'Amérique était remplie de filles merveilleuses. Celle du bureau de *Time* à New York, par exemple, si gentille et si timide, malgré son âge. Il n'allait plus se contenter de pacotille. Ailleurs qu'à Indianapolis il devait bien y avoir quelque part une fille avec qui il pourrait parler, rire, qu'il pourrait admirer, à qui il pourrait expliquer son père et lui-même, une fille qu'il pourrait aimer et dont il pourrait être fier, une fille qui ne lui donnerait pas l'impression d'être un cochon quand il aurait quitté son lit. En attendant, décida-t-il, il pouvait patienter.

A la poste il y avait deux lettres pour lui au guichet de la Poste Restante, l'une de Bunny, l'autre de l'oncle Rudolph. Depuis qu'il avait mis en pratique l'idée de l'oncle Rudolph et allait chercher son courrier Poste Restante, il recevait régulièrement des lettres de Bunny et de Kate. Elles lui rendaient la vie à Indianapolis presque supportable. Il les fourra dans sa poche sans les lire, parce que Mr Citron, le directeur de l'UM, lui jetait toujours un regard perçant s'il prenait seulement cinq minutes de plus que Mr Citron n'estimait strictement nécessaire, et Mrs Wertham l'avait déjà mis légèrement en retard. Mr Citron, se dit Wesley, en souriant au directeur d'un air innocent en rentrant au magasin, devait avoir un chronomètre dans la tête. Essaie toujours d'être ton propre patron, avait dit son père, c'est la seule façon d'avoir le dessus sur ces salauds.

Au dépôt derrière le magasin il sortit les lettres de sa poche. Il ouvrit d'abord celle de Bunny. Son écriture vigoureuse et claire avait l'air d'être celle d'un homme pesant plus de cent kilos.

Cher Wesley,

La nouvelle, c'est que la *Clothilde* a été vendue pour cent dix mille dollars. Un peu plus de fric pour toi et Kate et le môme de Kate. Félicitations. Maintenant je peux enfin te dire que le vrai propriétaire n'était pas Johnny Heath, comme c'est écrit sur les papiers du bateau, mais ton oncle Rudolph. Il avait ses raisons pour le cacher, je suppose. Je commençais à croire que nous ne le vendrions jamais. J'ai essayé de persuader ton oncle de me permettre de changer le nom, mais il n'a rien voulu entendre. Il a des principes. Peut-être trop de principes. Les nouveaux propriétaires sont des Allemands, des gens très sympathiques ; ils savaient ce qui était arrivé, mais ça n'a pas eu l'air de les gêner. Je suppose que les Allemands ne sont pas superstitieux. Ils sont tombés amoureux de la *Clothilde* au premier coup d'œil, m'a dit la dame. Ils voulaient que je reste comme capitaine, mais j'ai préféré refuser. Pour un tas de raisons et je pense que je n'ai pas besoin de te dire lesquelles.

J'ai fait la connaissance d'un couple d'Américains avec deux garçons âgés d'environ onze et neuf ans qui gravitent autour de Saint-Tropez et qui ont un Chris-Craft de quatorze mètres et ils m'ont demandé de venir y travailler. Je suis le seul membre d'équipage, mais les gosses peuvent aider à nettoyer et la femme dit que cela ne l'ennuie pas de faire la cuisine. Le père dit qu'il sait lire une carte marine et tenir la barre. Nous verrons. Je suis donc toujours sur la bonne vieille Méditerranée. Ce devrait être O.K. C'est agréable d'avoir deux gosses à bord.

J'ai eu des nouvelles de Kate. Elle travaille comme barmaid dans un pub pas loin de là où elle habite, de sorte qu'elle voit son gosse souvent. Je suppose que tu sais qu'elle l'a appelé Thomas Jordache.

Désolé que tu sois tombé dans un tas de merde à Indianapolis. Selon ton oncle, tu peux te tirer dès que tu auras dix-huit ans. Ce n'est pas si loin et le temps passe vite, donc patiente et ne fais pas de folies.

Le nom de mon nouveau bateau est le *Dolores* — c'est le prénom de la dame et son port d'attache est Saint-Tropez, de sorte que tu peux continuer à m'écrire ici aux bons soins du capitaine du Port.

Eh bien, voilà les nouvelles, mon pote. Si tu devais te trouver sur la côte, viens me voir.

Au revoir,
Bunny

Wesley plia la lettre soigneusement et la remit dans l'enveloppe. Il avait écrit deux fois à Bunny pour lui demander s'il avait appris quelque chose au sujet de Danovic, mais Bunny n'en parlait jamais. Le temps passe vite, avait écrit Bunny. Peut-être sur la Méditerranée. Pas à Indianapolis. Il y avait peu de choses qu'il aimait à Indianapolis. L'une d'elles était le grand vieux bâtiment du marché, avec son haut plafond et ses étalages chargés de fruits et de légumes et l'odeur du pain cuit qui dominait tout. Il y allait aussi souvent qu'il le pouvait, car cela lui rappelait le marché près du port à Antibes.

Lorsqu'il ouvrit la lettre de son oncle, il en tomba deux billets de vingt dollars. Il les ramassa et les mit dans sa poche. Il n'avait pas demandé d'argent — jamais — mais était reconnaissant lorsqu'il en arrivait. Son oncle avait tendance à se manifester ainsi à des moments inopinés pour tout le monde. C'était bien, si on pouvait se le permettre. Et l'oncle Rudolph le pouvait, de toute évidence. Pas de critiques. La lettre disait :

Cher Wesley,

Note l'adresse en haut de la page J'ai enfin déménagé de New York. Depuis le cambriolage, la ville a perdu pour moi une grande partie de son charme et je commençais à me faire des soucis exagérés, j'en suis sûr, pour la sécurité d'Enid. J'ai loué cette maison ici à Bridgehampton à Long Island pour un an à l'essai. C'est une agglomération tranquille et charmante, sauf pendant les mois d'été, où elle est animée par une faune artistique et littéraire, et ma maison est près de la plage et à environ un quart d'heure de voiture de la maison de mon ex-femme. Enid habite chez elle pendant la semaine scolaire et vient chez moi pour les week-ends et grâce à cet arrangement n'a plus besoin de gouvernante pour s'occuper d'elle. Elle est heureuse à la campagne et même si ce n'était que pour elle, le déménagement aura été une bonne chose.

Je suis complètement remis des deux opérations à mon visage, et bien que je renifle comme un vieux cheval de retour quand je trotte le long de la plage, à cause de certaines modifications faites aux fosses nasales après mon accident, je vais bien. Les médecins voulaient réopérer mon nez pour des raisons esthétiques, mais j'ai dit que cela suffisait comme ça. Gretchen dit que je ressemble davantage à ton père maintenant, avec mon nez aplati.

A propos de Gretchen, elle s'est embarquée dans une nouvelle carrière. Elle termine le film qu'elle monte pour Mr Kinsella la semaine qui vient et va se lancer comme metteur en scène, ayant acheté un scénario qui lui plaît et que j'ai lu et beaucoup aimé moi-même. En fait, ne sachant pas exactement quoi faire de mon argent, j'ai investi làdedans et je donne des conseils à Gretchen avec autant de tact que possible concernant l'aspect commercial de l'entreprise. Fais attention, la prochaine fois que tu la vois. Elle trouve que tu aurais un grand succès dans un des rôles de ce film. Jusqu'à présent nous avons eu presque tout dans la famille mais jamais de vedette de cinéma et je ne sais pas bien quel en serait l'effet sur le nom de la famille.

Je crains que dans la confusion qui a suivi mon agression je n'aie oublié de tenir ma promesse de t'envoyer les noms de certaines personnes que tu voulais connaître et qui seraient capables de te donner des renseignements sur ton père. Il y a Johnny Heath, bien sûr, qui avait affrété la *Clothilde* avec sa femme. Je ne me souviens pas si tu étais déjà à bord à ce moment-là ou pas. Puis il y a Mr et Mrs Goodwin, qui ont aussi affrété le bateau à différentes saisons. Je t'envoie leurs adresses sur la feuille ci-jointe. Si tu veux remonter en arrière jusqu'à l'époque où ton père avait l'âge que tu as maintenant, il y avait un garçon — un homme maintenant, bien sûr — qui s'appelait Claude Tinker, à Port Philip, qui fut le partenaire de ton père dans quelquesunes de ses aventures. J'ai entendu dire que la famille Tinker est toujours à Port Philip. Ensuite il y a un homme du nom de Theodore Boylan, qui doit être très âgé à présent, mais qui avait des liens intimes avec notre famille.

Je n'ai vu ton père boxer en tant que professionnel qu'une fois — contre un garçon de couleur du nom de Virgil Walters, et il se peut que lui ait des souvenirs. Ton père avait un manager qui s'appelait Schultz et j'ai pu le trouver un jour grâce au magazine *Ring* lorsque je voulais contacter ton père.

Si d'autres noms me viennent à l'esprit, je te les enverrai. Je regrette que tu n'aies pas pu venir me voir cet été et j'espère que cela te sera possible une autre année.

166

Je joins un petit cadeau pour commencer la nouvelle année scolaire Si par hasard il t'en faut davantage, n'hésite pas à me le faire savoir

Affectueusement.
Rudolph

Wesley plia la lettre et la remit dans l'enveloppe comme il avait fait avec la lettre de Bunny. Il *écrit* avec une ancre au cul, se dit Wesley. Il *n'est pas* comme ça, seulement il y a un mur entre ce qu'il est et la façon dont il parle. Wesley aurait souhaité aimer son oncle plus qu'il ne le faisait.

Il donna les deux lettres à Jimmy lorsque celui-ci arriva pour aider à balayer. Jimmy était l'autre livreur. C'était un Noir, du même âge que Wesley. Jimmy gardait la photo de son père en tenue de boxe que la dame de *Time* lui avait donnée et toutes les lettres que Wesley recevait, parce que la mère de Wesley vérifiait tout ce qu'il y avait dans sa chambre au moins deux fois par semaine, à la recherche de signes de péché et tout ce qu'elle pouvait trouver d'autre. Des lettres de son oncle et de Kate et Bunny constitueraient des pièces à conviction d'un gigantesque complot général pour le priver de l'amour de son fils, sentiment dont elle faisait souvent état. Ses élans d'affection occasionnels étaient difficiles à supporter. Elle tenait absolument à l'embrasser et à le serrer dans ses bras et à l'appeler son adorable bébé et à lui dire que si seulement il voulait consentir à se faire couper les cheveux il serait un beau jeune homme et s'il voulait accepter les joies de la religion, il rendrait sa mère béate de bonheur et il n'y avait rien qu'elle-même et Mr Kraler n'accepteraient de faire pour lui. Ce n'était pas de la comédie et Wesley savait que sa mère l'aimait en effet et voulait son bonheur — mais à sa manière à elle, pas à lui. Ses démonstrations le laissaient mal à l'aise et gêné Il pensait intensément à Kate.

Il ne parlait jamais de sa mère ou de Mr Kraler à Jimmy, bien que celui-ci fût le seul ami que Wesley eût dans la ville. Il s'était dérobé à toutes les ouvertures, sauf celle de Mrs Wertham, mais cela ne comptait pas vraiment. Il ne voulait pas avoir à se soucier d'abandonner quoi que ce soit au moment de son départ d'Indianapolis.

Il n'avait pas envie de rentrer chez lui pour dîner, d'abord parce qu'il savait que le repas serait mauvais et deuxièmement parce que la maison, qui était déjà triste auparavant, serait lugubre comme un tombeau depuis que Mr Kraler avait reçu le télégramme lui disant que son fils Max avait été tué au Vietnam. Ils attendaient d'un jour à l'autre l'arrivée de la dépouille pour les funérailles, et l'attente était comme un long enterrement.

Il invita Jimmy à dîner avec lui. « Je peux faire des folies ce soir, lui dit-il. Mon oncle riche s'est encore manifesté. »

Ils dînèrent dans un petit restaurant près du supermarché où on pouvait avoir un steak pour un dollar et demi et où le propriétaire ne vous demandait pas de fournir la preuve de votre majorité quand on commandait une bière.

Jimmy voulait devenir un musicien rock et quelquefois il emmenait

Wesley chez lui et y jouait de la clarinette pendant qu'une de ses sœurs jouait du piano, et que l'autre sœur apportait les bières. Les sœurs de Jimmy traitaient celui-ci comme un objet précieux, et elles se mettaient en quatre pour quiconque était ami de Jimmy. Il ne leur venait pas à l'idée que quelqu'un pouvait les priver de l'amour de Jimmy pour elles ni du leur pour Jimmy. La maison bondée et chaleureuse de Jimmy, pleine de la présence des deux jolies filles rieuses, était un autre endroit que Wesley aimait à Indianapolis. Indianapolis, avec ses usines et ses marées blafardes d'ouvriers matin et soir, et ses étendues plates de maisons identiques et de rues mal tenues, faisait ressembler Antibes à une banlieue céleste.

Wesley ne parlait pas de Jimmy à sa mère. Celle-ci était polie avec les Noirs, mais ils devaient garder leurs distances, disait-elle. C'était lié au fait d'être Mormon. Après le dîner, il se rappela de dire à Jimmy que dorénavant il préférait que ce fût Jimmy qui fît les livraisons chez Mrs Wertham. Il ne dit pas pourquoi et Jimmy ne le lui demanda pas. C'était là une autre des qualités de Jimmy, il ne posait pas de questions stupides.

Il rentra lentement à pied. Il y avait une règle tacite que s'il ne rentrait pas après neuf heures du soir il n'y aurait pas de scènes hystériques parce qu'il faisait le matou en ville et déshonorait sa famille, comme son père. La routine habituelle était déjà désagréable, mais les scènes, surtout si elles se produisaient tard le soir, lui rongeaient les nerfs et le rendaient presque incapable de s'endormir par la suite. Il avait souvent pensé à se tirer tout simplement, mais il voulait donner à sa mère toutes les chances possibles. Il devait y avoir *quelque chose* là. Il fut un temps où son père l'avait aimée.

Lorsqu'il rentra, Mr Kraler sanglotait dans la salle de séjour en tenant la photo encadrée de son fils. C'était une photo de Max Kraler en uniforme de simple soldat. Max était un garçon au visage maigre et aux yeux tristes, et qui avait l'air de savoir qu'il serait tué avant l'âge de vingt et un ans. La mère de Wesley le prit à part dans l'entrée et chuchota que Mr Kraler avait appris que la dépouille de Max allait arriver dans deux jours et avait passé l'après-midi à faire le nécessaire pour organiser l'enterrement.

— Sois gentil avec lui, je t'en prie, il aimait son fils. Il veut que tu te fasses couper les cheveux demain et que tu viennes avec moi pour acheter un nouveau costume foncé pour l'enterrement.

— Mes cheveux sont bien, m'man, dit Wesley. Je ne vais pas les faire couper.

— A un moment pareil, dit sa mère, toujours en chuchotant. Tu pourrais pour une fois — pour montrer que tu respectes les morts.

— Je peux tout autant montrer que je respecte les morts avec mes cheveux comme ils sont maintenant.

— Tu ne veux même pas faire une si petite chose pour faire plaisir à ta mère ?

Elle se mit à pleurer, elle aussi.

— J'aime mes cheveux comme ils sont, dit Wesley. Il n'y a que toi et lui... — il fit un geste vers le séjour — qui m'embêtiez toujours avec ça.

— Tu es un garçon dur et obstiné, dit-elle, laissant maintenant libre cours aux larmes qui coulaient le long de ses joues. Tu ne cèdes jamais un millimètre, n'est-ce pas ?

— Je le fais quand il y a une bonne raison.

— Mr Kraler ne me permettra pas de t'acheter un nouveau costume avec ces cheveux-là.

— Alors j'irai à l'enterrement avec mon vieux costume, Max s'en fichera.

— C'est une plaisanterie de mauvais goût, pleura-t-elle.

— Je ne l'ai pas dit pour plaisanter.

— Ce vieux costume et cette tignasse d'Indien sauvage nous feront honte à tous à l'église.

— O.K. Je n'irai pas à l'église. Et je n'irai pas au cimetière. Je n'ai jamais rencontré Max, même. Qu'est-ce que ça peut faire ?

« Maman ! appela Mr Kraler de la salle de séjour. — J'arrive, chéri », répondit Teresa. Elle lança un regard plein de colère à Wesley, puis le gifla très fort. Wesley ne réagit pas et se borna à rester planté là dans l'entrée. Sa mère entra dans le séjour et il monta dans sa chambre.

Les choses en restèrent là. Quand Max Kraler fut enterré, Wesley livrait des commandes d'épicerie.

Le caporal Healy, qui avait également servi au Vietnam mais qui n'avait pas connu le fils de Mr Kraler, accompagna la dépouille du garçon à Indianapolis. Mr Kraler, qui était un ancien combattant de la guerre de Corée, invita le caporal en tant que compagnon d'armes à descendre chez lui plutôt qu'à l'hôtel. La nuit qui suivit l'enterrement, Wesley devait partager son lit avec Healy, parce que la fille mariée de Mr Kraler, Doris, qui habitait Chicago, occupait la chambre d'amis de l'autre côté du couloir. Doris était une petite jeune femme terne qui, trouvait Wesley, ressemblait à Mr Kraler. Healy était un homme petit et aimable, âgé d'environ vingt-trois ans, qui portait le Purple Heart avec palmes sur sa chemise. Mr Kraler, qui avait été employé à l'intendance à Tokyo pendant la guerre de Corée, avait rebattu les oreilles de Healy toute la journée avec ses propres expériences de soldat, et Healy avait été poli, mais avait fait signe à Wesley qu'il aimerait lui échapper. Durant une pause dans la conversation de Mr Kraler, Healy s'était levé en disant qu'il souhaiterait faire une petite promenade et avait demandé si cela les dérangerait d'autoriser Wesley à l'accompagner pour qu'il ne s'égarât point. Mr Kraler, entre soldats, dit : « Bien sûr, caporal », et Teresa avait hoché la tête. Elle n'avait pas dit un mot à Wesley depuis la scène dans l'entrée et Wesley était reconnaissant à Healy de lui permettre de sortir de la maison.

— Oh la la ! dit Healy lorsqu'ils descendirent la rue, quelle corvée. Comment est la sœur, cette Doris ?

— Je ne sais pas, dit Wesley. Je l'ai rencontrée hier pour la première fois.

— Elle n'arrête pas de me faire de l'œil. Tu crois que c'est intentionnel ?

— Je ne pourrais pas le dire.

— Quelquefois ces petites poupées moches sont des volcans au moment d'y passer, dit Healy. Ça ne te dérange pas si j'essaie, j'espère ?

— Certainement pas, dit Wesley. Mais fais gaffe. Ma mère patrouille dans la maison comme un cerbère.

— On verra comment les choses évoluent — Healy était de Virginie et il avait un accent doux et traînant. — C'est quelque chose, Mr Kraler. A l'entendre, c'était du corps à corps tous les jours à Tokyo. Et il dévorait tous les détails sanglants sur la façon dont j'ai été blessé. Une chose est certaine, je ne deviendrai pas membre de la Légion américaine. J'ai eu ma guerre et je ne veux pas entendre un mot de cette guerre-là ni d'aucune autre. Où est-ce qu'on peut avoir quelques bières ?

— Pas loin d'ici, dit Wesley. Je pensais justement qu'une bière serait la bienvenue.

— On pourrait croire que lorsqu'un gars arrive pour accompagner une dépouille, se plaignit Healy, il y aurait une petite goutte de quelque chose pour égayer tout le monde un tant soit peu. Même pas une tasse de café, bon Dieu.

— Ce sont des Mormons.

— Ça doit être une religion sinistre. Je vais à la messe le dimanche chaque fois que je peux, mais je ne crache pas au visage de la Création. Après tout, Dieu a fait le whisky, la bière, le vin — bon Dieu, il a même fait le café et le thé. Pourquoi les a-t-il faits, à leur avis ?

— Demande ça à Mr Kraler.

—·Ouais, dit Healy d'un ton morne.

Ils s'assirent dans un box au restaurant où Wesley avait dîné avec Jimmy et burent de la bière. Wesley avait expliqué à Healy que c'était le seul endroit où il était certain qu'on ne l'embêterait pas parce qu'il avait moins de dix-huit ans.

— Tu es baraqué, dit Healy. Ça doit être agréable, d'être baraqué, personne ne te persécute. Je peux te dire qu'un type de ma taille a son compte d'emmerdements.

— Il y a beaucoup de façons de se faire persécuter, dit Wesley, qui n'ont rien à voir avec la taille.

— Ouais, dit Healy, j'ai remarqué que Mr Kraler et ta mère ne débordaient pas d'amour et de tendresse pour toi.

Wesley haussa les épaules.

— On supporte avec le sourire.

— Quel âge as-tu, en fait ?

— Seize ans.

— On pourrait t'en donner vingt et un.

— Au besoin, dit Wesley.

— Que vas-tu faire en ce qui concerne le service militaire quand tu auras dix-huit ans ?

— Je n'ai pas encore décidé, dit Wesley.

— Tu veux quelques conseils d'un type qui y a été et a failli ne pas revenir ? Quoi que tu fasses, ne leur donne pas ton nom et attends qu'ils te donnent un numéro. Ce n'est pas drôle, Wesley, pas drôle du tout.

— Qu'est-ce qu'on peut faire ?

— N'importe quoi. Mais il ne faut pas qu'ils te fassent entrer dans l'armée. Je n'ai jamais vu de ma vie une bande d'hommes aussi désespérés et dégoûtés, qui se font tirer dessus, se font sauter sur des mines, attrapent toutes sortes de maladies et toutes les saletés tropicales qu'on peut imaginer, et personne ne sait ce qu'il fout là... Que tu le croies ou non, Wesley, j'ai été volontaire. *Volontaire,* bon sang !

— Mon père m'a dit un jour : « Ne te porte jamais volontaire pour aucune guerre. »

— Ton père savait ce qu'il disait. L'armée sait vraiment comment faire perdre à un homme son sens patriotique et pour moi, ça ne s'est pas fait à cause d'un combat avec l'ennemi, mon pote. Le couronnement a été le jour où un copain et moi, nous sommes descendus de l'avion à San Francisco, bien fringués dans nos uniformes de parade, avec nos décorations et tout. Il y avait deux jolies nanas qui marchaient devant nous à l'aéroport et nous avons pressé le pas pour les rattraper et j'ai dit : « Qu'est-ce que vous faites ce soir, les filles ? » Elles se sont arrêtées et m'ont regardé comme si j'étais un serpent. Elles n'ont pas dit un mot, mais la fille qui était le plus près de moi m'a craché en pleine figure, le plus calmement du monde. Tu imagines. Craché ! Puis elles se sont détournées et se sont éloignées de nous. — Healy secoua la tête. — Nous étions revenus de guerre depuis à peine dix minutes, avec nos Purple Hearts, et voilà l'accueil qu'on a reçu. Salut au héros conquérant ! — Il eut un rire aigre. — Il ne faut pas risquer sa peau pour des gens comme ça, Wesley. Il faut bouger constamment, ne pas se fixer, pour qu'on ne puisse pas te mettre la main dessus. Les gars disent que le meilleur endroit pour se planquer, c'est l'Europe. Paris, c'est l'endroit numéro un. Même si tu dois te faire inscrire à l'ambassade ; ils ne se donnent pas la peine de te débusquer.

Conversations autour d'un feu de camp, se dit Wesley. Batailles anciennes et tendre nostalgie du foyer.

— J'ai été en Europe, dit-il. Je parle assez bien le français.

— Je n'attendrais pas trop longtemps, si j'étais toi, Wesley. Sois bien sûr d'être à Paname le jour de ton dix-huitième anniversaire, mon pote, dit Healy et d'un signe il commanda deux autres bières.

Le cercueil qu'il avait accompagné à Indianapolis avait été couvert du drapeau à l'église et au cimetière. Mr Kraler avait récupéré le drapeau et avait dit au dîner qu'il allait l'accrocher dans la chambre de Max, qui était maintenant celle de Wesley.

Lorsqu'ils arrivèrent à la maison, les lumières étaient éteintes, Dieu merci. Si sa mère avait été debout et avait senti sur eux l'odeur de la bière, il y aurait eu des larmes et une scène.

Ils montèrent sans bruit et étaient sur le point de se déshabiller lorsqu'on frappa doucement à la porte, celle-ci s'ouvrit et Doris entra. Elle était pieds nus et portait une chemise de nuit transparente. Elle leur sourit et mit un doigt sur ses lèvres en fermant soigneusement la porte derrière elle.

— Je vous ai entendus rentrer, les gars, et j'ai pensé que ce serait agréable de discuter le coup un petit moment. Pour mieux faire connaissance, comme qui dirait. Est-ce que l'un de vous a une cigarette, par hasard ?

Elle parlait d'une façon affectée et empruntée, à croire qu'elle avait parlé comme un bébé jusqu'à la fin du lycée. Wesley vit qu'elle avait des seins tombants, bien qu'il s'efforçât de ne pas les regarder sans cesse, et un gros derrière bas. Si j'avais un physique pareil, se dit-il, je ne me promènerais pas habillé comme ça, sauf dans l'obscurité totale. Mais Healy souriait largement et il y avait une lueur nouvelle dans ses yeux. Il avait déjà ôté sa chemise et il était torse nu. Il n'était pas particulièrement bien bâti non plus, remarqua Wesley.

— Voilà, chère maman, dit Healy, galant homme virginien, j'ai un paquet ici dans ma poche.

Il traversa la pièce jusqu'à l'endroit où sa chemise était suspendue au dossier d'une chaise. Il sortit les cigarettes et les allumettes, puis commença à enlever la chemise de la chaise.

— Vous n'avez pas besoin de vous habiller pour Doris, dit Doris. — Elle agita ses maigres épaules et adressa un sourire de fillette à Healy. — Je suis une femme mariée. Je sais comment les hommes sont faits.

Cela avait été intentionnel, se dit Wesley, lorsqu'elle avait fait signe à Healy au cours de la journée.

Galamment, Healy alluma la cigarette de Doris. Il en offrit une à Wesley. Wesley n'aimait pas les cigarettes mais il en prit une parce qu'il se trouvait dans la maison de Mr Kraler.

— Bon Dieu, dit Doris en tirant sur sa cigarette et en faisant des ronds de fumée, je me retrouve au pays des vivants. Pauvre Max. Il n'était déjà pas grand-chose de son vivant, et il s'est pointé mort pour son seul moment de gloire. Mon vieux, l'évêque a eu vraiment du mal à faire passer le pauvre Max pour quelqu'un dans son sermon. — Elle secoua la tête avec commisération, puis fixa Wesley d'un regard dur. — Es-tu aussi terrible qu'ils le disent, eux ?

— Une peste, dit Wesley.

— Je veux bien le croire. Il n'y a qu'à te regarder. Ils disent que tu es une terreur avec les femmes mariées.

— Quoi ? demanda Wesley, étonné.

— Pour ta gouverne personnelle, dit Doris, et parce que je crois que tu es un gentil garçon, tu ferais bien de dire à une certaine Mrs W. qu'elle a intérêt à arriver à sa boîte aux lettres avant son mari le matin.

— De quoi diable parlez-vous ? demanda Wesley, bien qu'il pût le deviner.

Quelque commère du quartier avait dû remarquer la bicyclette UM garée devant la maison de Mrs Wertham plus d'une fois et avait dû en jaser avec sa mère.

— Pendant ton absence, tu as été le sujet de la conversation. D'abord parce que tu étais si différent de Max, et pas en mieux, je peux te le dire.

— Je m'en doute, dit Wesley.

— Ta mère n'a pas eu non plus beaucoup de paroles gentilles pour ton père, continua Doris. Il a dû être quelque chose, si la moitié de ce qu'elle a dit était vrai. Et tu marches sur ses traces, a-t-elle dit, avec ton arrestation en France pour avoir failli tuer un homme dans une bagarre de poivrots.

— Ah bon, dit Healy, tant mieux pour toi, mon pote.

— Et, poursuivit Doris, un obsédé sexuel, quoi, comme ton père. Comme avec cette dégoûtante de Mrs W. qui pourrait être ta mère, et Dieu sait combien d'autres maisons que tu fréquentes et où tu livres plus que les commandes d'épicerie.

Elle gloussa, faisant tressauter ses seins flasques sous la chemise de nuit transparente.

— Tiens, j'ai une bonne idée, dit Wesley. — Il avait l'impression de suffoquer dans la petite pièce, entre les volutes de fumée des cigarettes, la fille coquette, quasi nue et malicieuse, et le militaire qui lui lançait des œillades. — Vous deux avez manifestement beaucoup de choses à vous dire...

— Ça c'est sûr, Wesley.

— Je n'ai pas sommeil, dit Wesley, et une autre bouffée d'air frais ne me ferait pas de mal. Je reviendrai probablement dans une heure ou deux, dit-il pour les prévenir.

Il ne tenait pas à revenir dans la pièce pour les trouver tous les deux dans son lit.

— Je resterai peut-être pour fumer encore une cigarette, dit Doris. Je n'ai pas encore sommeil, moi non plus.

— Ça fait que nous sommes trois, dit Wesley.

Wesley commençait à écraser sa cigarette, lorsque la porte s'ouvrit à la volée. Sa mère se trouvait là, l'œil dur. Personne ne dit rien pendant un instant, tandis que Teresa le fixait d'abord lui, puis Healy, puis, durant ce qui sembla être plusieurs minutes, Doris. Doris ricana nerveusement.

— Wesley, dit sa mère, je ne suis pas responsable du comportement de Mr Healy ni de celui de la fille de Mr Kraler, qui est une femme mariée. Mais je suis responsable du tien. — Elle parlait dans un sifflement rauque. — Je ne veux pas réveiller Mr Kraler, de sorte que je vous serais reconnaissante si, quoi que vous fassiez ou disiez, ce soit sans bruit. Et Wesley, serais-tu assez aimable pour descendre avec moi ?

Quand elle était cérémonieuse, comme maintenant, elle était pire que lorsqu'elle était hystérique. Il la suivit au rez-de-chaussée, à travers la maison obscure, dans la salle de séjour. Le drapeau du cercueil était plié sur une table.

Elle fit front, le visage agité.

— Je vais te dire quelque chose, Wesley, dit-elle en chuchotant de la même voix rauque, je viens de voir la pire chose de toute ma vie. Cette petite putain. Qui l'a faite entrer là, toi ? Qui allait la baiser le premier, toi ou le soldat ? — Dans la passion, son vocabulaire perdit ses euphémismes pieux. — Faire ça le soir même où un fils de la famille a été enterré après avoir donné sa vie pour son pays... Si je disais à Mr Kraler ce qui s'est passé dans cette maison, il te battrait avec une batte de base-ball.

— Je n'ai rien à expliquer, maman, dit Wesley. Mais tu peux dire a Mr Kraler que s'il lève seulement un doigt sur moi, je le tuerai.

Elle recula comme s'il l'avait frappée.

— J'ai entendu ce que tu as dit. Tu as dit tuer, n'est-ce pas ?

— C'est ça.

— Tu as l'âme d'un meurtrier. J'aurais dû te laisser pourrir dans cette prison en France. C'est là ta place.

— Je te ferai remarquer, dit Wesley avec brutalité, que tu n'as été pour rien dans ma sortie de prison. C'est mon oncle qui a tout fait.

— Que ton oncle en subisse les conséquences. — Elle se pencha en avant, le visage tordu. — J'ai fait ce que j'ai pu et j'ai échoué. — Elle se baissa soudain et lui saisit le pénis à travers son pantalon et le tira sauvagement. — J'aimerais te le couper, dit-elle.

Il lui prit le poignet et lui tira le bras brutalement.

— Tu es folle, m'man, dit-il, tu le sais ?

— A partir de maintenant, je veux que tu quittes cette maison. Pour de bon.

— Voilà une bonne idée. Il était temps.

— Et je te préviens que mon avocat fera tout son possible pour veiller à ce que tu ne reçoives pas un sou du sale pognon de ton père. Avec tes antécédents, ce ne sera pas trop difficile de convaincre un juge que ça n'a pas de sens de mettre une fortune entre les mains d'un meurtrier aux abois. Va, sors d'ici, va chez tes putes et tes voyous. Ton père sera fier de toi.

— Tu peux te foutre l'argent où je pense..., dit Wesley.

— C'est ton dernier mot à ta mère ? dit-elle, mélodramatique.

— Ouais. Mon dernier mot.

Il la laissa au milieu de la pièce, en train de souffler bruyamment, comme si elle était au bord de la crise cardiaque. Il entra dans sa chambre sans frapper. Doris était partie, mais Healy était à demi allongé sur le lit, en train de fumer, toujours torse nu, mais en pantalon.

— Merde alors, dit Healy, cette dame est vraiment tombée au mauvais moment, hein ?

— Ouais.

Wesley se mit à jeter des affaires dans un petit sac. Healy le regarda avec curiosité.

— Où vas-tu, mon gars ?

— Je fous le camp. Quelque part, dit Wesley.

Il regarda dans son portefeuille pour s'assurer qu'il avait la liste de noms qu'il avait constituée depuis sa sortie de prison. Il ne laissait jamais son portefeuille à un endroit où sa mère pouvait le trouver.

— Au milieu de la nuit ? dit Healy.

— A cette minute même.

— A vrai dire, je te comprends. Le petit déjeuner va être gai ici. — Il rit. — La prochaine fois que l'armée m'envoie accompagner un cercueil, je leur dirai qu'il me faut une description complète de la famille. Si jamais tu viens à Alexandrie, viens me voir.

— Ouais. — Wesley regarda autour de lui pour voir s'il n'avait rien oublié d'important dans la pièce. Rien. — Adieu, Healy, dit-il.

— Adieu, mon pote. — Healy secoua ses cendres par terre. — Rappelle-toi ce que j'ai dit sur Paris.

— Je m'en souviendrai.

Silencieusement, la fermeture Eclair de son vieux blouson remontée contre le froid nocturne, il quitta la pièce, descendit l'escalier obscur et sortit de la maison. En marchant dans la rue sombre et ventée, son petit sac à la main, il se rappela aussi que son père lui avait dit que cela avait été un des meilleurs jours de sa vie lorsqu'il s'était rendu compte qu'il ne haïssait plus sa mère. Il avait fallu du temps, avait déclaré son père.

Au fils aussi, il faudra du temps, pensa Wesley.

Le lendemain il était à Chicago. Il était entré dans un routier ouvert toute la nuit dans la banlieue d'Indianapolis, où un camionneur était arrivé qui dit à la fille derrière le comptoir qu'il allait à Chicago. Chicago, avait pensé Wesley, était un endroit comme un autre pour ce qu'il avait à faire et il avait demandé au conducteur s'il pouvait venir avec lui. Celui-ci avait dit qu'il serait content d'avoir de la compagnie et le voyage avait été confortable et amical, et en dehors du fait qu'il lui avait fallu écouter le chauffeur qui parlait des problèmes qu'il avait avec sa fille de dix-sept ans chez lui dans le New Jersey, il y avait pris plaisir.

Le camionneur l'avait déposé près de Wrigley Field ; il avait regardé sa liste d'adresses et avait vu celle de William Abbott. Autant commencer quelque part, avait-il pensé, et il était allé à cette adresse. Il était environ midi, mais Abbott était encore en pyjama et robe de chambre fripée, dans un studio désordonné, jonché de bouteilles, journaux et gobelets à café, avec des morceaux de papier froissés près de la machine à écrire.

Son impression de William Abbott n'avait pas été favorable, car ce dernier prétendait en savoir beaucoup plus sur Thomas Jordache qu'il n'en savait en réalité, et Wesley partit dès que possible.

Pendant les deux jours suivants il essaya de trouver du travail dans deux ou trois supermarchés, mais on n'engageait personne dans les supermarchés de Chicago cette semaine-là, et on lui demandait toujours de montrer sa carte syndicale. Ses fonds étaient bas et il décida que Chicago n'était pas pour lui. Il appela son oncle Rudolph à Bridgehampton en P.C.V., pour le prévenir qu'il allait arriver chez lui, parce qu'il ne savait pas où aller.

Rudolph avait une voix bizarre au téléphone, inquiète, comme s'il craignait qu'il y ait à l'écoute quelqu'un qui ne devait pas l'entendre.

— Qu'est-ce qu'il y a ? dit Wesley. Si tu ne veux pas que je vienne, je peux ne pas venir.

— Ce n'est pas ça, dit Rudolph, la voix toujours inquiète au bout du fil, seulement ta mère a téléphoné il y a deux jours pour savoir si tu étais chez moi. Elle a fait dresser un mandat d'arrêt à ton nom.

— Quoi ?

— Un mandat d'arrêt, répéta Rudolph. Elle croit que je te cache quelque part.

— D'arrêt ? pourquoi ?

— Elle dit que tu as volé cent cinquante dollars de son argent du ménage, l'argent qu'elle gardait dans un pichet au-dessus de la cuisinière, la nuit de ton départ. Elle dit qu'elle va te donner une leçon. Est-ce que tu as pris cet argent ?

— Je regrette de ne pas l'avoir fait, dit Wesley amèrement.

Ce maudit Healy, pensa-t-il. L'armée lui avait enseigné à se payer sur l'habitant. Ou, plus probable, la mère Doris, avec ses yeux de merlan frit.

— Je réglerai ça, dit Rudolph d'un ton rassurant, d'une façon ou d'une autre. Mais pour le moment je ne pense pas que ce serait une bonne idée que tu viennes ici. As-tu besoin d'argent ? Dis-moi où tu es et je t'enverrai un mandat.

— Ça ira, dit Wesley. Si je viens à New York, je t'appellerai.

Il raccrocha avant que Rudolph eût pu dire autre chose. Il ne me manquait plus que ça, se dit-il, d'être en taule à Indianapolis.

Puis il décida d'aller à New York. Rudolph n'était pas la seule personne qu'il connût à New York. Il se souvenait que la gentille fille de *Time* avait dit que s'il avait besoin d'aide, il vienne la voir. Personne ne songerait à aller le chercher au magazine *Time*.

Le lendemain matin, il était en route.

CHAPITRE II

Apres LE COUP DE TELE-
phone de Chicago, il resta presque deux mois sans appeler son oncle.

En arrivant à New York, il alla directement au bureau d'Alice Larkin.
Il devait avoir un aspect assez affreux après ses journées sur la route,
parce qu'elle suffoqua comme si quelqu'un lui avait versé un seau d'eau
froide lorsqu'il entra dans son petit bureau. Il n'avait presque rien
mangé depuis plusieurs jours et il avait dormi dans des cabines de
camions ; il avait besoin de se raser, son col était effiloché, son pantalon
était taché de graisse parce qu'il avait aidé un chauffeur à changer un
pneu du grand semi-remorque aux environs de Pittsburgh ; et il avait
quarante-cinq *cents* en poche.

Mais, le premier choc passé, Miss Larkin parut heureuse de le voir et
tint à lui payer à déjeuner en bas avant même qu'il eût pu lui dire
pourquoi il était venu.

Après avoir mangé et se sentant redevenu un être humain, il lui avait
raconté à peu près tout. Il s'efforçait d'en parler comme si ce n'était pas
important, et sur un ton badin, parce qu'il ne voulait pas faire croire à
cette fille si gentille qu'il était un grand bébé pleurnichard. Elle
facilitait les confidences, en le regardant attentivement de l'autre côté
de la table à travers ses lunettes, son petit visage aux joues roses
concentré pendant qu'il expliquait pourquoi il avait quitté Indianapolis et le mandat d'arrêt et le partage de la succession, tout.

Elle ne l'interrompit pas pendant qu'il s'épanchait, se bornant à
soupirer ou à secouer la tête de temps à autre en signe de sympathie ou
d'indignation.

— Et maintenant, demanda-t-elle lorsqu'il eut fini, qu'allez-vous
faire ?

— Eh bien, je vous l'avais dit, quand je suis venu ici l'autre fois, dit-
il, j'ai comme un sentiment que j'aimerais rendre visite aux gens qui
ont connu mon père et me faire une idée de ce qu'il était pour eux. Vous
savez, des gens différents, à des moments différents de sa vie. Je l'ai
connu pendant moins de trois ans. — Il parlait avec sérieux maintenant, sans essayer de se donner un air ironique ou adulte. — J'ai
l'impression d'avoir un grand trou dans la tête — là où devrait être mon

père — et je voudrais le remplir autant que possible. Je suppose que ça doit vous sembler stupide...

— Non, dit-elle, pas du tout.

— Je vous ai dit que j'avais une liste de gens... — Il sortit son portefeuille de sa poche et mit la feuille usée et froissée sur la table. — Au magazine on semble pouvoir trouver tous les gens qu'on veut trouver, et j'avais pensé que si cela ne vous donnait pas trop de travail, vous pourriez à vos moments perdus...

— Evidemment, dit Miss Larkin, nous ne sommes pas aussi omniscients que vous pourriez... — Elle se tut en voyant son air intrigué. — Je veux dire pas aussi savants que vous pourriez le croire, mais nous sommes assez calés pour dénicher les gens. — Elle regarda la liste. — Ceci risque de prendre du temps et je ne peux pas garantir que je pourrai les dénicher *tous,* mais... — Elle le regarda de nouveau avec curiosité. — Vous allez rester à New York ?

— Je pense que oui.

— Où ça ?

Il se tortilla sur sa chaise, mal à l'aise.

— Je n'ai pas encore décidé où je vais m'installer. Je suis venu directement ici.

— Wesley, dit Miss Larkin, dites-moi la vérité, combien d'argent avez-vous ?

— Qu'est-ce que cela peut faire ? dit-il sur la défensive.

— Vous avez l'air d'un épouvantail, vous avez mangé comme si c'était votre premier repas depuis une semaine. Combien d'argent avez-vous sur vous ?

Il fit une faible grimace.

— Quarante-cinq *cents.* L'héritier de la fortune des Jordache. Naturellement, je pourrais toujours appeler mon oncle et il casquerait, mais pour le moment je préfère ne pas le faire.

— Est-ce que je peux emporter cette liste ? dit Miss Larkin. Il faudra que vous me disiez exactement qui ils sont et où vous pensez qu'on peut les trouver, évidemment...

— Evidemment.

— Cela pourrait prendre plusieurs semaines.

— Je ne suis pas pressé.

— Et vous pensez pouvoir vivre pendant plusieurs semaines avec quarante-cinq *cents ?*

Son ton était accusateur, comme si elle était fâchée contre lui.

— Il arrivera bien quelque chose, dit-il vaguement. Il arrive toujours quelque chose.

— Seriez-vous offensé si je vous disais que quelque chose est en effet arrivé ?

Inexplicablement, elle rougit.

— Quoi donc ?

— Moi, dit-elle, d'une voix plus forte qu'elle ne le croyait *Moi.* Maintenant, écoutez-moi bien. J'ai deux pièces et une kitchenette. Il y a un divan tout à fait confortable sur lequel vous pouvez dormir. Je ne suis pas très bonne cuisinière, mais vous ne mourrez pas de faim

— Je ne peux pas faire ça dit Wesley

— Pourquoi pas ?

Il grimaça de nouveau faiblement.

— Je ne sais pas.

— Vous avez d'autres vêtements ?

— J'ai une chemise propre et une paire de chaussettes et quelques sous-vêtements. Je les ai laissés en bas à la réception.

Elle hocha la tête d'un air compassé.

— Une chemise propre, dit-elle. Pour autant que je puisse en juger, ces gens sur la liste sont éparpillés dans tout le pays...

— Sans doute. Mon père se déplaçait beaucoup.

— Et vous pensez voyager dans tous les Etats-Unis et aller voir des gens chez eux et leur poser des questions des plus intimes alors que vous ne possédez qu'une seule chemise propre ?

— Je n'y avais pas tellement pensé, dit-il sur la défensive.

— Vous auriez de la chance d'être admis même par les chiens, avec cet air-là, dit-elle. C'est même étonnant qu'ils vous aient permis de monter.

— Je crois que je ne me suis pas regardé dans une glace depuis quelques jours, dit-il.

— Je vais vous dire ce que je vais faire de vous, dit-elle, d'un ton plus assuré qu'elle ne se sentait en réalité. Je vais vous loger chez moi et je vais vous prêter de l'argent pour vous acheter de quoi vous habiller et...

— Je ne peux pas vous laisser faire ça.

— Bien sûr que vous pouvez, dit-elle d'un ton autoritaire. Vous m'avez entendu dire « prêter », non ?

— Dieu sait quand j'aurai mon argent.

— Je peux attendre, dit-elle.

Il soupira profondément. Elle vit combien il était soulagé.

— Je ne sais pas pourquoi vous tenez à être si bonne pour moi, vous me connaissez à peine...

— J'en sais assez sur vous pour avoir envie d'être bonne pour vous, dit-elle. — Puis elle soupira à son tour. — Je dois être franche avec vous et vous dire quelque chose. Je ne fais pas cela par pure charité. J'ai un but ultérieur. Savez-vous ce que signifie ultérieur ?

— J'ai lu un livre ou deux, Miss Larkin, dit-il un peu vexé.

— Alice.

— Je ne suis pas aussi stupide que j'en ai l'air, je veux dire

— Je ne vous crois pas stupide du tout. Quoi qu'il en soit, reprit-elle, en respirant profondément, j'ai mes propres raisons égoïstes pour faire ce que je fais et il vaut mieux que vous les connaissiez maintenant que plus tard. J'espère seulement que cela ne vous choquera pas.

— Comment est-ce que je peux être choqué quand quelqu'un veut me loger et m'habiller décemment ?

— Je vais vous dire comment. Quand vous avez quitté mon bureau la dernière fois... Non. Il faut que je remonte plus loin encore. Comme à peu près tout le monde au magazine je veux devenir écrivain. Je me considère romancière. J'avais écrit soixante pages d'un roman quand je vous ai rencontré. Lorsque vous êtes parti, je suis rentrée chez moi et je les ai brûlées

— Pourquoi avez-vous fait ça ? demanda-t-il. Qu'est-ce que ça a à voir avec moi ?

— Tout. Après avoir fait les recherches et puis après avoir entendu votre histoire, j'ai décidé que ce que j'étais en train d'écrire ne valait rien — plat, usé et redondant. Et j'ai décidé d'écrire l'histoire d'un jeune garçon dont le père a été assassiné.

— Oh ! dit Wesley doucement.

Maintenant il la dévisageait avec circonspection.

— Le jeune garçon, poursuivit-elle, tout en évitant son regard, les yeux baissés sur la table, veut savoir plusieurs choses : qui est le meurtrier, pourquoi, et quelle a été la vie de son père. Il n'a pas connu son père, ses parents avaient divorcé quand il était tout petit et son père avait disparu. Si cela vous ennuie, je peux vous dire que le meurtre n'a pas lieu en Europe — je ne connais rien de l'Europe, je n'y suis jamais allée. Mais dans les grandes lignes le plan n'est pas si différent de ce que vous faites...

— Je vois.

— Alors vous pouvez comprendre quel est mon but ultérieur.

— Oui.

— Je vous aurai sous le nez, je pourrai vous étudier, je vous aiderai à trouver toutes sortes de gens. D'une certaine manière on pourrait considérer cela comme un échange de bons procédés. Cela vous ennuierait ?

Wesley haussa les épaules.

— Pas forcément, dit-il. Je ne me vois pas tout à fait comme un personnage dans un livre, par contre.

— Ce n'est pas comme ça que ça fonctionne, dit Miss Larkin. Vous serez un personnage dans ma tête et je prendrai ce dont j'ai besoin et ce qui me sera utile en espérant que ce sera pour le mieux.

— Et si vous découvrez que je n'en vaux pas la peine ?

— C'est le risque que je cours.

— Et le livre finit comment ? demanda Wesley avec curiosité. Est-ce qu'il trouve le meurtrier ?

— Par la suite, oui.

— Qu'est-ce qu'il fait alors ?

— Il se venge.

Wesley eut un petit rire amer.

— C'est facile, dans un livre, hein ? Et que devient le môme ?

Elle respira à nouveau profondément.

— Il est tué, dit-elle.

Wesley pianotait sur la table du bout des doigts, d'un air absent, sans la regarder.

— Ça me paraît logique, dit-il.

— C'est de la fiction, bien sûr.

— Quelle fiction ? demanda-t-il.

— Si on se frotte à des écrivains — le ton d'Alice était sérieux —, ou même à quelqu'un comme moi qui se *prend* pour un écrivain, c'est le risque qu'on court. Ils essaient de vous voler une partie de votre âme.

— Je ne savais pas que j'en avais une, dit Wesley.

— Permettez-moi d'en être juge. Enfin... si tout cela vous paraît affreux — ou absurde — vous n'êtes pas obligé de vous y prêter.

— Est-ce que vous écrivez le livre de toute façon ?

— Oui, j'essaierai.

— Que diable. — Il sourit largement. — Si j'ai vraiment une âme, je suppose qu'il y en a suffisamment pour en concéder un peu à quelques pages d'un livre.

— Bien, dit-elle vivement, bien que ses mains tremblassent. — Elle puisa dans son sac. Il faut que je reprenne mon travail. Mais voilà la carte de mon compte chez Bloomingdale. Ça se trouve au coin de la Cinquante-Neuvième Rue et Lexington Avenue. — Tout en parlant elle griffonnait sur une feuille de papier à en-tête de *Time*. — Prenez ce mot en même temps que ma carte pour qu'ils sachent que je vous ai autorisé à vous en servir. Allez-y cet après-midi et achetez-vous quelques chemises et un pantalon de flanelle. Faites-les livrer chez moi, pour qu'ils sachent que c'est pour moi. Vous ne pouvez pas circuler dans l'état où vous êtes. Puis revenez ici aux alentours de six heures et je vous emmènerai chez moi. Ah, et vous aurez besoin d'un peu d'argent pour l'autobus et des choses comme ç .

Elle puisa de nouveau dans son sac et lui donna cinq billets de un dollar et de la monnaie.

— Merci, dit-il. Rappelez-vous : tout ce que vous me donnez n'est qu'un prêt. Je dois recevoir environ trente mille dollars quand j'aurai dix-huit ans.

— Je m'en souviendrai, dit-elle avec impatience.

— Notez-le, insista-t-il. Cinq dollars et la date.

Elle fit la moue.

— Si vous voulez. — Elle prit un stylo et son carnet et inscrivit. Elle le poussa vers lui sur la table. — Satisfait ?

Il regarda la page du carnet d'un air grave. « O.K. ! » dit-il.

Elle remit le carnet dans son sac.

— Maintenant que je suis un personnage de roman, dois-je avoir un comportement particulier ? Surveiller mon langage ou délivrer des jeunes filles en détresse ou autre chose de spécial ?

— Comportez-vous exactement comme vous voulez. — Puis elle vit qu'il avait un large sourire et qu'il s'était moqué d'elle. Elle rit. — Mais ne vous prenez pas trop au sérieux, mon vieux, dit-elle.

Il était en route pour Port Philip. Autant commencer par là où tout avait débuté, avait-il dit, lorsqu'Alice avait découvert que Theodore Boylan était toujours en vie et habitait toujours là. Le père de Wesley lui avait parlé des liens de Boylan avec sa famille et ce n'était qu'à quelques heures de train de la ville.

Il était maintenant habillé avec soin d'un pantalon de flanelle et d'une veste sport et de bons souliers marron de chez Bloomingdale, et Alice avait tenu à lui couper les cheveux, pas trop courts, mais bien nets. Elle paraissait contente de l'avoir chez elle dans le petit appartement du West Side, près de Central Park. Elle disait qu'elle commençait à ressentir de la mélancolie à vivre seule et qu'elle se réjouissait à l'avance de le trouver là à son retour du travail. Lorsque des jeunes gens venaient la chercher pour sortir, elle le présentait comme son cousin du Middle West qui passait quelques semaines chez elle. En attendant qu'Alice lui trouvât les renseignements qu'il lui avait demandés, il prenait plaisir à errer dans la ville. Il allait voir un grand nombre de films et explorait des endroits comme Radio City Music Hall et l'immeuble des Nations Unies et le bruyant carnaval qu'était Broadway. Le soir, Alice l'emmenait parfois au théâtre, ce qui lui ouvrait tout un univers nouveau, car il n'avait jamais vu de spectacles sur scène auparavant. Lorsqu'ils étaient seuls dans l'appartement, il s'efforçait de ne pas se montrer pendant qu'elle tapait à la machine dans sa chambre. Elle ne lui proposait jamais de lui faire lire ce qu'elle écrivait et il ne lui posait aucune question à ce sujet. Parfois, il avait une sensation bizarre, quand, assis dans le séjour en train de lire un magazine, il entendait la machine à écrire, sachant que quelqu'un était là-dedans en train de le décrire ou d'inventer un personnage qui pourrait être lui. De temps en temps elle sortait et le regardait attentivement un long moment, comme si elle l'étudiait et voulait pénétrer dans sa tête, puis rentrait dans sa chambre et se remettait à taper. Chaque fois qu'elle l'emmenait au théâtre ou lui payait un repas au restaurant, il l'obligeait à noter le prix des billets ou du repas dans son carnet.

Le train cahotait vers le Nord le long de la rivière Hudson. Le temps était clair et ensoleillé et le fleuve était étincelant et propre et il pensa combien il serait agréable d'avoir un petit bateau et de parcourir ses larges étendues, le long des falaises vertes, des petites villes somnolentes, et d'amarrer la nuit pour voir comment y était la vie.

Il vit la grande masse rebutante qu'était Sing Sing à Ossining et ressentit un élan de parenté avec les hommes enfermés là-dedans, qui comptaient les années, avec le grand fleuve libre sous leurs fenêtres à barreaux. Jamais, se dit-il, jamais pour moi. Quoi qu'il arrive.

Lorsqu'il débarqua à Port Philip, il prit un taxi à la gare et dit « Le manoir Boylan ». Le conducteur le regarda avec curiosité dans le rétroviseur en mettant le moteur en marche.

— Je ne crois pas y avoir conduit un client depuis plus de dix ans. dit-il. Vous allez y travailler ?

— Non, c'est une visite de courtoisie.

Le conducteur émit un bruit. Il était difficile de savoir si c'était une toux ou un rire.

Wesley regarda fixement par la fenêtre pendant qu'ils traversaient la ville. Elle était minable, les rues étaient négligées, comme si les habitants, certains de leur échec, avaient depuis longtemps renoncé au dernier effort pour embellir la cité. Curieusement, cela évoqua à Wesley des clochards couchés sur des bancs dans les parcs, qui, une fois réveillés, s'exprimaient avec un accent d'universitaires.

Les grilles d'entrée de la propriété Boylan étaient cassées et sorties de leurs gonds, le chemin de gravier qui gravissait la colline vers la maison était plein de trous, et les pelouses étaient envahies de mauvaises herbes, les haies vives n'avaient pas été taillées La maison elle-même ressemblait à un modèle réduit de Sing Sing.

— Attendez une minute, dit-il au conducteur en descendant du taxi et en le payant. Je veux voir s'ils me laissent entrer.

Il appuya sur la sonnette de la porte. Aucun bruit à l'intérieur, il attendit, puis appuya de nouveau. Il regardait autour de lui. Sur les pelouses. les mauvaises herbes avaient presque un mètre de haut et il y avait des vignes sauvages qui rampaient par-dessus les murs du jardin

Quelques minutes passèrent et il était sur le point de regagner le taxi pour retourner en ville lorsque la porte s'ouvrit. Un vieillard courbé en gilet rayé de maître d'hôtel se tenait là, et le dévisageait.

— Oui ? dit l'homme.

— J'aimerais parler à Mr Boylan, s'il vous plaît. dit Wesley

— Qui dois-je annoncer ?

— Mr Jordache.

Le vieillard le scruta attentivement et se pencha en avant pour mieux le voir.

— Je vais voir si Mr Boylan est là, et il referma la porte.

Le chauffeur de taxi klaxonna impatiemment.

— Attendez encore une minute, s'il vous plaît, cria Wesley.

Trente secondes plus tard la porte se rouvrit.

— Mr Boylan va vous recevoir maintenant, dit le vieillard.

Wesley indiqua au taxi qu'il pouvait partir et la voiture fit rapidement demi-tour sur le terre-plein rempli de trous devant la maison et descendit la colline à toute allure.

Le vieillard guida Wesley le long d'un couloir sombre et ouvrit une porte.

— Je vous en prie, Monsieur, dit le vieillard en lui tenant la porte.

Wesley entra dans une grande pièce, sombre elle aussi, à cause des rideaux épais, bien qu'il fît soleil dehors. Un homme était assis dans un grand fauteuil de cuir et lisait un livre. A une table près d'une des grandes fenêtres donnant sur la terrasse où il y avait un peu de soleil, deux jeunes femmes étaient assises l'une en face de l'autre, en train de jouer aux cartes. Lorsqu'il entra, elles le regardèrent avec curiosité. Bien que l'on fût au milieu de l'après-midi, elles portaient des chemises de nuit recouvertes de robes de chambre vaporeuses.

L'homme dans le fauteuil de cuir se leva lentement, en posant soigneusement le livre qu'il lisait à l'envers sur l'accoudoir du fauteuil.

— Ah, dit-il, Mr Jordache ?

Sa voix était fluette et sèche.

— Oui, monsieur, dit Wesley.

— Jordache, fit l'homme. Je connais ce nom. — Il gloussa d'une voix grêle. — Je suis Theodore Boylan. Asseyez-vous.

Il indiqua un fauteuil identique qui faisait face à celui qu'il avait occupé. Il ne lui tendit pas la main. Il avait des cheveux d'un blond vif, certainement teints, au-dessus de ce vieux visage ridé et tremblant, au nez sec et aux yeux laiteux.

Wesley s'assit, se sentant gauche et mal à l'aise, souhaitant que les deux femmes ne fussent pas là, conscient du fait qu'elles le dévisageaient.

— Vous êtes le rejeton de qui ? demanda Boylan en se rasseyant. Du prince marchand, ou du bandit ?

— Thomas, dit Wesley, Thomas Jordache était mon père.

— Mort maintenant. — Boylan hocha la tête, comme s'il approuvait. — Ses jours étaient comptés. C'était écrit. Assassiné. — Il s'adressa aux femmes près de la fenêtre : — Dans un joli coin du monde. — Il loucha vers Wesley d'un air malicieux. — Que voulez-vous ? »

— Eh bien, dit Wesley, je sais que vous avez connu ma famille...

— Intimement, dit Boylan. Beaucoup trop intimement. — Il s'adressa de nouveau aux femmes près de la fenêtre : — La tante de ce jeune homme était vierge quand je l'ai rencontrée. Elle n'était plus vierge quand elle m'a quitté. Vous me croirez ou non, à un certain moment je l'ai demandée en mariage. Elle a refusé. — Il se retourna vers Wesley. — Est-ce qu'elle vous l'a dit ?

— Non, dit Wesley.

— Il y a beaucoup de choses, j'en suis sûr, qu'on ne vous a pas racontées. Votre tante et votre oncle aimaient beaucoup venir dans cette maison. Elle était alors en meilleur état. Comme moi-même. — Il gloussa de nouveau, un petit bruit rauque. — Je leur ai enseigné beaucoup de choses, quand ils étaient jeunes et affamés. Ils ont pris de précieuses leçons, dans cette maison. Ils ne sont pas revenus rendre visite au vieil homme depuis maintenant de nombreuses années. Néanmoins, comme vous voyez, jeune homme, je ne suis pas privé de compagnie... — D'un geste nonchalant il indiqua les deux femmes, qui avaient recommencé à jouer aux cartes. — De jeunes beautés, dit-il avec ironie. Privilège de la fortune. On peut acheter la jeunesse. Elles vont et viennent. Deux, trois mois d'affilée, choisies pour moi par une entremetteuse discrète qui est une vieille connaissance précieuse que j'ai dans la grande ville de New York et qui est toujours étonnée par ce qu'elle apprend de leurs lèvres vermeilles sur l'appétit indomptable du vieillard.

— Oh, écrase, Teddy, dit l'une des femmes en brouillant les cartes.

— Mes chères, dit Boylan, je vous serais reconnaissant de bien vouloir laisser les hommes à leur conversation pendant un petit moment.

La femme qui avait parlé soupira et se leva.

— Viens, Elly, il est dans une de ses sales humeurs.

L'autre femme se leva, et elles sortirent toutes les deux, balançant des hanches, tandis que leurs mules à talons hauts claquaient sur le parquet ciré.

— Il y a un grand avantage à payer la main-d'œuvre, dit Boylan lorsque les femmes eurent quitté la pièce et fermé la grande porte derrière elles. — Les employées sont obéissantes. En vieillissant on place l'obéissance au-dessus de toutes les autres vertus. Donc, jeune homme, vous êtes curieux au sujet des nobles origines de votre famille...

— En fait, dit Wesley, c'est surtout mon père que... je...

— Je ne l'ai connu que par ses exploits, dit Boylan, mais j'ai fort bien connu Gretchen et Rudolph. Votre oncle Rudolph, je le crains, souffrait des son jeune âge d'une maladie courante en Amérique — il n'était intéressé que par l'argent. Je me suis efforcé de le guider, je lui ai montré le chemin de la grandeur, à apprécier les raffinements de la vie, mais le dollar tout-puissant coulait dans ses veines. Je l'ai averti qu'il se détruisait, mais il était atteint de la déformation des Juifs... — Boylan frotta son index contre son pouce. — Les espèces sonnantes et trébuchantes étaient à ses oreilles une musique céleste. Non content de la fortune qu'il a pu amasser par lui-même, il a épousé beaucoup d'argent et cela a fini par le détruire. Il était condamné d'avance et je l'avais prévenu, mais les harpes de l'or l'avaient rendu sourd. — Il rit joyeusement. Puis il parla plus gravement : — C'était un homme à qui faisait défaut la vertu essentielle de la reconnaissance. Eh bien, il en a payé le prix et quant à moi, je ne pleure pas pour lui.

— En fait, Mr Boylan, dit Wesley avec raideur, la raison pour laquelle je suis venu...

— Quant à Gretchen, poursuivit Boylan comme si Wesley n'avait rien dit, la plus jolie fille de la ville. Epanouie comme une pivoine qui fleurissait sur un crassier. Réservée, elle était, au début, les yeux baissés et modeste. Plus tard non. Elle aurait pu avoir une vie de confort et d'honorabilité, voyager : j'étais prêt à lui offrir tout. Un jour, je lui ai acheté une robe rouge vif. Lorsqu'elle entrait dans un salon, rouge et chatoyante, chaque homme présent sentait sa gorge se serrer d'angoisse. — Il haussa les épaules. — Elle dédaigna ce que je lui offrais. Elle voulait des jeunes hommes de rien, prompts à entrer et sortir du lit avec de belles paroles. Elle se détruisait par sa sensualité débridée. Si vous la voyez, je vous prie de vous rappeler ce que je dis et de le lui répéter soigneusement.

Gaga, pensa Wesley, complètement gaga, un baratineur fou. Il s'efforça de ne pas imaginer sa tante Gretchen entrant dans un salon vêtue de la robe rouge que lui avait achetée ce vieillard toqué.

— Ce dont je voudrais parler, reprit-il obstinément, est ce que mon père...

— Votre père, dit Boylan avec mépris, était un criminel et un incendiaire, et sa place était sous les verrous. Il venait ici pour espionner sa sœur et il a brûlé une croix dehors sur la colline parce qu'au cours d'une de ses maraudes il a découvert que sa sœur était là-haut dans mon lit et il m'a vu, nu, dans cette pièce, en train de lui préparer un verre. Une croix enflammée. Symbole de bigoterie et d'ignorance. — Boylan cracha les mots, encore outré après tant d'années par l'ardente insulte devant sa porte. — Tout cela ne s'est su que beaucoup plus tard, bien sûr — le garçon qui était son complice — du nom de Claude Tinker, maintenant un honorable citoyen de cette ville — m'a tout avoué au cours d'un somptueux dîner dans ma propre salle à manger. Votre père... — Boylan fronça son long nez sec et rouge de vieillard. — Bon débarras, je dirais. J'ai suivi sa carrière. Comme il fallait s'y attendre, il a tout raté, il n'a même pas réussi à rester en vie.

Wesley se leva.

— Merci beaucoup, Mr Boylan, dit-il, plein de haine pour l'homme. Je crois que j'en ai assez entendu. Je vais partir maintenant.

— Comme vous voulez, dit Boylan négligemment. Vous connaissez le chemin. Je pensais que la vérité pouvait vous intéresser — à votre âge la vérité est souvent un guide utile pour votre propre comportement. Je suis trop vieux pour mentir ou ménager tout jeune vaurien, parce que j'ai eu jadis de la bonté pour un ou deux de ses proches.

Il reprit son livre sur l'accoudoir de son fauteuil et se remit à lire.

En sortant de la pièce et en se dirigeant d'un pas rapide vers la porte d'entrée, Wesley pensa : mon père n'aurait pas dû se contenter de brûler une croix, il aurait dû mettre le feu à toute la maudite baraque. Avec ce salaud à l'intérieur.

Il descendit la colline et fit à pied les quelques kilomètres jusqu'à la gare et il eut de la chance parce qu'un train entrait en gare au moment où il arriva.

Lorsqu'il entra dans l'appartement, Alice avait préparé le dîner. Elle vit qu'il avait les lèvres serrées, la mâchoire contractée, et ils dînèrent en silence. Elle ne lui demanda pas comment cela s'était passé à Port Philip.

*
* *

Dominic Joseph Agostino qui, au temps où il boxait dans les années vingt et trente avait été connu sous le nom de Joe Agos, la Beauté de Boston, et qui était responsable du gymnase du Revere Club lorsque Thomas Jordache y travaillait, était toujours en vie, dit Alice à Wesley, et travaillait toujours au Revere Club. Tom Jordache avait dit à Wesley qu'Agostino avait été bon pour lui, lui avait une fois sauvé son emploi lorsqu'il avait été soupçonné de fouiller les vestiaires des membres et l'avait même persuadé qu'il était suffisamment bon pour débuter chez les amateurs. Tout bien pesé, avait dit Thomas à Wesley, il était content de s'être frotté au monde de la boxe, même s'il avait fini comme clochard. « Tant pis, avait dit Thomas, j'aimais boxer. Le fait d'être payé pour le faire était en plus. Pendant un certain temps, du moins. » Ce qui était merveilleux avec Agostino, avait dit Thomas, c'était qu'il était aussi poli qu'une camériste envers les membres du club avec qui il faisait des combats d'entraînement et les complimentait sans cesse sur leurs talents et leurs progrès dans ce qu'il appelait l'Art, mais il avait réussi à ne jamais laisser voir une seconde que ce qu'il aurait vraiment aimé, c'était de les faire tous sauter, en même temps que l'immeuble, avec ses salles somptueuses et les portraits à l'huile de la vieille aristocratie bostonienne qui étaient aux murs. « Il avait une tenue exemplaire, avait dit Thomas avec admiration, et je lui dois beaucoup. »

Wesley prit à La Guardia la navette aérienne pour Boston — trente-six dollars aller et retour, comme il le nota dans le carnet qu'il tenait lui-même maintenant, pour qu'Alice ne trichât pas en cachette à son désavantage à elle sur les sommes qu'elle lui avançait. Le voyage aurait été agréable s'il n'y avait eu l'ancien parachutiste assis à côté de lui, qui se mit à transpirer dès que l'avion roula vers la piste d'envol et à enfoncer ses ongles dans les paumes de ses mains et ne cessait de dire une fois en l'air : « Ecoutez le bruit du moteur de bâbord. Je n'aime pas le bruit de ce moteur de bâbord, on va tomber, pour l'amour du ciel et les gars à l'avant s'en foutent complètement »

Plus on en savait sur quelque chose, pensa Wesley, moins on avait confiance.

L'avion ne s'écrasa pas au sol et une fois à terre, l'ancien para s'arrêta de transpirer et il ressemblait à n'importe quel autre passager en descendant de l'avion.

Au Revere Club, le vieillard de la réception le regarda d'un air bizarre lorsqu'il demanda à parler à Mr Agostino.

« Je suis Mr Agostino », dit l'homme. Il avait une voix grêle, rauque et enrouée et il était petit et malingre, son uniforme flottait autour de son squelette et sa grande pomme d'Adam montait et descendait le long de son cou maigre.

— Je veux dire celui qui travaillait autrefois au gymnase, précisa Wesley.

— C'est moi. — L'homme le toisa d'un regard soupçonneux. — Ça fait quinze ans que je ne travaille plus au gymnase. Trop décrépit. Et en plus mon arthrite. On m'a fait portier. Par pure bonté. Pourquoi voulez-vous voir Agostino ?

Wesley se présenta.

— Le fils de Tommy Jordan, dit Agostino d'un ton plat. Ça alors. Je me souviens de lui. Il s'est fait tuer, je crois ? J'ai lu ça quelque part. — Il n'y avait aucune émotion dans la voix grêle et rauque qui parlait avec l'accent monocorde du sud de Boston. Si le nom réveilla quelques souvenirs agréables dans la tête dégarnie ornée de quelques rares cheveux gris, il les garda pour lui. — Vous cherchez du travail ? — Le ton était accusateur. Il jaugea Wesley d'un œil professionnel. — Vous êtes bien bâti. Vous avez l'intention de monter sur le ring ou quelque chose de ce genre ?

— Je ne suis pas boxeur, dit Wesley.

— Tant mieux. Ils ne font plus de boxe dans ce club. Ils ont décidé que ce n'était pas un sport pour les gens bien. Avec tous ces nègres, quoi. Maintenant, quand ils ont besoin de régler un différend, ils se font des procès.

Il rit, son haleine sifflant entre les brèches qui séparaient ses dents.

— Je voulais seulement vous parler de mon père quelques instants, dit Wesley, si vous avez le temps.

— Votre père. Hmmm. Il savait donner des coups de poing, votre père, de la droite. On aurait tout aussi bien pu lui lier la main gauche derrière le dos pour ce qu'il en faisait. Je l'ai vu en combat professionnel une seule fois. Je l'ai vu mettre l'autre con K.-O. Mais après le combat, « tu n'iras jamais au sommet, je lui ai dit, jusqu'à ce que tu te fabriques une gauche ». Il ne l'a jamais fait, j'imagine. Mais les choses étant ce qu'elles sont maintenant, il aurait pu se trouver quelques bons cachets, vu qu'il est blanc. Ce n'était pas un mauvais garçon, votre père. Je lui soupçonnais un côté chapardeur ; non pas que je le blâmais, vu que le mur de cet endroit était pratiquement tapissé de billets de banque. Après son départ, il y eut toutes sortes de rumeurs. Le bruit a couru je ne sais trop comment qu'il avait fait du chantage à l'un des membres, un avocat, bon Dieu, pour cinq mille dollars. Le père du mec en a eu vent et a fait savoir que son pauvre fiston était malade, qu'il était kleptomane. Il y avait tout le temps de l'argent qui disparaissait partout, et sans doute votre père a dû surprendre le mec un jour et lui a fait payer son silence. Votre père ne vous en a jamais parlé ?

— Si, il disait que c'était son jour de chance.

— C'est un joli magot, dit Agostino, cinq mille. Qu'est-ce qu'il en a fait ?

— Il les a investis, ou plutôt son frère l'a fait pour lui. Il a fini avec un yacht.

— Je l'ai lu, ça aussi, dans le magazine, dit Agostino. Un yacht. Merde. J'aimerais avoir un frère comme ça. Un jeune voyou comme lui qui a fini par avoir un yacht ! — Il secoua la tête. — Je m'entendais assez bien avec lui, je lui payais une bière ou deux de temps en temps. Ça ne m'a pas trop surpris qu'il se soit fait tuer. Ouais, je veux bien vous en parler, si c'est *tout* ce que vous me voulez... — Il parlait maintenant d'un ton méfiant. — Je ne contribuerai à aucun fonds à la mémoire de Tom Jordan ni rien de ce genre, si c'est ça que vous cherchez.

— Tout ce que je veux c'est vous parler un moment, dit Wesley.

Agostino hocha la tête.

— Bon. J'aurai droit à un quart d'heure de pause dans quelques instants. Le maître d'hôtel de la salle à manger prend la réception à ma place. Il y a un bar environ cinq maisons plus loin. Je vous y retrouverai. Cette fois-ci, vous pourrez payer les bières.

Un monsieur corpulent en pardessus noir à col de velours s'approcha de la réception et dit :

— Bonjour, Joe. Du courrier pour moi ?

— Bonjour, Mr Saunders. — Joe s'inclina légèrement. — Je suis heureux de vous revoir ici. Etes-vous maintenant sorti de l'hôpital pour de bon ?

— Jusqu'à la prochaine fois, dit le monsieur corpulent en riant. — Agostino rit avec lui, avec un souffle asthmatique. — C'est l'âge, vous savez, Joe, dit l'homme.

— N'est-ce pas la triste vérité ? dit Agostino.

Il se retourna et tendit la main vers la case au-dessus de laquelle était imprimé un S alors que Wesley sortait du club.

« Ce dont je me souviens le mieux, dit Agostino devant les bières au fond du bar obscur, c'est le jour où je faisais un combat d'entraînement avec un des membres, un grand gars, jeune, vingt-cinq, vingt-six ans, vieille famille de Boston — la haine était manifeste dans sa voix, dans ses yeux siciliens, toujours féroces, noirs comme du charbon — qui avait gagné un quelconque championnat de merde universitaire, un joli garçon du nom de Greening, je me souviendrai toujours de ce nom, Greening, il se prenait pas pour une petite merde, avec ses gants, poids mi-lourd, moi je pesais encore soixante-six kilos à l'époque, il gardait cette expression froide et supérieure sur son visage, l'enfant de putain m'a frappé au menton, un uppercut, de tout son poids, je croyais qu'il m'avait cassé la mâchoire, bon Dieu. J'avais un mauvais rhume ce jour-là, je ne pouvais pas respirer, en faisant de l'entraînement au gymnase, sacrebleu, on n'osait pas plus toucher les membres plus fort qu'on ne caresserait une chatte, on se serait retrouvé dehors sur le cul avant d'avoir pu dire ouf, si on tirait deux gouttes de sang de leurs magnifiques nez d'aristocrates et ce salaud-là m'a envoyé au tapis, mes dents en étaient branlantes et ma bouche pleine de sang, je ne pouvais pas respirer, de quoi rire après au bar avec les autres pisseurs prétentieux qui suçaient le sang des pauvres, les salopards. »

Agostino secoua la tête, ses mèches de cheveux flottant autour de son crâne chauve, la main levée vers la mâchoire osseuse, comme s'il vérifiat encore si elle était cassée, tandis que la vieille voix furieuse et grinçante se taisait pendant un instant. En le regardant, Wesley était presque incapable de l'imaginer jeune, en train de se déplacer autour d'un ring d'un pas léger, et de donner et d'encaisser des coups. Je suis sûr d'une chose, pensa-t-il en observant Agostino qui buvait sa bière bruyamment, c'est que je ne tiens pas à devenir aussi vieux.

« Après ça, poursuivit Agostino, ça a été du plaisir pur. Greening faisait la gueule, il n'avait pas eu son exercice de la journée, il disait que ça ne valait pas la peine de s'être déshabillé et il demanda à votre père s'il voulait faire un ou deux rounds. J'ai donné le signal à votre vieux et il a enfilé les gants. Eh bien, fiston, c'était un régal pour les yeux. Ce bon vieux style bien droit et universitaire, c'était peau de balle pour votre père, quoiqu'il encaissât quelques coups durs à la tête avant de piger que ce salaud ne plaisantait pas avec lui non plus. Alors il a tout simplement massacré le mec, ils ne se sont pas arrêtés à chaque round, pas de politesses de ce genre, ils se sont tout simplement déchiquetés. Pendant une minute, j'ai senti que ce garçon-là voulait me venger, moi personnellement, pour toute ma misérable vie. A la fin, votre père lui en a balancé un magnifique et la vieille famille bostonienne a commencé à avoir l'œil vitreux et à tourner en rond comme un comédien ivre et Tom était sur le point de l'achever, mais je suis intervenu et je l'ai arrêté. Je ne me faisais pas de souci pour Tom, il savait ce qu'il faisait, mais j'étais obligé de penser à mon job. Mr Greening, monsieur, est revenu au pays des vivants avec tout son visage de Harvard Quadrangle plein de sang et s'est tiré sans le moindre remerciement. Votre père ne se faisait pas d'illusions. « Ça, c'est la fin de mon boulot, a-t-il dit. — Probablement, j'ai dit. — Ça en valait la peine. Pour moi. »

Agostino caquetait gaiement au souvenir de ce lointain moment en or.

« Quatre jours plus tard on m'a dit de le virer. Je me souviens de la dernière chose que je lui ai dite : « Ne fais jamais confiance aux riches », je lui ai dit. — Il regarda la pendule au-dessus du bar. — Il faut que je rentre. Merci d'être venu me voir, fiston. Merci pour les bières. »

Il ramassa la casquette d'uniforme à visière qu'il avait posée sur le comptoir et la mit sur sa tête, très droite. Elle était trop grande pour lui et dessous son visage pâle et osseux ressemblait à celui d'un enfant affamé. Il allait partir, puis se retourna et revint. « Je vais vous dire un truc, fiston, il y a des tas de gens que j'aurais préféré voir se faire tuer avant votre vieux. »

Puis, courbé et arthritique, il sortit d'une démarche traînante pour aller reprendre son poste à la réception du club, où il pourrait distribuer le courrier et rire de façon obséquieuse, plein de rêves siciliens de vengeance et de destruction, des plaisanteries des membres, jusqu'à la fin de ses jours

Lorsqu'il rentra à New York ce soir-là, Alice vit qu'il était d'une humeur différente de celle où il était revenu de la visite chez Boylan à Port Philip. « Ce bonhomme Agostino, lui dit-il en l'aidant à préparer le dîner dans la cuisine, ce qui consistait surtout à disposer des assiettes et des couverts, est un merveilleux, curieux vieillard. Il valait bien le déplacement. » Puis il lui raconta, aussi fidèlement qu'il pouvait se le rappeler, tout ce que le vieux boxeur avait dit. Elle lui demanda de répéter des phrases... « ses mots exacts, si possible, Wesley », à plusieurs reprises, comme si elle essayait de les apprendre par cœur et de saisir le ton exact de la voix, le rythme de l'élocution et une image de son aspect physique.

— Chez lui en Sicile, dit-elle, il aurait probablement brûlé des récoltes et enlevé des *principessas*. Pauvre vieux, coincé à Boston, à distribuer du courrier. Oh, j'ai reçu une nouvelle pour toi aujourd'hui au bureau. J'avais écrit une lettre à un vieux journaliste à Elysium, Ohio, qui nous sert de correspondant de temps en temps quand il se passe quelque chose d'intéressant pour nous dans cette région-là, et je crois qu'il t'a trouvé la Clothilde de ton père.

— Comment diable a-t-il fait ça ? demanda Wesley, bien qu'après la découverte par Alice de Dominic Agostino il se fût mis à croire que personne ne pouvait éviter de se faire épingler par le magazine *Time*, si celui-ci était à votre recherche.

— Il paraît qu'il y a un certain nombre d'années il y a eu un divorce retentissant à Elysium, dit Alice, un honorable citoyen du nom de Harold Jordache — le nom ne t'est pas inconnu, j'imagine...

Elle lui sourit par-dessus l'assiette de viande froide.

— Oh, ça va, dit-il.

— Sa femme avait demandé le divorce parce qu'elle l'avait trouvé au lit avec la bonne. Ce fut tout un événement à Elysium, Ohio, et notre correspondant, qui s'appelle Farrell, tu pourrais aller le voir si tu as le temps, s'en est occupé pour le journal local. Farrell a dit que l'épouse s'en est tirée avec un paquet, la maison, la moitié de l'affaire, une pension alimentaire, une femme flétrie publiquement, et tout ça dans une petite ville bien-pensante. En tout cas, peux-tu deviner le nom de la dame surprise *in flagrante delicto* ?

— Dis-le moi, dit Wesley, bien qu'il pût deviner son nom et même ce que signifiait *flagrante delicto*.

— Clothilde, annonça Alice triomphante. Clothilde Deveraux. Elle a une laverie automatique dans la même rue que le journal de Farrell. J'ai son adresse dans mon sac. Qu'est-ce que tu en dis ?

— Demain je pars pour l'Ohio, dit Wesley.

Il se trouvait devant la laverie automatique, dans une rue somnolente. De la gare routière, il avait appelé le Garage Jordache et Concessionnaire Ford, dans l'intention de voir son grand-oncle Harold quelques instants avant de rendre visite à Clothilde Deveraux. Autant se débarrasser de la partie désagréable d'abord. Lorsque Harold Jordache vint enfin au téléphone et que Wesley lui dit qui il était, l'homme se mit à lui crier au téléphone : « Je ne veux rien avoir à faire avec toi. Ni avec personne de la famille. » Il parlait d'une façon bizarre, les vestiges de son accent allemand étant amplifiés par ses vociférations. « J'ai eu assez de problèmes avec tous les maudits Jordache pour toute ma vie, même si je vis jusqu'à l'âge de quatre-vingt-dix ans. Ne viens pas espionner ni ici ni chez moi ou j'enverrai la police à tes trousses. Je ne veux rien avoir à faire avec le fils de l'homme qui a souillé ma maison. La seule chose que j'aie à dire en faveur de ton père, c'est qu'il est mort. Tu m'entends ? — Je vous entends », dit Wesley, et il raccrocha. Il sortit de la cabine en secouant la tête. Il avait été frappé par la propreté et la beauté de la ville en y arrivant en autocar, par les pelouses soignées, les maisons peintes en blanc dans le style de la Nouvelle-Angleterre, les églises de bois avec leurs flèches étroites, et se demanda comment on pouvait entretenir sa colère aussi longtemps qu'avait manifestement réussi à le faire son grand-oncle Harold, dans une ville aussi agréable que celle-ci. Le divorce n'avait visiblement pas amélioré le caractère de son grand-oncle. Tout en marchant vers l'adresse de la laverie automatique qu'Alice lui avait donnée, il se livrait à de vaines conjectures sur la manière dont s'entendraient le grand-oncle Harold et sa propre mère.

La laverie faisait partie d'une chaîne et ressemblait à n'importe quel autre établissement de ce genre — une grande vitrine à travers laquelle il put voir des rangées de machines, avec des chaises en face sur lesquelles des femmes étaient assises en train de parler, en attendant que leur linge fût lavé.

Il hésita avant d'entrer. La façon dont son père avait parlé de Clothilde, avec une telle nostalgie mélancolique et tant de regrets pour sa beauté et sa bonté de caractère, faisait qu'il lui semblait presque bête de passer devant les machines tournoyantes et les femmes qui bavardaient pour aller jusqu'au comptoir derrière lequel se tenait une petite femme replète qui manipulait le linge sale des gens et leur donnait la monnaie, pour dire : « Je suis le fils de mon père. Il m'a dit qu'il vous aimait beaucoup quand il avait à peu près mon âge. »

Tout de même, il n'avait pas fait tout le chemin de New York à l'Ohio pour contempler la vitrine d'une laverie. Il carra ses épaules et entra sans faire attention aux regards curieux des femmes qui s'étaient tues pour l'examiner au passage.

La femme lui tournait le dos ; elle était en train de ranger sur les étagères des paquets de linge propre enveloppés dans du papier lorsqu'il s'approcha du comptoir. Elle avait les bras nus et il remarqua qu'ils étaient puissants et pleins, la peau foncée. Ses cheveux étaient noirs comme du jais et elle les avait négligemment noués au-dessus de sa tête, laissant voir travailler les muscles puissants de son cou alors qu'elle lançait les paquets à leur place. Elle portait une robe imprimée ample qui faisait paraître son dos et ses épaules encore plus larges qu'ils n'étaient. Il attendit au comptoir jusqu'à ce qu'elle eût fini avec les paquets et se fût retournée. « Oui ? » dit-elle d'un ton aimable. Elle avait le visage large, avec des pommettes hautes et un teint presque cuivré, et l'effet d'ensemble, pensa-t-il, avec les cheveux couleur de jais et les yeux noirs et profonds, était celui d'une squaw indienne. Il se rappela que son père lui avait dit qu'elle devait avoir du sang indien. d'une tribu du fin fond du Canada. Elle lui parut très vieille, à lui.

— Je cherche Mrs Deveraux. Mrs Clothilde Deveraux, dit-il.

Elle le dévisagea, sans sourire, en le scrutant, fronçant un peu les sourcils, comme si elle s'efforçait de se rappeler quelque chose.

— Je vous connais, dit-elle. Vous êtes le fils de Tom Jordache, n'est-ce pas ?

— Oui.

— Dieu tout-puissant, je croyais voir un revenant. — Elle sourit. — La laverie hantée. — Elle rit. Elle avait un rire de gorge. Il la trouva sympathique après ce rire, mais, pour être honnête avec lui-même, il ne pouvait pas voir quelle était la beauté que son père avait trouvée dans cette dame large et vieillissante. — Penchez-vous par-dessus le comptoir, je vous prie, dit-elle.

Il se pencha et elle prit son visage entre ses mains, de ses paumes douces et fermes, et le fixa d'un regard intense pendant un instant, de tout près, puis l'embrassa sur le front. Derrière lui il entendit pouffer une des femmes en face des machines à laver.

Elle le lâcha et il se redressa, sentant encore le contact des lèvres douces sur son front. Clothilde sourit, un petit sourire triste, presque rêveur.

— Mon Dieu, dit Clothilde doucement, le fils de Tom dans cette ville. — Elle se mit à dénouer les cordons du tablier qu'elle portait par-dessus sa robe imprimée. — Nous allons sortir d'ici. On ne peut pas parler ici. Sarah ! appela-t-elle vers le fond du magasin, derrière les étagères de linge, voulez-vous venir ici, je vous prie ?

·Une jeune femme blonde aux cheveux en désordre sortit d'un pas traînant et Clothilde dit :

— Sarah, je vais m'absenter pour le reste de l'après-midi. On ferme dans une heure, de toute façon, et j'ai un rendez-vous important. Remplacez-moi ici et fermez soigneusement, voulez-vous ?

— Oui, madame, dit la femme.

Clothilde suspendit son tablier et fourragea dans ses cheveux qui lui tombèrent droits jusqu'aux épaules. Cela la faisait ressembler encore plus à une Indienne. Elle souleva une partie du comptoir qui était sur charnières et sortit. Elle avait des hanches larges, une poitrine généreuse et des jambes épaisses, fortes, sans bas, et tout à coup elle lui rappela Kate d'une façon presque intolérable.

Elle lui prit le bras lorsqu'ils passèrent devant les femmes assises, qui regardaient maintenant ouvertement le couple, avec de petits sourires méchants qui soulevaient les commissures de leurs lèvres. Lorsqu'ils furent dehors, Clothilde dit :

— Depuis le procès, ces dames de la ville me regardent comme si j'étais la Prostituée de Babylone. — Elle le tenait toujours par le bras et ils se mirent à descendre la rue. Elle respira profondément.

— Ah, dit-elle, c'est bon d'être dehors après avoir reniflé du linge sale toute la journée. — Elle lui jeta un regard oblique. — Tu as entendu parler du procès ?

— Oui, c'est comme ça que j'ai su où vous étiez.

— Le mauvais vent..., dit-elle. Je sais que ton père est mort. — Elle le dit d'un ton plat, comme si, quelle que fût l'émotion qu'elle avait ressentie en apprenant la nouvelle, elle l'avait maîtrisée depuis longtemps. J'ai vu dans l'article qu'il s'est marié deux fois. Est-ce qu'il était heureux ?

— La seconde fois.

Elle hocha la tête.

— J'avais peur qu'il ne soit plus jamais heureux. Ils le persécutaient tous tellement...

— Il avait un bateau. Un yacht. Sur la Méditerranée. Il aimait beaucoup la mer.

— Voyez-vous ça, dit-elle émerveillée. Tom sur la Méditerranée. J'ai toujours voulu voyager, mais...

Elle n'acheva pas sa phrase.

— Il avait baptisé le bateau la *Clothilde.*

— Mon Dieu, s'exclama-t-elle, marchant toujours d'un pas vif en lui tenant le bras. La *Clothilde.*

Puis il vit qu'elle pleurait et que les larmes tombaient sans retenue des yeux sombres, roulant sur les cils noirs et épais.

— Quand on lui demandait pourquoi il avait choisi le nom *Clothilde* pour son bateau, il disait toujours que c'était le nom d'une ancienne reine de France. Mais il m'a dit la vraie raison.

— Après toutes ces années, dit-elle émerveillée, d'une voix étouffée. Après ce qui s'était passé. — Sa voix se fit dure maintenant. — Il t'a raconté ça, aussi ?

— En gros, dit Wesley. Que son oncle vous a trouvés, vous et lui — enfin — ensemble, et a menacé de vous faire renvoyer au Canada pour détournement de mineur...

— Est-ce qu'il t'a raconté le reste ?

Sa voix était encore plus âpre qu'auparavant.

— Assez. Sur vous et son oncle. Ce qui s'est su pendant le procès et dans les journaux, dit Wesley mal à l'aise.

— Cet horrible baveux, dit Clothilde avec férocité. J'étais domestique dans sa maison. Je ne pouvais pas courir le risque de rentrer au Canada, mon mari m'aurait tuée. J'ai essayé de faire comprendre ça à Tom. Il a refusé de comprendre. Il voulait que je m'enfuie avec lui. Un garçon de seize ans...

Elle rit, d'un rire qui résonna tristement dans la rue ensoleillée, bordée d'arbres.

— Il a fini par comprendre. Il me l'a dit. Le nom du bateau le prouve, non ?

— Sans doute. — Elle marcha en silence, séchant vivement ses larmes du revers de la main. — Il t'a dit qu'un jour j'avais mis un mot dans les sandwiches qu'il emportait pour aller travailler ?

— Je ne crois pas.

— J'avais écrit « je t'aime ». C'est comme ça que tout a commencé. — Elle rit soudain. — Mon Dieu, quel appétit il avait. Je n'ai jamais connu personne, adulte ou enfant, qui pouvait manger autant. Les repas que je lui préparais ! Les rôtis, les légumes frais, tout ce qu'il y avait de meilleur, lorsque l'oncle et son affreuse famille partaient à Saratoga et que nous avions la maison pour nous. Je chantais au-dessus de mon fourneau l'après-midi en attendant qu'il rentre. Tout ma vie je me souviendrai de ces deux semaines-là. — Elle s'arrêta de marcher, comme si elle était retenue par une laisse invisible, le retourna et le tint par les deux bras en le regardant dans les yeux. — Pourquoi es-tu venu ici ? Veux-tu quelque chose de moi ?

— Non, dit-il, je suis venu pour ce que vous êtes en train de faire, pour parler de lui.

Après un moment de silence, pendant lequel les yeux sombres exploraient son visage, elle l'embrassa de nouveau sur le front.

— C'est incroyable, comme tu lui ressembles. C'était un très beau garçon — je lui disais qu'il ressemblait à saint Sébastien — il est allé chercher ce nom dans l'encyclopédie de la bibliothèque — c'est comme ça qu'il a su d'où vient mon nom, aussi. C'était difficile de l'imaginer, sauvage comme il était, en train de vérifier quoi que ce soit dans l'encyclopédie. — Son visage s'adoucit en parlant, et Wesley supposa qu'elle avait dû avoir tout à fait la même expression lorsque son père était revenu de la bibliothèque et lui avait dit ce qu'il y avait appris. — Es-tu déçu ? demanda-t-elle.

— Par quoi ?

— Après ce que ton père a dû te raconter sur moi, mon nom donné à un bateau et tout ça, reine de France... — Elle eut un rire bref. — Et puis tu trouves une grosse vieille dame derrière le comptoir d'une laverie automatique.

— Non, dit Wesley, je ne suis pas déçu.

Il n'était pas tout à fait sûr d'être véridique. Elle devait être très différente quand elle était plus jeune, pensa-t-il.

— Tu es un garçon bien, dit-elle, pendant qu'ils se remettaient en marche. J'espère que les choses vont mieux pour toi que pour ton père.

— Ça va.

— Après... enfin... après notre rupture, d'une certaine manière bien que nous soyons toujours sous le même toit, je le voyais tous les jours et lui servais ses repas avec la famille dans la salle à manger, mais nous ne nous disions plus un mot, sauf pour dire adieu, il était devenu féroce, comme s'il était tourmenté. Tous les soirs il rentrait couvert de sang après des bagarres, les gens commençaient à le traiter comme un dangereux chien errant, il baisait toutes les petites traînées de la ville. J'en entendais parler, évidemment, je suppose que c'était une sorte de vengeance, je ne lui en voulais pas, mais je savais qu'un jour ça allait lui retomber dessus, dans cette ville méchante et hypocrite. On l'a mis en prison pour viol — viol, tu m'entends, alors que toutes les filles et les femmes de la ville qui avaient le feu au cul étaient après lui comme des gosses après une voiture de pompiers. Il t'en a parlé ?

— Oui.

— Et des jumelles qu'il était accusé d'avoir mises enceintes et le père qui a porté plainte ?

— Oui, il me l'a dit

— Il devait t'aimer beaucoup, pour t'avoir raconté des choses comme ça.

— Je pense que c'est vrai. Il aimait me parler.

194

Les nuits sur le pont, sous les étoiles, ou dans l'obscurité du poste de pilotage.

— Il était évident qu'on allait l'accuser *lui*, vu sa réputation et tout, tout le monde était content de croire le pire à son sujet, dit Clothilde amèrement. Ces jumelles avaient le choix entre cinquante pères ! Y compris le flic qui a arrêté Tom. Je les vois — les jumelles — elles sont toujours en ville, des femmes adultes. Je ne te conseille pas d'aller leur rendre visite, à elles. Un des gosses pourrait être ton frère. — Clothilde rit gaiement. — Enfin, il y a un peu de sang honnête qui coule dans quelques veines de cette ville. Ah..., fit-elle doucement, parfois tard le soir, je me mets à me demander comment ça se serait passé, comment ça aurait tourné si j'avais écouté ses folles supplications et m'étais enfuie avec lui, une servante de vingt-cinq ans et un môme de seize ans, sans un sou à nous deux... Je ne pouvais pas lui faire ça, si ? demanda-t-elle, implorante.

— Non, sans doute, dit Wesley.

— Ah, je parle et je parle. De moi. D'histoire ancienne. — Clothilde secoua la tête avec impatience. — Et toi ? Ça va pour toi ?

— Pas trop mal.

— Tu t'amuses ?

— Je n'irais pas jusqu'à dire ça.

— Quand même, on dirait qu'on s'occupe de toi — bien habillé, quoi, comme un jeune homme bien.

— J'ai eu de la chance, dit Wesley. Quelqu'un s'occupe de moi. Plus ou moins.

— Tu peux me raconter tout ça pendant le dîner. Tu n'es pas pressé de partir, hein ?

— Pas vraiment, dit Wesley. Je pensais demain.

— Je te ferai une échine de porc rôtie, avec de la purée et une compote de pommes et du chou rouge. C'était un des plats favoris de ton père. — Elle hésita. — Je dois te dire quelque chose, Wesley, je ne suis pas seule. Je vis avec un homme gentil, il est contremaître à l'usine de meubles. Nous ne sommes pas mariés. Il a une femme et deux enfants et ils sont catholiques... Il sera là pour dîner. Ça ne te gêne pas ? demanda-t-elle avec inquiétude.

— Ça n'a rien à voir avec moi, ni avec mon père.

— Les gens sont drôles, dit Clothilde. On ne sait jamais comment ils vont réagir. — Elle soupira. — Une femme ne peut pas vivre seule. Du moins pas moi. Ah, on vit deux vies — tous les jours, avec l'homme qui rentre le soir et qui s'assied pour lire son journal et boire sa bière et ne te dit pas grand-chose, et dans ta mémoire, les jours merveilleux que tu as eus quand tu étais plus jeune avec un garçon sauvage. Wesley, je dois te dire, ton père était l'homme le plus doux et le plus tendre qu'une femme puisse jamais espérer rencontrer au cours de son passage sur cette terre. Et il avait la peau la plus douce que j'ai jamais sentie, comme de la soie, sur tous ses jeunes muscles. Ça ne t'ennuie pas si je te parle comme ça, j'espère ?

— Je veux l'entendre, dit Wesley, sentant les larmes lui monter aux yeux, pas pour lui-même ni même pour son père défunt, mais pour cette femme vieillissante à la carrure large, à la peau d'Indienne, marquée par une vie de travail et de déceptions, qui marchait à ses côtés.

— Tu aimerais du vin avec ton dîner ? demanda Clothilde.

— Je ne refuserais pas un verre, dit Wesley. J'ai vécu en France pendant assez longtemps.

— On s'arrêtera chez le marchand de vin, dit Clothilde gaiement, et on achètera une bouteille de délicieux vin rouge pour fêter la visite du splendide fils de son amour à une vieille dame. Frank — c'est mon homme, le contremaître de l'usine de meubles — pourra laisser tomber sa bière pour cette occasion.

*
* *

Schultz, l'ancien manager de son père, était, lui dit Alice, au Foyer Hébreu pour personnes âgées dans le Bronx.

« C'est ce gros vieillard assis dans l'entrée avec son chapeau et son pardessus comme s'il allait sortir, dit l'employé à Wesley. Seulement, il ne sort jamais. Il reste assis là toute la journée, tous les jours, sans jamais dire un mot. Je ne sais pas s'il vous parlera. Il ne parle à personne. »

Wesley traversa l'entrée nue jusqu'à l'endroit où un homme terriblement gros, débordant de son costume et de son pardessus, un chapeau melon posé droit sur la tête, avec des traits qui n'étaient que des petits plis dans la vaste étendue de son visage, était assis sur une chaise droite en bois, fixant le mur d'en face, les yeux mi-clos, respirant en reniflant bruyamment.

— Mr Schultz, dit Wesley, est-ce que je peux vous parler un moment ?

Les paupières ridées du gros homme se soulevèrent lourdement et les yeux se tournèrent lentement vers Wesley, bien que la tête, avec son chapeau melon, demeurât rigide.

— Qu'est-ce que ça peut vous faire que je sois Schultz ou que je ne sois pas Schultz ? dit le gros homme.

Sa voix était gutturale et on entendait un claquement de dentier quand il parlait.

— Je m'appelle Wesley Jordache, dit Wesley. Il y a très longtemps vous avez été le manager de mon père, Tom Jordan.

Les yeux retournèrent lentement à leur position d'origine, pour fixer la peinture écaillée sur le mur du couloir.

— Tom Jordan, dit le gros homme. Je ne permets pas que ce nom soit prononcé en ma présence. J'entends dire qu'il s'est fait tuer. Fils ou pas, ne croyez pas que vous entendrez le vieux Schultz dire qu'il le regrette. Il avait en lui la possibilité de réussir, et il l'a gâchée en baisant. Quinze jours avec une putain anglaise, à manger et à boire comme un porc, après tout ce que j'avais fait pour lui. Et puis, quand il a été dans la dèche, je lui avais trouvé un salaire à Las Vegas. Il avait cinquante sacs par jour comme sparring partner de Freddy Quayles — voilà un garçon, la seule chance que j'ai eue dans toute ma minable vie de m'occuper d'un champion — et qu'est-ce qu'il fait, il couche avec la femme de Quayles, et puis quand Quayles va dans sa chambre pour protester contre sa conduite, il manque le tuer. Et après ça, Quayles n'aurait même pas pu battre ma mère. Si je n'avais pas eu pitié de ton père en lui prêtant ma voiture pour quitter Las Vegas, la foule l'aurait coupé en petits morceaux avec des couteaux à viande. Il n'y avait pas de quoi être fier de ton père, fiston, ça c'est sûr, mais dans une chambre d'hôtel c'était de la vraie dynamite. Seulement, pour de l'argent, il faut se battre sur un ring de huit mètres sur huit, avec un arbitre sur place. Si on avait laissé ton père se battre dans un placard en faisant payer l'entrée, il serait toujours champion du monde, le salaud. Mon unique chance, Freddy Quayles, agile comme un danseur, démoli pour une chatte. Tu veux savoir ce qu'était ton père — je vais te parler de ton père — il s'est laissé détruire par sa queue.

— Mais vous étiez avec lui avant ça, dit Wesley, il y a eu d'autres choses...

— Par sa queue, dit le gros homme, dans un claquement de dentier, le regard fixe devant lui. — J'ai dit ce que j'avais à dire. Fous-moi le camp d'ici, je suis un homme occupé.

Wesley allait dire autre chose, puis il comprit que c'était sans espoir. Il haussa les épaules et sortit, laissant le gros homme en pardessus et chapeau melon fixer le mur d'en face.

Scrupuleusement, ne sachant pas s'il fallait en rire ou en pleurer, Wesley fit son rapport à Alice sur la visite à Schultz. En terminant, il dit :

— Je ne sais pas si je veux encore parler à quelqu'un qui l'ait connu, du moins de ce côté-ci de l'Atlantique. Peut-être y a-t-il des choses qu'un fils ne doit pas entendre sur son père. Beaucoup, peut-être. A quoi ça me sert d'entendre des gens le salir partout dans ce pays ? Il devait être un homme différent quand il était en Amérique. Il n'y a aucun rapport entre l'homme que j'ai connu et celui dont parlent ces gens. Si je dois entendre encore une seule personne me raconter à quel point mon père était pourri et combien on est content qu'il soit mort, je rentrerai peut-être à Indianapolis et je laisserai ma mère me couper les cheveux et m'emmener à l'église et j'oublierai mon père une fois pour toutes...

Il se tut en voyant la désapprobation sur le visage d'Alice.

— C'est renoncer, dit-elle.

— C'est peut-être ce qu'il faut faire, du moins, ce que je dois faire, moi.

— Clothilde ne parlait pas comme ça de ton père, dit Alice, les yeux courroucés derrière ses lunettes.

— Une grosse femme dans une laverie automatique, dit Wesley avec cruauté.

— Dis que tu regrettes ce que tu as dit dit Alice, d'un ton de maîtresse d'école.

— Bon, dit-il avec indifférence, je regrette. Mais j'ai l'impression de perdre du temps et de l'argent. Mon temps — il eut un sourire forcé — et ton argent.

— Ne t'en fais pas pour mon argent.

— J'imagine, dit Wesley, que le personnage de ton livre est un bon jeune homme honorable qui ne perd jamais courage et qui découvre que son père a été l'élite de la nature, qui de son vivant faisait le bien et aidait les pauvres et était aimable avec les vieilles dames, et ne baisait jamais la femme d'un copain...

— Tais-toi, Wesley. Ça suffit. Ne me raconte pas ce que j'écris. Quand le livre sortira, si jamais il sort, tu pourras l'acheter et tu pourras alors me dire comment sont les personnages. Pas avant.

Ils étaient dans la salle de séjour, Alice dans un fauteuil et Wesley debout près de la fenêtre qui donnait sur la rue obscure. Alice était habillée pour sortir parce qu'elle devait aller à une soirée et attendait l'homme qui devait l'y accompagner.

— Je déteste cette sale ville, dit Wesley, regardant la rue déserte, je voudrais être à mille lieues d'ici en mer. Et puis zut ! — Il quitta la fenêtre et se jeta de tout son long sur le divan. — Bon Dieu, si seulement je pouvais être en France, rien que pour une nuit, avec des gens que j'aime et dont je sais qu'ils m'aiment...

— Enlève tes souliers du divan, dit Alice sèchement, tu n'es pas dans une écurie.

— Excuse-moi, dit-il, déplaçant ses jambes pour poser ses pieds par terre. — Je suis mal élevé ou du moins c'est ce qu'on me dit toujours.

Puis il l'entendit sangloter. Il resta immobile un instant, les yeux fermés, espérant que le bruit sec et irrégulier cesserait. Mais il ne cessa pas et il se leva d'un bond et s'approcha du fauteuil où elle était assise, la tête entre ses mains, les épaules secouées convulsivement. Il s'agenouilla devant elle et l'entoura de ses bras. Elle était menue et fragile et douce dans sa jolie robe noire.

— Je suis désolé, dit-il avec douceur. Vrai, je ne pensais pas ce que je disais. Vrai. Je suis en colère contre moi-même et c'est sorti comme ça. Ne crois pas que je n'apprécie pas tout ce que tu as fait pour moi. Je ne veux pas te décevoir, mais quelquefois, comme ce soir...

Elle releva la tête, le visage mouillé de larmes.

— Excuse-moi d'avoir pleuré, je déteste les femmes qui pleurent. Moi aussi, j'ai eu une journée affreuse, on m'a engueulé toute la journée. Tu peux mettre tes souliers sur le divan tant que tu voudras.

Elle rit à travers ses larmes.

— Plus jamais, dit-il en la tenant toujours dans ses bras, content parce qu'elle avait ri, voulant la protéger contre toute déception et contre les gens qui l'engueulaient toute la journée, et la ville, et son propre caractère ombrageux.

Ils se regardèrent en silence, les yeux clairs et mouillés d'Alice agrandis par les lunettes. Elle lui fit un sourire tremblotant. Il l'attira doucement vers lui et l'embrassa. Elle l'entoura d'un bras et le tint ainsi. Ses lèvres étaient plus douces que tout ce qu'il avait pu imaginer, l'essence même de la douceur. Enfin, elle s'écarta de lui. Toutes ses larmes avaient disparu.

— Voilà ce qu'une fille est obligée de faire ici pour se faire embrasser, dit-elle en riant.

On sonna à la porte. Elle se leva prestement de son fauteuil et il se redressa.

— Voilà mon cavalier, dit-elle. Fais-lui la conversation pendant que je me remaquille. Son domaine est l'archéologie.

Elle disparut dans la salle de bains. On frappa à la porte et Wesley ouvrit. Un grand jeune homme maigre, au front bombé et à lunettes cerclées d'acier se trouvait là.

— Bonsoir, dit l'homme, Alice est là ?

— Elle sera prête dans une minute, dit Wesley, en refermant la porte derrière l'homme. Je dois m'occuper de vous en attendant qu'elle soit prête. Je m'appelle Jordache. Je suis son cousin.

— Robinson, dit l'homme. — Ils se serrèrent la main. Wesley se demanda de quelle façon il était censé le distraire. — Voulez-vous écouter la radio ?

— Pas spécialement. Puis-je m'asseoir ?

— Bien sûr.

Robinson s'assit dans le fauteuil, croisa ses longues jambes et sortit un paquet de cigarettes.

— Cigarette ? dit-il, en offrant le paquet à Wesley.

— Non merci. — Il regarda Robinson allumer sa cigarette. Comment parlait-on à un homme dont le domaine était l'archéologie ? — J'ai vu quelques ruines en France quand j'y étais, risqua-t-il, plein d'espoir. Les arènes de Nîmes, Arles, des choses comme ça, acheva-t-il faiblement.

— Ah bon ? fit Robinson rejetant la fumée. Intéressant.

Wesley se demanda si Robinson serait aussi indifférent si on lui disait que peu avant qu'il ne sonne à la porte, Wesley avait embrassé Alice Larkin, la cavalière de Robinson pour la soirée, dans le fauteuil même où il était assis et qu'auparavant il l'avait fait pleurer. Il se sentit condescendant et supérieur devant ce grand flandrin avec son pantalon déformé et sa veste avachie de tweed chiné avec des pièces de cuir aux coudes, bien que ce fût peut-être là la manière dont s'habillaient tous les archéologues, peut-être était-ce un uniforme qui imposait le respect dans ces milieux-là.

— Où avez-vous fouillé ? dit-il tout de go.

— Comment ?

Robinson arrêta sa cigarette dans les airs, sur le chemin de sa bouche.

— Je disais, où avez-vous fouillé ? Alice m'a dit que c'était votre partie. N'est-ce pas ce que font les archéologues — fouiller ?

— Ah, je vois ce que vous voulez dire. En Syrie surtout. Un peu en Turquie.

— Qu'avez-vous trouvé ?

Alice lui avait demandé de lui faire la conversation et il faisait de son mieux.

— Des tessons, surtout.

— Ah bon, dit Wesley, décidé à vérifier ce mot « tessons ».

— L'archéologie vous intéresse ?

— Modérément.

Il y eut un silence et Wesley avait l'impression qu'il ne distrayait pas Robinson.

— Comment est la Syrie? demanda-t-il.

— Lugubre, dit Robinson. Lugubre et belle. Vous devriez y aller un jour.

— C'est mon intention.

— A quelle université allez-vous? demanda Robinson.

— Je n'ai pas encore décidé, dit Wesley.

— Je choisirais Stanford, dit Robinson. Si vous pouvez y entrer. Ils sont merveilleux là-bas.

— Je m'en souviendrai.

Robinson le scruta d'un regard myope à travers ses lunettes cerclées d'acier.

— Vous avez dit que vous êtes le cousin d'Alice?

— Oui.

— Je ne savais pas qu'elle avait un cousin, dit Robinson. Vous êtes d'où?

— Indianapolis, répliqua Wesley.

— Horrible endroit. Que faites-vous à New York?

— Je suis venu voir Alice.

— Ah bon. Où logez-vous à New York?

— Ici, dit Wesley, se sentant comme si l'homme le fouillait, lui.

— Oh! — Robinson promena un œil morne autour de la petite pièce.

— Un peu serrés, il me semble?

— On s'en contente.

— C'est bien situé. Près de Lincoln Center, quoi... — Robinson parut déprimé. — Où dormez-vous?

— Sur le divan.

Robinson écrasa sa cigarette et en alluma une autre.

— Enfin, dit-il, d'un ton de plus en plus déprimé, sans doute... entre cousins...

Alice entra, éclatante comme un bouton de rose, portant ses lentilles de contact de soirée, pour ne pas ressembler à une terne secrétaire, comme elle l'avait expliqué à Wesley d'autres fois où elle avait été invitée à sortir.

— Eh bien, dit-elle gaiement, est-ce que ces messieurs ont fait une agréable causette?

— Fascinante, dit Robinson sombrement en se mettant sur ses pieds. Nous ferions mieux de partir, il est tard.

Alice devait être à court d'hommes, pensa Wesley, si elle ne pouvait pas trouver mieux que Robinson, un homme qui passait sa vie à déterrer des tessons. Avec désespoir, il se dit qu'il aurait voulu avoir vingt-sept ans. Il était content à l'idée de ne pas être là lorsque Alice aurait à expliquer à l'archéologue quelle sorte de cousins ils étaient.

— Wesley, dit Alice, il y a deux sandwiches au rosbif et de la bière au réfrigérateur si tu as faim. Oh — j'ai failli oublier — j'ai trouvé l'adresse et le numéro de téléphone de l'homme que tu cherchais — Mr Renway, qui a navigué avec ton père. Je l'ai appelé aujourd'hui et il dit qu'il se réjouit à l'idée de te voir. J'ai eu son adresse par le Syndicat National Maritime. C'est tout près d'ici, dans les Quatre-Vingt-Dix Ouest. Quand il n'est pas en mer il habite chez son frère. Il semblait très gentil au téléphone. Tu vas le voir ? Il a dit qu'il serait chez lui demain toute la journée.

— Je verrai comment je me sens demain, dit Wesley grognon, et Alice lui jeta un regard réprobateur.

Robinson aida Alice à mettre son manteau, et quand ils sortirent il dit : « Souvenez-vous de Stanford. — Oui », dit Wesley, en pensant que la raison pour laquelle il tenait tant à Stanford était que cela se trouvait à cinq mille kilomètres d'Alice Larkin.

Il n'avait aucune idée de l'heure qu'il était lorsqu'il fut réveillé, alors qu'il dormait sous la couverture du divan, par le bruit d'une conversation murmurée de l'autre côté de la porte d'entrée. Puis il y eut le déclic de la clef dans la serrure et il entendit Alice entrer, doucement, seule. Elle s'approcha silencieusement du divan et il sentit qu'elle le regardait, mais il garda les yeux clos, feignant de dormir. Il l'entendit soupirer, puis s'éloigner. Un moment plus tard il entendit sa porte se fermer, puis le bruit de sa machine à écrire.

Je me demande ce qu'elle attendait de moi, pensa-t-il, peu avant de se rendormir.

*
* *

Calvin Renway rappelait Bunny Dwyer à Wesley. Sa peau était couleur café, presque comme celle de Bunny quand il avait été au soleil pendant tout un été, et il était petit, avec une ossature délicate et les muscles de ses bras saillaient nettement dans sa chemise fleurie à manches courtes et sa voix était douce, avec un ton sous-jacent et permanent de courtoisie, lorsqu'il accueillit Wesley à la porte du domicile de son frère en disant : « Eh bien, quelle bonne journée, le fils de Tom Jordache qui est venu me rendre visite. Entrez, mon garçon, entrez. La dame qui était si aimable au téléphone avait dit que vous alliez venir. Entrez. »

Il conduisit Wesley dans le séjour et poussa le fauteuil le plus gros de quelques centimètres vers lui :

— Mettez-vous à l'aise, fiston. Est-ce que je peux vous offrir une bière ? Il est midi passé, l'heure d'une bière.

— Non merci, Mr Renway, dit Wesley.

— Je m'appelle Calvin, Wesley, dit Renway. Je peux vous dire que j'ai été surpris quand cette dame si aimable a téléphoné et m'a dit que vous alliez venir me voir — je n'ai pas vu votre père depuis des années — on part en mer avec un homme et il représente pour vous quelque chose de très spécial que vous emportez avec vous toute votre vie, et puis il va de son côté et vous, vous allez du vôtre — des navires qui se croisent dans la nuit, comme on dit — et puis un grand jeune homme sonne à votre porte — mon Dieu, le temps passe, n'est-ce pas ? Je ne me suis jamais marié, n'ai jamais eu de fils, à mon grand regret, une vie de marin, un port après l'autre, pas le temps de faire la cour à une femme et celles qui veulent se mettre la corde au cou — il rit de bon cœur, de ses dents d'une blancheur éclatante dans la grande bouche généreuse — pas le genre qu'on voudrait avoir pour mère de ses enfants. si encore on pouvait être sûr, si vous voyez ce que je veux dire. Mais avec vous, il n'y a pas d'erreur possible, fiston, dès que vous êtes apparu à la porte, il ne pouvait pas y avoir de doute, ça c'est le fils de Tom Jordache, oui monsieur, je parie qu'il est fier de vous, un grand garçon robuste, avec Tom Jordache imprimé sur tout le visage...

— Mr Renway... je veux dire, Calvin..., dit Wesley, mal à l'aise, la dame ne vous a rien dit au téléphone ?

Renway le regarda, interdit.

— Dit quoi ? La dame m'a seulement demandé : Etes-vous le même Mr Renway qui autrefois a été sur le même cargo que Tom Jordache ? et quand j'ai dit : Oui, madame, le même, elle a dit : Le fils de Tom Jordache est en ville et voudrait vous parler quelques instants. C'est tout ce qu'elle a dit et elle a demandé si mon adresse était celle qu'elle avait eue par le Syndicat Maritime.

— Calvin, dit Wesley, mon père est mort. Il a été assassiné à Antibes.

— Oh Seigneur, chuchota Renway.

Il ne dit rien de plus, mais détourna son visage vers le mur, en silence, pendant une longue minute, en cachant sa douleur, comme si le fait d'extérioriser un chagrin insupportable en public eût été un manque de savoir-vivre. Ses longues mains noires se crispaient et se décrispaient en un spasme inconscient, comme si ses mains étaient la seule partie de lui-même qui n'avait pas appris la leçon qu'il était inutile de faire voir sa souffrance au monde.

Enfin, il se retourna vers Wesley.

— Assassiné, dit-il d'un ton monocorde. C'est sûr qu'ils ne se débarrassent que des bons, pas vrai ? Ne me racontez pas comment ça s'est passé, fiston. Une autre fois. Ça peut attendre, je ne suis pas pressé de connaître les détails. Vous êtes gentil de venir me mettre au courant de ce qui s'est passé — j'aurais pu ne pas le savoir pendant des années encore, et j'aurais pu me trouver dans un bar à Marseille ou à New Orleans ou quelque part, en train de boire une bière ou deux et de discuter du bon vieux temps quand on faisait partie de l'équipage de l'*Elga Anderson,* peut-être le bateau le plus moche de l'Atlantique et de tous les océans, quand il m'a sauvé la vie pour ainsi dire, et quelqu'un aurait dit : « Tom Jordache, mais il est mort depuis des années. » C'est mieux comme ça et je vous en remercie. Je suppose que vous voulez parler de lui, fiston — c'est pour ça que vous êtes ici, si j'ai bien compris...

— Si cela ne vous ennuie pas, dit Wesley.

— Les temps n'étaient pas les mêmes alors. Sur les bateaux, en tout cas. On ne nous appelait pas des Noirs, à ce moment-là, ni monsieur, nous étions des nègres et il ne fallait pas l'oublier. Je ne dis pas que votre père était un ami spécial ou un prêcheur ou quelque chose de ce genre, mais quand il me croisait le matin, c'était toujours : Salut, mon pote, comment va ; rien de spécial, rien qu'un bonjour normal entre êtres humains, ce qui à ce moment-là était comme un orchestre qui jouait, sur cet affreux bateau, comparé à la façon dont à peu près tous les autres me traitaient Votre père ne vous a jamais parlé de Falconetti ?

— J'ai entendu parler de lui.

— L'homme le plus méchant que j'aie jamais eu la malchance de rencontrer, noir ou blanc. Une espèce de grand taureau qui terrorisait l'équipage, il battait des hommes rien que pour le plaisir animal de le faire et par pure méchanceté, et il disait qu'il ne permettrait pas à des nègres de s'asseoir à la même table que lui ; j'étais le seul Noir à bord et cela voulait dire que chaque fois qu'il entrait dans le carré, même si j'étais au milieu de mon souper, j'étais obligé de me lever et de sortir. Puis votre père s'en est mêlé, seul d'un équipage de vingt-huit hommes à avoir assez d'estomac pour le faire — il ne l'a pas fait pour moi, Falconetti avait aussi tourmenté Bunny Dwyer — et votre père lui a collé la raclée de sa vie ; peut-être était-il allé trop loin, comme disaient les autres hommes, il l'humiliait tous les jours, chaque fois qu'ils se croisaient, votre père disait : Viens ici, balourd, et lui balançait un grand coup de poing dans l'estomac ; de sorte que ce colosse restait planté là, avec des gens qui le regardaient, plié en deux, les larmes aux yeux.

« Un soir, il faisait noir et orageux, des vagues de dix mètres de haut, Falconetti dans le carré, paisible comme un agneau, votre père est venu me chercher et m'a ramené dans le carré ; la radio marchait et il a dit : « Nous allons nous asseoir comme des gens civilisés à côté de ce monsieur et écouter la musique », je me suis assis à côté de Falconetti — j'avais le cœur qui battait, je peux vous l'assurer, j'avais toujours peur — mais personne n'a soufflé mot, et au bout d'un certain temps, votre père a fini par dire au bonhomme : « Tu peux te tirer, maintenant, rustaud », et Falconetti s'est levé et a fait du regard le tour des hommes dans la salle, personne ne le regardait, et il est sorti, il est monté sur le pont et il a sauté par-dessus bord.

« Ça n'a pas fait bien voir votre père des autres hommes ; ils disaient que c'était une chose de battre un homme, mais que c'en était une autre de l'envoyer à la mort de cette façon-là. Je ne suis pas un homme rancunier, Wesley, mais je n'étais pas d'accord avec eux — je me suis toujours rappelé comment je me sentais assis à côté de cet homme méchant, avec la musique qui jouait, et lui qui ne bronchait pas. Je vous dis que c'était un des meilleurs moments de ma vie, qui m'a donné le plus de satisfaction et je m'en souviens encore aujourd'hui avec plaisir ; je le dois à votre père et je ne l'oublierai jamais.

Renway avait parlé sur un ton incantatoire, les yeux presque fermés, comme s'il revoyait toute la scène, comme s'il n'était pas dans le petit salon bien tenu dans les Quatre-Vingt-Dix Ouest de New York City, mais de nouveau dans le carré réduit au silence parmi les hommes muets et mal à l'aise, en train de goûter une fois de plus ce moment de plaisir exquis, abrité et protégé par le courage du père du garçon assis en face de lui.

Il ouvrit les yeux et regarda Wesley d'un air pensif.

— Je vous le dis, fiston, si vous devenez la moitié de l'homme qu'était votre père, vous devrez bénir Dieu tous les jours pour la chance que vous avez. Attendez ici un instant. — Il se leva et entra dans une chambre qui donnait sur la salle de séjour. Wesley entendit un tiroir s'ouvrir, puis se refermer. Quelques secondes plus tard, Renway revint dans la pièce portant un objet enveloppé dans du papier de soie. Il enleva le papier de soie et Wesley vit qu'il tenait une petite boîte en cuir, incrustée d'or. — J'ai acheté cette boîte en Italie, dit Renway, dans la ville de Florence, c'est là qu'ils les font, c'est une spécialité de cette ville. Voilà. — Il la mit de force dans les mains de Wesley. — Prenez-la.

Wesley recula.

— Elle est à vous, Calvin, dit-il. Elle doit vous avoir coûté très cher. Pourquoi voulez-vous me la donner, vous ne saviez même pas que j'existais jusqu'à hier après-midi.

— Prenez ça, dit Renway d'un ton brusque. Je veux que le fils de celui qui a fait ce qu'il a fait pour moi ait un objet auquel je tiens.

Avec douceur, il plaça la boîte entre les mains de Wesley.

— C'est une très belle boîte, dit Wesley. Je vous remercie.

— Gardez vos remerciements pour le jour où vous en aurez besoin. Maintenant je vais enfiler mon pardessus et je vais vous emmener jusqu'à la Cent Vingt-Cinquième Rue et je vais vous offrir le meilleur repas qu'on peut se payer à Harlem dans la ville de New York.

Le déjeuner fut énorme, du poulet frit aux patates douces, et ils arrosèrent ça d'une grande quantité de bière et Renway oublia momentanément son chagrin et raconta à Wesley des histoires sur Glasgow, Rio de Janeiro, Le Pirée, Trieste ; il dit que son frère insistait toujours pour qu'il quittât la mer, mais chaque fois qu'il envisageait une vie à terre sans plus jamais voir une nouvelle ville surgir de la mer à l'approche d'un port, il savait qu'il ne pourrait jamais cesser de bourlinguer sur des bateaux bons et mauvais sur tous les océans.

Lorsqu'ils se quittèrent, il fit jurer à Wesley que chaque fois qu'il apprendrait qu'il était en ville, il viendrait pour partager encore un repas avec lui.

En regagnant le centre en métro, avec la boîte en cuir dur incrustée d'or dans sa poche, Wesley décida de jeter sa liste. Je vais m'arrêter en pleine gloire, se dit-il, sentant son cœur allégé d'un grand poids.

Rudolph était assis sur le ponton devant la maison qu'il avait louée, avec vue, par-dessus la haute dune, sur l'étendue de plage blanche et les rouleaux de l'Atlantique. C'était un matin doux de mi-septembre et le soleil agréablement chaud se reflétait sur les pages du scénario de Gretchen qu'il était en train de relire. A côté de lui, étendue en maillot de bain sur un matelas pneumatique, se trouvait Helen Morison, qui avait une maison un peu plus loin sur la plage, mais qui passait plusieurs nuits par semaine avec lui. C'était une femme divorcée, qui l'avait abordé à un cocktail donné par un voisin et s'était présentée parce qu'elle l'avait reconnu. C'était une amie de Gretchen. Elles s'étaient rencontrées à l'une des réunions d'Ida Cohen du MLF, où, selon Gretchen, la façon ironique et efficace d'Helen Morison de présenter des faits et des programmes était nettement en contraste avec les attaques aveugles d'Ida sur la perfidie du sexe masculin. Helen n'avait aucune animosité envers le sexe masculin, avait remarqué Rudolph. « Au contraire », lui avait-il dit, et elle avait ri et été d'accord. Le fait qu'elle vive de la pension alimentaire versée par Mr Morison et qu'elle envoie son fils de treize ans dans une institution privée très sélecte, également aux frais de Mr Morison, ne semblait pas la troubler. Rudolph, qui savait combien souvent ses propres actions étaient en contradiction avec ses principes, n'insistait pas sur ce point.

C'était une grande femme mince, avec un profil qui, au repos, pouvait être sévère. Elle n'avait pas besoin de soutien-gorge et elle portait longs ses cheveux acajou foncé, les remontait souvent le soir lorsqu'il venait la chercher pour aller dîner. Dans cette commune rigoureusement républicaine, elle était à la pointe des affaires du Parti démocrate et, ce faisant, avait perdu des amis. Elle était une de ces femmes sur qui on pouvait compter plus que sur la plupart des hommes pour se conduire avec courage en cas de désastre.

Elle avait pris ce matin son bain de mer quotidien, bien que la mer devînt de plus en plus froide chaque soir et que l'air fût frais. Elle ne négligeait pas son corps. Elle ne dissimulait pas le fait qu'ils étaient amants.

Il lui était très attaché. Peut-être plus que cela. Mais il n'était pas homme à se précipiter pour exposer ses sentiments ou faire des déclarations qui pourraient le tourmenter plus tard, après avoir pesé tous les faits, tous les sentiments.

Pour l'heure, il était plongé dans le projet de film de Gretchen. En relisant le scénario il l'aimait plus que jamais. Il était intitulé *Comédie de la Restauration,* un jeu de mots, puisqu'il s'agissait d'une jeune fille qui, par intimidation, flatterie, imploration et discussion, amenait toute une ville industrielle moribonde de Pennsylvanie, une commune fictive nommée Laundston, à restaurer cinq rues d'hôtels particuliers anciens qui avaient été laissées à l'abandon lorsque les usines avaient été fermées.

Le scénario débordait de l'énergie de la fille qui, par son astuce, sa beauté, de la coquetterie et un sens de l'humour débridé, en même temps qu'une attitude pragmatique et féminine envers la malhonnêteté occasionnelle, prenait dans ses filets des banquiers cyniques, des politiciens véreux, de jeunes architectes affamés, des secrétaires esseu-lées, des bureaucrates engourdis, des entrepreneurs en faillite, forçait des étudiants à faire des travaux de manœuvre, tout en créant une banlieue d'une esthétique satisfaisante et financièrement viable qui, grâce aux nouvelles autoroutes, était désormais d'un accès facile depuis Philadelphie et Camden. L'aspect intéressant pour Rudolph était que, bien qu'il s'agît d'une fiction et que cet endroit n'existât point, cela lui semblait, à lui l'homme d'affaires endurci, une idée éminemment pratique.

Il avait néanmoins des incertitudes sur deux points : le titre, qui pour lui sentait un peu son cours de littérature anglaise, et la capacité de Gretchen pour mener le projet à bien. Tout de même, l'indulgence fraternelle seule ne l'avait pas amené à financer Gretchen pour un tiers du budget du film et à passer des heures innombrables avec Johnny Heath à discutailler des contrats au profit de Gretchen. Ida Cohen et Gretchen elle-même avaient trouvé des fonds pour le reste du devis du film et, si elles avaient eu assez de temps, auraient pu trouver tout le financement sans lui.

Cela l'amusait, et il ne voyait aucun inconvénient à aller à New York en voiture deux fois par semaine, et maintenant il n'avait plus à dire à ses amis qu'on pouvait l appeler à n importe quel moment, qu'il serait chez lui toute la journée.

Il avait fallu des mois et des mois pour en arriver là et Rudolph avait appris beaucoup de choses sur l'industrie cinématographique, pas toutes agréables, mais Gretchen avait appelé pour lui demander de venir à New York le lendemain, non pas en sa qualité d'investisseur, mais en tant qu'« homme à idées », selon son expression, car, lorsqu'ils avaient parlé du problème de trouver un endroit convenable, il avait suggéré, mi-plaisantant, leur ancienne ville, Port Philip, où un quartier entier de belles maisons anciennes avait été laissé à l'abandon depuis plus de vingt ans. Gretchen y était allée avec des architectes et le décorateur du film et ils avaient tous dit à Gretchen que l'endroit était parfait et Gretchen était en pourparlers avancés avec le maire et le conseil municipal pour obtenir toute l'assistance nécessaire pour tourner sur les lieux. Rudolph n'était pas certain de rendre un jour visite à l'équipe sur place. En vérité, Port Philip et la ville voisine de Whitby n'évoquaient pas pour lui des souvenirs des plus agréables.

Il termina la lecture du scénario avec un dernier petit rire.

— Tu l'aimes toujours ? demanda Helen.

— Plus que jamais.

Il savait qu'Helen trouvait que le scénario ne prenait pas assez ouvertement parti quant à son orientation politique. Elle disait la même chose de Rudolph.

— Tu as été engourdi par la Guerre Froide, et par la corruption à Washington et au Vietnam et par une sclérose artérielle générale. Quand est-ce que tu as voté pour la dernière fois ?

— Je ne me souviens pas, dit-il, bien qu'il s'en souvînt — pour Johnson en 1964.

Après cela, le processus avait perdu sa crédibilité.

— Dommage, dit Helen. — Elle votait férocement, chaque fois qu'elle en avait l'occasion. La sclérose artérielle n'avait pas atteint Helen Morison. — Tu ne crois pas que Gretchen a besoin d'un conseiller politique ? Je ferais ça pour rien.

— A mon avis, c'est la dernière chose dont elle a besoin. A l'œil ou pas.

— Je finirai par te convertir, dit Helen.

— A quoi ?

— A la démocratie jeffersonienne, dit-elle. Quelle qu'en soit la signification.

— Je t'en prie, dit Rudolph, fais-moi grâce de la démocratie jeffersonienne.

Helen rit. Elle avait un rire agréable et franc.

— Eh bien, voici le genre d'endroit qui convient pour parler politique. Sur la plage, au soleil, après avoir bien nagé. Il n'y aurait jamais de guerre.

Il se pencha et l'embrassa. Sa peau était salée par l'eau de l'océan. Il se demanda pourquoi il était resté si longtemps sans femme depuis Jeanne. Avec Helen, tout près de lui dans les dunes, il n'était pas nécessaire de traverser la mer. Ces dernières années, les médecins avaient prôné une activité sexuelle régulière comme préventif contre les maladies cardiaques. Considère Helen comme une mesure de santé, pensa-t-il avec un sourire intérieur, car il savait combien elle serait furieuse s'il le disait tout haut.

— A ta façon, dit-il d'un ton léger, tu es superbe

— As-tu jamais fait un compliment à une femme, sans y ajouter une clause restrictive ?

— Je ne me souviens pas, dit-il. En fait, je ne me souviens d'aucune autre femme.

Elle eut un rire moqueur.

— Dois-je porter ma Lettre Ecarlate pour aller à New York demain ?

— N'oublie pas ta guimpe non plus, dit-il.

— Si nous faisions l'amour ici même, moi toute salée et pleine de sable et toi préoccupé par l'argent et les contrats, dit-elle, est-ce que les voisins seraient choqués ?

— Non, mais moi, je le serais.

— Tu as encore beaucoup de chemin à parcourir, mon vieux.

— A qui le dis-tu. Et je refuse de le parcourir.

— Après le déjeuner ? C'est moi qui fais la cuisine.

— Qu'est-ce que tu nous fais ?

— Quelque chose de léger, de nourrissant et d'aphrodisiaque. Une soupe aux palourdes, par exemple. Tu me diras comment tu te sens à deux heures de l'après-midi. Le téléphone sonne à l'intérieur. — Elle avait l'ouïe remarquablement fine et il était toujours amusé quand elle répétait mot pour mot des conversations chuchotées, d'habitude des propos malicieux sur son propre compte qu'elle avait surpris de l'autre extrémité d'une pièce bruyante tout en pérorant pour deux ou trois auditeurs captivés sur un de ses sujets favoris — Faut-il que je réponde ? Je dirai que je suis le maître d'hôtel et que tu es en haut en train de faire ton yoga et qu'on ne peut pas te déranger.

— J'y vais.

Il continuait à être mal à l'aise chaque fois qu'elle répondait au téléphone et montrait ouvertement qu'elle était tout à fait chez elle dans sa maison à lui.

— Mais sois là lorsque je reviens.

— Ne crains rien. Ce soleil donne sommeil.

Il se leva et entra dans la maison. La bonne ne venait que trois fois par semaine et aujourd'hui n'était pas un de ses jours. Comme toujours, il trouva la maison à son goût en franchissant la grande porte en verre face à la mer et en voyant le bois clair et les divans confortables en velours côtelé et les larges planches anciennes et cirées du parquet de la salle de séjour.

— Rudolph, dit Gretchen, j'ai un problème. Tu es occupé ?

Il réprima un soupir. Gretchen avait au moins un problème par semaine à lui soumettre. Si elle avait un mari, se dit-il, sa note de téléphone serait diminuée de moitié. La semaine précédente, il y avait eu le problème de l'oncle d'Ida Cohen, qui avait été producteur à Hollywood et avait pris sa retraite après avoir eu une crise cardiaque. C'était un vieillard rusé qui connaissait le métier et lorsque Ida lui avait montré le scénario il s'était proposé pour travailler pour elles, installé dans le petit bureau à New York, à négocier avec des imprésarios de comédiens, à fournir des idées pour le choix des acteurs et à faire l'ennuyeux travail quotidien de signer les contrats des acteurs et des techniciens et d'éconduire avec politesse des candidats pour des emplois. Mais cela faisait trois jours qu'il était malade et Gretchen avait eu peur qu'il n'ait eu une nouvelle attaque et elle avait voulu savoir ce que Rudolph pensait qu'elle devait faire au sujet de l'oncle d'Ida Cohen. Rudolph avait dit : Parle à son médecin, et Gretchen avait appris qu'il ne s'agissait que d'un rhume de cerveau.

Ensuite il y avait eu le problème de Billy Abbott, au sujet duquel Gretchen avait appelé Rudolph au milieu de la nuit, d'une voix remplie d'émotion. Le père de Billy avait téléphoné de Chicago. « Sobre cette fois-ci, avait dit Gretchen, pour souligner la gravité de la situation. Billy a écrit à son père, en lui disant qu'il va rempiler. Willie est contre autant que moi. Un sous-off de carrière ! Voilà tout à fait ce que lui et moi avions souhaité pour notre fils ! Willie veut que nous allions tous les deux à Bruxelles pour le convaincre de ne pas le faire, mais je ne peux pas quitter New York une seconde en ce moment, tu le sais. Puis Willie a suggéré que je propose à Billy de l'engager pour le film — troisième assistant metteur en scène, n'importe quoi. Mais Billy n'a pas la moindre notion du cinéma — il n'a pas dû voir trois films dans sa vie — il n'est pas normal pour son époque — et il est paresseux et déloyal — et s'il acceptait un travail ce serait le même genre de népotisme qui a fait tomber les anciens studios de Hollywood dans l'oubli. Même s'il ne s'agissait pas de beaucoup d'argent, ce serait quand même voler nos financiers, toi compris. J'ai dit à Willie que je ne pouvais pas l'engager et que je ne pouvais pas aller à Bruxelles et pourquoi est-ce qu'il n'y va pas lui-même pour voir ce qu'il peut faire et il a dit qu'il n'avait pas l'argent nécessaire et est-ce que je pouvais lui avancer le prix du billet ? Avancer ! Ha ! De toute façon, tout ce que j'ai est bloqué par *Comédie de la Restauration*, et il a demandé pourquoi je ne pouvais pas t'en emprunter et je lui ai dit que je lui interdisais formellement de t'en parler. » Au fur et à mesure que la date du tournage approchait, les phrases de Gretchen devenaient de plus en plus précipitées et sa voix montait dans un crescendo crispé. C'est mauvais signe, pensa Rudolph, et cela pourrait donner lieu à des explosions par la suite.

« Et toi ? avait dit Gretchen, hésitante maintenant, tu n'aurais rien de particulier à faire en Europe, par hasard ? — Non, avait dit Rudolph, j'en ai fini avec l'Europe pour l'instant. Mais de toute façon, qu'y a-t-il de si terrible à avoir un fils dans l'armée ? — Tu sais aussi bien que moi, avait dit Gretchen, que tôt ou tard il va y avoir une autre guerre. — Il n'y a pas grand-chose que toi ou moi puissions y faire, avait dit Rudolph. Tu crois que oui ? — Toi, tu peux dire ça, avait-elle dit, tu as une fille. » Et elle avait raccroché.

Puis il y avait eu le coup de fil concernant le choix d'un acteur pour le rôle du frère cadet de l'héroïne, le rôle pour lequel elle avait pensé faire un essai avec Wesley. Il était supposé être beau, triste et cynique, jetant sans cesse de l'eau froide sur l'enthousiasme de sa sœur, et répétant la phrase : « Tu ne peux rien contre le sort, mon pote ! » Dans le scénario, bien qu'il fût censé être très en avance pour son âge du point de vue intellectuel et doué de talents variés, il se gaspillait délibérément, acceptant avec dédain un poste d'employé à l'aéroport local et jouant au football semi-professionnel le dimanche et fréquentant les voyous les plus minables, les plus oisifs et les moins récupérables de la ville. Gretchen disait qu'elle était sûre que Wesley serait merveilleux dans ce rôle, rien que par son physique, avec un minimum de jeu ; aucun des autres garçons qu'elle avait testés ne l'avait satisfaite et elle avait écrit à Wesley à maintes reprises, mais les lettres étaient toutes revenues, sans nouvelle adresse, et sans qu'on fût venu les réclamer à la Poste Restante à Indianapolis. Elle voulait savoir si Rudolph savait où on pouvait trouver Wesley, mais Rudolph lui avait dit qu'il n'avait eu aucune nouvelle de Wesley depuis le coup de fil de Chicago. Il n'avait jamais parlé à Gretchen du mandat d'arrêt concernant Wesley à Indianapolis. Il était certain qu'à la longue Wesley se manifesterait, mais cela ne pouvait aider Gretchen à présent pour son choix d'acteurs. Par contre, il n'était pas du tout certain des dons d'acteur de Wesley. Si Wesley avait un seul trait de caractère remarquable, c'était qu'il gardait ses émotions pour lui, ce qui n'était pas l'idéal pour faire carrière dans le cinéma. Il y avait, ajouté à cela, le snobisme tacite mais enraciné de Rudolph lui-même envers la profession de comédien. Des adultes surpayés et narcissiques, aurait-il dit si on l'y avait poussé.

De l'endroit où il se trouvait, debout près du téléphone dans le salon, il vit Helen se lever du matelas pneumatique et se mettre à faire des exercices lents et difficiles, en s'étendant, se pliant, comme une ballerine, soulignée de sel sur fond de mer étincelante. La voix de Gretchen dans le récepteur grinça à son oreille.

— Quel est le problème, maintenant ?

— Celui-ci est grave, dit Gretchen. — Elle disait la même chose de tous ses problèmes, mais il ne le lui rappela pas. — Evans Kinsella m'a téléphoné ce matin, il est rentré de Californie hier soir. Il a changé d'avis. Maintenant il veut faire *Comédie de la Restauration* lui-même. Il dit qu'il a deux millions pour le faire, avec des têtes d'affiche, et deux vedettes. Il est prêt à rembourser tout le monde, avec un bénéfice de dix pour cent pour tous les investisseurs.

— C'est un salaud, dit Rudolph. Qu'est-ce que tu lui as répondu ?

— Que j'avais besoin de réfléchir. Nous avons rendez-vous à son hôtel dans une demi-heure.

— Parle-lui, et rappelle-moi. Dis non, si tu veux, mais ne dis pas oui avant de m'en avoir parlé.

Il raccrocha. Dix pour cent pour son placement en deux mois seulement, se dit-il. Pas mal, comme rapport. Pourtant, l'idée ne lui était pas agréable. Dehors, sur le ponton, Helen faisait toujours ses exercices. Après l'appel de Gretchen, le déjeuner aphrodisiaque de cet après-midi serait le bienvenu.

Gretchen se maquilla soigneusement, fit bouffer ses cheveux, choisit le plus élégant de ses tailleurs et s'aspergea de Femme, un parfum dont Evans lui avait dit un jour qu'il l'aimait sur elle. Ida Cohen n'aurait pas approuvé, se dit-elle, qu'elle mît l'accent sur sa féminité, qu'elle fît d'elle-même la femelle séduisante pour ce qui, pour être réaliste, n'était qu'un rendez-vous d'affaires, qui n'était d'ailleurs pas sans équivoque. À mon âge, il devient de plus en plus difficile, pensa Gretchen, en se regardant dans le grand miroir, de me transformer en femelle séduisante. Ces temps-ci il lui était difficile de s'endormir le soir, et elle avait pris des comprimés et cela se voyait. Ce maudit Evans Kinsella. Elle mit une touche de parfum supplémentaire.

Evans était rasé de frais et portait veston et cravate lorsqu'elle monta à son appartement de l'hôtel Regency à Park Avenue. Il l'accueillait d'habitude en bras de chemise ou en robe de chambre lorsqu'il la convoquait chez lui. Pour cet entretien, il avait opté pour le charme. Elle ressentit un fourmillement dans tout le corps lorsqu'il l'embrassa d'abord sur une joue puis sur l'autre, forme de salutation qu'il avait rapportée de Paris, quand il y avait tourné un film. Elle en voulait à son corps pour ce fourmillement.

Avec lui dans le salon décoré se trouvait Richard Sanford, le jeune auteur de *Comédie de la Restauration,* portant comme d'habitude une chemise de lainage à col ouvert, un blouson, un blue-jean et des bottes hautes non cirées. Une pauvreté négligée et non conformiste était l'expression publique de ses origines et de ses opinions. Gretchen se demanda comment il s'habillerait à Hollywood après son troisième film. C'était un jeune homme agréable, au grand sourire tranquille et aux manières respectueuses, et il s'était toujours montré très amical envers Gretchen dans tous leurs rapports. Bien qu'elle l'eût vu presque tous les jours, il n'avait pas mentionné qu'il connaissait même Kinsella. Complot, voilà le mot qui lui traversa l'esprit.

Aujourd'hui, vit-elle, Richard Sanford ne serait pas amical, pas amical du tout. Il ferait son chemin en Californie, Richard Sanford.

Prenez garde, jeunes gens, pensa Gretchen en regardant les deux jeunes gens. Bien qu'âgé de trente-trois ans, Evans Kinsella, avec ce qu'il avait appris, copié et volé, ne pouvait guère être considéré comme un jeune homme. Elle aurait dû amener Ida Cohen pour équilibrer la rencontre, mais cela aurait été comme si elle avait amené un petit volcan prêt à entrer en éruption. Elle n'avait encore rien dit à Ida du coup de téléphone de Kinsella. Elle avait largement le temps.

— Veux-tu une petite goutte ? — Kinsella fit un geste vers la table sur laquelle les bouteilles étaient disposées avec soin, avec des verres et des glaçons. Il doit y avoir un seul garçon dans des hôtels comme celui-ci, pensa Gretchen, spécialiste de la chose, qui court d'une chambre à l'autre et distribue les bouteilles dans un ordre sévèrement réglé dès réception du télex annonçant l'arrivée imminente des nababs de la nouvelle aristocratie — l'abondance et la qualité de l'assortiment étant fonction de l'importance du nabab en question dans les dossiers du directeur. Avec quelque malice, Gretchen vit que l'étalage sur le bar de Kinsella n'était que d'une importance moyenne. Son dernier film avait été un four et l'almanach du Gotha privé du directeur de l'hôtel reflétait ce fait. — Notre jeune génie et moi-même nous sommes servis, dit Kinsella, modestement. Pour créer l'atmosphère de fête qui convient pour ton arrivée. Qu'est-ce qui ferait plaisir à la dame ?

— Je m'en passerai, merci C'est un peu tôt pour une fille qui travaille. Elle était décidée à maintenir un ton léger et calme, dût-elle en attraper un coup de sang.

— Jeune génie — elle adressa un sourire suave au garçon —, Evans doit avoir changé d'avis à votre sujet, Richard.

— Il se trouve que j'ai relu le scénario, dit Kinsella précipitamment. Je devais être dans un mauvais jour la première fois que je l'ai lu.

— Si je me souviens bien, dit Gretchen d'une voix mielleuse, tu m'as dit que c'était un tas de merde.

Un assassinat en valait un autre. Elle vit avec plaisir que Sanford rougissait en posant son verre et fixait Kinsella du regard.

— Les artistes font sans cesse des erreurs, Dick, dit Kinsella. — Gretchen nota le diminutif familier. — Il y a toujours un millier de personnes qui te tiraillent dans tous les sens. Le rachat est possible. — Il se retourna vers Gretchen, en lui souriant avec difficulté. — L'une des raisons de cette petite conférence, dit-il, est que Dick et moi-même avons discuté du scénario et nous sommes mis d'accord sur certaines modifications qui seraient utiles. Des modifications assez radicales. N'est-ce pas, Dick ?

— Oui, dit Sanford, encore rouge.

— Il y a deux jours, dit Gretchen au jeune homme, vous me disiez qu'on pouvait y aller, que vous ne vouliez pas changer un seul mot.

— Evans a attiré mon attention sur quelques points qui m'avaient échappé, dit Sanford.

Il parlait comme un petit garçon buté qui savait qu'il serait puni. Le complot remontait à des semaines, peut-être des mois.

— Soyons honnêtes, Gretchen, dit Kinsella. Avec deux millions dans le pot, Sanford aura une garantie environ trois fois plus importante que ce que tu lui as offert. Il n'est pas riche, tu sais. Il a une femme et un enfant en bas âge à sa charge.

— Maestro, dit Gretchen, voulez-vous jouer du violon, trémolo, avec cette tirade ?

Kinsella se rembrunit.

— Tu as oublié ce que cela signifie d'être pauvre et d'avoir à se battre pour payer le loyer chaque mois, ma chère. Avec ton frère qui est riche, tu as toujours eu un bon gros coussin sur lequel tu as pu retomber. Eh bien, Dick n'a pas de coussin.

— Ce que j'aimerais que tu oublies, Evans, dit Gretchen, c'est que j'ai un frère. Gros ou maigre, ou de n'importe quelle forme. Et ce que j'aimerais que vous n'oubliiez pas, Richard... — Elle insista sur le nom. — C'est que vous avez un contrat avec moi.

— J'allais y venir, dit Kinsella. — Il avait maintenant retrouvé un ton suave. — Je ne veux t'exclure d'aucune façon, ni toi ni ta petite amie Ida Cohen, la Jeanne d'Arc juive, de ce projet. J'ai toujours eu l'intention de te demander d'être producteur associé avec, bien sûr, tous les avantages. Et d'élever Ida au rang de chef monteuse. Voilà. — Il rayonnait. — Quoi de plus équitable ?

— Je suppose, Richard, que vous êtes d'accord en tout point avec Evans, dit Gretchen. Je voudrais vous l'entendre dire vous-même. Cela vous plaît sans doute également d'entendre décrire Ida Cohen, qui s'est décarcassée pour que votre scénario soit porté à l'écran, comme une Jeanne d'Arc juive ?

Sanford rougit encore.

— Je ne suis pas d'accord sur ce point, non. Mais je suis d'accord sur le principe que l'on peut faire un meilleur film avec deux millions de dollars qu'avec sept cent cinquante mille dollars. Et avant que vous ne m'ayez appelé, je serai franc avec vous, l'idée qu'une femme puisse faire ce film ne m'était jamais venue à l'esprit...

— Et maintenant ?

— Eh bien... — Le garçon était décontenancé. — Je sais que vous êtes intelligente, compétente et que vous avez beaucoup d'expérience — mais jamais comme metteur en scène. C'est mon premier film, Gretchen, et je serais plus rassuré si un homme comme Evans Kinsella, avec tous ses succès et sa réputation...

— Sa réputation pue, dit Gretchen sans hausser le ton. Là où ça compte, comme pour moi. S'il fait encore un film comme le dernier, il ne pourra même plus louer un Brownie en Californie.

— Tu vois, Dick, dit Kinsella. Je t'avais dit qu'elle se transformerait en femelle vindicative. Elle a été mariée à un metteur en scène qui était pour elle un nouveau Stanislavski, pourtant j'ai vu ses films et j'aurais pu m'en passer, à tout le moins. Depuis qu'il est mort, elle veut se venger sur quelque chose, n'importe quoi, tout le monde, chaque metteur en scène, et elle est devenue la grande briseuse de couilles du XXe siècle. Et notre vieille Ida la Polonaise, la fleur du ghetto, qui ne pourrait persuader un homme de la toucher même avec une perche de trois mètres, l'a gonflée au point de lui faire croire qu'elle a été élue pour emporter un Academy Award pour le genre féminin.

— Affreux, méprisable conspirateur, dit Gretchen. Vous mériteriez tous les deux que je vous laisse ce film pour que vous puissiez le transformer en ce tas de merde dont tu l'avais qualifié en premier lieu.

— Quand je l'ai engagée, poursuivit Kinsella, ayant perdu toute retenue, un ami m'avait dit : il ne faut jamais engager de gens riches. Surtout une femme riche. Et ne la baise pas. Elle ne te pardonnera jamais le jour où tu regarderas une autre femme. Sors d'ici, garce. — Il criait d'une voix stridente. — Je viendrai à ta première et je me marrerai bien.

— Gretchen..., dit Sanford piteusement. — Il avait l'air épouvanté et désolé d'avoir jamais touché à une machine à écrire. — Je vous en prie...

— Richard, dit Gretchen calmement, se sentant merveilleusement purifiée, et vertigineusement libérée, lorsque nous commencerons à tourner, vous êtes tout à fait libre de venir ou de ne pas venir, à votre convenance. Bonne journée, messieurs, dit-elle, et elle sortit majestueusement du maudit salon fleuri et plein de bouteilles.

Dans l'ascenseur, elle souriait et pleurait, sans se soucier des autres passagers. Attends que je raconte cette matinée à Ida, pensa-t-elle.

Mais une fois dans la rue, elle prit une résolution : plus d'hommes plus jeunes qu'elle. Aussi brillants que soient leurs yeux, aussi blanches que soient leurs dents, aussi débordante que soit leur vitalité, aussi prometteuses que soient leurs promesses, aussi claire que soit leur peau, aussi douce que soit leur odeur. Désormais si elle choisissait un homme, il serait plus âgé qu'elle et reconnaissant d'être avec elle, et ne s'attendrait pas à ce que ce soit elle qui soit reconnaissante d'être avec lui. Elle ne savait pas comment cela cadrait avec la philosophie d'Ida Cohen et cela lui était égal.

***

Ils étaient au beau milieu du déjeuner, la soupe aux palourdes et les petits pains chauds qu'Helen avait préparés, et Helen venait de dire : « J'aime faire la cuisine pour un homme qui n'a pas à surveiller son poids », lorsqu'on sonna à la porte. « Zut ! » dit Helen.

Le déjeuner avait déjà été interrompu une fois par un coup de téléphone de Gretchen. Celle-ci avait mis un quart d'heure à raconter à Rudolph ce qui s'était passé avec Kinsella le matin et avait dit qu'elle était certaine que Rudolph l'aurait approuvée. Il n'en était pas aussi certain qu'elle.

Maintenant, c'était la sonnette. Rudolph se leva de table et alla vers la porte et l'ouvrit. Wesley se tenait là, dans le soleil océanique du mois de septembre, soigneusement vêtu d'un pantalon et d'une veste sport, ayant l'air un peu émacié, pommettes saillantes, cheveux coupés et soigneusement peignés, ni longs ni courts, ses yeux, comme toujours, vieux et voilés.

— Bonjour, Wesley, dit Rudolph. Je savais que tu te manifesterais tôt ou tard. Tu arrives à point pour déjeuner. Entre.

CHAPITRE III

BILLY SUIVAIT AVEC INTERET ce qui se passait sur la table où Georges, Billy savait que ce n'était pas son vrai nom, travaillait avec précaution à la bombe à retardement. Monika, que Georges appelait Heidi, se tenait de l'autre côté de la table, le visage dans l'ombre, au-dessus du V de lumière que la lampe de travail formait au-dessus de la table. « Est-ce que tu suis ceci de près, John ? » dit Georges dans son anglais à l'accent espagnol, en levant les yeux vers Billy. John était le nom donné à Billy dans le groupe. Monika aussi l'appelait John en présence des membres du groupe. Cela lui rappelait les mystères des sociétés secrètes qu'il avait fondées dans la cour de l'école pilote de Greenwich Village quand il était petit. Seulement, Georges n'était pas un petit garçon et Monika non plus. Il suffirait que j'en rie, pensa-t-il, pour qu'ils me tuent.

Billy avait rencontré deux autres associés de Georges et de Monika-Heidi, mais ils n'étaient pas là cet après-midi dans la petite pièce des bas quartiers de Bruxelles où Georges travaillait à la bombe. Billy n'avait jamais vu Georges deux fois au même endroit. Par diverses allusions faites par Georges dans ses conversations, il savait qu'il existait d'autres cellules semblables à celle dont il était devenu membre, dans d'autres villes européennes, mais jusqu'à ce jour il ne savait pas du tout où elles se trouvaient ni ce qu'elles faisaient exactement. Bien que, pour sa propre sécurité, il ne tînt pas trop à en savoir plus qu'on ne lui en disait, il ne pouvait s'empêcher d'être offensé que les autres le traitassent toujours comme un profane qui n'avait pas fait ses preuves et dont on se méfiait un peu ; pourtant à deux reprises il leur avait fourni une camionnette du pool des véhicules et conduit la voiture à Amsterdam, la nuit où Georges y avait fait sauter l'office du tourisme espagnol. Il ignorait quels étaient les autres attentats auxquels Georges et Monika avaient participé, mais il avait lu dans la presse qu'il y avait eu des explosions dans une filiale d'une banque américaine à Bruxelles et devant le bureau d'Olympic Airways. Si Monika et l'homme qu'il connaissait sous le nom de Georges étaient responsables d'une ou de toutes, Monika avait tenu sa promesse — personne n'avait été blessé, ni à Amsterdam, ni à Bruxelles.

— Tu crois que tu pourrais la remonter toi-même, si nécessaire ? demanda Georges.

— Je crois que oui.

— Bien, dit Georges.

Il parlait toujours à voix basse, se mouvait avec assurance. Il était brun et petit, avec des yeux doux et tristes et semblait totalement inoffensif. En se regardant dans la glace, Billy ne pouvait pas croire qu'on puisse le prendre pour quelqu'un de dangereux, lui non plus.

Pour Monika, c'était autre chose, avec ses cheveux ébouriffés et ses yeux qui flamboyaient lorsqu'elle était en colère. Mais il vivait avec Monika, avait peur d'elle, et l'aimait plus que jamais. C'était Monika qui avait dit qu'il devait rempiler. Lorsqu'il avait dit qu'il ne pouvait supporter de rester plus longtemps dans l'armée, elle lui avait volé dans les plumes et lui avait dit que c'était un ordre, pas une suggestion, et qu'elle partirait s'il n'obéissait pas.

— La prochaine fois que nous nous verrons, je te laisserai monter une bombe factice, pour t'entraîner. — Georges retourna à son travail, ses petites mains fines se déplaçaient délicatement sur les fils. Ni lui ni Monika n'avaient dit à Billy où la bombe allait servir, ni quand ni dans quel but, et il savait maintenant qu'il serait vain de poser des questions. — Nous y voilà, dit Georges en se redressant, c'est fait. — La petite charge de plastic avec le dispositif de retardement et le détonateur étaient innocemment étalés sur la table sous la lumière crue. — La leçon est finie pour aujourd'hui. Tu peux partir maintenant, John, Heidi restera avec moi un petit moment. Va à pied jusqu'à l'autobus. Prends-le dans la direction *opposée* à celle de ton appartement pendant huit pâtés de maisons. Ensuite descends, parcours encore trois pâtés de maisons à pied et prends un taxi. Donne au conducteur l'adresse de l'Hôtel Amigo. Entre dans l'hôtel. Bois un verre au bar. Puis sors de l'hôtel et rentre chez toi à pied.

— Oui, Georges, dit Billy. — C'était à peu près tout ce qu'il disait jamais à cet homme. — Est-ce que je te verrai pour dîner ce soir ? demanda-t-il à Monika.

— Cela dépend de Georges, dit-elle.

— Georges ? dit Billy.

— N'oublie pas, dit Georges. Au moins dix minutes à l'Hôtel Amigo.

— Oui, Georges, dit Billy.

Assis dans l'autobus qui allait dans la direction opposée à la maison où il habitait, entouré de femmes rentrant chez elles après avoir fait des emplettes toute la journée pour préparer le dîner de leur famille, d'enfants rentrant chez eux après l'école, de vieillards qui lisaient les journaux du soir, il eut un petit rire intérieur. Si seulement ils pouvaient deviner ce que ce jeune Américain de petite taille, à l'aspect anodin en tenue de ville soignée, venait de faire dans une des rues écartées de leur ville... Bien qu'il ne l'eût pas montré devant Georges et Monika, pendant qu'il avait observé l'assemblage de la bombe il avait senti son pouls s'accélérer d'excitation. Froidement, maintenant, à la lumière quotidienne de l'autobus vrombissant, il pouvait donner à cela un autre nom — plaisir. Il avait ressenti la même émotion bizarre en courant à toute allure pour s'éloigner du bureau de tourisme à Amsterdam. et en entendant le faible bruit de l'explosion, à six rues derrière lui dans la ville obscure. Il ne pensait pas, comme Monika, que le « système » était chancelant et qu'une bombe ici et là allait le renverser, mais au moins il n'était plus un simple rouage insignifiant, interchangeable de la misérable machine inhumaine. Ses faits et gestes étaient étudiés, des hommes importants s'efforçaient de savoir qui il était et ce qu'il représentait et où il pourrait frapper le prochain coup. Le mépris qu'avaient pour lui ses compagnons d'armes en tant que favori du colonel était maintenant une blague ironique, rendue encore plus savoureuse par le fait qu'ils n'avaient aucune idée de ce qu'il était vraiment. Et Monika avait été forcée de reconnaître qu'elle avait eu tort quand elle avait dit qu'il n'était bon à rien. Ils finiraient, pensa-t-il, par mettre une arme entre ses mains et lui ordonner de tuer. Et il le ferait. Il lirait les journaux le lendemain et se rendrait à son poste d'un air soumis, rempli d'une joie secrète. Il ne croyait pas que Monika et Georges et leurs complices ténébreux accompliraient jamais leurs ténébreux desseins. C'était sans importance. Lui-même n'était plus à la dérive, à la merci des petits aléas quotidiens de l'engagé qui était obligé de dire : « Oui, mon colonel. Bien sûr mon colonel », pour gagner son pain quotidien. Maintenant l'aléa, c'était *lui*, prêt à intervenir le moment venu, la mèche allumée qu'on ne pouvait plus ignorer.

Il compta les pâtés de maisons pendant que l'autobus poursuivait son chemin. Au huitième, il descendit. Il franchit à vive allure sous une bruine légère les trois blocs que Georges lui avait dit de parcourir, tout en souriant aimablement aux passants. Au troisième coin, il y avait un taxi, qui se tenait là comme s'il avait été commandé spécialement pour lui. Il s'y installa à son aise et prit plaisir au trajet jusqu'à l'Hôtel Amigo.

Il était sur le point de terminer sa bière dans l'obscurité du bar de l'Amigo, désert excepté les deux hommes blonds assis à une table dans un coin qui se parlaient dans une langue qu'il supposait être de l'hébreu, lorsque Monika entra.

Elle se hissa sur le tabouret à côté de lui.

— Une vodka avec des glaçons, dit-elle au barman.

— C'est Georges qui t'a ordonné de venir ? demanda-t-il.

— Je suis dans une phase mondaine, dit-elle.

— Tu es Monika ou Heidi ? chuchota-t-il.

— Tais-toi.

— Tu as dit mondaine, dit-il. Mais ce n'est pas vrai. On t'a envoyée ici pour voir si j'avais suivi les instructions.

— Tout le monde comprend l'anglais, murmura-t-elle. Parle-moi du temps qu'il fait dehors.

— Du temps ? Il a fait assez chaud cet après-midi, tu ne trouves pas ?

— Assez, dit-elle.

Elle fit un sourire au barman qui posait son verre devant elle.

Il faisait durer ce qui restait de bière au fond de son verre.

— Que ferais-tu, demanda-t-il, si on me renvoyait en Amérique ?

Monika lui jeta un regard pénétrant.

— Tu vas être muté ? Tu m'as caché des choses ?

— Non, mais le colonel s'impatiente. Il est ici depuis longtemps. De toute façon, dans l'armée on ne sait jamais...

— Fais-toi pistonner, arrange-toi pour aller quelque part en Allemagne.

— Ce n'est pas si facile que ça.

— C'est faisable, dit-elle d'un ton brusque. Tu le sais aussi bien que moi.

— Oui, mais tu n'as pas répondu à ma question, qu'est-ce que tu ferais ?

Elle haussa les épaules.

— Ça dépend, dit-elle.

— De quoi ?

— De beaucoup de choses. D'où tu serais envoyé. Du poste qu'on te donnerait. De l'endroit où on aurait besoin de moi.

— De l'amour, peut-être ?

— Jamais.

Il rit.

— Quand on pose une question stupide, il faut s'attendre à une réponse stupide.

— Les priorités, John, dit-elle en insistant ironiquement sur le « John », il ne faut jamais perdre de vue les priorités, quoi.

— Jamais, dit-il. — Il commanda encore une bière. — Il est possible que j'aille à Paris la semaine prochaine.

Elle lui jeta le même regard pénétrant.

— Possible ? demanda-t-elle. Ou est-ce que c'est sûr ?

— Presque sûr. Le colonel pense qu'il devra y aller et dans ce cas, il m'ordonnera de l'accompagner.

— Il faut que tu apprennes à ne pas annoncer aussi à l'improviste des choses comme ça, dit-elle.

— Je ne l'ai appris que ce matin, dit-il pour se défendre.

— Dès que c'est confirmé, tu me le dis. C'est clair ?

— Oh bon Dieu, dit-il, ne me parle pas toujours comme un commandant de compagnie.

Elle ignora la remarque.

— Je ne parle pas en l'air, dit-elle. Il y a un colis qui doit être livré à Paris la semaine prochaine. Comment irais-tu ? Avion de ligne ?

— Non. Transport militaire. Il y a une garde d'honneur qui y va pour une quelconque cérémonie à Versailles.

— Ah, bien.

— Qu'est-ce qu'il y aura dans le colis ?

— Tu le sauras en temps utile.

Il soupira et but la moitié de sa seconde bière.

— J'ai toujours eu un faible pour les filles gentilles, simples et innocentes.

— Je verrai si je peux t'en trouver une, dit-elle, d'ici cinq ou six ans.

Il hocha la tête d'un air buté. Dans le coin, les deux hommes blonds élevaient le ton, comme s'ils se disputaient.

— Est-ce que ces hommes-là parlent hébreu ? demanda-t-il.

Elle écouta pendant un moment.

217

— Finlandais, dit-elle.

— Est-ce que ça se ressemble ? L'hébreu et le finlandais, je veux dire ?

— Non.

— Elle rit et l'embrassa sur la joue.

Elle avait décidé d'être Monika maintenant, vit-il, plus Heidi.

— Ah, la journée de travail est terminée ?

— Pour aujourd'hui.

— Pour aujourd'hui, dit-il en terminant sa bière. Tu sais ce que j'ai envie de faire ?

— Quoi ?

— J'aimerais rentrer avec toi et baiser.

— Oh la la, dit-elle avec une affectation feinte, quels propos de soudard.

— Les activités de cet après-midi m'ont rendu lascif, dit-il.

Elle rït.

— Moi aussi, murmura-t-elle. Paie ce gentil monsieur et sortons d'ici.

Il faisait nuit lorsqu'ils arrivèrent dans la rue où ils habitaient. Ils s'arrêtèrent au coin pour voir s'ils étaient suivis. Apparemment ce n'était pas le cas. Ils marchaient lentement du côté opposé à la maison. Un homme se tenait devant l'immeuble, en train de fumer une cigarette. Il bruinait toujours et l'homme avait rabattu son chapeau bas sur le front. Il n'y avait pas assez de lumière pour leur permettre de voir s'ils avaient déjà vu cet homme auparavant.

— Continue à marcher, dit Monika à voix basse.

Ils dépassèrent la maison, tournèrent le coin et entrèrent dans un café. Il aurait aimé encore une bière mais Monika commanda deux cafés.

A leur retour un quart d'heure plus tard, ils virent que, de l'autre côté de la rue, l'homme était toujours là, toujours en train de fumer.

— Toi, tu continues de marcher, ordonna Monika, je passerai à côté de lui et je monterai. Reviens dans cinq minutes. Si ça a l'air d'aller, j'allumerai la lumière dans la pièce de devant et tu pourras monter.

Billy acquiesça de la tête, l'embrassa sur la joue comme s'ils se quittaient et alla jusqu'au coin de la rue. Au coin, il regarda en arrière. Les aléas du métier, dit-il ? Eternelle méfiance. L'homme était toujours là mais Monika avait disparu. Billy tourna le coin, entra dans le café et commanda la bière à laquelle Monika avait opposé son veto. Lorsqu'il sortit du café, il contourna le coin de la rue d'un pas vif. Il vit que la lumière était allumée dans la pièce de devant. Il continua à marcher, tête baissée, vers le côté de la rue où l'homme attendait devant sa maison et commença à monter les marches tout en sortant ses clefs.

— Bonjour, Billy, dit l'homme.

— Bon Dieu ! Papa ! — Sa surprise lui fit lâcher les clefs, et sa tête et celle de William Abbott faillirent entrer en collision lorsqu'ils se penchèrent tous les deux pour les ramasser. Ils rirent. Son père tendit les clefs à Billy et ils s'embrassèrent. Billy remarqua que l'odeur de gin qu'il associait à son père depuis sa tendre enfance était absente. — Entre, dit Billy. Depuis quand est-ce que tu attends ?

— Deux heures.

— Tu dois être trempé.

— Pas grave, dit Abbott. Le temps de réfléchir.

— Monte — Billy ouvrit la porte. — Euh... Papa... nous ne serons pas seuls. Il y aura une dame, dit-il en indiquant l'escalier.

— Je ferai attention à mon langage, dit Abbott.

La porte déverrouillée, ils entrèrent tous les deux dans la petite antichambre et Billy aida son père à ôter son imperméable mouillé. Lorsque Abbott retira son chapeau, Billy vit que les cheveux de son père étaient d'un gris métallique, que son visage était boursouflé et jaunâtre. Il se souvenait d'une photo de son père en uniforme de capitaine. C'était un beau jeune homme brun, en train de sourire à une plaisanterie privée, aux cheveux noirs et aux yeux pleins d'humour. Il n'était plus un bel homme. Le corps, qui avait été droit et mince, s'affaissait maintenant sous le costume usé. Une petite bedaine ronde enflait la taille. Je refuserai d'être comme ça lorsque j'aurai son âge, pensa Billy en conduisant son père dans le séjour.

Dans la petite salle en désordre — elle ne perdait pas son temps à faire le ménage — Monika était assise dans l'unique fauteuil, en train de lire. Elle se leva lorsqu'ils entrèrent.

— Monika, dit Billy, voici mon père.

Monika sourit, ses yeux donnant une lueur accueillante à son visage. Elle a soixante humeurs par heure, pensa Billy pendant que Monika et Abbott se serraient la main.

— Bienvenue, Monsieur.

— Je vous ai vue entrer, dit Abbott. Vous m'avez regardé d'un drôle d'air.

— Monika regarde tous les hommes d'un drôle d'air, dit Billy. Assieds-toi, assieds-toi. Est-ce que je peux t'offrir un verre ?

Abbott se frotta les mains et grelotta.

— Cela réparerait pas mal de dégâts, dit-il.

— Je vais chercher les verres et les glaçons, dit Monika qui alla dans la cuisine.

Abbott regarda autour de lui d'un air approbateur.

— Douillet. Tu as trouvé un foyer dans l'armée, on dirait, non, Billy ?

— On pourrait dire ça.

— Temporaire ou permanent ?

Abbott fit un mouvement de tête vers la cuisine.

— Temporairement permanent, dit Billy.

Abbott rit. Son rire était plus jeune que ses cheveux gris fer et son visage boursouflé.

— L'histoire des Abbott, dit-il.

— Qu'est-ce qui t'amène à Bruxelles, Papa ?

Abbott regarda Billy d'un air pensif.

— Une mission d'exploration. Nous pourrons en parler plus tard, je suppose.

— Bien sûr.

— Que fait la jeune personne ?

— Elle est traductrice à l'O.T.A.N.

Billy ne se sentait pas obligé de dire à son père qu'en outre Monika complotait pour détruire le système capitaliste et qu'il était presque certain qu'elle avait contribué au récent assassinat d'un juge à Hambourg.

Monika revint avec trois verres, des glaçons et une bouteille de scotch. Billy vit son père lorgner la bouteille d'un air avide.

— Rien qu'un petit verre pour moi, je vous prie, dit Abbott. Après le voyage en avion et tout, et après avoir marché dans Bruxelles toute la journée, je me sens comme si je n'avais pas dormi depuis des semaines.

Billy vit que la main de son père tremblait légèrement en prenant son verre des mains de Monika. Il ressentit un pincement de pitié pour le petit homme, réduit en taille et en assurance, comparé au père dont il se souvenait.

Abbott leva son verre.

— Aux pères et aux fils. — Il grimaça un sourire. Il fit tourner les glaçons dans son verre, mais ne le porta pas à ses lèvres. — Ça fait combien d'années que nous ne nous sommes pas vus ?

— Six, sept..., dit Billy.

— Tant que ça, hein ? dit Abbott. Je vous ferai grâce du cliché, à tous les deux. — Il but une gorgée et, reconnaissant, respira profondément. — Tu as bien tenu le coup, Billy. Tu as l'air en forme.

— Je fais beaucoup de tennis.

— Excellent. C'est triste à dire, mais j'ai négligé le tennis, ces derniers temps. — Il but à nouveau. — Une erreur. On fait des erreurs, en six ou sept ans. A des degrés d'horreur variés. — Il scruta Billy, plissant les yeux comme quelqu'un qui aurait perdu ses lunettes.— Tu as changé. C'est normal. Mûri, c'est le mot, je suppose. Des lignes de force dans le visage et tout ça. Très séduisant, vous ne trouvez pas, Monika ?

— Modérément séduisant, dit Monika en riant.

— C'était un bel enfant, dit Abbott. Mais anormalement solennel. J'aurais dû apporter des photos de lui bébé. Lorsque nous nous connaîtrons mieux, je vous prendrai à part et je vous demanderai ce qu'il dit de son père. Par curiosité. Un homme est toujours inquiet parce que son fils risque de mal le juger. L'aiguillon de la paternité, on pourrait appeler ça.

— Billy parle toujours de vous avec affection, dit Monika.

— Loyale enfant. Comme je disais, les occasions de faire des erreurs de jugement sont infinies. — Il but une nouvelle gorgée de sa boisson. — Si j'ai bien compris, Monika, mon fils vous plaît...

— On pourrait le dire. — La voix de Monika était prudente. Billy vit qu'elle avait une impression défavorable de son père. — Il vous a dit, sans doute, qu'il a l'intention de renouveler son engagement.

Abbott fit encore tournoyer son verre.

— Oui.

Ah, pensa Billy, voilà ce qui l'a amené à Bruxelles.

— L'Armée américaine est une institution noble et nécessaire, dit Abbott. J'y ai servi moi-même jadis, si ma mémoire est bonne. Est-ce que vous approuvez le fait qu'il se rengage dans cette institution noble et nécessaire ?

— Ça le regarde — le ton de Monika était suave —, je suis sûre qu'il a ses raisons.

— Si je puis me permettre d'être curieux, Monika, dit Abbott, je veux dire — en usant du privilège d'un père qui s'intéresse au choix de son fils en matière de compagnes — j'espère que cela ne vous offense pas...

— Bien sûr que non, Mr Abbott, dit Monika. Billy sait tout de moi, n'est-ce pas, Billy ?

— Trop, dit Billy en riant, gêné par la teneur de la conversation.

— Comme je disais, dit Abbott, si je peux me permettre d'être curieux... je crois déceler un très léger accent dans votre façon de parler, pourriez-vous me dire d'où vous êtes, je veux dire, vos origines ?

— D'Allemagne, dit-elle. Originaire de Munich.

— Ah — Munich. — Abbott hocha la tête. — J'ai été un jour dans un avion qui allait bombarder Munich. Je suis heureux de voir que vous êtes trop jeune pour avoir été dans cette ville à cette occasion. C'était au début de 1945.

— Je suis née en 1944, dit Monika.

— Mes excuses, dit Abbott.

— Je ne me souviens de rien, dit Monika sèchement.

— Quelle chose merveilleuse que de pouvoir dire qu'on ne se souvient de rien, dit Abbott.

— Papa, intervint Billy. La guerre est finie.

— C'est ce que tout le monde dit. — Abbott but de nouveau, lentement. — Ce doit être vrai.

— Billy, dit Monika en posant son verre à moitié vide, j'espère que toi et ton charmant père m'excuserez. Je dois sortir. J'ai des gens à voir...

Abbott se leva galamment, avec un rien de raideur, comme un vieillard rhumatisant qui sort de son lit le matin.

— J'espère que nous aurons la joie de vous avoir avec nous pour dîner, ma chère.

— Je crains que non, Mr Abbott. J'ai un rendez-vous pour dîner.

— Un autre soir ?...

— Certainement, dit Monika.

Billy l'accompagna dans l'entrée et l'aida à mettre son imperméable. Il la regarda nouer un foulard sur ses cheveux ébouriffés.

— Est-ce que je te verrai plus tard ? chuchota-t-il.

— Je ne pense pas. Et ne laisse pas ton père t'influencer en quoi que ce soit. Tu sais pourquoi il est venu, j'en suis sûre.

— Je m'en doute, oui. Ne t'en fais pas, dit-il à voix basse. Et reviens ce soir. A n'importe quelle heure. Je promets d'être toujours lascif.

Elle eut un petit rire, l'embrassa sur la joue et sortit. Il soupira très discrètement, afficha un sourire sur son visage et regagna la salle de séjour. Son père était en train de se reverser à boire, pas un petit verre, cette fois.

— Fille intéressante, dit Abbott. — Sa main ne tremblait plus quand il versa l'eau gazeuse dans son verre. — Est-ce qu'il lui arrive de se peigner ?

— Elle ne s'intéresse pas aux choses de ce genre dit Billy

— C'est ce que j'ai cru comprendre - Abbott se rassit dans le fauteuil. — Elle ne m'inspire pas confiance.

— Ecoute, Papa, dit Billy. Au bout de dix minutes. Pourquoi. parce qu'elle est Allemande ?

— Pas du tout. Je connais beaucoup d'Allemands très bien. Je dis cela bien que ce ne soit pas vrai, parce que c'est ce qu'on est censé dire. La vérité est que je ne connais pas d'Allemands du tout et que je n'ai pas de sentiments particuliers à leur égard. Mais j'ai, en revanche, des sentiments particuliers à l'égard des dames, une race que je connais mieux que je ne connais les Allemands. Comme je disais, elle m'a regardé d'un drôle d'air quand elle est passée à côté de moi en entrant dans l'immeuble. Cela m'a inquiété.

— Enfin, dit Billy, *moi*, elle ne me regarde jamais d'un drôle d'air.

— Probablement pas. — Abbott jaugeait Billy du regard. — Tu es petit — dommage que tu me ressembles et pas à ta mère dans ce domaine — mais avec tes jolis yeux et tes manières agréables, je pense que tu dois susciter pas mal d'affection de la part des dames ?

— La plupart d'entre elles trouvent le moyen de se maîtriser en ma présence, dit Billy.

— J'admire ta modestie. — Abbott rit. — J'étais moins modeste quand j'avais ton âge. As-tu des nouvelles de ta mère ?

— Oui. Elle m'a écrit quand tu lui as dit que j'allais me rengager. Je ne savais pas que tu gardais un contact si étroit avec elle.

— Tu es son fils, dit Abbott, d'un air grave, et tu es mon fils. Aucun de nous deux ne l'oublie, bien que nous trouvions le moyen d'oublier un tas d'autres choses.

Il but une longue goulée de son whisky.

— Ne te saoule pas ce soir, papa, je t'en prie.

Abbott regarda le verre dans sa main d'un air pensif, puis, d'un geste soudain, le jeta contre la petite cheminée de brique. Le verre se brisa et le whisky fit une tache sombre sur l'âtre. Les deux hommes restèrent assis en silence pendant un moment. Billy entendait la respiration saccadée de son père.

— Je suis désolé, Billy, dit Abbott. Je ne suis pas en colère à cause de ce que tu as dit. Au contraire. Tout à fait au contraire. Tu as parlé comme un fils respectueux et loyal. Je suis touché de l'intérêt que tu portes à ma santé. Ce qui me met en colère, c'est moi-même. — Il parla d'une voix amère. — Mon fils est sur le point de faire ce que je considère comme une énorme et peut-être irréparable erreur. J'ai emprunté l'argent pour le voyage de Chicago à Bruxelles au dernier homme au monde qui de temps à autre puisse être amené à me prêter un dollar. Je suis venu ici pour te persuader de... enfin... reconsidérer la question. J'ai marché toute la journée dans cette ville sous la pluie, en tournant dans ma tête les arguments susceptibles de te faire changer d'avis. J'ai réussi à ne pas commander un seul verre dans l'avion en traversant l'océan, parce que je voulais me montrer sous mon meilleur jour — il grimaça un sourire — qui n'est de toute façon pas un très bon jour — pour ma rencontre avec toi. Je t'ai contrarié au sujet de ton amie, que je ne connais pas, comme tu me l'as fait remarquer, à cause d'un regard bizarre sur le pas de la porte et j'ai entamé la procédure en me versant un double scotch, ce qui est parfait pour te rappeler les week-ends pénibles chez ton père lorsque ta mère te prêtait à moi pour être guidé par une main paternelle durant le sabbat. Willie Abbott a encore frappé. — Il se leva brusquement. — Allons dîner. Je promets de ne plus toucher une goutte d'alcool ce soir jusqu'au moment où tu me déposeras à mon hôtel. Après ça, je promets de me saouler jusqu'à l'oubli. Je ne serai pas dans une forme éblouissante demain, mais je promets d'être sobre. Où sont les toilettes ? Je suis resté sous la pluie pendant des heures et ma vessie est sur le point d'éclater. Par égard pour toi et l'Armée des Etats-Unis je ne voulais pas qu'on me voie pisser sur les bons citoyens de Bruxelles.

— Par la chambre, dit Billy. J'ai peur qu'il y ait pas mal de choses qui traînent. Monika et moi nous travaillons tôt le matin et la plupart du temps nous ne rentrons que pour dîner. — Il ne voulait pas que son père pense que Monika était une souillon, bien que parfois il se plaignît à elle du désordre dans lequel ils vivaient : « Il n'y a rien dans Marx ou Mao ou Che Guevara, lui avait-il dit dernièrement, qui dise que les bons révolutionnaires doivent laisser leurs sous-vêtements par terre. » — Nous faisons le ménage pendant les week-ends, dit-il à son père.

— Je ne ferai pas de remarques, Billy, dit Abbott, sur votre style de vie, à toi et ta dame. Je ne suis pas l'homme le plus méticuleux du monde, mais paradoxalement, je considère l'ordre comme une vertu utile chez une femme. Tant pis. On s'accommode de ce qui se présente. — Il regarda Billy d'un air inquisiteur. — Tu n'es pas en uniforme, militaire. Comment se fait-il qu'étant dans la noble et nécessaire Armée des Etats-Unis, tu ne sois pas en uniforme ?

— En dehors du service, dit Billy, nous pouvons être en civil.

— C'était différent de mon temps, dit Abbott. Je n'ai pas porté de vêtements civils pendant quatre ans. Enfin, les guerres changent.

Il marcha d'un pas ferme vers l'entrée pour gagner la salle de bains. Le regardant sortir, Billy pensa : Ce costume-là doit avoir au moins dix ans. Je me demande s'il me laisserait lui en acheter un neuf.

*
* *

Pendant le dîner, son père dit beaucoup de choses, sur des sujets variés. Il tint à ce que Billy commandât du vin pour lui-même mais retourna son propre verre lorsque le garçon fit le service.

Il dit que la cuisine était de premier ordre, mais se contenta de grignoter. Tour à tour, il se montra expansif, désireux de se justifier, plein de regrets, cynique, optimiste, agressif, autodénigrant et vantard.

« Je ne suis pas encore fini, dit-il entre autres, quoi qu'on puisse en penser. J'ai un million d'idées ; je pourrais dévorer le domaine des relations publiques comme un plat de crème Chantilly si j'arrêtais de picoler. Dix des hommes les plus importants de Chicago dans la profession me l'ont laissé entendre — on m'a offert des postes en or si je m'enrôlais dans les Alcooliques Anonymes — mais je ne me vois pas faire des confessions publiques devant un groupe de professionnels de mea culpa. Si tu pouvais oublier cette idée folle de rester dans l'armée — je n'en reviens pas, vraiment, un jeune homme intelligent comme

toi, avec ton éducation, même pas officier — qu est-ce que tu fous toute
la journée, tu contrôles les sorties des voitures comme une fille dans un
bureau de radio-taxi ? Enfin, si tu venais à Chicago avec moi, on
pourrait monter une agence — William Abbott et Fils —, j'ai lu tes
lettres — je les garde sur moi tout le temps, la première chose que
j'emballe quand je déménage, c'est la boîte où je les garde — je les ai
lues et je te dis que tu sais écrire , tu sais vraiment tourner une phrase
comme un professionnel. Si j'avais eu ton talent, je peux te dire que je
n'aurais jamais eu un tas de pièces de théâtre inachevées dans le tiroir
de mon bureau, non monsieur, loin de là. Nous pourrions éblouir les
gens, les éblouir tout simplement — je connais le métier de A à Z, tu
pourrais me confier ce côté-là, les clients viendraient enfoncer notre
porte pour nous supplier de bien vouloir prendre en main leurs
budgets. Et ne crois pas que Chicago est un trou. C'est *là* que la
publicité est née, Bon Dieu.

« Bon, je sais à peu près ce que tu penses de la publicité — la putain
de la société de consommation, et tout ça. Mais qu'on l'aime ou pas,
c'est la seule société que nous ayons et la loi de la jungle, c'est
consommer ou être consommé. Sacrifie quelques années de ta vie et tu
pourras faire ce que tu voudras après. Ecrire un livre — écrire une pièce
de théâtre. A mon retour à Chicago je ferai des photocopies de tes
lettres et je te les enverrai, tu t'étonneras toi-même en les lisant toutes à
la suite. Ecoute-moi, ta mère gagnait sa vie, très bien, en écrivant pour
les magazines, et rien que les choses que tu m'écris à la diable en
quelques minutes ont plus de — quel est le mot que je cherche — plus
d'accent, plus d'esprit, un meilleur sens de l'écriture qu'elle n'en avait
même dans ses meilleurs jours. Et elle était hautement considérée, je
peux te dire, par un tas de gens intelligents — les rédacteurs lui en
demandaient toujours plus — je ne sais pas pourquoi elle a abandonné.
Ses écrits satisfaisaient les rédacteurs, le public, mais pas elle. Elle est
bêtement perfectionniste — il faut s'en garder — cela peut finir par
mener à l'immobilisme moléculaire — voilà une phrase, fiston — et elle
a abandonné. Bon sang, il devrait y avoir au moins un membre de la
famille qui finisse par réussir. Elle se plaint à moi parce que tu ne lui
écris presque jamais. Je suis heureux, évidemment, que tu m'écrives
aussi souvent, mais après tout, elle est ta mère, tu n'en mourrais pas si
tu lui envoyais un mot de temps en temps. Je sais que j'ai été mufle avec
elle, que je l'ai déçue, que j'ai été un mauvais mari. La vérité, c'est
qu'elle était trop pour moi — en tous les domaines — physiquement,
intellectuellement, moralement. Elle m'écrasait, mais cela ne m'empêche pas, tant d'années plus tard, d'apprécier ses qualités. On ne peut
pas savoir jusqu'où elle aurait pu aller, avec un autre homme, avec plus
de chance... Colin Burke qui a été tué...

« Cette famille — les Jordache — le père suicidé, le frère assassiné, et
ce pieux Rudolph battu presque à mort chez lui. Ça aurait été quelque
chose pour ta mère, s'il y était passé. Trois sur trois. Deux frères et un
mari. Quel pourcentage ! Et le môme — Wesley — est-ce que je t'ai écrit
qu'il est venu à Chicago et qu'il est venu me voir ? Il voulait que je lui
dise ce que je savais sur son père — il est hanté par son père — les
remparts d'Elseneur, bon sang, — on ne peut pas l'en blâmer, sans

224

doute — mais il a l'air d'un zombie, ses yeux font peur — Dieu sait comment il finira, *lui*. Je n'ai même jamais rencontré son père, mais j'ai essayé de faire semblant d'avoir entendu dire que c'était un type bien et j'en ai rajouté et le môme s'est levé au milieu d'une phrase et a dit · « Merci, monsieur. J'ai peur que nous soyons tous les deux en train de perdre notre temps. »

« Tu es à moitié Jordache — peut-être plus qu'à moitié — si jamais une femme a eu des gènes dominants, c'était Gretchen Jordache — donc fais gaffe, ne compte jamais sur la chance héréditaire parce que tu n'en a pas, ni d'un côté ni de l'autre de l'arbre généalogique... »

« Tu sais quoi — termine avec cette maudite armée et viens à Chicago travailler avec moi et je jure que je ne toucherai plus jamais à une goutte d'alcool de toute ma vie. Je sais que tu m'aimes — nous sommes adultes, et nous pouvons appeler un chat un chat et on t'offre une possibilité qui est offerte à peu de fils — tu peux sauver la vie de ton père. Ne dis rien maintenant, mais lorsque je rentrerai à Chicago, je veux y trouver une lettre de toi qui m'y attende en me disant quand tu arrives. J'y serai dans une semaine environ. Je dois aller à Strasbourg demain. Il y a là quelqu'un que je dois voir. Des négociations délicates pour un vieux client à moi. Une société de produits chimiques. Je dois sonder ce Français pour voir s'il acceptera une rémunération, des honoraires — pour ne pas jouer sur les mots, un pot-de-vin, pour que mon client fasse affaire avec sa société. Je ne te dirai pas combien d'argent ça représente, mais tu aurais le souffle coupé si je te le disais. Et je touche ma commission si je réussis. Ce n'est pas la façon la plus réjouissante de gagner sa vie, mais c'était le seul moyen d'emprunter suffisamment d'argent pour venir ici te voir. Rappelle-toi ce que j'ai dit sur la société de consommation.

« Et maintenant il est tard et ton amie t'attend sûrement et je suis mort de fatigue. Si tu tiens un tant soit peu à ce qui reste de la vie de ton père, cette lettre m'attendra à Chicago à mon retour. Et c'est du chantage et ne crois pas que je ne le sais pas. Une dernière chose. C'est moi qui offre le dîner. »

En rentrant chez lui après avoir mis son père dans un taxi et avoir marché lentement dans les rues mouillées de Bruxelles, avec de petits halos de lumière embrumée autour des lampadaires, il s'assit à sa table de travail et fixa sa machine à écrire.

Sans espoir, sans espoir, pensa-t-il. Pauvre cher homme désespéré, minable et plein de fantasmes. Et je n'ai pas trouvé le moyen de lui dire que j'aimerais lui acheter un costume neuf.

Lorsqu'il se coucha enfin, ce fut tout seul. Monika ne rentra pas cette nuit-là.

Elle rentra avant qu'il ne partît travailler le matin, avec le colis qu'il devait livrer à une adresse rue du Gros-Caillou dans le septième arrondissement à Paris, en allant dans la capitale française avec son colonel. Le colis était relativement inoffensif — rien que dix mille francs français en billets usés et un pistolet 45 automatique de l'Armée américaine, avec silencieux.

Le 45 et les chargeurs supplémentaires étaient dans son sac de tennis lorsqu'il descendit du taxi au coin de l'avenue Bosquet et de la rue Saint-Dominique à trois heures vingt de l'après-midi. Il avait consulté le plan de Paris et avait vu que la rue du Gros-Caillou était une rue courte qui allait de la rue Saint-Dominique à la rue de Grenelle, pas loin de l'Ecole Militaire. Les dix mille francs, pliés dans une enveloppe, étaient dans une poche intérieure de sa veste.

Il était en avance. Monika lui avait dit qu'on l'attendrait à trois heures trente. A voix basse il se répéta l'adresse qu'elle lui avait fait apprendre par cœur. Il flâna, en jetant un regard sur les vitrines, espérant passer pour un touriste américain oisif qui avait quelques minutes à tuer avant de retrouver ses partenaires pour jouer au tennis. Il était encore à trente mètres environ de l'entrée en arcade de cette rue, lorsqu'un car de police, sirènes hurlantes, passa à côté de lui, en remontant la rue Saint-Dominique en sens interdit et s'arrêta pour bloquer la rue du Gros-Caillou. Cinq policiers sautèrent hors du car, pistolet au poing, et entrèrent en courant dans la rue du Gros-Caillou. Billy hâta le pas et passa devant l'entrée de la rue. Il regarda par l'arcade et vit les policiers courir vers un immeuble devant lequel il y avait trois autres policiers venus par l'autre bout de la rue. Il entendit des cris et vit les trois premiers policiers se ruer par la porte d'entrée. Un moment plus tard on entendit des coups de feu.

Il fit demi-tour et se dirigea vers l'avenue Bosquet, en se forçant à marcher lentement. Il ne faisait pas froid, mais il grelottait et transpirait en même temps.

Il y avait une banque au coin et il y entra. N'importe quoi pour quitter la rue. Une fille était assise à un bureau à l'entrée et il s'approcha d'elle et dit qu'il voulait louer un coffre-fort. Il avait du mal à prononcer les mots en français, « *coffre-fort.* »

La fille se leva et le conduisit à un comptoir où un employé lui demanda une pièce d'identité. Il montra son passeport et l'employé remplit quelques formulaires. Lorsque l'employé lui demanda son adresse, il réfléchit un instant, puis donna le nom de l'hôtel où lui et Monika étaient descendus lorsqu'ils étaient venus à Paris ensemble. Cette fois il était descendu dans un autre hôtel. Il signa deux cartes. Sa signature lui paraissait étrange. Il paya un an de location d'avance. Puis l'employé le conduisit dans une chambre forte, où il donna la clef du coffre-fort à un gardien derrière un bureau. Le gardien le conduisit vers une rangée de coffres au fond de la chambre forte, ouvrit une des serrures avec la clef de Billy et la seconde serrure avec son propre passe-partout, puis retourna à son bureau, en laissant Billy seul. Billy ouvrit son sac de tennis et plaça le pistolet automatique, les chargeurs supplémentaires et les dix mille francs dans le coffre-fort. Il ferma la porte du coffre et appela le gardien. Celui-ci revint, tourna les deux clefs et donna à Billy la sienne.

Billy sortit de la chambre forte et remonta. Personne ne semblait lui prêter attention et il sortit dans l'avenue. Il n'entendit plus de coups de feu, ne vit plus de police. Son père, apparemment, était inutilement pessimiste en l'avertissant de ne pas se fier à sa chance héréditaire. Il venait de vivre dix minutes de la plus grande chance de sa vie, ou de la vie de quiconque. Il héla un taxi en maraude et donna au conducteur l'adresse de son hôtel aux Champs-Elysées.

En arrivant à l'hôtel, il demanda s'il y avait des messages pour lui. Il n'y en avait pas. Il monta dans sa chambre, décrocha le téléphone et donna à la standardiste le numéro de son appartement à Bruxelles. Au bout de quelques minutes son téléphone sonna et la standardiste lui dit qu'il n'y avait pas de réponse.

Le colonel lui avait donné congé pour l'après-midi et la soirée et il resta dans sa chambre, appelant le numéro à Bruxelles toutes les demi-heures jusqu'à minuit, heure de fermeture du standard. Mais le numéro ne répondit pas.

Il s'efforça de dormir, mais chaque fois qu'il s'assoupissait, il se réveillait en sursaut, en sueur. A six heures du matin, il essaya de nouveau le numéro à Bruxelles, mais il n'obtint toujours pas de réponse.

Il sortit et acheta les journaux du matin, *Le Figaro* et le *Herald Tribune*. En prenant un café et un croissant dans un café des Champs-Elysées, il lut les articles. Aucun des journaux ne donnait à l'événement une grande importance. Un personnage soupçonné d'être un trafiquant de drogue avait été abattu en résistant à son arrestation dans le septième arrondissement. La police cherchait toujours à établir son identité.

Ils sont prudents, se dit Billy, en lisant les comptes rendus — ils ne veulent pas dévoiler ce qu'ils savent. En rentrant à l'hôtel, il essaya encore le numéro de l'appartement à Bruxelles. Il n'y eut pas de réponse.

Il rentra à Bruxelles deux jours plus tard. L'appartement était vide et tout ce qui appartenait à Monika avait disparu. Il n'y avait aucun mot nulle part.

Lorsque le colonel lui demanda quelques semaines plus tard s'il allait rempiler, il dit : « Non, mon Colonel, j'ai décidé de ne pas le faire. »

CHAPITRE IV

En VENANT DU BRILLANT soleil du bord de mer, Wesley cligna des yeux dans la pénombre de l'entrée en suivant son oncle à l'intérieur de la maison. Une femme était assise à une table mise pour deux personnes devant une grande baie qui donnait sur les dunes et l'Atlantique. Son visage n'était encore qu'une tache indistincte contre la lumière éclatante de la fenêtre, et pendant un instant il fut certain qu'il s'agissait de l'ancienne femme de son oncle et il regretta d'être venu. Il ne l'avait pas vue depuis le jour de la mort de son père et depuis lors, il avait passé beaucoup de temps à essayer de l'oublier. Mais ensuite ses yeux s'accoutumèrent à la lumière et il vit que ce n'était pas Jean Jordache, mais une grande femme aux cheveux longs brun-roux. Rudolph la lui présenta.

La femme lui sourit agréablement, se leva et alla dans la cuisine et revint portant sur un plateau un verre, des assiettes et de l'argenterie et lui mit un couvert. L'odeur venant de la grande terrine sur la table, mêlée à l'arôme chaud des petits pains fraîchement cuits, le tentait. Il était en route, en faisant du stop, depuis sept heures du matin et avait fait à pied les trois ou quatre kilomètres de la route principale à la plage et n'avait pas déjeuné. Il était obligé de déglutir pour dissimuler qu'il avait l'eau à la bouche.

La femme était en maillot de bain et était très bronzée et ne lui rappelait pas Mrs Wertham. La soupe aux palourdes était délicieuse et il s'efforça de ne pas manger trop vite. Alice le nourrissait convenablement, mais elle était si occupée au bureau de *Time* que ses repas consistaient en éléments disparates qu'elle achetait en rentrant précipitamment chez elle après le travail. Le souvenir agréable des festins que Kate préparait toujours sur la *Clothilde* était noyé sous des flots de salade de thon et de sandwiches au rosbif froid. Il était reconnaissant à Alice pour son hospitalité et il savait qu'elle travaillait dur aussi bien au bureau que chez elle, où elle tapait à la machine jusqu'à une heure avancée de la nuit, mais elle ne s'intéressait pas à la cuisine, et il ne pouvait s'empêcher de penser qu'elle avait intérêt à réussir comme écrivain, car elle ne se distinguerait pas comme cuisinière.

Lorsqu'il termina la soupe aux palourdes, accompagnée de quatre petits pains ruisselants de beurre, Mrs Morison tint à remplir de nouveau son bol et à aller chercher d'autres petits pains chauds dans le four.

— Je crois que je suis arrivé au bon moment, dit Wesley, avec un large sourire, en achevant son second bol.

Son oncle ne lui posa pas de questions importantes pendant le déjeuner, il lui demanda seulement comment il était venu à Bridge-hampton et comment il avait trouvé la maison. Wesley ne livra aucune information spontanément. Il répondrait aux questions lorsqu'ils seraient seuls.

— Nous n'avions pas prévu de dessert, dit Mrs Morison, mais je pense que nous pourrons trouver quelque chose dans le réfrigérateur pour un jeune membre de la famille. J'ai moi-même un fils et je connais les jeunes appétits. Je crois qu'il reste un peu de tarte aux myrtilles d'hier soir et je sais qu'il y a de la glace dans le congélateur.

Wesley décida qu'il trouvait la femme sympathique et se demanda si son oncle aurait été différent s'il l'avait rencontrée elle, et l'avait épousée longtemps auparavant, avant l'autre.

Après déjeuner, la femme dit qu'elle devait partir et enfila une robe de plage. Rudolph l'accompagna à sa voiture, laissant Wesley seul dans la maison.

— Dieu, qu'il est beau, ce garçon, dit Helen en montant dans sa voiture.

— Gretchen dit qu'il ressemble à un jeune prince dans un tableau florentin. Elle veut lui faire faire un essai pour un rôle dans son film.

— Qu'en dit-il ?

— Je ne le lui ai pas encore demandé, dit Rudolph. C'est tout ce qui manquait dans la famille — un acteur de cinéma.

— Il est quand même mal tombé, dit Helen.

— Tu as raison. Le déjeuner était aphrodisiaque, comme promis.

Helen rit.

— Il y a toujours demain.

— Et pourquoi pas ce soir ?

— Occupée. A saper le Parti républicain. Et puis, je pense que ce garçon veut avoir une longue conversation avec son oncle. Il n'a pas fait tout ce chemin pour venir seulement déjeuner.

Elle se pencha, l'embrassa et mit son moteur en marche. Pensivement, il la regarda partir, une femme avec un but. Il se demanda s'il aurait, lui, de nouveau un but, un jour, soupira, et rentra dans la maison.

Wesley était debout devant la grande baie et regardait la mer.

— Si jamais je me fixe quelque part, dit Wesley, j'aimerais que ce soit dans un endroit comme celui-ci — avec tout un océan devant moi.

— J'ai eu de la chance de trouver cette maison.

— Ouais. De la chance. Bon sang, quel repas. Elle est très sympathique, cette femme, non ?

— Très sympathique, dit Rudolph. — La description de ses rapports avec Helen Morison et une évaluation de ses qualités pouvaient attendre un autre moment. — As-tu envie de te baigner ? Il y a toujours des gens qui laissent traîner des maillots de bain et je pense que je pourrais t'en trouver un qui t'aille. — Il savait qu'il cherchait des moyens de remettre à plus tard le problème que Wesley avait à lui soumettre — L'eau est assez froide mais tu auras tout l'océan à toi seul

— Formidable, dit Wesley. Je vais me baigner.

Ils allèrent sur le ponton et descendirent les marches qui étaient dessous jusqu'à la cabine de douche, où étaient suspendus quatre ou cinq maillots. Rudolph laissa Wesley se déshabiller et alla sur la plage.

Lorsque Wesley sortit en maillot de bain, une serviette autour du cou, Rudolph l'accompagna jusqu'au bord de l'eau. Wesley laissa tomber la serviette sur le sable et hésita un moment avant de se mettre à l'eau. Il avait de puissantes épaules tombantes, le ventre plat d'un athlète et de longues jambes musclées. Son visage, pensa Rudolph, était une version raffinée de celui de son père, mais le corps, bien qu'un peu plus grand, était celui de son père. Peut-être, se dit Rudolph, alors que le garçon se mettait soudain à courir vers les brisants, et que l'eau écumait autour de lui, peut-être que Gretchen a raison. Il regarda le garçon plonger dans une vague, puis se mettre à nager aisément au milieu des vagues et à entrer dans la houle. Enid avait encore peur de l'océan et se bornait à barboter prudemment près du rivage. Il n'avait pas essayé de la forcer à être plus entreprenante. Il ne voulait pas être un de ces pères qui, déçus de ne pas avoir de fils, s'efforcent d'en faire un de leurs filles. Il avait connu une ou deux de ces dames trop musclées et il savait que, quoi qu'elles disent de leur père, elles le maudissaient dans leur cœur.

Wesley s'éloigna de plus en plus, jusqu'à ce que sa tête ne fût plus qu'un petit point sur l'horizon bleu et étincelant. Rudolph commença à s'inquiéter. Etait-il possible que le garçon fût venu le voir dans le seul but de se noyer en sa présence ? Son ancien malaise à l'égard de son neveu, le sentiment qu'à tout moment le garçon était susceptible de faire ou de dire quelque chose d'imprévisible, de dangereux ou du moins d'embarrassant, lui revint. Si seulement il pouvait disposer de plus de quelques heures à la fois avec ce garçon, peut-être pourrait-il surmonter le sentiment que celui-ci le jugeait sans cesse, le mesurait selon une échelle de valeurs personnelle et impossible. Il dut se retenir d'agiter le bras et d'appeler le garçon pour le faire revenir. Brusquement, il se retourna et rentra dans la maison.

A cinq cents mètres en mer, Wesley flottait sur le dos, jouissant du plaisir sensuel de monter et descendre au gré de l'eau. Il rêvassait, en regardant le ciel bleu sans nuages ; qu'Alice était là avec lui, qu'ils disparaissaient sous la surface, en s'embrassant, leurs corps n'ayant plus de poids et entrelacés dans les vagues roulantes, pour resurgir et plonger dans les yeux l'un de l'autre, mouillés par l'océan pétillant, leur amour proclamé sur terre et sur mer. La vérité était que depuis l'unique baiser le jour où il l'avait fait pleurer, ils ne s'étaient pas touchés, et une tension nouvelle, un recul timide de la part de chacun d'eux, avait modifié leurs rapports, et pas en mieux.

Mais maintenant, en montant et redescendant dans la mer douce, il pensa à Alice avec une ardeur qu'il n'oserait pas lui avouer — ni à personne d'autre.

Son père lui avait dit un jour que lorsqu'il était jeune homme il avait fait l'amour avec une fille pendant qu'ils prenaient un bain ensemble et que cela avait été une expérience étonnante. Si c'était étonnant dans une baignoire, qu'est-ce que ce serait dans l'océan Atlantique ?

Si cela avait été son père qui avait été sur la plage, il n'aurait pas osé aller si loin en mer car son père lui aurait sonné les cloches pour avoir fait de l'esbroufe et couru un tel risque, même s'il était bon nageur. « Prends des risques, lui avait dit son père, seulement quand ils ont un sens. Ne fais rien uniquement pour l'esbroufe et pour te prouver à toi-même combien tu es formidable sur tous les points. »

Il commençait à avoir froid et il fit demi-tour et se mit à nager vers la rive. La marée baissait et il devait nager de toutes ses forces pour atteindre l'endroit où les vagues se brisaient. Il rentra sur une vague, en culbutant dans un tourbillon d'écume. Il prit pied sur le sable lisse et regagna la plage. Il se tint là, en se séchant le visage et le torse avec la serviette, regardant l'océan qui s'étendait jusqu'à l'horizon, sans un bateau en vue. Quoi que je fasse en fin de compte, se dit-il, je finirai en mer.

Sec et habillé, après une douche dans la cabine, il monta sur le ponton et entra dans la maison, portant sa veste sur l'épaule. Son oncle parlait au téléphone dans le salon.

— ... S'il n'est pas parti pour le Portugal à la nage à l'heure qu'il est, entendit-il dire son oncle. — Celui-ci sourit. — Attends une minute, dit Rudolph dans le récepteur. Il vient de rentrer. Il a l'air d'être un peu gorgé d'eau. — Il tendit l'appareil à Wesley. — C'est ta tante Gretchen. Elle voudrait te dire bonjour.

Wesley prit le téléphone.

— Comment vas-tu ? dit-il.

— Débordée. Je suis contente que tu aies fini par te manifester. J'essaie de te joindre depuis des mois. Où étais-tu ?

— Ici et là.

— Ecoute, Wesley, dit Gretchen, Rudolph vient en ville de bonne heure demain pour me voir. Est-ce que tu peux venir avec lui ? Je meurs d'envie de te voir. Il t'expliquera pourquoi.

— Ben..., dit Wesley, il ne m'a pas invité à passer la nuit.

— Tu peux te considérer invité, dit Rudolph.

— O.K. ! dit Wesley. J'essaierai de venir.

— Ne fais pas qu'essayer, viens. Tu ne le regretteras pas.

— Tu veux reparler à Rudolph ?

— Pas le temps. Au revoir, chéri.

Wesley raccrocha.

— Tu es sûr que je ne te gâche pas ta soirée ? demanda-t-il à Rudolph.

— Au contraire, dit Rudolph. Je m'en réjouis d'avance.

— Elle a dit que tu m'expliquerais quelque chose, dit Wesley. Il y a quelque chose qui ne va pas ?

— Non. Assieds-toi, installons-nous à notre aise.

Ils s'assirent face à face à la table devant la baie. A la lumière crue, les changements dans le visage de Rudolph étaient très évidents. Le nez cassé et la cicatrice au-dessus d'un œil le rendaient moins glacial et lointain Le visage de son oncle, pensa Wesley, avait maintenant l'air d'avoir *servi*, d'être plus humain. Pour la première fois, se dit-il, la ressemblance entre son oncle et son père était incontestable. Jusque-là il n'avait jamais vu la ressemblance entre les deux frères.

— Ils ont dû te tabasser sérieusement, dit-il, ces deux mecs.

— Ce n'est pas trop mal, quand même ? dit Rudolph.

— Non, dit Wesley. J'aime assez. Sans doute j'ai l'habitude des nez cassés. C'est plus familial.

L'allusion à son père était décontractée et naturelle et ils rirent tous les deux.

— Gretchen insistait pour que je le fasse opérer, dit Rudolph, mais je lui ai dit que je trouvais que ça me donne du caractère. Je suis content d'apprendre que tu es d'accord.

— Qu'est-ce que tu devais m'expliquer ?... Au téléphone... ?

— Ah, je t'avais écrit qu'elle était en train d'essayer de faire un film, non ?

— Ouais.

— Eh bien, elle a enfin réussi à tout mettre sur pied. Elle commence à tourner dans un mois environ. Je ne sais pas pourquoi, dit Rudolph d'un ton léger, elle trouve que tu es un très beau garçon.

— Oh, je t'en prie, dit Wesley, mal à l'aise.

— Voilà. Des goûts et des couleurs..., dit Rudolph. En tout cas, elle pense que tu pourrais être exactement ce dont elle a besoin pour un des rôles, et elle voudrait te faire faire un essai.

— Moi ? dit Wesley incrédule. Dans le cinéma ?

— Je suis moi-même mal placé pour en juger, dit Rudolph, mais Gretchen connaît bien le cinéma. Si elle le pense...

Wesley secoua la tête.

— J'aimerais revoir Gretchen, dit-il, mais je ne veux rien faire de ce genre. J'ai beaucoup de choses à faire et je ne veux pas perdre mon temps. Et je ne veux pas que les gens m'abordent dans la rue pour me dire : Je reconnais votre visage, Mr Jordache.

— Ce serait aussi mon sentiment à moi, dit Rudolph, mais je pense qu'il serait plus poli d'écouter Gretchen d'abord avant de refuser. De toute façon ils ne diraient pas Mr Jordache. Au cinéma on change le nom de tout le monde, surtout s'il s'agit d'un nom comme Jordache. Ils te diraient que personne ne saurait le prononcer.

— Ce ne serait peut-être pas une si mauvaise idée, dit Wesley. De changer de nom, je veux dire. Et pas seulement pour le cinéma.

Rudolph regarda son neveu d'un air neutre. C'était une chose curieuse à dire, à son avis. Il le comprit à moitié, mais elle l'inquiéta, il ne savait pas très bien pourquoi. Il était temps de changer de sujet, pensa-t-il.

— Dis-moi, dit-il, qu'as-tu fait ces temps-ci ?

— Je suis parti de la maison.

— C'est ce que tu m'avais dit au téléphone.

— On m'a prié de partir, dit Wesley. Je ne t'avais pas dit ça.

— Non.

— Ma mère. Je suppose qu'on peut dire que nous ne nous entendions pas, quoi. Je ne la blâme pas. Nous n'appartenons pas à la même espèce, elle et moi. Pas au même monde, peut-être... Est-ce qu'elle t'a embêté à mon sujet — le mandat d'arrêt et tout ça ?

— Ça s'est arrangé, dit Rudolph.

— Par toi, sans doute, dit Wesley, d'un ton presque accusateur.

— Moins on en dit, mieux ça vaut, dit Rudolph, d'un ton léger. A propos, où as-tu été, pratiquement, tous ces temps-ci ?

— Dans beaucoup d'endroits, dit Wesley évasif. New York et ailleurs...

— Tu ne me l'as pas fait savoir.

Rudolph s'efforça de ne pas avoir un ton peiné.

— Tu as déjà assez de tes propres problèmes.

— J'aurais pu t'aider.

Wesley sourit largement.

— Peut-être que je te réservais pour le jour où j'aurais vraiment besoin d'aide. — Puis il devint sérieux. — J'ai eu de la chance. J'ai trouvé l'amitié. Une solide amitié.

— Tu as bonne mine, dit Rudolph. Tu as presque l'air florissant. C'est un beau costume que tu portes... — L'idée lui vint soudain à l'esprit que Wesley avait été recueilli par quelqu'un qui se servait de lui pour une quelconque entreprise douteuse, et qu'il ramassait de pauvres filles aux terminus des autocars pour les remettre entre les mains de maquereaux ou qu'il était passeur pour un trafiquant de drogue. Depuis son passage à tabac, New York avait pris pour lui l'aspect nouveau et sinistre d'un terrain de chasse où tous étaient des victimes et personne à l'abri du danger. Et un jeune garçon inexpérimenté qui errait sans un sou dans New York... — J'espère que tu ne fais rien d'illégal ?

Wesley rit.

— Non, dit-il. Du moins pas encore. C'est quelqu'un de *Time Magazine*. Une femme. Elle m'a aidé quand je suis venu à New York pour chercher des renseignements sur mon père. J'avais pensé que peut-être elle pouvait m'aider à trouver quelques-uns des gens qui l'avaient connu. Des adresses, des choses comme ça. J'ai l'impression qu'ils savent vraiment tout sur tout le monde, là-bas. Je crois qu'elle a eu pitié de moi. En tout cas, mon intuition était bonne. Elle m'a mis sur un tas de pistes.

— Elle t'a acheté ce costume ?

— Elle m'a prêté l'argent, dit Wesley, sur la défensive. Et elle a choisi le costume — et quelques autres choses.

— Quel âge a-t-elle ?

Rudolph imaginait une très vieille fille, qui faisait sa proie d'adolescents rustiques, et il était inquiet à cette pensée.

— Quelques années de plus que moi.

Rudolph sourit.

— Je suppose que tant que ça ne dépasse pas la trentaine, ça va, dit-il.

— Elle est loin de la trentaine.

— Tu as une liaison avec elle ? demanda Rudolph. Excuse-moi d'être si direct.

Wesley ne semblait pas avoir été blessé par cette question.

— Non. Je dors sur son divan. Elle m'appelle Cousin.

— J'aimerais rencontrer cette jeune personne.

— Tu la trouveras sympathique. Elle est très gentille, dit Wesley. Elle a vraiment fait un tas de recherches pour moi.

— Qui es-tu allé voir ? demanda Rudolph, curieux.

— Quatre ou cinq personnes, ici et là. Quelques-uns bons, d'autres mauvais. Je préfère garder tout ça pour moi, si ça ne t'ennuie pas. Je n'ai pas encore fini de réfléchir à tout ça — et de voir si je peux y comprendre quelque chose.

— Crois-tu que tu connais mieux ton père, maintenant ?

— Pas vraiment, dit Wesley gravement. Je savais d'une manière générale qu'il s'était attiré des tas d'ennuis quand il était jeune. Je n'ai fait que glaner quelques éléments sur les *sortes* d'ennuis. Peut-être que je l'admire plus pour ce qu'il est devenu après un début pareil — je ne sais pas. Ce qui est certain, c'est que je me souviens mieux de lui. J'avais peur de me mettre à l'oublier et ça je ne le voulais pas. Maintenant, poursuivit-il avec sincérité, il est tout le temps avec moi. Dans ma tête, quoi, presque comme s'il était là en train de me parler, si tu vois ce que je veux dire.

— Je crois que oui, dit Rudolph. Maintenant — quelle est la vraie raison de ta visite ? — Avec un petit rire. — A part le déjeûner.

Wesley hésita.

— Je suis venu pour te demander une faveur, dit-il, le regard fixé sur la table. Deux faveurs, en réalité.

— Lesquelles ?

— Je veux retourner en Europe. Je veux aller voir Kate et son bébé. Et Bunny. Et Billy Abbott. Je voudrais voir comment l'autre fils de la famille a survécu. Et quelques autres personnes dans la région d'Antibes. Je ne me sens pas chez moi en Amérique. Je n'ai pas eu une seule bonne journée depuis que je suis arrivé ici. — Il y avait trop de passion dans sa voix pour qu'on eût l'impression qu'il se plaignait. — Ça passera peut-être, mais ce n'est pas encore le cas. Tu m'as dit un jour que l'avocat d'Antibes avait dit qu'il pensait que dans un an ou deux il pourrait s'arranger pour qu'on me laisse de nouveau rentrer en France. Je me demandais si tu pourrais lui écrire et... enfin, voir ce qu'il peut faire.

Rudolph se leva et, d'un pas lent, alla vers la cheminée.

— Je vais encore être très discret, Wesley, dit-il. Est-ce que tu m'as donné là tes vraies raisons pour retourner en Europe, ou...

Il se tut.

— Ou quoi ? demanda Wesley.

— Ou est-ce que tu penses rendre visite à l'homme avec lequel ton père s'était battu ?

Wesley ne répondit pas immédiatement.

— Cette idée m'a peut-être traversé l'esprit, dit-il.

— Ce serait imprudent, Wesley. Très imprudent. Et très dangereux.

— Je promets d'être prudent, dit Wesley.

— J'espère ne pas avoir l'occasion de te rappeler cette promesse, dit Rudolph. Quelle est l'autre faveur ?

— Celle-là est plus difficile, dit Wesley — Il regardait la mer, maintenant. — Il s'agit d'argent. Je n'aurai dix-huit ans que dans un an, quand je recevrai ma part d'héritage. Je pensais que si ça ne te gênait pas trop, tu pourrais me prêter, disons mille dollars, et je te rembourserais le jour de mon dix-huitième anniversaire...

— Le problème, ce n'est pas l'argent, dit Rudolph, bien qu'il ne pût s'empêcher de penser que d'une façon ou d'une autre l'argent avait été mêlé à presque toutes les décisions qu'il avait prises — lorsqu'il avait acheté la mère de Wesley pour qu'elle consentît au divorce, pour aider Gretchen à se lancer dans une nouvelle profession, pour arriver lui-même à une réconciliation avec le père de Wesley, pour déménager afin de venir vivre là où il habitait maintenant, sur la côte Atlantique, à cause des quelques dollars et de la monnaie qui étaient dans sa poche lorsqu'il était tombé dans l'embuscade des deux hommes dans l'entrée de sa maison à New York. Même pour faire sortir Wesley de prison car il avait été possible de régler les confortables honoraires du vieil avocat rusé d'Antibes sur un compte numéroté en Suisse. — Non, ce n'est pas l'argent, répéta-t-il. C'est à ton avenir que je pense.

— Moi aussi, je pense à mon avenir, dit Wesley avec amertume. Je veux être en France le jour de mon dix-huitième anniversaire, quand je serai obligé de me présenter pour le service militaire. Je ne tiens pas à ce que mon avenir soit une tombe au Vietnam.

— Ça aussi, ça peut s'arranger sans que tu quittes les Etats-Unis, dit Rudolph, en s'approchant du garçon et en se plaçant à côté de lui pour regarder la mer avec lui. — Je t'ai écrit au sujet de l'Académie de la Marine Marchande...

— Je m'en souviens, dit Wesley. Ça avait l'air intéressant.

— Comment est-ce que tu te débrouilles en mathématiques ? C'est important pour être reçu.

— Assez bien. Ça ne me pose pas de problèmes.

— Voilà une bonne chose, dit Rudolph. Mais il faut avoir le bac. Et être recommandé par un membre du Congrès. Je suis sûr que je pourrais me débrouiller pour *ça*. Et... — Une idée le frappa soudain. — Tu pourrais venir vivre ici avec moi, ce n'est pas un endroit désagréable à habiter, non ?

— Non, c'est formidable.

— Franchement, cela me plairait beaucoup. Je crois que tu pourrais alors dire que tu as enfin quelques bonnes journées en Amérique. Tu pourrais finir tes études secondaires ici. A moins que ta tante ne te transforme en vedette de cinéma...

— Ne t'en fais pas pour ça.

— Et quand tu sortiras de l'Académie, la guerre sera probablement finie. Il faut bien qu'elle finisse un jour.

— Qui a dit ça ? dit Wesley.

— L'Histoire, dit Rudolph.

— Je n'ai pas lu ce livre-là, dit Wesley, sardonique.

— Je te le trouverai. Tu n'as pas besoin de te décider tout de suite. En attendant, je vais écrire à l'avocat. Ça te va ?

— Ça me va, dit Wesley

CHAPITRE V

En FAISANT SES BAGAGES pour quitter Bruxelles, Billy regarda la feuille de papier. Il lut Démobilisation Honorable. Il fit une moue amusée en glissant le document dans une enveloppe rigide. Il ne faut pas croire tout ce qui est imprimé.

L'autre papier qu'il mit dans l'enveloppe fut une lettre de son père. Celui-ci était heureux qu'il ait décidé sagement en ce qui concernait l'armée et malheureux parce qu'il avait décidé de ne pas venir à Chicago, bien qu'il comprît l'attrait de l'Europe pour un jeune homme. Chicago pouvait attendre un an ou deux. Il y avait aussi des nouvelles de sa mère. Elle mettait en scène un film. Son père pensait que Billy devrait lui écrire et la féliciter. De plus, ajouta son père, un des acteurs principaux du film était Wesley, le cousin de Billy. Garçon maussade, Wesley, du moins aux yeux de William Abbott. Les Jordache s'occupaient des Jordache, écrivait son père. Dommage que lui, Billy, ne soit pas en meilleurs termes avec sa mère.

La chose suivante que Billy mit dans sa valise fut un dictionnaire espagnol-anglais. Un homme d'affaires belge avec lequel il avait joué au tennis et qui avait des intérêts dans la construction d'un complexe de bungalows et de lotissements à un endroit nommé El Faro près de Marbella en Espagne, avec six courts de tennis, lui avait proposé un contrat d'un an comme moniteur de tennis. Après Bruxelles, l'idée de l'Espagne était séduisante et l'emportait largement sur Chicago, et après tout, la seule chose qu'il fît bien était de jouer au tennis et c'était un travail propre et bien payé, au grand air, de sorte qu'il avait dit oui. Un peu de soleil lui ferait du bien. Attention aux *Señoritas*, avait averti son père.

La dernière feuille de papier n'était pas datée et signée Heidi. Il l'avait trouvée dans une enveloppe non timbrée qui était dans sa boîte aux lettres la veille au soir. « Ai été obligée de partir soudainement à cause de la mort d'un ami. J'apprends que tu ne te rengages pas. Laisse nouvelle adresse, bien que je sois certaine de pouvoir te trouver Il nous reste à régler des questions en suspens. »

Il ne sourit pas en lisant la lettre ; il la déchira en petits morceaux et la jeta dans les W.-C. Il ne laissa pas d'adresse

Il prit le train pour Paris. Il avait vendu sa voiture. Monika la connaissait trop bien, la marque, l'année, le numéro d'immatriculation. Qui sait combien de personnes avaient la description de la voiture et la guetteraient peut-être sur les routes d'Europe ?

Il pourrait acheter une nouvelle voiture en France. Il pouvait se le permettre. Un héritage modeste mais suffisant l'attendait dans la chambre forte de la banque qui faisait le coin de l'avenue Bosquet, dans le septième arrondissement à Paris.

*
* *

« Coupez ! » dit Gretchen. Le tournage était terminé pour la journée et le brouhaha de la conversation des comédiens et des membres de l'équipe naquit soudain sur le plateau. La scène avait été tournée devant un hôtel particulier délabré qui avait à présent une fausse façade et une fausse pelouse menant à la rue. Dans la scène, Wesley et la fille qui jouait sa sœur s'étaient violemment disputés à propos de la façon dont Wesley menait sa vie. Cela avait pris toute la journée. Son oncle Rudolph, qui était venu pour la journée, avait été sur le plateau, et bien qu'il se fût borné à saluer Wesley de la main, sa présence avait rendu le garçon un peu plus timide que d'habitude. Mais puisqu'il jouait le rôle d'un garçon taciturne et froid et que la fille avait dû faire le plus gros du travail, cela n'avait pas eu beaucoup d'importance.

Après les premiers jours, durant lesquels Wesley avait été raide et avait essayé de dissimuler la timidité qu'il ressentait à devoir jouer devant tant de personnes, il avait saisi ce qu'on voulait de lui — sa tante Gretchen l'avait pris à part et lui avait dit de ne pas jouer — et il s'était mis à prendre plaisir à tout cela. Gretchen pensait qu'il se débrouillait très bien, bien qu'elle l'eût dit en privé, sans qu'il n'y eût personne d'autre qui pouvait l'entendre. Mais il avait appris qu'elle n'était pas femme à mentir.

Il aimait l'atmosphère de l'équipe. La plupart des gens étaient jeunes et amicaux, toujours en train de blaguer, et prêts à se rendre utiles. Il n'avait jamais eu beaucoup d'amis à peu près de son âge, il était délassant de ne pas toujours être obligé de se montrer sous son meilleur jour, simplement parce qu'on était avec des gens beaucoup plus âgés.

Gretchen lui permit d'utiliser le nom de Wesley Jordan. Après tout, son père avait utilisé le nom de Jordan professionnellement, de sorte qu'il avait à moitié droit à ce titre. Au début il s'était fait prier avant d'accepter le rôle en grande partie parce qu'il recevait trois mille dollars pour un mois de travail, ce qui signifiait qu'il pourrait rembourser sa dette à Alice et ne serait pas tributaire de son oncle pour aller en Europe, mais maintenant il découvrait qu'il était pressé d'arriver sur le plateau chaque matin, même si l'on tournait des scènes où il ne figurait pas. Tout cela le fascinait, la compétence des cameramen, des techniciens du son et de l'éclairage le dévouement des comédiens, la manière calme et ferme dont sa tante dirigeait le tout. Sa façon de mener les gens lui rappelait son père. D'après Frances Miller, la fille qui jouait sa sœur et qui n'avait que vingt-deux ans mais qui était dans le show-business depuis l'âge de quatorze ans, tous les plateaux de cinéma n'étaient pas comme ça, tant s'en fallait. L'hystérie et les accès de colère étaient plutôt la règle, et elle avait dit à Wesley qu'elle prendrait Gretchen comme metteur en scène de préférence à la plupart des hommes avec qui elle avait travaillé.

Frances était d'une grande beauté, étrange et sauvage, avec des taches de rousseur, des yeux larges et profonds dans un visage maussade et jeune aux angles aigus, un corps menu et délicieusement arrondi, une peau qui était une invitation aux rêves les plus hardis. Elle était d'une franchise brutale et parfois grossière. De temps à autre, aussi, elle aimait boire. Plus souvent, elle aimait aussi faire l'amour avec lui, ce qu'elle avait commencé à faire dès le début à Port Philip, lorsqu'elle était venue dans sa chambre à leur hôtel pour revoir leur dialogue pour les scènes du lendemain et était restée toute la nuit. Wesley était ébloui par sa beauté et par l'idée qu'elle l'avait choisi. Il n'aurait jamais osé faire le premier pas lui-même. Il n'avait pas compris qu'il était d'une beauté extraordinaire. Lorsque des femmes inconnues le dévisageaient, il avait le sentiment gênant qu'il faisait peut-être quelque chose de travers ou qu'elles désapprouvaient sa façon de s'habiller. Pendant un certain temps, il s'était senti coupable, parce qu'il s'était cru amoureux d'Alice Larkin. Mais celle-ci l'appelait toujours cousin et il dormait toujours sur le divan de son séjour quand il était à New York. Et puis, Frances faisait l'amour avec un tel abandon joyeux qu'il était difficile de se sentir coupable de quoi que ce soit en sa compagnie.

Frances était mariée avec un jeune acteur qui était en Californie, où elle résidait habituellement. Wesley s'efforçait d'oublier le mari. A sa connaissance, personne dans l'équipe ne soupçonnait ce qui se passait entre lui et la vedette. En public, elle le traitait comme s'il était vraiment ce qu'il était dans le film — un frère cadet.

Sa tante Gretchen avait compris, naturellement. Il avait découvert qu'elle comprenait tout. Elle avait dîné seule avec lui un soir et l'avait averti qu'une fois le tournage terminé, Frances retournerait en Californie et commencerait un autre film et qu'il était presque certain que dans la nouvelle équipe elle coucherait avec un autre garçon qui lui plairait, car il était connu qu'elle faisait des choses de ce genre, et qu'il ne devait pas y attacher trop d'importance. « Je voudrais que tout ceci soit pour toi une merveilleuse expérience, avait dit Gretchen. Je ne veux pas que tu me détestes pour t'avoir mis dans une situation que tu ne peux pas assumer. — Je peux l'assumer, avait-il dit, bien qu'il n'en fût pas certain. — Rappelle-toi ce que je t'ai dit de cette fille. Elle a déjà gâché la vie d'hommes plus âgés que toi. »

Ce qu'elle ne dit pas, c'est qu'elle savait que Frances avait eu une liaison pendant six mois avec Evans Kinsella et que celui-ci lui avait demandé de divorcer et de l'épouser. Et que le jour où le film qu'elle tournait avec lui avait été terminé, elle avait cessé de répondre à ses appels téléphoniques. Elle ne dit pas non plus qu'elle était elle-même toujours jalouse de Frances et regrettait qu'elle fût la fille qui convenait merveilleusement pour le rôle. On ne pouvait pas distribuer, ou ne pas distribuer des rôles à partir de chambres à coucher, bien que bon nombre de gens l'eussent fait, à leurs dépens. « Rappelle-toi, avait dit Gretchen. — Je me rappellerai, dit Wesley. — Tu es adorable et vulnérable, petit dur. — Elle se pencha et l'embrassa sur la joue. — Défends-toi. Tu es dans un métier beaucoup plus dur que tu ne le crois. »

Cette nuit-là il avait fait l'amour à Frances presque toute la nuit, brutalement, jusqu'à ce qu'il fût obligé de lui mettre un oreiller sur le visage pour ne pas réveiller tout l'hôtel par ses cris. Elle n'était pas fille à dissimuler qu'elle passait un bon moment. Alors qu'ils étaient étendus côte à côte, épuisés, il s'était dit, triomphant : elle ne retournera chez personne après cette nuit.

Comme d'habitude, lui et les autres acteurs dînèrent dans la salle à manger de l'hôtel. Gretchen, Ida Cohen et l'oncle d'Ida Cohen, ainsi que le créateur des décors et l'oncle Rudolph, dînèrent en haut dans le salon de la suite de Gretchen. Après le dîner, Wesley et Frances décidèrent d'aller faire une promenade. C'était une fraîche nuit d'automne avec une lune presque pleine et ils marchaient bras dessus bras dessous, comme n'importe quel couple d'amoureux.

La rue principale était presque vide, éclairée au néon par les vitrines des boutiques abandonnées. Port Philip regardait la télévision et se couchait de bonne heure. Distraitement, Frances posait les yeux sur les étalages des vitrines devant lesquelles ils passaient.

— Il n'y a rien ici que j'aimerais acheter, dit-elle. Imagine, s'il fallait vivre dans un endroit pareil, ouch !

— Ma famille est d'ici, dit Wesley.

— Mon Dieu, dit Frances, mon pauvre ami.

— Je n'ai jamais vécu ici. Mon père, mon grand-père...

Il se tut avant de dire : ma tante Gretchen. Il n'avait dit à Frances ni à personne de l'équipe que Gretchen était sa tante, et Gretchen prenait soin de le traiter comme tout autre acteur novice de l'équipe.

— Tu les vois ? demanda Frances. Je veux dire, ta famille, pendant que tu es ici ?

— Il n'y a plus personne. Ils sont tous partis.

— Je comprends pourquoi, dit Frances. Cette ville a dû commencer à décliner dès le premier jour où ils ont construit le bureau de poste.

— Ma grand-mère a dit à mon père que quand elle est arrivée ici, jeune fille, c'était un endroit très beau. — Il était en train de marcher dans les rues de la ville où son père était né et qui l'avaient formé, et il n'aimait pas l'idée qu'une fille de Californie le considère comme un trou perdu et triste. Quelque part dans cette ville, pensa-t-il, son père avait dû laisser une marque, un signe de son passage. Ici il avait brûlé une croix. Theodore Boylan, au moins, s'en souvenait. Il se demanda ce que son père aurait pensé en voyant son fils parcourir les mêmes rues anciennes, bras dessus bras dessous avec une belle actrice de cinéma presque célèbre. Et, plus que cela, en train de gagner trois mille dollars pour quatre semaines de travail, en s'amusant plus que ne l'avait jamais fait son père en travaillant. — Il y avait des arbres partout, a dit ma grand-mère à mon père, et toutes ces grandes maisons étaient peintes et propres et avaient de grands jardins. Mon père se baignait dans l'Hudson — c'était propre, en ce temps-là — et les bateaux y faisaient escale et la pêche était bonne...

Il se tut avant de raconter à la fille qu'outre les bateaux et la pêche, son grand-père s'était servi de la rivière pour se noyer.

— Les choses ne s'améliorent pas, n'est-ce pas ? dit Frances. Je te parie qu'on baisait beaucoup dans ces grands jardins à ce moment-là. Rien d'autre à faire le soir et pas de motels.

— Je suppose que tout le monde y trouvait son compte.

— Hommes et femmes, dit Frances en riant. Comme maintenant. Dommage que tu sois dans ce film.

— Pourquoi ? demanda Wesley, blessé.

— Si tu n'y avais pas été, dit-elle, j'aurais maintenant fini de lire *Guerre et Paix*, avec ces longues soirées.

— Tu regrettes ?

— *Guerre et Paix* peut attendre. — Elle lui serra le bras. — A propos, je voulais te demander — à quel cours d'art dramatique es-tu allé ?

— Moi ? — Il hésita. — Aucun.

— Tu joues comme si tu avais des années d'expérience, dit-elle. En fait, quel âge as-tu ?

— Vingt et un ans, dit-il sans hésiter.

Il avait commis l'erreur de dire à Alice quel âge il avait et elle le traitait comme un enfant. Il n'avait pas l'intention de recommencer.

— Comment se fait-il que tu ne sois pas dans l'armée ?

— Genou abîmé, répliqua-t-il.

Depuis son retour en Amérique il avait appris à mentir avec aplomb.

— Je vois.· — Elle parla d'un ton soupçonneux. — Où as-tu joué avant ?

— Moi ? dit-il de nouveau, bêtement. Ben... nulle part.

Frances connaissait trop bien ce domaine-là pour qu'il pût courir le risque de mentir.

— Même pas une tournée d'été ?

— Même pas une tournée d'été.

— Comment as-tu été engagé, alors ?

— Mrs Burke... — Cela sonnait drôle à ses oreilles d'appeler sa tante Mrs Burke. — Elle m'a vu chez des amis et m'a demandé si je voulais faire un essai. Pourquoi me poses-tu toutes ces questions ?

— C'est normal qu'une fille aime bien avoir quelques renseignements sur l'homme avec qui elle a une liaison, non ?

— Probablement, oui.

Le mot « liaison » lui faisait plaisir. Cela lui donnait un sentiment nouveau de maturité. Les adolescents sortaient avec, ou avaient des petites amies, mais pas de liaisons.

— Il y a une chose avec moi, dit Frances, d'un ton très sûr. Je ne peux pas coucher avec un homme que je ne respecte pas. — Wesley était gêné quand Frances parlait de cette façon désinvolte et au pluriel d'autres hommes qu'elle avait connus. Mais, se dit-il, elle était actrice depuis l'âge de quatorze ans, que pouvait-il attendre ? Tout de même, un de ces jours, se promit-il, il lui dirait de garder ses réflexions à ce sujet-là pour elle-même. — Tu as été une surprise, je dois dire, continua-t-elle gaiement. Quand j'ai vu la liste des acteurs, j'ai pensé je vais devoir faire ceinture.

— Qu'est-ce qui t'a fait changer d'avis ?

— Toi. — Elle rit. — Je connaissais à peu près tous les autres, mais le nom de Wesley Jordan était nouveau pour moi. Je ne savais pas que tu serais le meilleur du lot. Est-ce ton vrai nom, au fait ?

— Non, dit Wesley, au bout d'un moment.

— Quel est ton nom ?

— Il est long et compliqué, dit-il, évasif. Il ne ferait jamais bien au générique.

Elle rit de nouveau.

— C'est ton premier film, mais tu apprends vite.

Il sourit largement.

— C'est la méthode accélérée.

Il prenait de plus en plus de plaisir à travailler dans le cinéma et son vocabulaire s'en ressentait.

— Que vas-tu faire après ce film ?

— Sais pas. — Il haussa les épaules. — J'irai en Europe si possible.

— Tu joues très bien, dit-elle. Je ne suis pas seule à être de cet avis. Freddie Kahn, le cameraman, a vu tous les rushes et il est dithyrambique. Tu vas essayer d'aller à Hollywood ?

— Peut-être, dit-il, prudent.

— Viens là-bas. Je te promets un accueil chaleureux.

Wesley avala une grande goulée d'air.

— J'ai cru comprendre que tu étais mariée, dit-il.

— Qui t'a dit ça ? demanda-t-elle d'un ton acerbe.

— Je ne me souviens pas. Quelqu'un. C'est venu dans la conversation.

— J'aimerais que les gens puissent la fermer. Ça me regarde. Ça change quelque chose pour toi ?

— Qu'est-ce que tu dirais si je disais oui ?

— Je te dirais que tu es bête.

— Alors je ne le dirai pas.

— Tant mieux, dit-elle. Tu es amoureux de moi ?

— Pourquoi demandes-tu ça ?

— Parce que je préfère qu'on soit amoureux de moi. C'est la raison pour laquelle je suis comédienne.

— Bon, je suis amoureux de toi.

— Allons arroser ça. Il y a un bar un peu plus loin.

— Moi, je ne bois pas d'alcool, dit-il.

Il ne tenait pas à ce que le barman lui demande de justifier son âge devant Frances.

— J'aime boire, dit-elle, et j'aime les hommes qui ne boivent pas. Allons-y, je t'achèterai un Coca.

Lorsqu'ils entrèrent dans le bar, ils virent Rudolph et le décorateur, un jeune homme à barbe rousse du nom de Donnelly, assis dans un box, absorbés dans leur conversation.

— Oh la la, chuchota Frances, les huiles.

Tout le monde dans l'équipe savait que Rudolph s'occupait de l'aspect financier de l'entreprise et avait usé de son influence auprès

241

des autorités de Port Philip lorsqu'il y avait eu des difficultés concernant les autorisations, le tournage de nuit, et les services de la police locale pour bloquer les rues. L'équipe ignorait, toutefois, qu'il était l'oncle de Wesley ; les rares fois où Wesley avait parlé à Rudolph en public il l'avait appelé Mr Jordache, et Rudolph avait répondu, de façon grave et courtoise, en appelant son neveu Mr Jordan.

Frances et Wesley devaient passer devant le box où étaient assis les deux hommes. Rudolph leva les yeux, leur sourit et se leva et dit : « Bonsoir, mesdames et messieurs. »

Wesley marmonna une salutation, mais Frances arbora son sourire le plus séducteur et dit : « Quel nouveau complot est-ce que ces deux messieurs trament maintenant dans cette tanière bruyante contre nous autres, pauvres comédiens ? »

Wesley sourcilla devant le sourire faux et enjôleur, le langage affecté. Il se rendit compte soudain que Frances avait trop de manières différentes de s'adresser à des gens différents.

— Nous étions en train de chanter vos louanges à tous deux, jeunes gens, dit Rudolph.

Frances un petit rire.

— Quel homme courtois ! Un délicieux mensonge.

Donnelly émit un grognement.

— Mais asseyez-vous. A Hollywood personne ne se lève jamais pour les domestiques.

Wesley sourcilla de nouveau. A certains moments, Frances ne se servait pas seulement de son charme débordant, mais trouvait encore le moyen de rappeler à ceux qui à ses yeux étaient importants la brillante carrière qu'elle avait déjà derrière elle.

Les deux hommes se rassirent, et Donnelly fixa d'un œil morose le verre devant lui. Personne ne l'avait encore vu sourire depuis le début du tournage.

— Mr Donnelly, dit Frances, toujours d'une voix enjôleuse, je n'ai pas osé vous le dire auparavant, mais maintenant que le film est presque terminé, j'aimerais vous dire que le travail que vous avez accompli sur les décors est tout simplement merveilleux. Je n'ai encore rien vu du film — elle fit une petite moue —, nous autres pauvres comédiens ne sommes pas informés des décisions de vie ou de mort prises dans la salle de projection, de sorte que je ne sais pas de quoi ils ont l'air à l'écran, mais je dois vous dire qu'en ce qui me concerne je n'ai jamais été aussi à l'aise en me mouvant devant la caméra que je ne l'ai été dans l'espace que vous nous avez créé.

Elle rit comme si elle était un peu gênée d'avoir parlé avec tant d'audace.

Donnelly grogna de nouveau. Wesley vit alors la mâchoire de Frances se contracter.

— Je ne vous retiendrai pas davantage, messieurs, pendant que vous disposez de nos destins, dit-elle. Ce jeune homme et moi — elle parlait maintenant comme si Wesley avait dix ans — avons quelques problèmes dans la scène de demain que nous pensions travailler un peu.

Wesley la tira par le bras, et avec un dernier sourire éblouissant, elle s'en alla avec lui. Elle fit un mouvement pour s'asseoir dans le box voisin, mais Wesley la guida fermement vers le dernier box au fond du bar, hors de portée d'oreille de Donnelly et de son oncle.

— Quel sacré numéro, dit-il pendant qu'ils s'asseyaient.

— On n'attrape pas les mouches avec du vinaigre, chéri, dit Frances avec douceur. Qui sait quand ces deux hommes charmants feront un nouveau film et décideront en dernier ressort qui jouera dedans et qui se retrouvera dehors sur le cul ?

— Tu joues tellement de rôles, dit Wesley, que je parie que parfois tu es obligée de téléphoner à ta mère pour savoir qui tu es réellement.

— C'est ça, l'art, chéri, dit Frances avec froideur. Tu ferais bien de l'apprendre si tu veux arriver à quelque chose.

— Je ne veux arriver nulle part à ce prix-là, dit Wesley.

— C'est ce que je disais aussi. Quand j'avais quatorze ans. A quinze ans, j'ai changé d'avis. Tu es à peine demeuré, mon cher.

— Dieu merci, dit Wesley.

Le garçon était maintenant près d'eux et Frances commanda pour eux deux, un gin-tonic pour elle-même et un Coca pour lui.

Lorsque le garçon fut parti au bar Wesley dit :

— Je préférerais que tu ne boives pas de gin.

— Pourquoi pas ?

— Parce que je n'aime pas ton haleine quand tu bois du gin.

— Ce soir, tu n'as pas besoin de t'en faire, chéri, dit Frances froidement. Je dois me lever tôt demain matin pour le coiffeur et je ne me sens pas en mesure de faire de la gymnastique cette nuit.

Wesley resta assis dans un mutisme morose jusqu'à ce que le garçon apportât les boissons.

— En tout cas, si tu es si affreusement critique pour quelques innocents petits artifices féminins, dit Frances en sirotant son gin-tonic, il y en a d'autres qui n'y sont pas insensibles. Cet adorable Mr Jordache, avec tout son argent, par exemple. Ses yeux s'allument comme une enseigne lumineuse chaque fois qu'il me voit.

— Je n'avais pas remarqué, dit Wesley, franchement choqué que l'on puisse qualifier son oncle d' « adorable Mr Jordache ».

— Moi, oui, dit Frances d'un ton ferme. Je te parie qu'il ne doit pas être mal. Cet extérieur de Yankee glacial avec un volcan par-dessous. Je connais le genre.

— Il pourrait être ton père, nom de Dieu.

— Pas à moins qu'il n'ait commencé très jeune, dit Frances. Et je parie que c'est son cas.

Wesley se leva.

— Je ne vais pas rester ici à écouter des conneries de ce genre. Je vais rentrer. Tâche de voir comment tu t'entends avec cet adorable Mr Jordache et sa fortune.

— Oh la la, dit Frances sans bouger, qu'on est susceptible ce soir

— Bonsoir, dit Wesley.

— Bonsoir, dit Frances calmement. Ne t'en fais pas pour l'addition.

Wesley passa à grandes enjambées devant le box où se trouvait son oncle. Aucun des deux hommes ne leva les yeux à son passage. Il sortit dans la rue, se sentant puéril, blessé, et bêtement émotif.

Cinq minutes plus tard, Frances se leva et alla vers la porte Elle s'arrêta et parla un instant aux deux hommes, mais ceux-ci ne l'invitèrent pas à se joindre à eux. En regagnant l'hôtel, elle ne descendit pas le couloir et n'ouvrit pas la porte de Wesley comme elle l'avait fait tous les autres soirs, mais continua son chemin vers sa propre chambre et se regarda longuement dans la glace de sa coiffeuse.

Au bar, les deux hommes ne parlaient pas de cinéma. Donnelly était un architecte qui avait été amené à créer des décors après avoir découvert qu'on ne lui offrait que des commissions insignifiantes pour de petits immeubles médiocres qu'il jugeait indignes de son talent ; au cours de la préparation de *Comédie de la Restauration,* lui et Rudolph s'étaient liés d'amitié, et, timidement d'abord, puis avec plus d'enthousiasme, il avait parlé d'un projet ambitieux qui lui tenait à cœur, mais pour lequel il n'avait pas encore réussi à trouver de financement. Il était maintenant en train de fournir des détails à Rudolph.

— Nous vivons à l'âge de ce que les Anglais appellent la redondance, disait-il, non seulement à cause de nouvelles machines ou de transformations de population, mais redondance causée par l'âge. Les hommes prennent leur retraite parce qu'ils s'ennuient et ont les moyens de le faire, ou parce qu'ils ne supportent pas le surmenage ou parce qu'on fait appel à des hommes plus jeunes pour prendre leur place. Leurs enfants ont grandi et sont partis. Leurs maisons sont tout à coup trop grandes pour eux, la ville où ils habitent leur fait peur ou n'a plus d'attrait pour eux. Leur retraite ou leurs économies ne leur permettent pas de garder les domestiques qu'ils avaient autrefois, les quartiers où ils peuvent se permettre de trouver de petits appartements regorgent de jeunes couples avec des enfants en bas âge qui les traitent comme des envahisseurs d'un autre siècle, ils sont séparés d'amis de leur âge qui ont des problèmes semblables mais ont cherché des solutions ailleurs. Ils veulent garder leur indépendance mais ils ont peur de la solitude. Ce qu'il leur faut, c'est un habitat nouveau, une atmosphère nouvelle qui convienne à leur condition — où ils soient entourés de gens qui ont approximativement leur âge, avec des problèmes et des besoins qui soient approximativement les mêmes, de gens sur qui ils puissent compter en cas d'urgence, tout comme cela leur donnerait le sens de leur propre humanité de savoir qu'ils sont prêts à venir au secours d'un voisin si celui-ci a besoin d'aide. — Donnelly parlait d'un ton pressant, comme un général en train d'élaborer un plan pour secourir une garnison assiégée. — Il faut que ce soit une vraie communauté, poursuivit-il, en faisant des gestes éloquents de ses larges mains — comme s'il moulait déjà les briques, le mortier et le ciment pour les transformer en volumes habitables et peuplés —, des boutiques, des salles de cinéma, un petit hôtel où ils pourraient loger des visiteurs, un terrain de golf, piscines, courts de tennis, salles de conférences... Je ne parle pas des pauvres. Je ne sais pas comment ils peuvent être pris en charge, si ce n'est par l'Etat, et je ne suis pas assez prétentieux pour croire que je peux refaire la société américaine. Je parle de ceux qui ont un revenu moyen, ceux dont le mode de vie est le plus touché lorsque celui qui fait vivre la famille s'arrête de travailler. — Sa voix devint amère « Je connais tout cela par le cas de mes parents. Ils ont un peu d'argent et moi-même je les aide un peu, mais après avoir été un couple chaleureux et exubérant, ils sont maintenant un couple déprimé et maussade, qui voit s'effriter les dernières années de sa vie dans un ennui stérile. Mon idée n'est pas neuve. Elle a été expérimentée avec succès dans tout le pays, mais jusqu'à présent je n'ai pas réussi à y intéresser des investisseurs, parce qu'il ne s'agit pas de faire de gros profits, si toutefois il y en a. Ce qu'il faut pour commencer, c'est acquérir un énorme terrain dans une zone rurale agréable — pas trop isolé — pour que les gens puissent avoir accès à un peu de vie citadine lorsqu'ils en ont envie — et y construire un petit village complet, fait de maisons modestes, bien conçues mais construites à peu de frais, et reliées entre elles par groupes de, disons, quatre ou cinq, éparpillés dans un paysage aménagé en parc, des maisons faciles à entretenir pour deux personnes vieillissantes. Avec un service d'autobus, des médecins et des infirmières sur place, une direction sympathique mais discrète. Ce ne serait pas un asile de vieillards, avec tout le désespoir que cela implique — il y aurait un flot constant de jeunes — enfants et petits-enfants, pleins d'espoir et de vie, les yeux tournés vers l'avenir. Votre sœur m'a dit que vous étiez à la recherche d'une activité pour meubler votre temps. D'après ce que j'ai vu jusqu'à présent, je ne pense pas que l'industrie cinématographique corresponde à votre idée du civisme...

Rudolph rit.

— Non, dit-il, pas exactement.

— Elle dit aussi que vous êtes un bâtisseur-né, continua Donnelly, que quand vous étiez jeune, vous avez imposé l'idée d'un centre commercial dans un endroit qui était alors pour ainsi dire la brousse et que vous en avez fait presque une véritable petite ville. Je suis allé le voir l'autre jour, le complexe de Calderwood près d'ici, et j'ai été très impressionné — c'était très en avance sur son temps, et réalisé avec une réelle imagination.

— Quand j'étais jeune, dit Rudolph pensif.

Il n'avait rien montré de ce qu'il pensait en écoutant le discours de Donnelly, mais il ressentait en entendant ces paroles une excitation qui lui était à la fois nouvelle et ancienne. Il était dans l'attente de quelque chose, sans savoir quoi. Voilà peut-être ce qu'il attendait.

— J'ai des jeux complets de plans, dit Donnelly, des maquettes du type de maisons que je voudrais construire, des devis approximatifs, tout...

— J'aimerais y jeter un coup d'œil, dit Rudolph.

— Pouvez-vous être à New York demain ?

— Rien ne s'y oppose.

— Bon, je vous les montrerai.

— Bien entendu, dit Rudolph, le tout dépendrait du terrain que l'on peut trouver, quelles seraient ses possibilités, les coûts — tout ça.

Donnelly regarda autour de lui dans le bar désert, comme s'il cherchait des espions.

— J'ai même choisi l'endroit, dit-il en baissant la voix. Il est magnifique. C'est actuellement de la terre agricole abandonnée, non cultivée et bon marché. Ça se trouve dans le Connecticut, dans un paysage vallonné, et ce n'est qu'à une heure de New Haven, peut-être deux de New York. C'est idéal pour ce genre de projet.

— Pourriez-vous me le montrer ?

Donnelly lui jeta un regard furieux, comme s'il le soupçonnait soudain de quelque dessein ténébreux.

— Vous êtes *vraiment* intéressé ?

— Oui, vraiment.

— Bien, dit Donnelly. Vous savez quoi — sa voix était solennelle à présent — je crois que c'est le destin qui m'a fait dire oui à votre sœur quand elle m'a demandé de travailler sur ce film. Je vous y emmènerai en voiture et vous pourrez le voir vous-même.

Rudolph laissa un billet sur la table pour payer les consommations.

— Il se fait tard, dit-il en se levant. Voulez-vous que nous rentrions à l'hôtel ?

— Si vous n'y voyez pas d'inconvénient, dit Donnelly, je préférerais rester ici et me saouler.

— Prenez deux aspirines avant de vous coucher, dit Rudolph.

Au moment où il sortait, Donnelly était en train de commander un nouveau whisky en guise de libation au destin, qui était responsable de sa rencontre avec Rudolph Jordache.

Lentement, Rudolph déambulait seul dans les rues familières. Elles avaient vieilli depuis qu'il y avait pédalé en livrant les petits pains pour la boulangerie familiale chaque matin à l'aube, mais ce soir il avait l'impression incongrue qu'il était redevenu un jeune homme, la tête remplie de projets grandioses et de succès futurs. Une fois de plus, comme sur la plage caillouteuse de Nice, il ressentit la tentation de sprinter dans l'obscurité, pour retrouver l'exaltation de sa jeunesse, à l'époque où il était le meilleur coureur de cent dix mètres haies de l'école. Il esquissa même quelques bonds, mais vit les phares d'une voiture qui approchait et reprit son habituelle démarche digne.

Il passa devant le grand édifice qui abritait le Grand Magasin Calderwood et regarda les vitrines et se souvint des soirées qu'il avait passées à arranger les étalages. Si sa fortune avait démarré quelque part, c'était ici. Les vitrines étaient minables maintenant, pensa-t-il, une vieille dame qui se maquillait n'importe comment, le rouge à lèvres de travers, le fard à paupières dégoulinant, la simulation de jeunesse était molle et non convaincante. Le vieux Calderwood aurait rugi. L'œuvre de la vie d'un homme mort. Utile ? Inutile ?

Il se rappelait aussi avoir marché en jouant de la trompette à la tête d'une colonne d'étudiants le soir du jour de la fin de la guerre, l'avenir s'étalait devant lui comme un panorama triomphant. Hier, avait-il lu dans le journal local, il y avait eu un autre défilé d'étudiants, qui cette fois protestaient contre la guerre au Vietnam, des jeunes qui chantaient des slogans obscènes, défiguraient le drapeau, se moquaient de la police. Onze d'entre eux s'étaient finalement retrouvés en prison. Truman à l'époque, Nixon maintenant. La déchéance. Il soupira. Mieux valait ne se souvenir de rien.

Lorsqu'il avait suggéré à Gretchen que Port Philip serait un bon endroit pour tourner son film — une ville abandonnée, loin de son passé prospère et honorable sur les bords d'un grand fleuve — il avait décidé de ne rien avoir à faire avec le mécanisme de la production proprement dit ni même de visiter la ville. Mais des problèmes avaient surgi et Gretchen l'avait appelé au secours et il avait fait le voyage contre son gré, parlé aux responsables en craignant qu'ils ne se souviennent de sa chute au moment où les étudiants s'étaient retournés contre *lui* et l'avaient chassé. Que Jean était belle en ce temps-là...

Mais les responsables avaient été respectueux, désireux de l'aider. Les scandales passent. De nouveaux hommes arrivent. Les souvenirs s'effacent.

Donnelly lui rappelait sa propre jeunesse — passionné, plein d'espoir, égocentrique, certain de ses buts. Il se demanda ce que Donnelly ressentirait dans dix ans, après de nombreuses réalisations, les rues de sa ville natale, où qu'elle fût, ayant changé, tout ayant changé. Donnelly lui plaisait. Il savait que Gretchen l'aimait bien elle aussi. Il se demanda s'il y avait quelque chose entre eux. Il se demanda également si l'idée de Donnelly était faisable, réalisable. Donnelly était-il trop jeune, trop ambitieux? Il se recommanda d'y aller doucement, de tout vérifier, comme il avait pensé avoir tout vérifié à cet âge-là.

Il en discuterait avec Helen Morison. C'était une femme réaliste. On pouvait compter sur elle. Mais elle était maintenant à Washington. On lui avait proposé un poste dans l'équipe d'un membre du Congrès qu'elle admirait et elle était partie. Il lui faudrait la recontacter d'une façon ou d'une autre.

Il pensa à Jeanne. Ils avaient échangé quelques lettres, ayant de moins en moins à se dire chaque fois, l'émotion de la semaine sur la Côte s'étant estompée. Peut-être quand Wesley irait enfin en France, saisirait-il ce prétexte pour lui rendre visite. L'avocat d'Antibes avait fini par écrire que les choses avaient été arrangées pour que Wesley pût revenir, mais il n'en avait pas parlé à Wesley. Il attendrait que le film fût fini. Il ne tenait pas à ce que Wesley eût soudain l'idée de plaquer le tournage et de traverser l'océan en avion. Wesley n'était pas un garçon frivole, mais il était commandé, commandé par ses propres fantômes, imprévisible.

Il avait lui-même été commandé par le fantôme de son père, un homme désespéré, un raté, un suicidé, ivre de misère et d'espoirs détruits, de sorte qu'il pouvait comprendre à moitié son neveu. Étrange, que ce garçon introverti et dissimulé se fût avéré un comédien si émouvant.

Il n'y avait jamais eu personne dans la famille auparavant qui eût un tel talent, bien que Gretchen eût fait un bref passage au théâtre, sans succès. On ne peut jamais savoir d'où cela vient, lui avait dit Gretchen après une projection pendant laquelle ils s'étaient émerveillés en voyant ce que le garçon était capable de faire. Et ce n'était pas vrai seulement de ce talent-là en particulier. C'était vrai de tous les talents. En Amérique surtout, il n'y avait pas de cartes géographiques pour montrer d'où une personne était partie et vers quel port elle mettrait le cap. Pas d'arbres généalogiques dignes de foi, nulle part.

Il entra dans l'hôtel endormi, monta dans sa chambre, se déshabilla et se mit dans le lit froid. Il avait du mal à s'endormir, pensant à la jolie fille enjôleuse dans le bar, son blue-jean moulant ses hanches, son sourire professionnel et racoleur. Comment serait-il, se demanda-t-il, ce jeune corps parfait, prêt à s'offrir ? Il faut demander ça à mon neveu, pensa-t-il avec envie, il est probablement au lit avec elle en ce moment. Une autre génération. Lui-même était vierge à l'âge de Wesley. Il avait honte de son envie, bien qu'il fût certain que le garçon souffrirait plus tard. Souffrait maintenant — il avait quitté le bar seul. Pas habitué aux ruses. Eh bien, lui non plus. On souffrait selon la capacité que l'on a de souffrir, et il y avait quelque chose dans ce garçon qui vous faisait sentir que sa capacité était dangereusement grande.

Il flottait entre le sommeil et la veille, ressentant le manque d'un corps à côté de lui dans le lit. Le corps de qui ? Celui de Jean, Helen, Jeanne, de quelqu'un qu'il n'avait jamais rencontré mais qui s'étendrait enfin à côté de lui ? Il n'avait pas trouvé de réponse lorsqu'il sombra dans un sommeil profond.

Il fut réveillé par le bruit d'un ivrogne qui chantait dans la rue. Il reconnut la voix de Donnelly, discordante et sans mélodie, qui chantait « Boula Boula ». Donnelly sortait de Yale. Pas un élève typique, pensa Rudolph rêveusement. La voix se tut. Il se retourna et se rendormit.

**

Dans sa chambre, Gretchen était seule, en train de vérifier les plans qu'elle voulait pour le tournage du lendemain. Quand elle était sur le plateau, elle s'efforçait de paraître calme et sûre d'elle, bien que parfois elle eût envie de hurler de colère et d'angoisse. Mais quand elle était seule comme maintenant, en train de travailler seule, elle sentait parfois ses mains trembler de peur et d'incertitude. Tant de personnes dépendaient d'elle et chaque décision était si définitive. Elle avait observé la même dualité dans le comportement de Colin Burke quand il mettait en scène un film ou une pièce de théâtre et s'était demandé comment il le pouvait. Maintenant elle se demandait comment n'importe quel être humain pouvait survivre à l'épreuve d'être coupé en deux pendant un mois entier, ou plus. Des visages privés dans les lieux publics, pour citer Auden, n'avaient pas leur place dans la production de films.

Puis elle entendit Donnelly chanter « Boula Boula » dehors. Tristement, elle secoua la tête en pensant au rapport entre le talent et l'alcool dans les arts en Amérique. Là encore elle pensa à Colin Burke qu'elle n'avait jamais vu ivre et qui ne buvait que rarement un verre. Une exception. Une exception à maints égards. Elle pensait souvent à lui, ces jours-ci, dans son travail, essayant de s'imaginer comment il placerait la caméra, ce qu'il dirait à un acteur rétif, comment il dirigerait une scène compliquée. Si on ne pouvait plagier un mari mort, se dit-elle pour se défendre, qui pouvait-on plagier ?

Dehors le chant se tut et elle souhaita que Donnelly ne se sentît pas trop secoué le lendemain matin. Pour lui, pas pour elle — elle n'avait pas besoin de lui pour le tournage du lendemain —, mais il avait toujours l'air tellement honteux en arrivant sur le plateau après s'être enivré la veille.

Elle sourit en pensant à cet homme ingénieux, obstiné et compliqué qui ressemblait à un jeune officier de la cavalerie des Etats Confédérés avec sa barbe proéminente et ses yeux farouches et insatisfaits. Elle le trouvait sympathique et elle se rendait compte qu'il était attiré par elle et, en dépit de son serment de ne plus jamais permettre à un homme plus jeune qu'elle de la toucher, si elle n'avait pas été si obsédée par le film, peut-être qu'elle...

On frappa à la porte.

— Entrez. — Elle ne fermait jamais sa porte à clef. La porte s'ouvrit et Donnelly entra, marchant presque droit. — Bonsoir, dit-elle.

— Je viens de passer une heure capitale, dit-il solennellement, en compagnie de votre frère. J'aime votre frère. Il me semblait qu'il fallait que je vous le dise.

Elle sourit.

— Moi aussi, j'aime mon frère.

— Nous allons entreprendre de grandes choses — grandiloquentes, ensemble, dit Donnelly. Nous appartenons à la même tribu.

— C'est possible, dit Gretchen gentiment, il est possible que notre mère ait été Irlandaise, ou du moins c'est ce qu'elle prétendait. Mais notre père était Allemand.

— Je respecte aussi bien les Irlandais que les Allemands, dit Donnelly, en s'appuyant contre le montant de la porte pour se soutenir, mais ce n'est pas ce que je voulais dire. Je parle de la tribu de l'esprit. Est-ce que je vous dérange ?

— J'avais à peu près fini, dit Gretchen. Si vous voulez bavarder, ne pensez-vous pas qu'il vaudrait mieux fermer la porte ?

Lentement, avec dignité, Donnelly ferma la porte derriere lui et s'y appuya.

— Voulez-vous du café ?

Gretchen indiqua la Thermos sur sa table de travail. Elle en buvait vingt tasses par jour pour tenir le coup.

— On est toujours en train de me proposer du café, dit Donnelly avec humeur. Je trouve cela dégradant. Je déteste le café.

— Je crains de n'avoir rien de plus fort à boire, dit Gretchen, bien qu'il y eût une bouteille de scotch, elle le savait, dans le placard.

— Je peux me passer de boisson, madame, dit Donnelly. Je ne suis venu qu'en tant que messager.

— De la part de qui ?

— De la part de David P. Donnelly, dit Donnelly, lui-même.

Gretchen rit.

— Délivrez le message, dit-elle, et puis je préconise le lit.

— J'ai délivré la moitié du message. J'aime votre frère. L'autre moitié est plus difficile. J'aime sa sœur.

— Vous êtes ivre.

— Exact. Ivre, j'aime sa sœur, et sobre j'aime sa sœur.

— Merci pour le message, dit Gretchen, toujours assise, bien qu'elle eût envie de se lever et de l'embrasser.

— Vous vous souviendrez de ce que j'ai dit ?

Il lui jeta un regard rogue par-dessus sa barbe.

— Je m'en souviendrai.

— Dans ce cas, dit-il sur un ton déclamatoire, je me retirerai pour la nuit. Bonne nuit, madame.

— Bonne nuit, dormez bien.

— Je promets de ne pas fermer l'œil. Ah, pauvre de moi !

Gretchen gloussa.

— Ah, pauvre de vous !

S'il était resté dix secondes de plus elle aurait bondi de sa chaise et l'aurait embrassé. Mais il agita le bras en un geste de salut majestueux et sortit, presque droit. Elle l'entendit chanter « Boula Boula », dans le couloir. Elle restait assise, les yeux fixés sur la porte, en train de réfléchir. Pourquoi pas, pourquoi pas, diable ? Elle secoua la tête. Plus tard ; plus tard, une fois le travail fini. Peut-être. Elle se remit à annoter son scénario dans la chambre silencieuse, qui maintenant sentait le whisky.

*
* *

A l'étage au-dessous, Wesley s'efforçait de dormir. Il n'avait pas cessé de guetter le moment où la poignée de sa porte tournerait sans bruit et il y aurait le bruissement de tissu à l'entrée de Frances dans la chambre obscure. Mais la poignée de la porte ne tourna point, il n'y avait pas eu d'autre bruit que la plainte des ressorts de son sommier chaque fois qu'il se retournait fiévreusement sous les couvertures.

Il avait dit qu'il l'aimait. Il était vrai qu'elle l'avait plus ou moins forcé à le dire, mais lorsqu'il l'avait dit il était sincère. Mais quand on aimait quelqu'un, est-ce qu'on remarquait lorsqu'elle faisait semblant, lorsqu'elle faisait un numéro, est-ce qu'on lui disait qu'elle avait un comportement sot ? Les gens parlaient de l'amour comme si c'était tout d'une seule pièce, comme si une fois qu'on avait dit qu'on était amoureux, rien d'autre n'avait d'importance. Dans le film qu'il était en train de tourner, le jeune politicien qui tombait amoureux de Frances ne la critiquait jamais pour sa conduite qu'il adorait, mais seulement pour quelques-uns des projets fous qu'elle inventait pour influencer les autres personnages dans le scénario, pour les amener à ses vues. L'amour est aveugle, dit le proverbe. Eh bien, lui n'avait certainement pas été aveugle ce soir-là. Il avait trouvé que le numéro qu'avait fait Frances dans le bar était factice et dégoûtant et il le lui avait dit. Peut-être avait-il intérêt à apprendre à garder ses opinions pour lui. S'il l'avait fait, il ne serait pas seul dans son lit à deux heures du matin.

Il soupirait après le contact de sa main, la douceur de son sein quand il l'embrassait. Si ce n'était pas de l'amour, qu'était-ce ? Quand elle était au lit avec lui il ne pouvait croire qu'elle retournerait auprès de son mari, ou serait attirée par un autre homme, en dépit de ce que lui avait dit sa tante. Il avait apprécié les femmes sur la *Clothilde*, pendant que leurs maris dormaient en bas ou étaient partis au casino, ce qu'il avait fait avec Mrs Wertham lui avait plu, mais il savait avec certitude que ce qu'il avait alors ressenti n'était pas de l'amour. On n'avait pas besoin d'être un homme du monde expérimenté pour savoir la différence entre ce qu'il avait ressenti alors et ce qu'il ressentait avec Frances.

Il se rappelait les nuits où Frances avait été dans ses bras dans le lit étroit, leurs corps enlacés dans l'obscurité, et Frances avait murmuré « Je t'aime ». Qu'avait-elle voulu dire à ces moments-là ? Il gémit doucement.

Il avait dit à Frances d'appeler sa mère pour savoir qui elle était vraiment. Qui pouvait-il appeler, lui, pour savoir qui il était vraiment ? Sa propre mère ? Elle dirait probablement que comme son père il était un souilleur de foyers chrétiens convenables. Son oncle ? Aux yeux de son oncle, il devait passer pour un fléau hérité, sans aucune gratitude, qui ne se manifestait que lorsqu'il avait besoin de quelque chose. Sa tante Gretchen ? Un caprice de la nature qui, mystérieusement, était doué d'un talent dont, par stupidité ou manque d'ambition, il refusait de se servir. Alice ? Un garçon gauche et peu évolué qui avait besoin de pitié et d'affection maternelle. Bunny ? Un bon matelot de pont qui n'aurait jamais l'envergure de son père. Kate ? Demi-frère de son fils, vivant rappel douloureux de son mari défunt. Comment souder tout cela et faire une personne entière à partir des fragments ?

Était-ce uniquement parce qu'il était si jeune qu'il se sentait si déchiré, si peu sûr de lui ? Demeuré, avait dit Frances ce soir. Mais d'autres personnes de son âge ne paraissaient pas souffrir, se reconstituaient sans difficulté. Jimmy, l'autre coursier du supermarché, avec sa musique et la ferme certitude que ses sœurs et sa mère avaient de lui une opinion unique, simple, fondée sur l'amour. Sa propre mère disait qu'elle l'aimait, mais cet amour-là était bien pire que la haine.

Il pensa à Healy, le soldat blessé qui était venu accompagner la dépouille du fils de Kraler. Healy vivait avec une seule certitude, celle d'être un homme qui serait toujours maltraité par le monde, que pour lui rien ne changerait jamais, que le monde pouvait aller se faire foutre.

Il n'y avait qu'une chose dont il était certain, se dit Wesley, c'était que *lui* allait changer. Seulement, allongé tout seul dans la pièce obscure, il ne voyait absolument pas dans quel sens. Il se demanda ce qu'il penserait de lui-même si par miracle il pouvait s'entrevoir à l'âge de vingt et un, vingt-cinq, trente ans ? Peut-être qu'après en avoir terminé avec Frances, il ferait enfin ce que sa tante voulait qu'il fît et qu'il deviendrait acteur. Apprendre à vivre avec toutes les différentes facettes de lui-même et les exploiter pleinement, jouer non seulement devant une caméra, mais, comme Frances, à chaque instant de la journée. Peut-être avait-elle raison — voilà ce que le monde exigeait et voilà ce qu'elle lui donnait.

Demain matin, il savait que sur le plateau on s'attendrait à ce qu'il eût l'air d'une brute sauvage et irresponsable. C'était là un rôle qu'il lui était facile de jouer. Peut-être l'essaierait-il pendant un an ou deux. C'était un point de départ aussi valable qu'un autre.

Lorsqu'il s'endormit enfin, il rêva qu'il était dans la salle de séjour d'Alice en train de manger un sandwich au rosbif et de boire une bière, seulement ce n'était pas Alice qui était en face de lui à table, mais Frances Miller.

CHAPITRE VI

Du carnet de Billy Abbott (1971).

De NOUVEAU A LA MACHINE à écrire. Les mauvaises habitudes meurent difficilement. Et puis ici, tout le monde fait la sieste après le déjeuner et je n'ai jamais pu m'habituer à dormir dans la journée et puisqu'il n'y a personne à qui parler, autant me parler à moi-même. De toute façon, il n'y a aucune raison de penser que la police de Franco s'intéresserait aux divagations d'un moniteur de tennis américain dans cette enclave des riches au bord de la mer bleue. En Belgique, c'était différent. Est-il possible que l'isolement soit plus facile à atteindre sous le fascisme que sous la démocratie ? Question à étudier.

Après Bruxelles, le climat du sud de l'Espagne est divin et fait qu'on se demande comment, si les gens pouvaient choisir, ils continueraient à vivre au nord de la Loire.

Suis descendu dans la pimpante petite Peugeot décapotable d'occasion immatriculée en TTX que j'ai achetée à Paris pour un prix intéressant. Dès que j'ai eu traversé les Pyrénées, entre la montagne verte et l'océan, j'ai ressenti un plaisir étrange, comme si je reconnaissais les villages, les champs et les rivières d'une autre vie, comme si je rentrais chez moi après un long voyage, et comme si c'était le pays qui m'était destiné.

Tant que je n'ouvre pas la bouche je peux passer pour espagnol. Est-il possible que le teint de la famille Abbott soit le résultat d'un faux pas à l'époque de l'Armada espagnole ? De virils naufragés andalous sur la côte de l'Angleterre et de l'Ecosse ?

L'hôtel où j'habite est tout neuf et tiendra au moins une douzaine d'années avant de succomber au vent et à la marée. Mais il est assez solide pour le moment et j'ai une chambre confortable et aérée avec vue sur un terrain de golf et la mer. A part les leçons que je dois donner aux débutants et aux maladroits, il y a suffisamment de bons joueurs pour deux heures de vrai tennis presque tous les jours. Un homme simple, moi-même, aux goûts simples.

Les Espagnols ici sont beaux, agréables et élevés dans la courtoisie, ce qui change de l'Armée américaine. Les autres sont en vacances et se montrent sous leur meilleur jour. Jusqu'à présent je n'ai pas été insulté ni provoqué en duel, ni emmené de force à une corrida, ni sollicité pour contribuer à la chute du système.

Attentif à être tout à fait correct avec les dames, avec ou sans accent. Elles ont vraisemblablement quelque part des maris ou des cavaliers qui ont tendance à se méfier d'un jeune athlète professionnel américain qui passe au moins une heure par jour en petite tenue avec leurs partenaires. Ils apparaissent à l'improviste pendant les leçons, en ruminant sombrement. Je ne tiens pas à être chassé de la ville, accusé d'avoir déshonoré la femme ou la maîtresse de quelque gentilhomme espagnol. J'ai l'intention de me tenir à l'écart des problèmes pendant au moins un an.

Après Monika, les joies du célibat sont à recommander. L'agitation, au lit et ailleurs, n'est pas ma spécialité.

Je suis bronzé par le soleil et en meilleure forme que je n'ai jamais été, et me suis mis à m'admirer nu dans la glace.

Le salaire est bon, les pourboires généreux. Je me retrouve en train de faire pas mal d'économies, fait nouveau et inconnu dans ma vie.

Il y a de nombreuses soirées ici, et je suis invité à la plupart. Nouvelle tête, je suppose. Je veille à ne pas boire trop et à ne pas parler à chaque dame plus de quinze minutes d'affilée. Je connais dorénavant assez d'espagnol pour comprendre à peu près tout des farouches discussions politiques qui se déchaînent ici tard le soir. Les participants sont toujours prêts à lancer des sujets tels que le risque d'effusion de sang, l'expropriation, le communisme, et ce que deviendra le pays lorsque le vieux mourra. Dans ces moments-là, je garde le silence, en remerciant le ciel d'être installé, même si ce n'est que pour une brève période, dans un beau pays qui convient si bien à mon tempérament, sans avoir à exprimer une opinion plus incendiaire que la meilleure façon de tenir une raquette en servant.

Une fois de plus je suis forcé de douter de l'avertissement de mon père qui dit que je viens d'une famille malchanceuse.

Ma mère m'a écrit plusieurs lettres. Comme d'habitude, elle a eu mon adresse par mon père, à qui j'écris dans la vaine présomption que mes lettres sont la seule chose qui l'empêche de sauter dans le lac Michigan. Le ton des lettres de ma mère s'est adouci. Elle suppose que ma décision de ne pas me rengager est liée à ses protestations et prouve de ma part une maturité nouvelle et bienvenue. Elle termine maintenant ses lettres par, « Affectueusement, Maman ». Pendant des années, ce n'était que « Maman », une façon de signer que j'interprétais, correctement, je crois, comme un signe de son dégoût total à mon égard. Je lui ai retourné le compliment et ai signé l'unique lettre que je lui ai envoyée : « Affectueusement, Billy ».

Elle me dit qu'elle aime sa nouvelle carrière de metteur en scène, ce qui ne m'étonne nullement, avec sa tendance à régenter les gens. Elle décrit avec beaucoup d'enthousiasme les dons d'acteur de mon cousin Wesley. C'est un métier que j'aurais dû envisager, puisque je sais être aussi faux ou sincère que n'importe qui, mais maintenant il est trop tard. Wesley veut me rendre visite, m'écrit ma mère. Comment dois-je le recevoir ? Bienvenue, Frère en souffrance.

Bon Dieu ! Deux jours après avoir écrit ce qui précède, Monika a fait son apparition, accompagnée d'un magnat allemand entre deux âges qui vend des aliments surgelés. Elle est dans une phase d'abondance, nippée avec des vêtements soignés et d'aspect coûteux, et des cheveux coiffés. Jusqu'à maintenant elle a fait semblant de ne pas me connaître, mais cela pourrait être le calme avant la tempête. Je suis hanté par des idées de fuite.

J'ai perdu six sets consécutifs contre un homme que j'avais battu six jours d'affilée.

* *
*

Freddie Kahn, le cameraman, conduisait le chant de *For she's a jolly good fellow*, en tenant la main de Gretchen en l'air comme s'il s'agissait de celle d'un boxeur triomphant, au cours de la traditionnelle fête à la fin du dernier jour de tournage, sur le plateau du studio à New York. Les acteurs, les techniciens, les machinistes et les invités chantaient bruyamment et de bon cœur. Gretchen vacillait entre les larmes et le rire pendant que le chant retentissait sur le plateau jonché de câbles, les caméras encapuchonnées, les alcools et les sandwichs disposés sur des tables improvisées et décorées de fleurs, posées sur des tréteaux. Ida Cohen pleurait ouvertement et était allée chez le coiffeur tout exprès. Kahn offrit un bracelet-montre à Gretchen en cadeau de la part des acteurs, auquel Wesley avait contribué pour cinquante dollars, et invita Gretchen à prononcer un discours.

« Merci, merci tout le monde, dit Gretchen, d'une voix légèrement tremblante. Vous avez tous été merveilleux et je voudrais féliciter chacun d'entre vous pour avoir rendu mon premier essai de metteur en scène si agréable. Bien que, comme on dit à Hollywood, Montrez-moi une équipe heureuse et je vous montrerai un navet. »

Il y eut un flot de rires et quelques cris de « Non, pas cette fois-ci .»

Gretchen leva la main pour obtenir le silence. « Pour vous tous, le travail est terminé et j'espère que vous passerez à des choses plus importantes et que vos échecs seront oubliés, et qu'on se souviendra toujours de vos succès — ou du moins jusqu'à la prochaine soirée de remise de récompenses. Mais pour quelques-uns d'entre nous, les monteurs, ceux qui feront le doublage, le compositeur et les musiciens, et pour Mr Cohen, qui sera chargé de la tâche peu enviable de vendre le film aux distributeurs et de nous éviter à tous d'y laisser notre chemise, le travail ne fait que commencer. Souhaitez-nous bonne chance, car nous avons des mois de travail devant nous, et ce que nous faisons à partir de maintenant peut faire du film un succès ou un échec. »

Elle parlait avec modestie, mais Wesley, qui se tenait près d'elle, put voir la lueur de triomphe dans ses yeux. « Ida, dit-elle, cesse de pleurer. Ce n'est pas un enterrement — pas encore. » Ida sanglota.

Quelqu'un mit un verre de whisky dans la main de Gretchen et elle le leva pour porter un toast. « A nous tous, du plus âgé ici — elle se tourna vers Wesley — au plus jeune. »

Wesley, qui avait un verre de whisky à la main, auquel il n'avait pas encore touché, leva son verre avec les autres. Il ne souriait pas et n'avait pas l'air exubérant, comme la majorité de l'assistance, parce qu'il venait de voir Frances Miller, qui se tenait sur un côté avec son mari, trinquer avec ce dernier et échanger un baiser. Wesley et Frances s'étaient réconciliés après la soirée au bar à Port Philip ; elle était revenue dans sa chambre d'hôtel et lui avait permis de passer la nuit avec elle plusieurs fois dans son appartement à New York lorsqu'ils y avaient repris le tournage en intérieur. Jusqu'à ce que son mari arrive de Californie, trois jours auparavant. Wesley n'avait pas encore été présenté au mari, bel homme blond bâti comme un rugbyman, qui, Wesley était forcé de se l'avouer, avait l'air assez sympathique, selon le standard hollywoodien. Mais la familiarité avec laquelle Frances et son mari se regardèrent en levant leur verre, et la tendresse de leur baiser, lui firent regretter de n'avoir pas pu éviter la fête d'une façon ou d'une autre.

Alice était là aussi, bien que pour l'instant il ne pût la voir dans la pénombre du plateau. Comme toujours, elle s'effaçait le plus possible. Elle avait eu un comportement bizarre après les nuits où il n'était pas rentré à son appartement pour dormir sur le divan, celui d'une infirmière efficace et distante. Lorsqu'il avait parlé de la fête, elle avait dit qu'elle aimerait beaucoup y aller, elle n'avait jamais assisté à une fête sur un plateau de cinéma. Il s'était efforcé d'avoir l'air de l'inviter de bonne grâce, mais cela lui avait coûté. En vieillissant, se dit-il, en essayant de ne pas regarder dans la direction de Frances et son mari, on apprend peut-être comment faire face à des situations pareilles.

Il but une grande lampée de son whisky-soda, en se rappelant que la dernière fois qu'il avait bu de l'alcool, c'était le soir à la Porte Rose à Cannes. Le whisky avait bon goût et il but encore une gorgée.

Gretchen allait et venait sur le plateau, serrant des mains et embrassant des gens sur la joue, et quelques-unes des autres femmes avaient aussi la larme à l'œil. Tous semblaient partir à contrecœur, comme s'ils voulaient faire durer autant que possible les liens formés entre eux au cours des mois de travail en commun. Wesley entendit une comédienne entre deux âges dire à Gretchen : « Que Dieu vous bénisse, ma chère ; à partir de maintenant ça ne peut qu'empirer. »

Wesley se demanda comment le simple fait de faire un film, ce qui aurait dû devenir une expérience routinière pour tous ces professionnels, pouvait susciter tant d'émotion. Il avait lui-même pris plaisir à faire ce film, mais en dehors de Frances et de Gretchen, cela lui était égal de ne plus jamais revoir aucun d'eux. Peut-être qu'en dépit de ce que lui avait dit Gretchen, il n'était pas réellement fait, au fond, pour être acteur.

Lorsque Gretchen vint vers lui et l'embrassa sur la joue en disant : « Wesley Jordan, tu vas me manquer », il vit qu'elle était sincère.

— Voilà un bon petit discours, dit-il. Vous savez vraiment embellir une fête.

— Merci, chéri. — Mais elle regardait sans cesse par-dessus son épaule comme si elle cherchait quelqu'un. — Wesley, est-ce que Rudolph t'a dit qu'il ne venait pas ou qu'il serait en retard ?

— Non.

Tout ce que son oncle Rudolph lui avait dit au cours de ces derniers jours de tournage était que l'avocat d'Antibes avait écrit qu'il pouvait revenir en France. Il n'avait pas encore acheté son billet. Sans se l'avouer, il avait le sentiment qu'il n'était pas encore tout à fait prêt à quitter l'Amérique qu'il restait trop de choses qui n'avaient pas été réglées.

— Il devait retourner dans le Connecticut aujourd'hui avec Mr Donnelly, dit Gretchen, en cherchant toujours par-dessus les têtes des gens qui les entouraient, mais il avait promis d'être de retour à cinq heures. Il est sept heures passées maintenant. Ce n'est pas le genre de Rudolph d'être en retard. Je ne peux pas encore quitter la fête moi-même, alors veux-tu être un amour et téléphoner à son hôtel pour voir s'il a laissé un message ?

— Bien sûr, dit Wesley, et il chercha des pièces de monnaie en quittant le plateau pour aller au téléphone à l'extérieur, pour appeler l'Hôtel Algonquin, où son oncle gardait une chambre pour les soirs où il devait rester en ville.

Il lui fallut attendre avant de téléphoner car Frances était là, en train de parler et de rigoler. Il s'éloigna parce qu'il ne voulait pas entendre ce qu'elle disait. Elle prenait son temps à bavarder et ajoutait sans arrêt des pièces de dix cents dans l'appareil. Il avait apporté son verre et lorsqu'elle eut achevé, il l'avait vidé. Il sentit ses muscles se contracter pendant qu'il attendait, en entendant le ton de sa voix, sans saisir les paroles, et il était désagréablement conscient d'un picotement spasmodique des nerfs de son bas-ventre et dans ses testicules. Plus jamais, plus jamais, se dit-il, bien qu'il sût qu'il mentait.

Avec un dernier rire feutré, Frances raccrocha et vint vers la porte menant au plateau, de l'autre côté de laquelle il se trouvait. Ses cheveux tombaient sur ses épaules et elle les rejeta en arrière d'un geste féminin de la main.

— Ah, dit-elle, et elle rigola de nouveau, l'enfant prodige aux aguets.

— Je dois téléphoner, dit-il, mais d'abord je tiens à faire quelque chose.

Il la saisit soudain et l'embrassa sur la bouche.

— Eh bien, dit-elle en riant, tu as enfin pris des leçons d'art dramatique. Comment se montrer passionné en présence de maris. — Sa voix était rendue un peu pâteuse par la boisson.

— Quand est-ce que je te reverrai ?

Wesley lui serra les bras comme si la force de ses mains pouvait l'empêcher de s'enfuir.

— Qui sait ? — Frances gloussa. — Peut-être jamais. Peut-être quand tu seras grand.

— Tu n'as pas voulu dire ça ? dit-il, d'une voix torturée.

— Qui sait ce que je veux dire. Moi, encore moins que les autres. J'ai un bon conseil à te donner. On s'est amusés, et c'est fini. Oublie tout ça maintenant.

La porte du plateau s'ouvrit brutalement et le mari de Frances surgit à contre-jour dans la lumière du plateau.

— Lâche-la, dit l'homme.

Wesley laissa tomber ses mains et recula un peu.

— Je sais ce que vous avez fait tous les deux tous ces temps-ci. dit l'homme. Ne crois pas que je ne le savais pas, pute.

— Oh, calme-toi. Jack, je t'en prie, dit Frances avec prudence.

L'homme la gifla. Cela fit un bruit mat et méchant.

— Quant à toi, petit salaud, dit-il à Wesley, si jamais je te trouve encore en train de rôder autour de ma femme je te casserai en deux.

— Oh, le grand méchant mâle, dit Frances d'un ton moqueur. — Elle n'avait pas porté sa main au visage ; c'était comme si son mari ne l'avait pas touchée. — Partout, sauf au lit.

L'homme respira profondément, presque haletant, comme un appel d'air passant par une porte soudain ouverte. Puis il gifla encore Frances, beaucoup plus fort cette fois.

Frances ne porta toujours pas la main à son visage.

— Cochon, dit-elle à son mari. Toi et tes espions.

L'homme lui saisit le bras.

— Maintenant tu vas retourner là-bas, dit-il, et tu vas sourire parce que ton mari, qui a été retenu sur la Côte pour affaires, a pu venir à New York pour passer le week-end avec toi.

— Comme tu voudras, cochon, dit Frances.

Elle lui prit le bras et sans un regard pour Wesley franchit la porte avec son mari pour regagner le plateau, où l'on entendait maintenant de la musique, un piano, une trompette et une batterie, et il y avait des couples qui dansaient.

Wesley resta immobile dans le hall à peine éclairé, et seuls les muscles de son visage bougeaient. Puis il écrasa le gobelet en plastique vide qu'il tenait à la main et le jeta contre le mur. Il laissa passer dix minutes, jusqu'à ce qu'il fût certain qu'il ne se ruerait pas par la porte pour passer devant les couples de danseurs et se jeter à la gorge de l'homme.

Lorsqu'il sentit sa voix de nouveau assurée, il appela l'hôtel, où la standardiste lui dit que Mr Jordache n'avait pas laissé de message. Il resta près du téléphone mural pendant encore un moment, puis regagna le plateau et trouva sa tante à qui il répéta ce que la standardiste avait dit. Après quoi il alla au bar et commanda un whisky qu'il but sec, puis en commanda un autre.

Lorsque le verre fut vide, il sentit quelqu'un lui taper sur le bras. Il se retourna pour voir Alice qui se tenait là, avec cette expression d'infirmière distante qu'il avait commencé à craindre.

— Je pense que ce serait peut-être une bonne idée, dit Alice calmement, si tu te nettoyais le visage. Tu es plein de rouge à lèvres.

— Merci, fit-il lourdement, en sortant son mouchoir et en se tapotant les lèvres et les joues. Mieux ?

— Beaucoup mieux. Je pense que je vais partir maintenant. J'ai découvert que les fêtes de cinéma ne sont pas aussi éblouissantes qu'on voudrait le faire croire.

— Bonsoir, dit Wesley. — Il voulait lui demander pardon, faire disparaître ce regard froid et lointain, mais il ne savait pas comment s'y prendre ni ce qu'elle avait exactement à lui pardonner. — Je te verrai plus tard.

— Peut-être, dit-elle.

Bon Dieu, pensa-t-il en voyant la fille menue à la démarche droite et honnête se perdre parmi les danseurs, Dieu, quel gâchis je fais, il faut que je quitte cette ville. Puis il se retourna vers le bar et demanda un autre verre. Il était en train de le prendre des mains du barman lorsque Rudolph s'approcha de lui.

— Vous vous amusez, Mr Jordan ? demanda Rudolph.

— Merveilleusement bien. Gretchen vous cherche. Elle se fait du souci. J'ai appelé votre hôtel de sa part.

— J'ai été retardé, dit Rudolph. Je vais aller la trouver. J'aimerais vous parler après. Où serez-vous ?

— Ici même.

Rudolph fronça les sourcils.

— Vas-y doucement, petit, dit-il. Je suis sûr que tu trouveras une autre bouteille de whisky dans New York demain si tu t'y mets.

Il donna à Wesley une petite tape amicale sur le bras, puis partit à la recherche de Gretchen.

Gretchen parlait avec Richard Sanford, l'auteur de *Comédie de la Restauration,* quand Rudolph l'aperçut de l'autre côté de l'espace où on dansait. Sanford n'avait pas fait de concessions vestimentaires, vit Ruldoph, pour célébrer le dernier jour de tournage de sa première œuvre. Il portait son uniforme habituel, chemise de lainage à col ouvert et blouson.

— Ce qui m'inquiète, disait Sanford avec conviction, c'est qu'il n'y a pas assez de gros plans de la fille dans ce que j'ai vu jusqu'à présent. Il me semble qu'il n'y a pas assez d'émotion dans les plans moyens et les...

— Cher Richard, dit Gretchen, je crains que comme tant d'autres auteurs, vous soyez épris des charmes d'une actrice aux dépens de son talent...

— Oh, je vous en prie — Sanford rougit — je lui ai à peine adressé la parole.

— Elle vous a adressé la parole. C'est plus qu'il n'en faut avec une jeune femme comme celle-là. Je suis désolée pour vous qu'elle ait été occupée ailleurs.

— Vous me sous-estimez, dit Sanford avec humeur.

— C'est le problème des artistes depuis cinq mille ans, dit Gretchen. Vous apprendrez à vous en accommoder, fiston.

— Nous ne sommes pas amis, vous et moi, dit Sanford. Vous m'en voulez pour ma — ma masculinité. Je sais cela depuis le début.

— C'est à côté de la question, dit Gretchen, en plus d'être de la connerie pure. Et si vous ne le saviez pas déjà, permettez-moi de vous l'apprendre maintenant, jeune homme — l'art ne naît pas de l'amitié.

— Vous êtes une femme amère et vieillissante. — Des mois de rancœur accumulés roulèrent dans sa voix. — Ce dont vous avez besoin, c'est de vous faire baiser. Ce que personne n'est suffisamment poli pour vous faire.

Gretchen se frotta les yeux avant de répondre.

— Vous êtes un jeune homme doué et désagréable. Vous serez moins désagréable et, j'en ai peur, moins doué en vieillissant.

— Vous n'avez pas besoin de m'insulter, Gretchen.

— Dans notre métier les insultes sont hors de propos Vous me fatiguez. Et je suppose que je vous fatigue aussi. Egalement hors de propos. Mais, mon cher Richard — elle frôla légèrement sa joue, mi-caresse, mi-menace d'ongles longs et manucurés — je promets de bien vous servir. Ne m'en demandez pas plus. Je vous promets tous les gros plans qu'il vous faut et toute l'émotion que l'on puisse supporter. Le problème avec cette fille-là, ce n'est pas le défaut, c'est l'excès.

— Vous avez toujours réponse à tout, dit Sanford. Je ne gagne jamais une discussion avec vous. Kinsella m'avait prévenu...

— Comment va ce cher Evans ? demanda Gretchen.

— Il va bien. — Sanford se dandina d'un air gêné. — Il m'a demandé de faire son prochain film.

— Et vous êtes en route pour Hollywood ?

— En fait... oui.

— Tant mieux pour vous. Et tant mieux pour lui. Je sais que vous serez heureux ensemble. Et maintenant, vous voudrez bien m'excuser, je vois mon frère qui attend pour me parler.

Pendant que Gretchen s'approchait de Rudolph, celui-ci vit Sanford secouer la tête avec désespoir. Rudolph riait tout seul au moment où Gretchen arriva, près de lui.

— Pourquoi ris-tu ? demanda-t-elle.

— L'expression du visage de ce jeune homme quand tu l'as quitté.

Gretchen fit une grimace.

— Nous étions occupés à la plus créatrice des activités — se blesser mutuellement. Un seul film, et il se prend pour le directeur des *Cahiers du Cinéma*. Irrécupérable. Ce n'est pas une tragédie. L'Amérique pullule de talents feu de paille. Je me faisais du souci à ton sujet. Où étais-tu tout ce temps-là ?

Rudolph secoua la tête.

— Nous nous sommes retrouvés devant de sacrées complications dans le Connecticut. Donnelly est prêt à se flinguer. Il se peut que tout le projet tombe à l'eau.

— Pourquoi ? demanda Gretchen. Que s'est-il passé ?

— Une quelconque organisation à la noix pour la conservation de l'environnement ou quelque chose de ce genre fait un procès pour obtenir une suspension d'autorisation, pour nous empêcher de construire, dit Rudolph. Nous avons passé toute la journée avec des avocats.

— Je croyais que tout était réglé, dit Gretchen.

— Moi aussi. Jusqu'à hier. Nous croyions avoir acheté un terrain agricole abandonné... Maintenant il s'avère que nous avons acheté une portion précieuse de la brousse du Connecticut, pleine d'oiseaux rares, de troupeaux d'adorables cerfs, et de charmants serpents. On y a aussi aperçu trois lynx ces dernières années. Au lieu d'être des bienfaiteurs semi-philanthropiques de l'humanité du troisième âge, il semble que nous soyons d'avides citadins retors qui cherchent à polluer l'air pur de l'Etat souverain du Connecticut, en plus d'être les ennemis du lynx

Il secoua de nouveau la tête, mi-figue mi-raisin.

— Que disent les avocats ?

— Il faudra des années, même si nous finissons par gagner Donnelly a failli pleurer de remords quand il s'est rendu compte combien de temps notre argent allait être bloqué.

— Où est-il ? demanda Gretchen. Donnelly ?

— Je l'ai mis au lit. Ivre mort. Il se sentira encore pire demain.

— Quel dommage !

— Un coup de dés. Il ne faut pas que ça te gâche ta grande soirée. Autre chose. J'ai reçu un coup de fil hier de Californie. D'un homme que je connais, un imprésario du nom de Bowen.

— Je le connais aussi, dit Gretchen. Il a une bonne agence.

Rudolph acquiesça.

— Il dit qu'on parle de Wesley. Il dit qu'il peut lui obtenir un gros contrat. Si Wesley doit continuer comme acteur il aura besoin d'un agent, et Bowen est aussi honnête qu'un autre. Il faut que je parle à ce jeune homme.

— La dernière fois que je l'ai vu, il soutenait le bar, dit Gretchen, barbouillé de rouge à lèvres.

— Je l'ai vu. Je lui donnerai quelques sages et bons conseils avunculaires. — Rudolph se pencha et embrassa Gretchen sur la joue. — Félicitations pour tout. C'est merveilleux, ce que tu as fait. Et ce n'est pas seulement l'avis de ton frère.

— Tout s'est bien passé. J'avais peur que ce ne soit du travail d'amateur du début jusqu'à la fin.

— Ne sois pas si modeste, ma sœur, dit Rudolph en lui pressant la main. Tu fais partie du peloton de tête, maintenant.

— Nous verrons. Touchons du bois, dit Gretchen, mais elle ne put réprimer un sourire flatté.

— Maintenant je vais aller voir le jeune homme. Garde-moi une danse pour quand j'en aurai fini avec lui.

— Je n'ai pas dansé depuis des années.

— Moi non plus, dit Rudolph. Je demanderai aux gars de jouer une valse.

Puis il retourna au bar, mais Wesley n'y était plus. Le barman dit qu'il était parti depuis cinq minutes.

Alice était assise dans le séjour en train de lire quand Wesley arriva à l'appartement. Il s'était arrêté dans deux bars en chemin. Les bars étaient trop sombres pour que quelqu'un lui demandât une preuve de son âge. Marcher dans les rues de la ville s'était avéré un problème, car les trottoirs semblaient se dérober sous lui à des angles différents et il avait trébuché deux fois sur des bordures de trottoirs à des coins de rues.

— Bonsoir, dit-il gravement à Alice.

— Bonsoir.

Elle ne leva pas les yeux de son livre. Il remarqua que le divan n'avait pas été préparé comme d'habitude avec des draps et des couvertures. Il avait le curieux sentiment que ce n'était pas Alice qu'il voyait, mais son reflet dans de l'eau qui dansait.

— Je suis bon à rien Tu perds ton temps à t'inquiéter pour moi

— Tu es ivre. Et je ne m'inquiète pas pour toi.

— Demain, dit-il, et sa voix paraissait étrange et lointaine à ses propres oreilles, je te paierai tout ce que je te dois et je par-partirai.

— Pas trop tôt. — Alice avait les yeux toujours sur son livre. — Je suis sûre que tu pourras trouver un autre endroit pour dormir. Et ne me parle pas d'argent. Tu ne me dois rien. Ce que j'ai fait pour toi je ne l'ai pas fait pour de l'argent.

Il la regarda, ayant du mal à voir avec netteté.

— Est-ce que ça te gêne si je dis merci ?

— Tout ce que tu dis me gêne, dit-elle farouchement. Fêtard hollywoodien.

— Je ne suis jamais allé à Hollywood. Même pas en Californie, dit-il bêtement.

— Toi et tes putes. — Elle jeta le livre par terre. — Pourquoi est-ce que je lis ce livre idiot ? Il est épouvantable.

— Je croyais que tu étais ma... enfin... — Il bredouilla.— Enfin ma sœur.

— Je ne suis pas ta sœur.

Il cherchait maladroitement ce qu'il voulait dire, tout en sentant que son cerveau et sa langue s'embrumaient.

— Tu dis que je vais mourir, dit-il. Dans ton livre. Tu veux que je sois noble et que je meure. Tu en demandes trop...

— Oh, mon Dieu, dit-elle. — Elle se leva de sa chaise et s'approcha de lui et lui prit la tête entre ses mains et la pressa contre son corps. — Pardonne-moi. Je ne veux pas que tu meures, Wesley, il faut que tu me croies.

— Tout le monde veut quelque chose de moi que je ne peux pas donner, dit Wesley, sa bouche appuyée contre le tissu de sa robe. Je ne sais pas où je suis. Demain, demande-moi au bureau des Objets Trouvés.

— Je t'en prie, Wesley, murmura-t-elle, ne dis pas des choses comme ça.

— Tu m'as dit un jour que tu étais en train de voler un morceau de mon âme... — Il gémit. — Je t'entends taper à la machine le soir et je me dis : voilà encore un morceau de mon âme qui part.

— Non, non, chéri... — Elle lui serra encore davantage la tête comme pour l'empêcher de dire un mot de plus. — Je n'en peux plus. Tu me fais mal.

— Tout le monde me fait honte. — Il mit la tête de côté, pour pouvoir parler. — Ce que j'ai vécu ce soir... Maintenant toi... Je n'ai pas été à ta hauteur, je le sais, mais...

— Chut, chut, chéri, chantonna-t-elle.

— Je t'aime, dit-il.

Elle le tira fort contre elle. Puis, chose étonnante, elle rit.

— Pourquoi diable as-tu mis si longtemps à le dire ? — Elle se laissa tomber à genoux et l'embrassa, vivement. Puis elle recula sa tête pour pouvoir le regarder. — Redis-le, dit-elle

— Je t'aime, dit-il.

— Tu as l'air malade, dit-elle

— Je me *sens* malade. C'est la deuxième fois de ma vie que je suis ivre. Excuse-moi, s'il te plaît, il faut que j'aille gerber.

Il se leva, en chancelant, et entra dans la salle de bains en titubant et là, tout le whisky de la soirée remonta. Il ne se sentait pas mieux, toujours faible et vacillant. Il se déshabilla soigneusement, se brossa les dents pendant deux minutes entières, puis prit une douche froide. Il se sentit un peu mieux en se séchant, bien que pour tourner la tête il dût s'y prendre avec beaucoup de prudence, et son estomac lui donnait l'impression d'avoir avalé des clous. Il mit un peignoir qu'Alice lui avait choisi et, les cheveux mouillés, il retourna dans la pièce en se retenant d'une main contre le mur.

Le séjour était vide et le lit n'avait toujours pas été fait sur le divan. De la chambre, il entendit la voix d'Alice : « Je suis ici. Tu n'as pas besoin de chercher un autre endroit pour dormir ce soir. » Encore faible, et ayant la sensation qu'un carrousel tournait dans sa tête, pendant que l'orgue jouait, il entra dans la chambre en trébuchant. Il n'y avait qu'une petite lampe allumée et la chambre était dans la pénombre, mais il vit Alice, qui dansait toujours devant ses yeux, sous les couvertures du grand lit.

— Viens ici, dit-elle. Entre dans le lit.

Il commença à monter sur le lit toujours en peignoir.

— Enlève ce truc idiot, dit-elle.

— Eteins la lumière.

Il était choqué à l'idée qu'Alice Larkin, cette fille timide et très bien élevée, le vît nu.

Elle rit en éteignant la lampe. Il trébucha en laissant tomber le peignoir par terre et se cogna le tibia contre une coiffeuse, tout en cherchant le lit à tâtons. Elle était menue et sa peau était douce et parfumée lorsqu'il l'entoura de ses bras, mais il se sentait toujours dans un état lamentable.

— Je ne peux rien faire, chuchota-t-il. Je t'aime et je ne peux rien faire. Tu aurais dû me le dire plus tôt, avant que j'aie bu tout cet alcool.

— Plus tôt, je ne le savais pas, dit-elle. Ça ne fait rien. — Elle lui embrassa l'oreille et l'attira plus près d'elle. — Tu seras bien demain matin.

Ce qui fut le cas.

CHAPITRE VII

Du carnet de Billy Abbott (1971).

ELLE EST TOUJOURS ICI.
Elle n'a toujours pas montré qu'elle me connaissait. Pour autant que je puisse en juger, elle et son fabricant d'aliments surgelés de Düsseldorf ne parlent à personne. Je ne les vois jamais avec personne. Il joue au golf tous les jours. Ils ne sont jamais à aucune des soirées auxquelles je suis invité. J'ai découvert qu'elle est inscrite à l'hôtel sous le nom de señorita Monika Hitzman, ce qui n'est pas le nom sous lequel je l'ai connue. Lorsque nous nous croisons par hasard, qu'elle soit seule ou avec son ami, nous nous croisons comme des inconnus, bien que je ressente un courant d'air glacial, tout comme celui que l'on pourrait ressentir en naviguant près d'un iceberg.

De temps en temps, parfois seule, parfois en compagnie de son ami, elle passe près des courts de tennis. Le plus souvent, elle s'arrête un petit moment pour regarder la partie, comme le font beaucoup d'autres clients de l'hôtel.

Mon jeu se détériore tous les jours.

Il y a une autre complication. Je suis courtisé, si l'on peut dire, par une jeune fille espagnole, prénommée Carmen (ne peut-on échapper à cet écho mélodique ?) qui est de Barcelone et qui joue au tennis d'une façon farouche et infatigable, et dont j'ai appris que le père a occupé une haute fonction à Barcelone dans le gouvernement de Franco. Parfois il l'accompagne et parfois non, c'est un homme très droit à cheveux gris avec un visage implacable.

Sa fille a vingt ans, des yeux sombres et dangereux, des cheveux blonds, elle se meut comme une tigresse sur les courts de tennis et ailleurs, comme si elle se faisait un devoir de faire honneur au livret de l'opéra. Elle me met sur les genoux, dans les simples. Elle trouve aussi l'occasion de m'offrir un verre quand nous avons fini de jouer ou à d'autres moments, et me livre des confidences que je ne souhaite pas entendre. Elle a été éduquée en Angleterre et parle bien la langue, malgré un fort accent. Avec elle je me réfugie dans mon rôle d'athlète stupide, mais elle dit qu'elle n'est pas dupe, et je crains que ce ne soit vrai. Entre autres choses elle m'a raconté que son père, bien que

Catalan, a combattu dans les armées de Franco, et a la mentalité des capitaines de Ferdinand et Isabelle qui chassèrent les Maures et les Juifs d'Espagne. Elle met son père en fureur en lui parlant catalan et elle l'aime profondément. Elle ne sera heureuse, dit-elle, que lorsque le drapeau catalan flottera sur Barcelone et que les poètes de ce qu'elle appelle son pays écriront dans cette langue. Elle et Monika, qui accorde également beaucoup d'importance à la division linguistique de l'Europe, auraient beaucoup de choses à se dire, bien que je doute que Carmen ait déjà jeté sa première bombe. Elle distribue des tracts qui pourraient être illégaux. Elle a un merveilleux corps souple et je ne sais pas combien de temps je pourrai encore lui résister, bien que je craigne son père qui, lorsqu'il me regarde, ce qui est rare, le fait avec la méfiance la plus glacée. Carmen assure qu'il regarde tous les étrangers, surtout les Américains, avec la même méfiance, mais je ne peux m'empêcher de penser qu'il y a là une répugnance qui n'est pas purement chauvine.

Elle ressemble au type de jeunes femmes que l'on voit photographiées à la *barrera* dans les journaux espagnols au moment où les matadors leur dédient les taureaux. Elle ne ressemble pas au genre de filles qui distribuent des tracts aux Etats-Unis.

Elle ressemble à Monika au moins sur un point. Elle ne fera jamais une bonne épouse pour aucun homme.

*
* *

Le lendemain fut une mauvaise journée pour Billy Abbott. Monika vint aux courts avec son ami et s'inscrivit pour une semaine de leçons, tous les jours à onze heures du matin.

Billy lui donna sa première leçon. C'était un cas désespéré. Il ne put rien lui dire, car son ami resta assis en spectateur pendant les quarante-cinq minutes. Elle appelait Billy Mr Abbott et il l'appelait señorita Hitzman. En lui envoyant des balles qu'elle ratait le plus souvent, il pensait : il faut que je trouve le moyen de la prendre à part et de lui demander ce qu'elle fabrique ; ce n'est certainement pas le hasard qui l'a amenée à El Faro.

L'après-midi il faillit se faire battre par Carmen. Elle était de mauvaise humeur et jouait avec férocité.

Plus tard, dans le bar de l'hôtel, où ils étaient seuls, il lui demanda ce qu'elle avait.

— Avez-vous lu le journal ce matin ?

— Non.

— En première page il y avait une photo d'un de vos amiraux en train de se faire décorer par Franco.

Il haussa les épaules.

— C'est à cela que servent les amiraux. En fait, cela ne me dérange pas qu'il ait eu une médaille. Ce qui me dérange, c'est qu'il soit ici, lui et ses navires et notre force aérienne avec ses avions. J'ai été dans l'armée pendant longtemps et je suis sceptique sur notre utilité au moment fatidique.

Carmen lui jeta un regard furieux.

— Qu'aimeriez-vous voir se produire — que les Russes envahissent l Europe ?

— S'ils avaient voulu envahir l'Europe, dit-il, ils l'auraient déjà fait Nous sommes assez nombreux en Europe pour embêter les Russes mais pas assez pour pouvoir faire grand-chose. S'il y avait une guerre, ce sont les missiles qui mèneraient le combat, pas les hommes au sol. Ils seraient sacrifiés dès le premier jour. J'ai fait partie des hommes au sol et je n'aimais pas beaucoup cela.

— Je suis tout de même contente, dit Carmen avec sarcasme, de disposer de mon expert militaire américain particulier pour m'ouvrir les yeux.

— Tout ça, c'est pour la galerie, dit Billy. — Il ne savait pas pourquoi il lui cherchait querelle. Probablement parce que le dernier set avait fini huit-six. Peut-être parce qu'il était las de se faire sermonner en matière politique par de séduisantes jeunes femmes. — Une base par-ci par-là fournit à ces militaires une occasion de rouler des mécaniques et d'extorquer davantage d'argent au Congrès pour pouvoir circuler en grosses bagnoles et vivre cinq fois mieux qu'ils ne pourraient jamais le faire chez eux. — Puis, plus pour la taquiner que parce qu'il le pensait vraiment, il ajouta : — Si on ôtait leurs uniformes à tous les soldats américains et si on les rapatriait pour leur faire faire un travail utile, cela vaudrait mieux pour tout le monde, y compris les Espagnols.

— Les faibles et les paresseux trouvent toujours des excuses à leurs faiblesses et à leur paresse, dit Carmen. Dieu merci, tous les Américains ne sont pas comme vous. — Ses idées politiques étaient compliquées. Elle détestait Franco, détestait les communistes, et maintenant, semblait-il, elle le détestait lui, ainsi que l'amiral américain. — Il est moral d'être ici, continua-t-elle. Il est immoral de permettre à un homme comme Franco de vous épingler une médaille sur la poitrine, si on est Américain. Après tout, être prêt à défendre un pays dans votre propre intérêt est une chose ; contribuer au soutien de la réputation d'un régime écœurant en est une autre. Si j'étais Américaine, j'écrirais au Congrès, au Département d'Etat, au Président, aux journaux, pour protester. Voilà — vous voulez faire quelque chose d'utile — écrivez au moins une lettre au *Herald Tribune*.

— Combien de temps croyez-vous que je tiendrais le coup ici si cette lettre était publiée ?

— Vingt-quatre heures. Ça vaudrait la peine.

— Un homme a aussi besoin de manger.

— L'argent, dit Carmen avec dédain. Tout se ramène à l'argent, pour les gens comme vous.

— Puis-je vous rappeler, dit Billy, que je n'ai pas un père riche, comme certaines personnes que je connais ?

— C'est infâme de dire cela. Voilà au moins une chose dont on peut louer les Espagnols — ils ne mesurent pas leur vie en dollars.

— Je vois par ici des Espagnols assez riches qui passent leur temps à amasser de plus en plus d'argent. En achetant, par exemple, des oliveraies de ce côté et en les transformant en pièges à touristes. Tous ces grands yachts dans le port n'appartiennent pas à des gens qui ont fait vœu de pauvreté.

— La lie, dit Carmen. Une fraction de la population. Sans âme. Qui fait tout ce que Franco et ses criminels lui disent de faire pour pouvoir garder ses *fincas*, ses yachts, ses maîtresses, pendant que le reste du pays meurt de faim. Je déteste le communisme, mais quand je vois ce que l'homme et la femme du peuple sont obligés de faire ici pour nourrir une famille, je comprends pourquoi ils y sont attirés. Par désespoir.

— Que voulez-vous voir — une autre guerre civile ? demanda Billy. Encore un million de morts ? Les rues ruisseler de sang ?

— Si on en arrive là, dit Carmen, ce seront vos amis, les propriétaires de yachts, qui en seront la cause. Evidemment, ce n'est pas ce que je veux. Ce que je voudrais voir, c'est un changement honnête et dans l'ordre. Si vous pouvez le faire en Amérique, pourquoi ne peut-on pas le faire ici ?

— Je ne me suis jamais penché sur le caractère espagnol, mais j'ai entendu dire quelque part que vos concitoyens, lorsqu'ils s'amusent, peuvent être assoiffés de sang, et cruels et violents.

— Oh, comme je suis fatiguée de ce genre de propos, s'écria Carmen. Comme si l'Espagne n'était que courses de taureaux, flagellations et vengeances de l'honneur des familles. Comment se fait-il que personne ne dise combien les Allemands sont une race cruelle et violente — après ce qu'ils ont fait à l'Europe ? Ou les Français après Napoléon ? Et je ne dirai rien de ce qu'ont fait les Américains en leur temps — pauvre joueur de tennis inutile. — Cette conversation avait lieu au bar de l'hôtel, et Carmen signa dédaigneusement la fiche de leurs boissons. — Voilà. Vous avez économisé le prix de quatre gin-tonics. N'êtes-vous pas content d'être venu dans cette Espagne si cruelle et violente et d'y être devenu ici le laquais des riches ?

— Peut-être, dit Billy, piqué au vif, ne devrions-nous plus nous voir. Trouvez-vous un autre partenaire pour jouer au tennis.

— Vous jouerez au tennis avec moi, dit Carmen, parce que vous êtes payé pour jouer au tennis avec moi. Même heure demain.

Elle sortit à grands pas du bar, le laissant assis seul dans la grande pièce déserte. Dieu, pensa-t-il, et moi qui croyais qu'elle me faisait la cour ! D'abord Monika avec ses bombes et maintenant elle.

Le lendemain matin, Monika arriva seule au tennis. Billy devait convenir qu'elle avait l'*air* d'une joueuse de tennis, menue et mince, avec de jolies jambes, portant une robe de tennis courte et seyante, un bandeau autour de la tête pour maintenir en place ses cheveux soigneusement mis en plis.

Pendant qu'ils allaient ensemble sur le court, Billy demanda à voix basse :

— Monika, quel jeu joues-tu ?

— Je m'appelle señorita Hitzman, dit-elle froidement, Mr Abbott.

— Si tu veux l'argent que j'ai transporté à Paris — et l'autre — l'autre partie du colis, dit Billy, je pourrai te l'avoir. Ça prendra un peu de temps, mais c'est faisable...

— J'ignore de quoi vous parlez, Mr Abbott

— Oh, ça suffit, dit-il avec humeur. Mr Abbott. Tu ne m'appelais pas Mr Abbott quand on baisait tout l'après-midi à Bruxelles.

— Si vous continuez comme ça, Mr Abbott, dit-elle, je serai forcée de signaler à la direction que vous gaspillez un temps précieux à faire la conversation au lieu de faire ce que vous êtes supposé faire — c'est-à-dire m'apprendre à jouer au tennis.

— Tu n'apprendras jamais à jouer au tennis

— Dans ce cas, dit-elle calmement, ce sera un échec de plus dont vous pourrez vous souvenir quand vous serez vieux. Maintenant, j'aimerais commencer la leçon, je vous prie.

Il soupira puis gagna l'autre côté du court et se mit à lober des balles en direction de sa raquette. Elle ne les renvoya pas mieux qu'elle ne l'avait fait la veille au matin.

A la fin de la leçon, elle dit : « Je vous remercie, monsieur Abbott », et quitta le court.

L'après-midi il battit Carmen six-zéro, six-trois, en mêlant malicieusement dans son jeu des lobs et des volées amorties pour l'obliger à courir jusqu'à ce qu'elle eût le visage cramoisi. Elle aussi quitta le court avec une seule phrase sèche : « Vous avez joué comme un eunuque. » Elle ne l'invita pas à boire un verre avec elle.

L'Espagne, pensa-t-il en la regardant partir à grandes enjambées vers l'hôtel, cheveux blonds au vent, devient beaucoup moins agréable qu'autrefois.

*
* *

Wesley prit le train de Londres à Bath, prenant plaisir à regarder par la fenêtre la campagne verdoyante et soignée de l'Angleterre rurale. Après les tensions et les incertitudes de l'Amérique, il avait été apaisant de se promener dans Londres, où il ne connaissait personne et où personne n'attendait rien de lui. Il était en train de déjeuner debout au bar d'un pub lorsque la voix de la serveuse lui avait rappelé la façon de parler de Kate. Soudain il s'était rendu compte combien elle lui avait manqué. Il termina son sandwich, alla à la gare et prit le premier train pour Bath. Elle serait surprise de le voir. Agréablement surprise, espérait-il.

En arrivant à Bath, il donna l'adresse à un chauffeur de taxi et, adossé à la banquette arrière, examina d'un œil curieux les rues propres et les immeubles gracieux de la ville, en pensant : Indianapolis est battu, il n'y a pas de doute.

Le taxi s'arrêta devant une petite maison étroite, peinte en blanc, qui faisait partie de toute une série de petites maisons semblables. Il paya le taxi et sonna à la porte. Un instant plus tard la porte s'ouvrit et une petite femme à cheveux gris, portant un tablier, dit : « Bonjour, monsieur. »

— Bonjour, madame, dit Wesley. Est-ce que Kate est là ?

— Qui la demande, s'il vous plaît ?

— Wesley Jordache, madame.

— Ah mon Dieu. — La femme sourit largement. Elle tendit la main et il la serra. C'était une main calleuse d'ouvrière. — On m'a beaucoup parlé de vous. Entrez, entrez, mon garçon. Je suis la mère de Kate.

— Enchanté, Mrs Bailey, dit Wesley.

La porte donnait directement sur la petite pièce de séjour. Par terre il y avait un bébé qui rampait dans un parc, roucoulant tout seul.

— Voilà votre frère, Wesley, dit Mrs Bailey. Je veux dire, votre demi-frère. Il s'appelle Tom.

— Je sais, dit Wesley. — Il examina le bébé avec intérêt. — Ça a l'air d'un gosse en bonne santé, non ?

— C'est un amour, dit Mrs Bailey. Content toute la journée. Je peux vous faire une tasse de thé ?

— Non, je vous remercie. J'aimerais voir Kate si elle est là.

— Elle est à son travail. Vous pourrez la trouver là-bas. Elle travaille au King's Arms Pub. C'est tout près d'ici. Seigneur Dieu, elle sera contente de vous voir. Vous resterez souper ?

— Je verrai comment les choses se passent avec Kate. Alors, Tommy, dit-il en allant vers le parc, comment vas-tu ?

Le bébé le regarda en souriant et gazouilla. Wesley se pencha et tendit la main vers lui, un doigt tendu. Le bébé se mit sur son séant, puis saisit le doigt et se leva, en chancelant, à mesure que Wesley remontait doucement sa main. Le bébé rit triomphalement. Wesley s'étonnait de voir combien la petite main semblait forte autour de son doigt.

— Tommy, dit-il, tu as une sacrée force dans les mains.

Le bébé rit de nouveau, puis lâcha prise et retomba sur le derrière. Wesley le regarda d'en haut, saisi d'une émotion étrange, émotion qu'il n'avait jamais ressentie auparavant, tendre et obscurément angoissée à la fois. A présent, le bébé était heureux. Peut-être avait-il été heureux lui aussi à cet âge-là. Il se demanda combien cela durerait pour son frère. Avec Kate pour mère, peut-être toujours.

— Maintenant, dit-il à Mrs Bailey, si vous pouviez me dire comment je peux trouver le pub...

— A gauche en sortant de la maison, vous longez trois pâtés de maisons et vous le verrez au coin. — Elle lui ouvrit la porte d'entrée. Elle se tenait à côté de lui, lui arrivant à peine à l'épaule, un visage bon et quelconque. — Il faut que je vous dise, Wesley, dit-elle gravement, le temps que ma fille a passé avec votre père a été le meilleur pour elle. Elle ne l'oubliera jamais. Et maintenant est-ce que ce serait trop si je disais que j'aimerais que vous m'embrassiez bien fort ? — Wesley l'entoura de ses bras, la serra et embrassa le sommet de sa tête. Lorsqu'elle fit un pas en arrière, il vit que ses yeux étaient humides, bien qu'elle sourît. — Il ne faut pas être un étranger, dit-elle.

— Je reviendrai, dit Wesley. Il faudra bien que quelqu'un lui apprenne à jouer au base-ball au lieu du cricket, et ça pourrait aussi bien être moi.

— Tu es un brave petit, dit-elle. Tu es exactement comme Kate a dit.

Elle resta devant la porte ouverte pour le regarder descendre la rue ensoleillée.

Le King's Arms était un petit pub, lambrissé de bois sombre, avec des petits tonneaux pour le sherry et le porto derrière le bar Il était presque trois heures, l'heure de la fermeture, et il n'y avait qu'un seul vieillard assis à une petite table ronde, qui somnolait sur sa pinte de bitter. Kate était en train de rincer des verres et un homme en tablier rangeait des bouteilles de bière sur des étagères au moment où Wesley entra.

Il se tint au bar, sans dire un mot, attendant que Kate lève les yeux de son travail. Lorsqu'elle le fit, elle dit : « Que désirez-vous, monsieur ? »

Wesley lui fit un grand sourire.

— Wesley ! s'écria-t-elle. Depuis combien de temps es-tu là ?

— Un quart d'heure. Mort de soif.

— Tu voudrais vraiment une bière ?

— Non. Je veux seulement te regarder.

— Je suis affreuse, dit-elle.

— Non, pas du tout. — Elle ressemblait tout à fait à l'image qu'il avait gardée d'elle, peut-être moins bronzée, peut-être un peu plus ronde de visage et de poitrine. — Tu es très belle.

Elle le regarda d'un air solennel.

— C'est pas vrai, dit-elle, mais ça fait plaisir à entendre.

L'horloge au-dessus du bar sonna trois coups et elle dit : « C'est l'heure, messieurs, s'il vous plaît. » Le vieil homme à la table se réveilla en s'ébrouant, vida son verre, et s'en alla. Kate sortit de derrière le comptoir et s'arrêta à un ou deux mètres de Wesley pour l'examiner.

— Tu es devenu un homme, dit-elle.

— Pas tout à fait, dit Wesley. Puis elle l'embrassa et le tint serré un moment.

— Je suis si contente de te revoir. Comment est-ce que tu as fait pour me trouver ?

— Je suis allé chez toi. Ta mère m'a expliqué.

— Tu as vu le bébé ?

— Oui. Terrible.

— Il n'est pas terrible, mais il fera l'affaire. — Wesley voyait qu'elle était contente. — Laisse-moi enfiler un manteau et on ira faire une grande balade et tu me raconteras tout ce qui t'est arrivé. — En sortant, elle dit à haute voix à l'homme derrière le bar : — A six heures, Ally.

L'homme grogna.

— C'est une jolie ville, dit Wesley, tandis qu'ils flânaient sous le soleil doux, la main de Kate légère sur son bras. — Ça a l'air d'être un endroit agréable à vivre.

— Bath. — Elle haussa les épaules. — Ça a connu des jours meilleurs. Dans le temps, les gens de la haute venaient passer la saison ici pour prendre les eaux et marier leurs filles et jouer. Maintenant c'est surtout des touristes. C'est un peu comme si on vivait dans un musée. Je ne sais pas où la haute va de nos jours. Ni si elle existe encore.

— La Méditerranée te manque ?

Elle lâcha son bras et regarda pensivement devant elle en marchant.

— Certaines choses, oui..., dit-elle. D'autres choses pas du tout. N'en parlons pas, s'il te plaît. Maintenant, raconte-moi ce que tu as fait.

Quand il eut fini de lui raconter ce qu'il avait fait en Amérique, ils avaient traversé une bonne partie de la petite ville. Elle secoua la tête tristement à la pensée d'Indianapolis et devint songeuse quand il lui décrivit des gens avec qui il était aller parler de son père et le dévisagea avec une sorte de profond respect lorsqu'il lui expliqua son rôle dans le film de Gretchen.

— Un acteur, dit-elle. Qui l'eût cru ? Tu vas continuer ?

— Plus tard, peut-être. J'ai des choses à régler en Europe.

— Où, en Europe ? — Elle le regarda avec méfiance. — Cannes, par exemple ?

— Si tu veux le savoir, oui, Cannes.

Elle hocha la tête.

— Bunny avait peur que finalement tu n'y viennes.

— Finalement, dit Wesley.

— J'aimerais me venger sur le monde entier, dit-elle. Mais je sers à boire dans un bar. La vengeance doit s'arrêter quelque part, Wesley.

— La vengeance doit aussi *commencer* quelque part, dit-il.

— Et si tu te fais tuer, qui te vengera, *toi ?*

Sa voix était amère et âpre.

— Quelqu'un d'autre devra en décider.

— Je ne vais pas essayer de te raisonner. Tu ressembles trop à ton père. Je n'ai jamais pu le dissuader de faire quoi que ce soit. Si rien ne peut t'arrêter, je te souhaite bonne chance. Fais-le bien, au moins. Et en supposant que tu le fasses, et en supposant que tu t'en sortes, ce qui fait beaucoup de suppositions, que feras-tu après ?

— J'ai aussi pensé à ça, dit Wesley. Avec l'argent que je recevrai de l'héritage et l'argent que je gagnerai peut-être dans le cinéma, dans quelques années j'aurai peut-être assez pour acheter un bateau, quelque chose comme la *Clothilde,* en tout cas, et l'affréter...

Kate secoua la tête avec impatience.

— Tu peux être le fils de ton père, tu ne peux pas *être* ton père. Vis ta propre vie, Wesley.

— Ce sera ma propre vie. Je pensais même qu'avec l'argent que tu reçois de la succession, peut-être ça te plairait de t'associer avec moi et de faire partie de l'équipage avec moi. Le jour où nous pourrons acheter un bateau, le gosse, Tommy... — Il trébucha sur le nom. — Il serait assez grand pour être à bord sans danger et...

— Des rêves, dit-elle. De vieux rêves.

Ils marchèrent en silence pendant plusieurs dizaines de mètres.

— Il faut que je te dise quelque chose, Wesley. Mon argent est parti. Je ne l'ai plus.

— Parti ? dit-il incrédule. La façon dont tu vis...

— Je sais comment je vis, dit-elle amèrement. Je vis comme une idiote. Il y a un homme qui dit qu'il veut m'épouser. Il a sa propre affaire. Il a une petite entreprise de transport à Bath. Il disait qu'il avait besoin de ce que j'avais pour ne pas faire faillite.

— Et tu lui as donné le pognon ?

Elle acquiesça.

— Je croyais que j'étais amoureuse de lui. Il faut que tu me comprennes. Je ne suis pas une femme qui peut vivre sans homme. Je le vois presque tous les après-midi quand le pub ferme. Je devais aller chez lui cet après-midi et il sera fou furieux quand il viendra chez moi ce soir et que je lui dirai que j'ai passé l'après-midi avec le fils de Tom.

Il ne veut même pas *regarder* le bébé quand il vient me chercher pour sortir.

— Et tu veux épouser un homme comme ça ?

— Il n'était pas comme ça avant d'avoir perdu l'argent. Il était merveilleux jusqu'à ce moment-là. Avec moi, le bébé, ma mère... soupira-t-elle. Tu es jeune, tu crois que tout est blanc ou noir... Eh bien je vais t'apprendre quelque chose. Pour une femme de mon âge, de mon milieu, après avoir fait de sales boulots, toute ma vie, pas jolie, rien n'est facile. — Elle regarda sa montre. — Il est presque cinq heures. Je passe toujours au moins une heure avec Tommy avant de retourner travailler.

Ils marchèrent en silence vers la maison de sa mère. Une voiture était garée devant la maison, avec un homme au volant.

— C'est lui, dit Kate. Il attend et il est en rogne.

L'homme descendit de voiture lorsque Kate et Wesley atteignirent la maison. C'était un homme massif et lourd, au visage cramoisi et qui sentait l'alcool.

— Qu'est-ce que tu as foutu ? dit-il d'une voix forte. Je t'attends depuis trois heures.

— J'ai fait un petit tour avec ce jeune homme, dit Kate calmement. Harry, je te présente Wesley Jordache, il est venu me rendre visite. Harry Dawson.

— Fait un petit tour, hein ? — Dawson ignora les présentations. Il la gifla, fort. Cela se produisit si vite que Wesley n'eut pas le temps de réagir. — Je vous en ferai voir, à vous deux, des petits tours, cria Dawson, et il leva la main de nouveau.

— Minute, mon gars, dit Wesley.

Il saisit le bras de l'homme et l'écarta de Kate, qui se tenait courbée en deux, les mains levées pour se protéger le visage.

— Lâche-moi, sale Yankee, dit Dawson, en essayant de libérer son bras.

— Vous ne frapperez plus personne aujourd'hui, mon bonhomme.

Wesley força Dawson à reculer encore en le poussant de l'épaule. Dawson dégagea sa main et frappa Wesley haut sur le front. Wesley faillit s'écrouler sous le choc, puis grogna et s'élança. Il atteignit Dawson en pleine bouche, celui-ci l'agrippa et, enlacés, ils tombèrent tous les deux sur le trottoir. Wesley encaissa encore deux coups à la tête avant de pouvoir donner à l'homme un coup de genou dans le bas-ventre et se servir de ses mains pour l'attaquer au visage. Dawson s'affaissa et Wesley se mit debout. Il donna deux coups de pied vicieux à la tête de Dawson.

Kate, qui était restée pliée en deux, sans broncher, pendant que les hommes se battaient, se rua maintenant sur lui et l'entoura de ses bras, en l'écartant de l'homme à terre.

— Ça suffit maintenant, cria-t-elle. Tu ne veux quand même pas le tuer, si ?

— C'est exactement ce que je veux faire, dit Wesley, qui tremblait de rage.

Mais il se laissa éloigner par Kate.

— Tu es blessé ? demanda-t-elle, l'entourant toujours de ses bras.

— Bah, dit-il, bien qu'il eût l'impression d'avoir reçu une brique sur la tête. Pas grand-chose. Tu peux me lâcher maintenant. Je ne toucherai pas à ton salaud de petit copain.

— Wesley, dit Kate précipitamment, il faut que tu déguerpisses. Rentre tout de suite à Londres. Quand il va se lever...

— Il ne fera plus de dégâts, dit Wesley. Il a pris une leçon.

— Il reviendra te trouver, dit Kate. Et pas seul. Il amènera des gars de son dépôt. Et ils ne viendront pas les mains vides. Va-t'en, je t'en prie, tout de suite...

— Et toi ?

— Ne t'en fais pas pour moi, dit-elle, ça ira. Mais pars.

— Ça me rend malade de te laisser avec ce salaud misérable et voleur.

Il baissa les yeux vers Dawson, qui commençait à remuer, bien que ses yeux fussent toujours fermés.

— Il ne m'approchera plus, dit Kate. J'en ai fini avec lui.

— Tu dis ça pour que je parte d'ici ? dit Wesley.

— Je jure que c'est vrai. Si jamais il essaie d'approcher de moi, j'appellerai la police. — Elle embrassa Wesley sur la bouche. —Adieu, Tommy.

— Tommy ?

Wesley rit. Kate rit aussi, portant sa main au visage en un geste confus.

— Il est arrivé trop de choses aujourd'hui. Sois prudent, Wesley. Je regrette que tu aies été mêlé à tout ça. Maintenant, pars.

Wesley regarda Dawson qui, les yeux chassieux, essayait de s'asseoir et tâtait ses lèvres ensanglantées. Wesley posa un genou en terre à côté de Dawson et le saisit brutalement par la cravate.

— Ecoute-moi, espèce de singe, dit-il, le visage près de l'oreille boursouflée de Dawson, si jamais j'apprends que tu la touches encore, je reviendrai te trouver. Et ce que tu as eu aujourd'hui te semblera un pique-nique à côté de ce que tu prendras. Compris ?

Dawson, les lèvres coupées, balbutia quelque chose d'incompréhensible. Tenant toujours l'homme par la cravate, Wesley le gifla avec un bruit sec et fort. Il entendit Kate hoqueter lorsqu'il se leva. « Fin de l'épisode », dit Wesley. Il embrassa Kate sur la joue, puis descendit la rue sans se retourner. Sa tête lui faisait toujours mal, mais il marchait à grandes enjambées légères, se sentant de mieux en mieux, car le souvenir de la bagarre lui donnait la merveilleuse impression d'être en paix avec le monde. Il se sentit merveilleusement bien également dans le train, pendant tout le trajet jusqu'à Londres.

*
* *

Billy était en train de jouer avec Carmen, sans animosité cette fois, lorsqu'un jeune homme en blue-jean, avec une chevelure zébrée de mèches blondes, un sac à dos sur les épaules, apparut au court de tennis, regarda le jeu pendant quelques instants, puis posa le sac et s'assit dans l'herbe à côté du court pour regarder à son aise. Les voyageurs avec des sacs à dos n'étaient pas un spectacle courant à El

Faro et Billy se surprit à jeter des regards curieux vers le jeune homme On lisait sur son visage un intérêt grave, bien qu'il ne manifestât ni approbation ni désapprobation lorsque Carmen ou Billy plaçaient une balle particulièrement bonne ou faisaient des fautes.

Billy remarqua que Carmen paraissait également curieuse et jetai, elle aussi des coups d'œil fréquents en direction du spectateur assis sur l'herbe.

— Savez-vous qui est ce garçon ? demanda-t-elle au moment où ils changeaient de côté entre deux jeux.

— Jamais vu, dit Billy, en s'épongeant le front avec la serviette.

— C'est un progrès sur cette bonne femme Hitzman, dit Carmen. — Monika avait pris l'habitude de faire son apparition peu après quatre heures, l'heure à laquelle ils commençaient tous les jours, et à regarder jouer Carmen et Billy. — Elle a quelque chose de bizarre, cette femme, comme si elle ne s'intéressait pas au tennis mais plutôt à *nous*. Et pas d'une façon sympathique.

— Je lui donne une leçon tous les matins, dit Billy, se rappelant que son père, aussi, avait trouvé que Monika avait quelque chose de bizarre lorsqu'il l'avait vue à Bruxelles. Peut-être a-t-elle décidé de devenir une spécialiste de ce sport.

Ils se remirent à jouer et Billy mena le jeu tambour battant, en lançant des balles orthodoxes, pas des coups d'eunuque.

— Merci, dit Carmen, en enfilant un pull-over. C'était mieux.

Elle ne l'invita pas à venir prendre un verre avec elle à l'hôtel et sourit au jeune homme dans l'herbe en passant devant lui. Billy remarqua que celui-ci ne lui rendait pas son sourire. Billy n'avait plus de leçons cet après-midi-là, il enfila donc son chandail et se dirigea vers la sortie du court. Le jeune homme se leva et dit :

— Monsieur Abbott ?

— Oui.

Il était étonné que le jeune homme connût son nom. Il n'avait pourtant pas l'air d'avoir les moyens de prendre des leçons de tennis à El Faro.

— Je suis votre cousin, dit le jeune homme, Wesley Jordache.

— Ah, dit Billy. J'ai beaucoup entendu parler de toi.

Ils se serrèrent la main. Billy remarqua que la main de son cousin était une main de travailleur, rude et puissante.

— Moi aussi, j'ai pas mal entendu parler de toi, dit Wesley.

— En bien ?

— Pas spécialement. — Wesley sourit largement — Tu joues bigrement bien au tennis.

— Rosewall n'est pas inquiet, dit Billy, bien qu'il fût flatté par le compliment.

— La fille aussi, dit Wesley. Elle sait vraiment courir, celle-là.

— Elle tient la forme, dit Billy.

— De plusieurs façons, dit Wesley. Elle est vachement bien.

— Ça va pas très loin, dit Billy.

La manière dont Carmen le traitait depuis leur dispute au sujet de l'amiral lui était restée sur le cœur.

— C'est suffisant, dit Wesley. C'est pas mal, ton boulot, si tous les gens avec qui tu joues ont cette gueule.

— C'est pas le cas. Tu es descendu où ?

— Nulle part. Je fais du stop.

— Qu'est-ce qui t'amène ici ?

— Toi, dit Wesley sobrement.

— Ah !

— Je pensais que ce serait une bonne idée de voir comment était l'autre moitié masculine de cette génération de Jordache.

— Qu'en penses-tu jusqu'à présent ?

— Tu as un bon service et tu es un démon au filet.

Ils rirent tous les deux.

— Pour le moment, ça va. Ecoute, je meurs d'envie d'une bière. Tu viens avec moi ?

— Je suis ton homme, dit Wesley, mettant son sac sur son dos.

Pendant qu'ils marchaient vers l'hôtel, Billy décida que le garçon lui était sympathique, bien qu'il lui enviât sa taille et la force évidente avec laquelle il avait lancé son sac sur ses épaules.

— Mon... *notre* oncle Rudolph m'a dit que tu as connu mon père, dit Wesley, toujours en marchant.

— Je ne l'ai rencontré qu'une fois, quand j'étais môme. Nous avons dormi dans la même chambre une nuit dans la maison de notre grand-mère.

— Qu'est-ce que tu pensais de lui ?

Le ton de Wesley était soigneusement neutre.

— Il m'a plu. Auprès de lui, tous les gens que j'avais connus avaient l'air de chiffes molles. Il avait eu le genre de vie que je croyais que j'aurais aimé — à se bagarrer, à naviguer, à voir toutes sortes de pays lointains. Puis — Billy sourit — il dormait sans pyjama. Je suppose que c'est devenu pour moi une sorte de symbole idiot d'un style de vie plus libre.

Wesley rit.

— Tu devais être bizarre, étant môme, dit-il.

— Pas assez, dit Billy, au moment où ils entraient dans le bar, et ils commandèrent deux bières.

Carmen était là, assise à une table avec son père. Elle leva vers eux des yeux curieux, mais ne fit pas le moindre geste de salutation ou de reconnaissance.

— En l'occurrence, reprit Billy tandis qu'ils buvaient leur bière, je ne me suis jamais bagarré, je n'ai jamais voyagé, et je dors toujours en pyjama. — Il haussa les épaules. — Il y avait une autre chose qui m'avait impressionné chez ton père. Il était armé. Oh là là, je me suis dit quand j'ai vu ça, voilà au moins quelqu'un dans la famille qui a du cran. Je ne sais pas ce qu'il en a fait.

— Rien, dit Wesley. C'était hors de portée quand il en a eu besoin.

Ils restèrent assis en silence pendant un moment.

— Je suis vraiment désolé, Wesley, dit Billy avec douceur, de ce qui est arrivé, je veux dire.

— Ouais, dit Wesley.

— Quels sont tes projets ? demanda Billy, je veux dire à partir d'ici.

— Je n'ai pas encore vraiment de programme, dit Wesley. Je verrai comment ça se présente.

Billy avait l'impression que Wesley savait ce qu'il voulait faire, mais qu'il éludait la question.

— Ma mère m'écrit qu'elle pense que tu pourrais avoir un bel avenir comme acteur de cinéma.

— Je suis ouvert aux propositions, mais pas encore. J'attendrai de voir comment sera le film.

— Ma mère m'a écrit qu'il pourrait être sélectionné pour le festival de Cannes cette année.

— Première nouvelle. Je suis content pour elle. C'est quelqu'un, ta mère. Si tu permets que je me mêle de ce qui ne me regarde pas, je crois qu'il serait temps que tu sois gentil avec elle. Je sais que si elle était ma mère, je ferais tout ce que je pourrais pour elle. Peut-être que, s'ils vont vraiment montrer ce film à Cannes, ce serait une bonne idée d'aller la voir là-bas.

— C'est une idée, dit Billy d'un air pensif. Est-ce que tu irais ?

— Oui. J'ai d'ailleurs autre chose à faire à Cannes.

— On pourrait peut-être y aller ensemble en voiture, dit Billy. Quand est-ce ?

— En mai. Vers la fin du mois.

— Ce serait dans six semaines. C'est une bonne saison pour voyager.

— Tu peux partir d'ici ?

Billy eut un large sourire.

— Tu as entendu parler de tennis elbow ?

— Oui.

— Je sens que je vais avoir une terrible attaque de tennis elbow. Une attaque à vous rendre infirme, qui ne guérira qu'après au moins quinze jours de repos absolu. Qu'est-ce que tu ferais jusqu'à ce moment-là ?

Wesley haussa les épaules.

— Sais pas. Je resterai par ici, si ça t'est égal. Je prendrai peut-être des leçons de tennis avec toi. Je chercherai peut-être du boulot pour quelques semaines au port.

— Tu as besoin de fric ?

— Je ne suis pas encore à sec, mais un peu de fric, ça sert toujours.

— Le type qui s'occupe de la piscine ici — le nettoyage, l'installation des matelas, des choses comme ça ; avec un peu de travail de maître nageur en plus — est parti il y a deux jours. Tu sais nager ?

— Assez bien.

— Tu veux que je demande si le poste est encore disponible ?

— Ça pourrait être marrant, dit Wesley.

— J'ai deux lits dans ma chambre. Tu pourrais camper chez moi.

— Tu n'as pas de fille ?

— Pas en ce moment. Et apparemment, rien à l'horizon.

— Je ne veux pas te gêner.

— C'est fait pour ça, les cousins, dit Billy. Pour se gêner mutuellement.

Le lendemain, Wesley commença son travail à la piscine. Le soir, sous les lumières, Billy entreprit de lui apprendre à jouer au tennis

Wesley était très rapide et un athlète-né, et bientôt il frappait la balle plus fort que tout le monde sur les courts. Il s'abandonnait au jeu, le visage intense, les yeux plissés, et il cognait la balle comme s'il se débarrassait d'ennemis. Bien que Billy fût fier des progrès constants de Wesley sous sa tutelle, la grave férocité avec laquelle Wesley jouait le mettait mal à l'aise et parfois il avait envie de dire : « Rappelle-toi, ce n'est qu'un jeu. » Il avait l'inquiétante impression que rien n'était jamais un jeu dans la vie de son jeune cousin.

Billy était heureux d'avoir Wesley auprès de lui et découvrit bientôt qu'il était le compagnon de chambre idéal, qui entretenait l'ordre et la propreté, ce qui, après le fouillis dans lequel Monika avait tenu la maison, était réconfortant. Le directeur de l'hôtel était content du travail de Wesley et félicita Billy de l'avoir trouvé. Une fois que Billy eût présenté Wesley à Carmen, elle aussi changea d'attitude, et bientôt elle se mit à les inviter tous les deux à dîner dans un des petits restaurants du port, quand son père n'était pas avec elle à l'hôtel. La manière dont Wesley se comportait avec Carmen était grave et courtoise, et Billy constata que Carmen, qui jusqu'alors n'avait pas été une fanatique de la natation, passait maintenant le plus clair des chaudes matinées à la piscine. Lorsque Billy lui eut dit que sa mère avait été le metteur en scène d'un film dans lequel Wesley avait joué, elle commença même à faire preuve d'un respect relatif pour Billy et pour ses opinions, et lorsqu'un film qui l'intéressait se jouait en ville, elle les emmenait tous les deux pour le voir avec elle. Elle avait un faible pour les films sanglants, qui finissaient tristement, et aimait sortir du cinéma les joues ruisselantes de larmes.

Encore mieux, à la fin de la seconde semaine, Monika lui dit qu'elle cessait ses leçons quotidiennes, parce qu'elle partait le lendemain matin. Mais, dit-elle froidement, en lui donnant un généreux pourboire, elle reviendrait, bien qu'elle ne dît pas quand.

— Nous nous ferons un plaisir de vous revoir, mais elle ne dit pas qui était ce « nous ».

— Tu ne veux pas savoir ce qui s'est passé rue du Gros-Caillou ? demanda Billy, pendant qu'il ramassait ses affaires.

— Je sais ce qui s'est passé rue du Gros-Caillou, dit-elle. On s'est trompé de victime, entre autres.

— J'ai essayé de t'appeler, dit-il.

— Tu n'as pas laissé d'adresse, dit-elle. Ne refais plus cette erreur. As-tu l'intention de rester un petit prof de tennis toute ta vie dans ce misérable pays ?

— Je ne sais pas ce que j'ai l'intention de faire, dit-il.

— Où as-tu connu ce garçon à la piscine ?

— Il est arrivé un jour, comme ça, mentit Billy.

Il n'avait dit à personne que Wesley était son cousin, et il ne voulait pas que celui-ci ait quelque chose à voir avec une femme comme Monika.

— Je ne te crois pas, dit Monika calmement.

— Je n'y peux rien.

— Il a une bonne tête. Forte et passionnée. Un jour il faudra que je lui parle longuement.

— N'y touche pas.

— Ce n'est pas de toi que je prends mes instructions, dit Monika. Souviens-t'en.

— Je me souviens d'un tas de choses à ton sujet, dit-il. Dont certaines fort agréables. Comment se porte ta mémoire, ces jours-ci ?

— Mal, très mal. Je te remercie d'avoir été si patient pendant les leçons de tennis, bien que cela n'ait pas servi à grand-chose, hein ?

— Non, tu es un cas désespéré.

— J'espère que tu auras plus de succès avec tes autres élèves. Cette garce espagnole blonde, par exemple. Combien te paie-t-elle pour lui servir de gigolo ? Faut-il être membre d'un syndicat pour ce genre de profession en Espagne ?

— Je ne suis pas obligé d'écouter des conneries pareilles, de personne, dit-il furieux.

— Tu seras peut-être obligé de t'y habituer, blanc-bec, au bout de plusieurs années de ce petit jeu. *Adios,* Johnny !

Il la regarda s'éloigner. Ses mains tremblaient, en empochant le pourboire que lui avait donné Monika, et en ramassant sa raquette pour commencer la leçon suivante. Malgré tout, il ne pouvait s'empêcher d'espérer qu'elle se retournerait et reviendrait, lui donnerait le numéro de sa chambre, et lui demanderait de l'y rejoindre après minuit.

Wesley était assis au bureau de leur chambre, en train d'écrire une lettre, deux semaines plus tard, pendant que Billy s'habillait pour une soirée. C'était une soirée flamenco pour laquelle une troupe de gitans avait été engagée, et on avait demandé aux invités de venir en costume espagnol. Billy avait acheté une chemise à jabot et emprunté un pantalon noir très ajusté, un boléro et des bottes à talons hauts à l'un des musiciens de l'orchestre. Wesley aussi avait été invité, mais il avait dit qu'il préférait écrire des lettres. D'ailleurs, dit-il, il se sentirait tout bête fringué comme Billy.

Il avait reçu le matin même une lettre de Gretchen dans laquelle elle disait que *Comédie de la Restauration* avait été sélectionné pour être présenté à Cannes et lui demandait de venir se faire applaudir et recevoir sa part de gloire. Rudolph l'accompagnerait, ainsi que David Donnelly. Frances Miller, en tant que vedette du film, allait faire un effort pour venir pendant au moins trois jours. Gretchen écrivait qu'elle était contente qu'il ait enfin rencontré Billy et qu'ils sympathisent et elle se demandait s'il pouvait influencer Billy pour qu'il vienne à Cannes lui aussi.

— Billy, dit Wesley, pendant que Billy se contorsionnait pour enfiler les bottes du musicien, je suis en train d'écrire à ta mère. Elle voudrait que nous venions tous les deux à Cannes. Qu'est-ce que je dois lui dire ?

— Dis-lui... — Billy hésita, un pied chaussé, l'autre pas encore — dis-lui... Bon, pourquoi pas ?

— Elle sera très contente.

— Que diable, — Billy enfilait la deuxième botte et se redressait, — je présume qu'une fois tous les dix ans un homme peut faire quelque chose pour faire plaisir à sa mère. Comment me trouves-tu ?

— Ridicule

— C'est ce que je pensais, dit Billy d'un ton agréable. Eh bien, je m'en vais voir les gitans, tra-la, tra-la.

Il esquissa un petit trépignement des pieds et ils rirent tous les deux

— Amuse-toi bien, dit Wesley.

— Si je ne suis pas rentré à l'aube, tu sauras que j'ai été enlevé. Tu sais comment sont les gitans. Ne paie pas plus de treize dollars et demi de rançon.

Il sortit en sifflant l'air du toréador de *Carmen*.

Les gitans étaient parfaits, la guitare et les castagnettes fouettaient le sang, la musique et le chant étaient mélancoliques, pleins de lamentations passionnées, les danses étaient fières et sauvages, le vin coulait à flots. Une fois de plus, comme il l'avait senti en passant la frontière espagnole, Billy avait le sentiment d'être venu dans le pays qui lui convenait.

Pourquoi le nier, se dit-il, pendant que la musique retentissait autour de lui et que les filles avec des roses dans leurs cheveux faisaient virevolter leurs jupes et s'avançaient lascivement vers leurs partenaires pour mieux les repousser, en faisant claquer leurs talons épais, au dernier moment, pourquoi le nier, les plaisirs des riches sont de réels plaisirs. Carmen resta assise à côté de lui la plus grande partie de la soirée, splendide dans une robe foncée qui mettait en valeur ses belles épaules et sa poitrine pleine, et il vit que ses yeux brillaient d'excitation. On était loin des bals de l'université de Whitby et Billy était content d'avoir mis tant de distance derrière lui.

L'un des danseurs s'approcha de Carmen et la fit lever de sa place pour danser avec lui. Elle dansait joyeusement et très bien ; aussi bien, pensa Billy, que tous les danseurs professionnels, ses longs cheveux blond clair flottants, le visage figé en l'expression traditionnelle de dédain orgueilleux. Billy vit que, quels que fussent les sentiments qu'elle avait pour l'Espagne, sa musique faisait vibrer au plus profond de son âme une corde raciale. La danse se termina et les invités applaudirent de bon cœur, y compris Billy. Au lieu de se rasseoir, Carmen s'approcha de Billy et le fit lever. Au milieu des rires et des applaudissements généreux, Billy se mit à danser avec elle, imitant les mouvements des danseurs. Il était bon danseur et réussit à imiter assez bien les gitans, tout en se moquant de lui-même avec espièglerie. Carmen saisit son intention et éclata de rire au beau milieu d'un de ses passages les plus extravagants. La danse terminée, elle l'embrassa, malgré la sueur qui coulait le long de son visage.

— J'ai besoin d'air, dit-il. Sortons une minute.

Ils quittèrent la pièce discrètement et allèrent sur la terrasse. Le ciel était tourmenté et sombre avec des nuages noirs épars qui passaient devant la lune.

— Tu as été merveilleux, dit Carmen.

Il la prit dans ses bras et l'embrassa.

— Plus tard, chuchota-t-il, je veux venir dans ta chambre.

Elle resta immobile dans ses bras pendant un moment, puis l'écarta.

— Je veux bien danser avec toi, dit-elle froidement, et jouer au tennis avec toi, et me disputer avec toi Mais il ne me viendrait pas à l'esprit de faire l'amour avec toi.

— Mais la façon dont tu m'as regardé...

— Ça faisait partie du jeu, dit-elle, en s'essuyant la bouche avec mépris. *C'était* le jeu. Pas plus. Si je devais faire l'amour avec quelqu'un dans cet endroit corrompu, ce serait avec le garçon de la piscine.

— Ah bon. — Sa voix était rauque de colère et de déception. — Tu veux que je le lui dise ?

— Oui, dit-elle.

Sans plus de ménagements.

— C'est ce que je vais faire, dit-il. Comme toujours, à votre service. madame.

— Le numéro de ma chambre est 301. Tu t'en souviendras ?

— Jusqu'au jour de ma mort.

Elle rit. Son rire était déplaisant.

— Je dois rentrer, dit-elle. On a remarqué que nous étions sortis ensemble. C'est un pays arriéré, comme tu le sais, et nous attachons beaucoup d'importance aux apparences. Tu rentres avec moi ?

— Non, dit-il, je dois faire une commission. Et puis je vais aller dormir.

— Fais de beaux rêves, dit-elle, et elle retourna vers la musique.

Il marcha lentement vers sa chambre ; dans la nuit, la sueur refroidit soudain sur son corps et le fit grelotter. Attention aux señoritas, avait écrit son père. Ce bon vieux papa savait de quoi il parlait.

Lorsqu'il regagna sa chambre, Wesley dormait. Il avait un sommeil agité, sursautant brusquement, emmêlant les couvertures et gémissant de temps en temps, comme si pendant la nuit une angoisse indéracinable, qu'il évitait ou déguisait le jour, le saisissait. Billy se tenait à côté du lit, le regard sur son nouveau cousin, ne sachant pas s'il avait pitié de lui, s'il l'aimait, ou s'il le détestait.

Il faillit commencer à se déshabiller pour se coucher dans l'autre lit en laissant Wesley à ses rêves pénibles, mais finit par se dire : Après tout, ça reste dans la famille, et il secoua le garçon pour le réveiller.

Wesley s'assit en sursaut.

— Qu'est-ce qu'il y a ? demanda-t-il.

— Je viens de rentrer de la soirée, dit Billy, et j'ai une nouvelle pour toi. Si tu vas à la chambre 301, tu y trouveras une dame qui t'attend. Elle s'appelle Carmen. Elle m'a demandé de te le dire personnellement.

Wesley était complètement réveillé, maintenant.

— Tu rigoles, dit-il.

— Je n'ai jamais été aussi sérieux de ma vie.

— Qu'est-ce qui peut bien lui faire dire une chose pareille ?

— A ta place, je ne poserais pas de questions. Tu m'as dit que tu la trouves belle. Si c'était moi, je battrais le fer tant qu'il est chaud.

— Je ne suis pas amoureux d'elle, dit Wesley.

Il parlait d'un ton irrité et malheureux, comme un petit garçon à qui on demanderait de faire une corvée désagréable pour la première fois, ce qui rendait Billy conscient des sept années de différence entre eux.

— Tu joues avec les adultes maintenant, dit Billy. L'amour n'est pas toujours un élément primordial dans des questions de ce genre Tu y vas ?

Wesley rabattit les couvertures et resta assis sur le bord du lit, penché en avant. Il dormait seulement en pantalon de pyjama, et les muscles de son torse luisaient à la lueur de la lampe que Billy avait allumée en entrant dans la pièce. Il a l'air d'un boxeur battu, se dit Billy, qui sait qu'il va être mis K.-O. au round suivant.

— Je ne veux pas avoir l'air d'un idiot, dit Wesley, mais je ne peux pas. Je suis amoureux de quelqu'un d'autre. Une fille formidable. A New York. Elle va essayer de venir en Europe pour me voir dans quelques semaines. Je me fous de ce que cette femme pensera de moi, dit-il sur un ton de défi, je vais attendre mon amie.

— Tu risques de le regretter, l'avertit Billy.

— Jamais. Tu la trouves belle, toi aussi, tu la connais beaucoup mieux que moi — pourquoi n'y vas-tu pas, *toi* ?

— Elle a dit clairement, qu'elle ne serait pas contente de me voir dans la chambre 301.

— Ça alors, dit Wesley, qui aurait pu penser qu'une femme comme ça me choisirait, moi ?

— Peut-être qu'elle aime les vedettes de cinéma.

— Ce n'est pas drôle — le ton de Wesley était sévère — je ne suis pas une vedette de cinéma et elle le sait.

— C'était pour te mettre en boîte, dit Billy. Enfin, j'ai fait mon devoir. Maintenant je vais me coucher.

— Moi aussi. — Wesley considéra les draps et les couvertures emmêlés. — Quelle pagaille. Chaque fois que je me réveille le matin, le lit est dans un tel état qu'on dirait que j'ai fait vingt rounds dans la nuit. — Il arrangea un petit peu les couvertures et se glissa dessous, les bras levés et les mains sous sa tête. — Un jour, dit-il pendant que Billy se déshabillait, je comprendrai peut-être ce qu'il faut faire en matière de sexe et d'amour et autres petites questions de ce genre.

— N'y compte pas, dit Billy en enfilant son pyjama et se mettant au lit. Dors bien, Wesley. Tu as eu une nuit mouvementée et tu as besoin de repos.

— Ouais, dit Wesley avec aigreur. Eteins la lumière, bon sang.

Billy tendit le bras et éteignit la lumière. Pendant longtemps il n'essaya pas de fermer les yeux, mais fixa le plafond obscur. Au bout de cinq minutes il entendait la respiration régulière de Wesley qui dormait et de temps à autre un faible gémissement, signe que ses rêves l'emportaient une fois de plus. Billy resta éveillé jusqu'à ce que la lumière de l'aube se glissât dans la pièce. Au loin, on entendait toujours la musique vibrante. Heures espagnoles, se dit-il, maudites heures espagnoles.

*
* *

Le lendemain, à quatre heures précises, Carmen apparut sur le court, l'air reposé et serein. On jouait des doubles cet après-midi-là, les autres joueurs étaient déjà là et Carmen les salua, eux et Billy, avec le même sourire radieux. Bien que les autres fussent des hommes, ils étaient moins bons joueurs que Carmen, de sorte qu'elle et Billy jouaient chacun dans une équipe. Elle joua mieux que Billy ne l'avait jamais vue jouer auparavant, agile et précise, en chipant des balles au filet et obligeant Billy et son partenaire à travailler dur pour chaque point. Ils en étaient à quatre-quatre lorsque, après un échange prolongé, elle loba une balle par-dessus la tête de Billy. Il entrevit son sourire ironique tout en reculant à toute allure et, en sautant très haut, il réussit de justesse à atteindre la balle. Il la frappa rageusement en essayant de la faire atterrir aux pieds de Carmen, mais celle-ci était montée au filet et la balle siffla vers sa tête. Elle trébucha légèrement et la balle smashée l'atteignit dans l'œil et rebondit incontrôlée hors du court tandis que Carmen laissait tomber sa raquette et se penchait en poussant un cri et portait ses mains à son œil.

Bon Dieu, se dit Billy, en sautant par-dessus le filet pour gagner l'autre côté, il ne manquait plus que ça.

Le médecin était grave. L'œil était en danger, dit-il. Carmen devait aller immédiatement à Barcelone pour voir un spécialiste. Une opération serait peut-être nécessaire.

— Je suis vraiment navré, dit Billy en la ramenant en voiture du cabinet du médecin à l'hôtel.

— Il n'y a pas à être navré, dit Carmen d'un ton sans réplique, bien qu'il vît qu'elle souffrait beaucoup. Ce n'était pas de ta faute. Je n'avais rien à faire au filet. J'essayais de te faire manquer la balle. Ne te laisse pas persuader que c'était de ta faute.

Il se pencha et l'embrassa sur la joue. Cette fois elle ne le repoussa pas.

Mais, quoi qu'elle où quiconque puisse en dire, il savait que c'était de sa faute, que si la veille rien n'était arrivé, il n'aurait jamais frappé la balle si fort et d'aussi près.

Le lendemain après-midi, le directeur de l'hôtel l'appela dans son bureau.

— Jeune homme, dit-il, j'ai peur que vous ne soyez dans le pétrin. Le père vient de m'appeler. L'œil est probablement sauvé, dit-il ; le spécialiste pense qu'il n'aura pas besoin d'opérer, mais le père est furieux. En ce qui me concerne, je ne vous paie pas pour brutaliser les clients. Le père insiste pour que je vous renvoie, et bien que la fille m'ait également appelé pour me dire qu'elle ne me le pardonnera jamais si je vous renvoie, j'ai bien peur d'être obligé de m'incliner devant le désir du père. Vous feriez mieux d'aller faire vos bagages et de partir. Le plus tôt sera le mieux. — Le directeur sortit une enveloppe du tiroir de son bureau et la tendit à Billy. — Voici votre salaire du mois. Je n'ai rien retenu.

— Merci, dit Billy humblement.

Le directeur lui serra la main.

— Je regrette de vous voir partir. On vous aimait bien ici.

En allant vers la piscine pour dire à Wesley ce qui était arrivé, Billy se souvint de ce qu'avait dit son père au sujet de la chance des Jordache. Le fait que son nom ne fût pas Jordache, mais Abbott, n'y changeait rien.

Ils étaient en route pour la France l'après-midi même, roulant sous le soleil dans la Peugeot décapotée. Billy avait essayé de persuader Wesley que ce serait bête de quitter sa place, mais Wesley avait tenu bon et Billy n'avait pas trop insisté. Il s'était attaché au garçon et l'idée était tentante de rouler avec lui dans la campagne printanière d'Espagne et de France. Ils voyageaient en prenant le temps de faire du tourisme et faisaient des pique-niques de saucisson et de pain noir avec une bouteille de vin le long de la route, à l'ombre des oliviers ou en bordure de vignes. Ils avaient leurs affaires de tennis avec eux et d'habitude réussissaient à trouver presque tous les jours un court dans les villes qu'ils traversaient et à jouer quelques sets. « Si tu continues, dit Billy, dans deux ans tu pourras me battre. »

Au fur et à mesure qu'ils progressaient vers le nord, Billy se rendait compte qu'il était content d'avoir quitté El Faro, pourtant il se sentirait toujours coupable pour la façon dont cela s'était passé. Il regrettait de quitter l'Espagne, mais ne regrettait pas de ne plus avoir à se demander si Monika allait venir pour le refroidir par son tennis sans espoir et ses menaçantes allusions indirectes à des complications futures.

Wesley racontait plus ouvertement qu'à El Faro ce qu'il avait fait et lui parlait de gens mêlés à la vie de son père qu'il était allé trouver. Il avait parlé un peu à Billy de sa visite à Bath, en ne mentionnant que Kate et en passant sous silence Dawson et la bagarre, mais en décrivant avec amour son demi-frère.

— Un mignon petit gosse. Fort comme un jeune taureau. Je pense qu'il ressemblera à son père — à notre père. C'est un petit garçon très heureux.

— Toi tu n'as pas l'air heureux, dit Billy. Tu es jeune, fort et beau et, d'après ce que m'écrit ma mère, tu as une belle carrière devant toi si tu veux, mais tu n'as pas le comportement d'un garçon heureux.

— Je suis suffisamment heureux, dit Wesley, évasif.

— Pas quand tu dors. Est-ce que tu sais que tu gémis presque toute la nuit ?

— Des rêves. Ça ne veut rien dire.

— Ce n'est pas ce que disent les psychiatres.

— Et toi, tu dis quoi ?

La voix de Wesley était dure, soudain.

— Moi, je dirais que quelque chose te turlupine. Quelque chose de moche. Si tu veux en parler, ça ira peut-être mieux.

— Je le ferai peut-être, dit Wesley. Une autre fois. Maintenant laissons tomber.

Après être entrés en France, ils passèrent la première nuit dans un petit hôtel avec vue sur la mer, à Port-Vendres près de la frontière.

— J'ai une idée géniale, dit Billy. Nous n'avons pas besoin d'arriver à Cannes avant quinze jours — si on allait à Paris, pour s'offrir des vacances là-bas ?

Wesley secoua la tête

— Non, moi je dois aller à Cannes Jusqu'à maintenant j'ai évité d'y aller et maintenant il est temps

— Pourquoi ?

Wesley regarda Billy curieusement.

— Il faut que j'aille voir Bunny, il était sur la *Clothilde* avec moi. En fait, il est à Saint-Tropez. Il aura peut-être des renseignements pour moi. Des renseignements importants. Toi, monte à Paris. Je ferai du stop vers l'est.

— Quelle sorte de renseignements ? demanda Billy.

Wesley le regarda de nouveau curieusement.

— Je cherche quelqu'un et il se peut que Bunny sache où je peux le trouver. Voilà tout.

— Est-ce que cette personne ne peut pas attendre quinze jours ?

— Il a déjà attendu trop longtemps.

— Qui est-ce ?

— C'est l'homme qui est responsable de la façon dont je dors. Je rêve de lui toutes les nuits. Je rêve que je le larde de coups de couteau et qu'il ne tombe pas, il reste debout et se moque de moi... Quand je me réveille je l'entends encore rire...

— Tu le reconnais ? demanda Billy. Je veux dire dans le rêve.

Wesley hocha la tête lentement.

— C'est l'homme qui a fait tuer mon père.

Billy ressentit un picotement froid à la base de la nuque au ton de la voix de Wesley.

— Que vas-tu faire quand tu le trouveras ?

Wesley inspira profondément.

— Il faudra bien que je le dise à quelqu'un, dit-il, et autant que ce soit toi. Je le tuerai.

— Grand Dieu, dit Billy.

Ils restèrent assis en silence en regardant la mer.

— Comment as-tu l'intention de faire ? demanda enfin Billy.

— Je ne sais pas, dit Wesley en haussant les épaules. Je déciderai ça le moment venu. Un couteau, peut-être.

— Tu as une arme ?

— Non.

— Est-ce que lui risque d'en avoir une ?

— Probablement.

— Tu vas te faire tuer.

— J'essaierai d'éviter ça, dit Wesley sur un ton sinistre.

— Et si tu réussis à le supprimer, dit Billy, tu seras le premier que les flics vont chercher, tu y as pensé ?

— Je crois, oui, avoua Wesley.

— Tu auras de la chance si tu t'en tires avec vingt ans de taule. C'est ça que tu veux ?

— Non.

— Et tu veux quand même aller à Cannes et le faire ?

— Oui.

— Ecoute, Wesley, dit Billy, je ne peux pas te laisser courir à ta perte. Il faut que tu me laisses t'aider.

— Comment ?

— J'ai un pistolet avec un silencieux, caché à Paris, pour commencer

Wesley hocha la tête gravement.

— Ça pourrait servir.

— Je pourrais t'aider à organiser le... le meurtre. — Billy trébucha sur le mot. — Après tout, j'ai reçu un entraînement militaire. Je parle français beaucoup mieux que toi. Je sais comment manier des armes. Je vais te dire quelque chose que tu dois absolument garder pour toi — à l'armée je suis devenu membre d'une cellule terroriste à Bruxelles...

— Toi ? dit Wesley incrédule.

— Oui, moi. J'ai participé à une attaque à Amsterdam contre le bureau de tourisme espagnol. Je sais monter une bombe. Fiston, tu n'aurais pas pu trouver un meilleur partenaire pour ce boulot. Je vais te dire ce que je vais faire, poursuivit-il. Pendant que tu te mets en route pour Saint-Tropez, moi j'irai à Paris chercher le pistolet et je te retrouverai soit à Saint-Tropez soit à Cannes, comme tu préfères. Ça te va ?

Wesley considéra Billy.

— Tu me racontes des blagues ?

— Oh, allons, Wesley, dit Billy, d'un ton peiné, je ne ferais pas une chose comme ça. Qu'est-ce que tu as à perdre ? Je serai de retour dans le Midi dans quelques jours. Avec le pistolet. Et suffisamment de munitions pour que tu puisses t'entraîner. Est-ce que ça a l'air d'une blague ?

— Peut-être pas, dit Wesley, mais il avait l'air réticent. Bon. Tu me diras où tu vas descendre à Paris et je t'appellerai pour te dire où tu pourras me trouver.

— Je crois qu'un verre nous ferait du bien.

— Moi aussi, dit Wesley.

Le lendemain ils allèrent en voiture jusqu'à Nîmes, d'où Billy se dirigerait vers le nord en direction de Paris. Billy resta au volant en silence, à l'ombre d'un peuplier, pendant que Wesley descendait son sac de la voiture et l'installait sur ses épaules. Ils avaient convenu que Billy enverrait un télégramme Poste Restante à Saint-Tropez pour dire à Wesley à quel hôtel il serait à Paris.

— Bon, dit Wesley, sois prudent.

— Toi aussi, dit Billy. Tu ne feras pas de conneries pendant mon absence, hein ?

— Non. Promis. — Ils se serrèrent la main. — Le tennis va me manquer.

Billy eut un large sourire.

— Souviens-toi qu'on joue très peu au tennis dans les prisons françaises.

— Je m'en souviendrai, dit Wesley en faisant un pas en arrière.

Billy démarra et salua de la main pendant que la voiture, construite pour les vacances et le soleil, se lançait sur la route en quittant l'ombre du peuplier. Dans le rétroviseur il vit la grande silhouette maigre se mettre en route vers Cannes.

*
* *

En arrivant à Paris, la première chose que fit Billy après avoir pris une chambre dans un hôtel de la Rive Gauche fut de téléphoner en Amérique. Lorsque Rudolph vint au bout du fil, Billy dit :

— Oncle Rudolph, Billy Abbott à l'appareil. Je suis à Paris à l'Hôtel d'Alembert. J'ai besoin d'aide. C'est grave. Quelque chose de terrible va arriver à Wesley — et peut-être à moi aussi, à moins que...

Il se tut.

— A moins que quoi, Billy ? dit Rudolph.

— A moins que nous puissions empêcher certaines choses. Je ne peux pas te le dire au téléphone.

— Je serai à Paris demain, dit Rudolph.

— Mon Dieu, que c'est agréable à entendre.

Il s'allongea sur le lit avec lassitude et une minute plus tard, il était endormi.

CHAPITRE VIII

Maintenant, dit Rudolph à Billy au moment où ils s'engageaient sur l'autoroute qui mène de l'aéroport à Paris, explique.

— Il s'agit de Wesley, dit Billy, en conduisant avec prudence. — Il pleuvait et les phares de la circulation de fin de soirée jetaient des reflets éblouissants sur la chaussée mouillée. — Il est dans le Midi en ce moment, à la recherche de l'homme qui selon lui était à l'origine du meurtre.

Il donna un coup de volant pour se rabattre sur la file de droite parce que le conducteur de la voiture derrière lui faisait des appels de phares impatients. La voiture passa en trombe, soulevant un rideau de pluie qui rendit le pare-brise opaque pendant quelques secondes. « Salaud », dit Billy, heureux d'avoir un autre souci, même si ce n'était que momentané.

Rudolph repoussa son chapeau en arrière et passa sa main sur son front, comme pour y soulager une douleur.

— Comment sais-tu tout ça ? demanda-t-il d'une voix sourde.

— Il me l'a dit, dit Billy. Nous sommes devenus très intimes en Espagne. J'étais content que nous puissions devenir de si bons amis. Il partageait ma chambre. Il dormait comme s'il était dans un trou de tirailleur, avec l'artillerie qui se rapprochait de plus en plus de lui. Je voyais bien que quelque chose le tracassait et j'ai fini par lui poser la question et il me l'a dit.

— Tu crois qu'il est sérieux ?

— Tout à fait, dit Billy. Ce gars-là ne sait pas blaguer. Même la façon dont il joue au tennis fait un peu peur. Il ne ressemble à aucun garçon que j'ai connu. Ni à aucun homme, d'ailleurs.

— Est-ce qu'il est sain d'esprit ?

— Sauf pour ça, dit Billy.

— Tu crois qu'un psychiatre pourrait faire quelque chose ?

Billy réfléchit un moment.

— Ça ne ferait pas de mal. Si on pouvait le faire tenir tranquille pour ça pendant peut-être un an ou deux. Seulement on ne pourra pas le convaincre de le faire.

Rudolph grogna.

— Pourquoi n'es-tu pas resté avec lui ?

Son ton était accusateur.

— Eh bien..., dit Billy embarrassé, ça c'est une autre partie de l'histoire. Je lui ai dit que j'allais l'aider.

— Comment ?

Billy, mal à l'aise, remua dans le siège-baquet et changea de prise sur le volant.

— Je lui ai dit que j'allais essayer de trouver un moyen pour qu'on fasse ce boulot ensemble, dit-il, un moyen de le faire sans être pris. Vu mon entraînement militaire, quoi.

— Est-ce que *toi*, tu es sain d'esprit ?

La voix de Rudolph était sévère.

— Je l'ai toujours pensé.

— Tu étais sincère quand tu le disais ?

— Je ne sais pas vraiment ce que je voulais dire, dit Billy d'un ton neutre. A dire vrai, maintenant je crois que oui. Tu n'as pas besoin de parler comme un flic qui interroge un prisonnier, Rudolph.

Rudolph fit un bruit exaspéré.

— Deux cloches, dit-il, deux jeunes cloches du même clocher.

— Une histoire de famille, dit Billy, offensé par l'opinion qu'avait Rudolph de lui. — Bienvenue à Clocheville, branche européenne, cher oncle.

— Pourquoi es-tu à Paris pendant que lui est là-bas en train de se mettre dans Dieu sait quelle situation bêtement dangereuse ?

La voix de Rudolph s'enflait de colère à mesure qu'il parlait.

— Je lui ai dit que j'avais à Paris un pistolet avec un silencieux et que je le lui apporterai, dit Billy.

— Et tu as un pistolet avec un silencieux ?

— Oui.

— Bon sang, Billy, dit Rudolph, à quoi as-tu été mêlé ces dernières années ?

De nouveau Billy se tortilla dans le siège-baquet.

— Je préfère ne pas le dire. Et il vaut mieux pour toi — et pour moi — que tu ne le saches pas.

Rudolph prit une profonde inspiration, puis soupira.

— Es-tu recherché par la police ?

— Non. Ou du moins, pas à ma connaissance, dit Billy, content d'être forcé de garder les yeux fixés sur la route pour ne pas voir l'expression du visage de son oncle.

Rudolph se frotta le visage d'un geste las, avec un bruit râpeux sur sa joue non rasée.

— Tu feras mieux de me donner ce pistolet, dit-il.

— J'ai dit à Wesley que je le lui apporterais dans un jour ou deux, dit Billy.

— Ecoute, Billy, dit Rudolph en s'efforçant de maintenir un ton égal, tu m'as demandé de venir pour t'aider. J'ai pris le premier avion. Ou bien tu fais ce que je te dis ou...

Il se tut.

— Ou quoi ? demanda Billy.

— Je ne sais pas. Pas encore. Où est Wesley exactement maintenant ?
Aujourd'hui ? En ce moment même ?

— A Saint-Tropez. Nous avons convenu que je lui enverrais un
télégramme lui disant où il pourra me joindre à Paris et pour décider
ensemble où et quand on se retrouvera dans le Midi.

— Tu l'as envoyé, le télégramme ?

— Ce matin.

— Pourquoi cette précipitation ? Pourquoi n'as-tu pas attendu mon
arrivée ? Il aurait peut-être mieux valu qu'il ne sache pas où te trouver.

— Il se méfie déjà assez de moi comme ça, se défendit Billy. Si je ne
respecte pas ma part du marché conclu, il fera cavalier seul et ce sera la
fin de Wesley Jordache.

— Ah, tu as peut-être raison, dit Rudolph. Peut-être. Est-ce qu'il t'a
déjà appelé ?

— Non.

— Bon, dit Rudolph. Quand il appellera, ne lui dis pas que je suis en
Europe. Et dis-lui qu'il te faut plus de temps que tu n'avais pensé pour
mettre la main sur ce sacré pistolet.

— Ça servira à quoi ?

— Ça va me donner un peu plus de temps pour avoir une idée, voilà à
quoi ça servira, dit Rudolph en colère. Et toi aussi, ça te serait utile
d'avoir un peu de temps pour réfléchir. Maintenant ne parle plus
pendant un moment. Je suis crevé par le voyage et je voudrais fermer
les yeux pendant quelques minutes en espérant que toi et moi serons
frappés par la foudre ou du moins par une seule idée utile avant
d'arriver à l'hôtel.

Peu avant qu'ils ne se disent bonne nuit, Rudolph confirma ·

— Rappelle-toi, je veux avoir ce pistolet demain. Et une chose est
certaine : Wesley ne va même pas le voir.

— Alors il se servira d'un couteau ou d'un gourdin ou de ses mains
nues, dit Billy. Tu ne sais pas comment il est.

— C'est vrai, avoua Rudolph, et je regrette de le découvrir maintenant.

— Ecoute, si tu préfères ne pas être mêlé à tout ça, j'essaierai de m'en
occuper seul. Tu pourras toujours oublier ce que je t'ai dit, tu sais.

Rudolph regarda Billy d'un air pensif, comme s'il pesait les avantages qu'il y avait à oublier, les désavantages à ne pas oublier, puis
secoua la tête.

— C'est moi, dit-il, qui aurais peut-être dû aller à la recherche de
Danovic. Il y a longtemps. Seulement, l'idée ne m'est jamais venue à
l'esprit avant ce soir. Non, je ne pense pas qu'oublier soit la solution.
Bonne nuit, Billy. Si tu as de bonnes idées pendant la nuit, appelle-moi.
De toute façon, je ne crois pas que je dormirai très bien.

Il se passa de nouveau les mains sur le visage et s'éloigna d'un pas
lent et lourd vers l'ascenseur. Je n'ai jamais fait attention à son âge
auparavant, pensa Billy tandis que la porte de l'ascenseur s'ouvrait et
se refermait sur son oncle.

*
* *

Le lendemain matin, ils prirent le petit déjeuner ensemble dans la salle à manger de l'hôtel. Rudolph avait un air hagard, des poches sous les yeux, et il mangea sans un mot, buvant une tasse de café après l'autre.

— Tu iras chercher le... l'objet cet après-midi, dit-il enfin, et tu me le donneras.

— Es-tu sûr que tu veux..., commença Billy.

— Une chose dont je suis sûr, dit Rudolph d'un ton sec, c'est que je ne veux plus t'entendre discuter.

— Bon, dit Billy, c'est toi le patron.

Il était soulagé de pouvoir dire ça, la responsabilité d'une décision n'étant plus entre ses mains.

Le concierge entra dans la salle à manger et vint vers Billy.

— On vous demande au téléphone, monsieur Abbott, dit-il. La cabine dans l'entrée.

— Merci. — Billy se leva. — C'est sûrement lui, dit-il à Rudolph. Personne d'autre ne sait que je suis ici.

— Attention à la façon dont tu lui parles, dit Rudolph. Fais en sorte que tout ce que tu lui dis ait l'air plausible.

— Je ferai de mon mieux. Je ne garantis rien avec ce gars-là, dit Billy, et il quitta la salle à manger.

Le café qu'il venait de boire avait soudain un goût aigre, au moment où il pénétra dans la cabine de l'entrée pour décrocher le téléphone.

— Billy, dit Wesley d'une voix ténue au bout du fil, est-ce que tu peux parler ?

— Pas vraiment.

— Je suis aux Pinèdes à Saint-Tropez. Quand est-ce que tu vas arriver ?

— Pas avant quelques jours, j'ai bien peur, Wesley. Il y a quelques complications pour mettre la main sur ce matériel.

Sa propre voix lui semblait sonner faux en parlant.

— Quel genre de complications ? dit Wesley d'une voix acerbe.

— Je t'expliquerai quand je te verrai.

— Est-ce que tu vas l'avoir ou pas ?

— Je l'aurai, c'est sûr. Seulement il me faut un peu de temps.

— Qu'est-ce que tu appelles un peu de temps ?

— Quatre, cinq jours.

— Si je ne te vois pas au cours des prochains cinq jours, je vais à Cannes, dit Wesley. Seul. Tu comprends ce que je veux dire ?

— Ne t'emballe pas, Wesley, je fais tout ce que je peux.

— Moi, je crois que tu essaies de gagner du temps, Billy.

— C'est faux, dit Billy. Seulement il s'est passé des choses.

— Tu parles, dit Wesley, et il raccrocha.

Billy rentra à pas lents dans la salle à manger.

— Il est aux Pinèdes à Saint-Tropez, dit-il en se rasseyant. Et il n'est pas content. Il m'a donné cinq jours.

Rudolph hocha la tête.

— Tu ne lui as pas dit que j'étais ici, j'espère ?

— Non.

— Je prendrai le train de nuit pour Antibes, dit Rudolph. Je ne veux pas passer au contrôle à l aéroport. Je serai à la Colombe d'Or à Saint-Paul-de-Vence, si tu as besoin de me joindre.

— Tu as eu des idées dans la nuit ? demanda Billy.

— Peut-être.

Rudolph eut un sourire morose.

— Tu veux me dire lesquelles ?

— Non. Comme tu disais hier soir, je préfère ne pas les dire. Et il vaut mieux pour toi et pour moi que tu ne les connaisses pas.

— On est très calé, dans la famille, pour se faire des mystères les uns aux autres, tu ne trouves pas ?

— Jusqu'à un certain point. — Rudolph se leva. — Je vais profiter de la capitale aujourd'hui. J'irai peut-être même au Louvre. Je te retrouverai ici à cinq heures. Ne fais pas de bêtises d'ici là.

Après le départ de son oncle, Billy alla en taxi à la banque au coin de la rue Saint-Dominique. Il ne tenait pas à ce que quelqu'un remarque la Peugeot décapotable et, qui sait, note le numéro d'immatriculation. Il emporta son sac de tennis et lorsque l'employé dans la chambre forte eut tourné les deux clefs et fut reparti à son bureau, Billy glissa l'automatique et les chargeurs supplémentaires dans le sac, ainsi que ce qui restait des dix mille francs, puis monta l'escalier et dit à l'employé qu'il rendait le coffre et remit la clef.

Puis, muni de son sac, il rentra à l'hôtel en taxi et posa le sac sur le lit. Il resta assis là, les yeux sur le sac, jusqu'à cinq heures.

*
* *

Rudolph descendit du train sous le soleil matinal à Antibes. La voiture qu'il avait commandée chez Hertz l'attendait à la gare. Tout en signant la fiche il maintenait une jambe pressée contre sa valise fermée à clef.

En arrivant à la Colombe d'Or il porta lui-même la valise jusqu'à l'hôtel et, après s'être inscrit, suivit le portier qui la transportait.

Une fois le porteur sorti, il téléphona au vieil avocat d'Antibes et fixa un rendez-vous à son étude pour onze heures. Rudolph se rasa et prit un bain, dans lequel il somnola pendant longtemps. À New York il était deux heures du matin et son corps s'en ressentait. Il se mouvait de façon léthargique en enfilant des vêtements propres et demanda une grande tasse de café dans sa chambre. C'était la même chambre qu'il avait occupée auparavant. Jeanne l'y avait visité et le souvenir des moments passés avec elle réveilla d'anciens désirs. Il prit une feuille de papier et écrivit : « Chère Jeanne, je suis de retour à notre hôtel et me demande si tu es libre. » Il s'arrêta d'écrire et froissa la feuille de papier. Trop de temps avait passé. Fini.

À dix heures et demie, il ferma sa valise à clef et descendit prendre la voiture de location ; il roula prudemment jusqu'à Antibes. Le vieillard l'attendait assis à la grande table cirée, tournant le dos à la mer bleue ensoleillée dans l'encadrement de la grande fenêtre.

— On peut parler en toute sécurité ici, j'espère ? demanda Rudolph en s'asseyant

— Tout à fait, dit l'avocat

— Je veux dire, il n'y a pas de magnétophone dans le tiroir ou des choses de ce genre ?

— Il y en a un, avoua l'avocat, mais il n'est pas branché. Je ne m'en sers que lorsque le client l'exige.

— J'espère que ceci ne va pas vous offenser, maître, dit Rudolph, mais j'aimerais que vous le mettiez sur le bureau de façon à ce que nous puissions tous les deux être certains qu'il ne fonctionne pas.

Le vieillard plissa le visage d'un air courroucé.

— Si vous le désirez, monsieur, dit-il froidement.

Il ouvrit un tiroir et plaça le petit appareil sur la table, sur le côté. Rudolph se leva pour l'examiner. Il ne tournait pas.

— Merci, maître, dit-il en se rasseyant. Je vous serais également reconnaissant, dit-il, si vous ne preniez pas de notes, ni maintenant ni après mon départ.

Le vieillard acquiesça.

— Pas de notes, dit-il.

— La raison qui m'amène ici est extrêmement délicate, dit Rudolph. Il s'agit de la sécurité de mon neveu, le fils de mon frère qui a été tué.

Le vieillard acquiesça de nouveau.

— Une triste affaire, dit-il. J'espère que les blessures sont quelque peu cicatrisées.

— Quelque peu, dit Rudolph.

— Et, reprit l'avocat, que la succession a été partagée avec un minimum de... euh... acrimonie.

— Un maximum, dit Rudolph d'un air sinistre

— Hélas, ces affaires de famille !

— Mon neveu est dans le Midi, poursuivit Rudolph. Il ne sait pas que je suis en France et je préférerais que pour l'instant il ne l'apprenne pas.

— Très bien.

— Il est ici pour essayer de savoir où il peut trouver Danovic.

— Ah, dit le vieillard d'un air grave.

— Il a l'intention de le tuer dès qu'il le trouvera.

Le vieillard toussa, comme s'il avait quelque chose dans la gorge. Il sortit un grand mouchoir blanc et s'essuya les lèvres.

— Excusez-moi, dit-il. Je vois ce que vous voulez dire quand vous dites que c'est une affaire délicate.

— Je ne veux pas qu'il trouve Danovic.

— Je comprends votre position. Ce que je ne comprends pas, c'est comment je pourrais vous aider.

Rudolph inspira profondément.

— Si Danovic est tué — disons par d'autres moyens — avant que mon neveu n'apprenne où il se trouve, le problème serait résolu.

— Je vois, dit le vieillard d'un air songeur. — Il toussa de nouveau et une fois de plus sortit le mouchoir. — Et comment pensez-vous que je pourrais vous aider à atteindre ce résultat souhaitable ?

— De votre temps, maître, dit Rudolph, vous avez dû vous occuper d'affaires concernant des membres du Milieu sur cette côte...

L'avocat hocha la tête

— De mon temps, dit-il à voix basse, oui.

— Si vous pouviez me présenter à quelqu'un qui sait où l'on peut

trouver Danovic, dit Rudolph, et que l'on pourrait persuader d'entreprendre la besogne, je serais prêt à payer un bon prix pour ses — ses
services.

— Je vois, dit l'avocat.

— Bien entendu, dit Rudolph, je serais prêt à déposer une somme
importante à votre compte en Suisse en échange de vos services à *vous*.

— Bien entendu, approuva l'avocat.

Il soupira. Rudolph n'aurait su dire si c'était à cause des risques à
courir ou à l'idée de la somme importante à son compte en Suisse.

— Il faudrait que ce soit fait très vite, dit Rudolph. Le garçon est
impatient et insensé.

L'avocat hocha la tête.

— Votre point de vue a toute ma sympathie, monsieur Jordache, dit-
il, mais comme vous pouvez vous en douter, ce n'est pas une affaire qui
peut se régler en vingt-quatre heures, si toutefois cela peut se régler...

— Je suis prêt à aller jusqu'à vingt mille dollars, dit Rudolph d'une
voix ferme.

L'avocat toussa de nouveau. Il s'essuya de nouveau la bouche avec le
mouchoir.

— Je n'ai jamais fumé de ma vie, dit-il, presque avec humeur, et
pourtant cette toux me poursuit.

Il fit tourner son fauteuil et regarda la mer calme, comme s'il pouvait
y trouver une réponse fructueuse aux questions qui le troublaient.
Pendant un long moment le silence régna dans la pièce. Pendant ce
silence, Rudolph réfléchit douloureusement à ce qu'il faisait. Il était en
train de commettre une mauvaise action. Sa vie durant, il avait cru en
ce qui était bon et moral, et maintenant il commettait une mauvaise
action. Mais pourquoi la faisait-il ? Pour empêcher une action encore
plus mauvaise. La moralité peut être un piège, se dit-il, tout comme
d'autres mots nobles. Il s'agissait de savoir ce qui était plus important,
les principes ou la famille ? Eh bien, il avait répondu à la question, du
moins pour lui-même. Il le paierait plus tard, s'il le fallait.

Le silence dans la pièce fut rompu lorsque, sans se retourner pour
faire face à Rudolph, l'avocat dit :

— Je verrai ce que je peux faire. Dans le meilleur des cas, je ne puis
qu'espérer entrer en communication avec une personne qui serait
susceptible d'être intéressée et lui demander de vous contacter.
J'espère que vous comprenez que pour moi, l'affaire doit se limiter à
cela.

— Je comprends, dit Rudolph — Il se leva. — Je suis à la Colombe
d'Or à Saint-Paul-de-Vence. J'attendrai qu'on me téléphone.

— Je ne vous promets rien, cher monsieur, dit l'avocat. — Il pivota
et, le dos tourné à la mer, adressa à Rudolph un pâle sourire. — Pour
être tout à fait honnête avec vous, je préférerais que vous puissiez
persuader votre neveu de renoncer à son téméraire projet.

— Moi aussi, dit Rudolph. Mais je doute de pouvoir le faire.

L'avocat hocha la tête d'un air maussade.

— Ces jeunes gens, dit-il. Eh bien, je ferai mon possible.

— Merci.

Au moment où il sortit de la pièce, l'avocat regardait de nouveau la mer. Ils ne s'étaient pas serré la main en prenant congé.

Le pouvoir de l'argent, pensa Rudolph, en roulant le long du port. Est-ce que Hamlet aurait payé Rosencrantz et Guildenstern pour se charger de la besogne pour son oncle, le roi, s'il avait eu les florins ?

En arrivant à la Colombe d'Or, il appela l'Hôtel d'Alembert à Paris. Heureusement, Billy était là. Ce que Rudolph ne savait pas, c'est que Billy n'avait pas quitté l'hôtel, sauf pour se rendre à la banque, la veille.

— Billy, dit Rudolph, il y a une lueur d'espoir. Je ne peux pas t'en parler, et ne me demande pas ce que c'est — ni maintenant, ni jamais. Mais elle existe. Ce que nous devons faire, c'est gagner du temps. Toi, il faut que tu retiennes Wesley pendant un certain temps. Tu m'entends bien ?

— Trop bien, dit Billy. Que suis-je censé faire pour le retenir pendant un certain temps ?

— Débarque à Saint-Tropez le cinquième jour. Invente n'importe quoi, tu es débrouillard...

— C'est ce qu'on me dit, constata Billy d'un ton désolé.

— Ne le lâche pas, dit Rudolph. Je ne veux pas qu'il disparaisse dans la nature. Il faut que nous sachions toujours où il est. Compris ?

— Compris. — Le ton de Billy manquait d'enthousiasme.

— Au besoin, continua Rudolph, tu peux lui dire où je suis. Je préfère qu'il ne le sache pas, mais si c'est la seule façon de le retenir, je veux bien, pour aider à retarder l'échéance. Et tiens-moi au courant.

— Combien de temps est-ce que je dois le retenir ? demanda Billy.

— Aussi longtemps qu'il le faudra.

— Intéressante précision, dit Billy.

— Pas d'esprit, s'il te plaît, dit Rudolph avec sévérité. Je fais ma part du travail, fais la tienne.

— Oui, monsieur. Je passerai les deux prochains jours à inventer une histoire.

— C'est ça.

— La faire avaler à ce fou est une autre paire de manches, dit Billy.

— A toi de jouer, dit Rudolph en raccrochant.

*
* *

La *Clothilde* était amarrée non loin du Chris-Craft sur lequel Bunny travaillait dans le port de Saint-Tropez, et Wesley et Bunny allèrent y jeter un coup d'œil. Bunny n'avait pas voulu qu'il y allât.

— Tu as assez vu ce bateau, dit-il.

— Ne t'en fais pas, Bunny. Je ne fondrai pas en larmes et je n'attaquerai personne. C'est le seul foyer que j'aie eu où je me sentais bien. Je vais seulement le regarder et me rappeler comment c'était quand le paternel était dessus. J'ai regardé un tas de choses bien plus déprimantes depuis ce temps-là...

Pendant les jours et les nuits durant lesquels il avait attendu Billy, il avait rôdé sur les ports de Saint-Tropez et de Cannes, et avait visité les boîtes de nuit de ces deux villes. Il ne pouvait pas demander à Bunny si Danovic était dans les parages, parce que Bunny se mettrait en rogne après lui. Il ne pouvait poser la question à personne d'autre non plus parce qu'il ne pouvait pas faire savoir à Danovic ni, finalement, à la police, qu'il était à sa recherche, mais il pouvait jeter un coup d'œil. Il avait regardé et n'avait pas trouvé l'homme, mais il était sûr que, tôt ou tard, Danovic referait surface. Eh bien, il avait le temps. Ce qui était étonnant, c'était que le fait de traîner sur les ports durant le mois calme qui précédait la saison l'avait apaisé. Il dormait plus tranquillement et les rêves violents qui l'avaient tourmenté pendant si longtemps ne se produisaient plus.

Lorsqu'ils arrivèrent à l'endroit où était amarrée la *Clothilde,* ils restèrent là à la contempler sans parler. Le bateau avait l'air vieillot et confortable et Wesley était content de voir qu'il était propre et bien entretenu. Cela l'aurait offensé si le bateau avait été en désordre ou avait semblé négligé.

— Ils l'entretiennent bien, hein ? dit-il à Bunny.

— Ce sont des Allemands, dit Bunny. On pourrait manger à même le pont. Tu veux monter pour jeter un coup d'œil ? Ils ont mis le pilote automatique.

Wesley secoua la tête.

— Non. Ça suffit. Je suis content de l'avoir vu, mais ça suffit.

Ils retournèrent au Chris-Craft où Bunny avait mis à mijoter une soupe de poissons pour le déjeuner. Ils seraient trois pour déjeuner car Bunny s'était lié avec une fille qui travaillait dans une des boutiques du port et elle déjeunait avec lui tous les jours. C'était une jolie fille menue et brune qui parlait assez bien l'anglais et Bunny était fou d'elle, et pour autant que Wesley pût en juger, elle était folle de lui. Elle venait au Chris-Craft après son travail aussi, et parfois passait la nuit avec Bunny. Wesley remarqua que peu à peu Bunny perdait quelques-uns de ses gestes féminins. Bunny et elle parlaient de se marier et de s'engager ensemble sur un bateau plus grand. Wesley nota que Bunny non seulement commençait à adopter quelques-unes des manières de Tom, mais que, consciemment ou non, il allait vers le genre de vie que son père et Kate avaient mené ensemble.

Cela aussi faisait plaisir à Wesley — c'était un hommage, estima-t-il, à la valeur de son père, un hommage de celui qui l'avait connu mieux que quiconque. Cela compensait un grand nombre des choses que Wesley avait entendues au sujet de son père de la bouche de Teddy Boylan et de Schultzy, au Foyer Hébreu pour personnes âgées du Bronx.

Le déjeuner était bon, accompagné d'une bouteille de vin frais. Wesley avait demandé à Bunny de ne dire à personne qu'il jouait dans un film qui allait être présenté à Cannes, mais lorsque la fille, qui s'appelait Nadine, demanda à Wesley quelle était sa profession, Bunny lâcha le morceau en disant : « Il est acteur de cinéma, morbleu. Qu'est-ce que tu en dis, moussaillon ? »

Enfin, pensa Wesley, si cela permet à Bunny de marquer des points auprès de son amie, qu'est-ce que ça peut faire ?

— C'est vrai ?

Nadine le regarda incrédule.

— J ai peur que oui, dit Wesley. Une fois que le film sera sorti, je serai peut-être un ex-acteur de cinéma.

— Est-ce que vous êtes en train de vous payer ma tête, vous deux ?

— Tu pourras le voir toi-même, dit Bunny. Il est la vedette d'un film qui va être présenté au festival.

— Pas la vedette, protesta Wesley, je n'ai qu'un petit rôle.

Nadine le regarda de près.

— Je me disais que tu étais trop beau pour être n'importe qui.

— Treize à la douzaine, dit Wesley. En réalité, au fond, je ne suis qu'un marin.

— Il y a une fille qui travaille avec moi, ma meilleure amie, en fait, elle raffole de cinéma, elle est très mignonne. Pourquoi est-ce que je ne l'amènerais pas pour dîner ce soir ?

— Je ne suis pas à Saint-Tropez pour longtemps, dit Wesley mal à l'aise.

Se souvenant de la promesse d'Alice d'essayer de venir en Europe pendant au moins quinze jours, il ne tenait pas à être tenté par une Française très mignonne.

— Elle parle très bien l'anglais, dit Nadine.

— En vérité, dit Wesley, j'ai un rendez-vous ce soir.

C'était le cinquième jour et il voulait être à l'hôtel au cas où Billy arriverait.

— Et demain soir ? persista Nadine.

— Demain soir je serai probablement à Cannes. Une autre fois peut-être.

— Tu reviendras de Cannes après le festival ? demanda Nadine.

— Ça dépend, dit Wesley.

— Elle vient de rompre avec son ami, tu serais exactement ce qu'il lui faut pour lui remonter le moral.

— Je ne suis pas très doué pour remonter le moral des gens, dit Wesley. Demande à Bunny.

— C'est un garçon sérieux, dit Bunny. Il aurait besoin lui-même qu'on lui remonte le moral.

— Si nous venons à Cannes, dit Nadine, est-ce que tu pourras nous faire avoir des entrées pour ton film ?

— Sans doute. Je ferai savoir à Bunny où je logerai.

Bon Dieu, pensa Wesley, il ne me manquait plus que ça, deux Françaises accrochées à mes basques au moment où je tombe sur ce salaud de Danovic.

— Tu n'oublieras pas ? dit Nadine, en s'apprêtant à regagner sa boutique.

— Je n'oublierai pas, mentit Wesley.

Nadine embrassa Bunny, et ils la regardèrent tous les deux s'éloigner rapidement sur le quai, une fille menue et ronde avec une démarche dansante.

— Qu'est-ce que tu en penses ? demanda Bunny.

Il n'avait pas encore posé la question.

— Très jolie, dit Wesley.

— Crois-tu qu'elle soit trop frivole pour faire une bonne épouse ? demanda Bunny avec inquiétude.

— Je crois qu'elle est bien. Bunny, dit Wesley. — Il ne voulait être responsable en aucune façon d'une décision aussi grave que l'était le mariage pour Bunny. — Je la connais à peine.

— Je vais te dire un truc, dit Bunny. Avec ta gueule et ce que ton père t'a appris et maintenant que tu es acteur de cinéma et tout, je parie que tu en sais cent fois plus long que moi sur les femmes. Ça n'a jamais été mon point fort et je ne veux pas me faire d'illusions. — Il hésita. — Est-ce que tu as eu l'impression qu'elle flirtait avec toi ou quelque chose de ce genre ?

— Allons, Bunny.

Wesley était sincèrement choqué.

— Je ne voudrais pas me mettre en ménage avec une femme qui fait de l'œil à mes amis, dit Bunny.

— Sois tranquille, mon pote, dit Wesley. Il n'y a même pas eu un battement de cils.

— Je suis heureux de l'apprendre, dit Bunny. Maintenant, et toi ?

— Quoi, moi ?

— J'ai l'impression que tu n'es pas venu sur la Côte d'Azur uniquement pour voir ton vieux compagnon de bord ni pour aller voir un film, quoi...

— Tu te fais des idées. Je...

— Je ne me fais pas d'idées du tout. Quand tu es réglo je le sens, et je sens quand tu caches quelque chose. En ce moment tu caches quelque chose. Je te regarde quand tu ne sais pas que je t'observe et je n'aime pas ce que je vois, Wesley.

— Conneries, dit Wesley brutalement. Arrête de parler comme une vieille dame.

— Je sais une chose, dit Bunny. Ton père n'aimerait pas te voir dans les ennuis — de gros ennuis — surtout si c'est à cause du père Danovic. Tu m'écoutes, Wesley ?

— Je t'écoute.

— Il t'aimait et ce qu'il voulait par-dessus tout c'était que tu aies une bonne vie. Et on pourrait dire presque la même chose de moi. Je ne tiens pas à avoir à te rendre visite en prison ou à l'hôpital ou à la morgue.

— Ne me fais pas regretter d'être venu te voir, Bunny, dit Wesley d'une voix tranquille.

— Ça m'est égal que tu ne me voies plus jamais, si je peux t'enfoncer un peu de raison dans le crâne. Tu as une vie formidable devant toi — ne la gâche pas. Ton père est mort, et c'est tout. Respecte sa mémoire, c'est tout ce que je te demande.

— Il faut que je rentre à mon hôtel, dit Wesley. J'attends un coup de fil.

Bunny était debout à l'arrière du Chris-Craft et regardait froidement Wesley monter sur la bicyclette monocylindre qu'il avait louée et partir vers son hôtel en pétaradant.

*
* *

En arrivant à l'hôtel, Wesley vit la Peugeot décapotable garée dans le parking. Il se précipita à l'intérieur.

— Il y a un monsieur qui vous attend au bar. dit le concierge à Wesley en lui donnant sa clef.

Billy était assis seul dans le bar désert, sirotant une bière et regardant au-dehors la baie sur laquelle l'hôtel était construit. Il semblait petit et triste, affalé sur sa chaise. Ses vêtements étaient froissés et il ne s'était pas donné la peine de passer un peigne dans ses cheveux, qui avaient été fouettés par le vent pendant tout le voyage. Le long trajet jusqu'à Paris et retour avait rendu son teint déjà foncé plus noir de deux ou trois tons. Il avait l'air d'un petit Arabe roublard, se dit Wesley en allant vers lui. Billy se leva à son approche, et ils se serrèrent la main.

— Eh bien, Cousin, dit Wesley, il était temps.

— Bon sang, dit Billy avec humeur, c'est comme ça que tu vas me parler ?

— Montons dans ma chambre, dit Wesley, jetant un œil sur le barman qui pelait des citrons à l'autre bout de la pièce. Là-haut on pourra parler.

— Tu pourrais me laisser finir ma bière. Et on dirait qu'à toi aussi une bière ferait du bien.

— Il y a un tas de choses qui me feraient encore plus de bien, dit Wesley. Finis ton verre.

Billy regarda autour de lui.

— C'est pas mal ici. Ça doit coûter une fortune.

— Je croyais ne rester ici que quelques jours, dit Wesley. Je ne pensais pas être obligé d'y passer toute la saison. Tu as fini ta bière ?

— Je crois, dit Billy, mais il faut que je paye.

— Vous mettrez ça sur ma note, s'il vous plaît, dit Wesley à haute voix au barman à l'autre bout de la pièce.

— Merci, dit Billy en suivant Wesley hors du bar.

— C'est la moindre des choses, dit Wesley sardonique, pour mon dévoué cousin.

Dans sa chambre, Wesley affronta Billy.

— Tu l'as ? demanda-t-il brutalement.

— Il faut que tu me laisses t'expliquer, dit Billy. Le gars qui me le gardait a foutu le camp. Il n'était pas à Paris et son amie m'a dit qu'elle ne savait pas où il était. Mais elle a dit qu'il allait l'appeler et...

— Quand ? demanda Wesley. Quand est-ce qu'il va l'appeler ?

— Elle ne pouvait pas le dire, elle pense que ce sera bientôt.

— Bientôt. Le Quatorze Juillet ? Noël ?

— Dis donc — le ton de Billy était offensé —, tu n'as pas besoin de me parler comme ça. J'ai fait de mon mieux. Ce n'est pas comme d'aller dans un magasin acheter une boîte de bonbons.

— Tu sais ce que je pense, Billy, dit Wesley d'un ton égal, je crois que tu es en train de me mener en bateau.

— Ne sois pas si méfiant, bon Dieu. C'est moi qui me suis proposé, non ? Personne ne m'a mis un revolver sur la tempe. Je ne cherche qu'à t'aider.

— Mes couilles, dit Wesley. Tu sais où est ce pistolet, s'il existe...

— Il existe, dit Billy, je le jure.

— Alors, tu vas me dire où il est. Et tu vas me le dire maintenant.

D'un brusque mouvement félin, Wesley sauta sur Billy et se mit à l'étrangler. Billy se débattit en s'agrippant aux mains qui enserraient sa gorge et en essayant d'atteindre l'aine de Wesley avec son genou. Mais celui-ci pesait vingt kilos de plus que lui. Sans un bruit, ils traversèrent la pièce en luttant. Billy glissa et se retrouva par terre, avec Wesley agenouillé sur lui, le visage calme, serrant avec application le cou de Billy de ses mains. Au moment où Billy allait s'évanouir, les mains se relâchèrent.

— Tu vas me le dire ou pas ? chuchota Wesley.

— Bon sang, haleta Billy, tu aurais pu m'étouffer pour de bon.

— Très possible. — Les mains de Wesley se resserrèrent un peu.

— Rudolph..., dit Billy d'une voix brisée. Il est à Saint-Paul-de-Vence... Hôtel Colombe d'Or. Maintenant peux-tu te lever de ma poitrine ?

Lentement, Wesley lâcha prise et se leva. Il aida Billy à se relever et celui-ci s'effondra dans une chaise, les mains à la gorge.

— Tu es trop fort pour ton propre bien, dit-il.

Wesley se tenait au-dessus de lui, toujours menaçant.

— Que fait l'oncle Rudolph là-dedans ? demanda-t-il. Et plus de contes de fées, Billy.

— Je l'ai appelé à New York. Je pensais que s'il y avait une personne qui pouvait t'aider, c'était lui. Tu ne crois tout de même pas que j'ai fait ça pour moi-même, non ?

— Tu t'es dégonflé, dit Wesley avec mépris. — Et tu as appelé le Père Noël. J'aurais dû m'en douter. Qu'est-ce qu'on peut bien attendre de la part d'un joueur de tennis ? Retourne chez tes grandes dames, salaud. Quel merdier royal.

— Va donc à Saint-Paul-de-Vence, stupide assassin, dit Billy, et essaye d'étrangler ton oncle Rudolph.

— C'est peut-être exactement ce que je ferai, dit Wesley. Et maintenant sors de ma chambre. Et de cette ville. Si je te vois dans les parages je risque de regretter de t'avoir lâché.

— La prochaine fois que je te verrai, dit Billy en se levant, j'aurai un couteau sur moi. Je te préviens.

— Merci, dit Wesley, je m'en souviendrai.

A la porte, Billy se retourna.

— Un dernier mot, dit-il. Je suis ton ami, quoi que tu penses.

Wesley secoua la tête d'un air sombre et Billy ouvrit la porte et sortit Arrivé au rez-de-chaussée il appela Saint-Paul-de-Vence. Lorsque Rudolph vint au téléphone, Billy lui raconta ce qui était arrivé.

— Bon Dieu, dit Rudolph, il est si terrible que ça ?

— Pire, dit Billy. Dément. Tu ferais mieux de changer d'hôtel si tu ne veux pas avoir encore une séance de strangulation dans la famille.

— Je ne m'en vais nulle part, dit Rudolph calmement. Qu'il vienne.

— Mais ne le vois pas seul, dit Billy, en admirant la sérénité de son oncle. Avec ce type-là, tu as besoin d'un tas de témoins.

— Je le verrai comme il voudra.

— Tu as trouvé quelque chose ?

— Peut-être, on verra.

— Si je peux te donner un conseil, je me débarrasserais de l'objet avant qu'il n'arrive. Jette-le à la mer.

— Non, dit Rudolph d'un ton réfléchi, je ne crois pas que j'aie envie de faire ça. Il pourrait être utile. Dans un avenir pas trop lointain.

— Bonne chance, dit Billy.

— Je te verrai la semaine prochaine à Cannes, au festival. J'ai réservé des chambres à l'Hôtel Majestic pour nous tous. Je t'ai mis dans la même chambre que Wesley. Vu les circonstances... — Il ricana d'une manière étrange. — Vu les circonstances, je crois que je te mettrai à un autre étage.

— Tu penses à tout, hein, Rudolph ? dit Billy sarcastique.

— Presque tout.

Billy raccrocha et alla vers le concierge :

— Mettez la communication sur la note de M. Jordache s'il vous plaît.

Wesley n'appela pas ce jour-là ni le lendemain, mais l'avocat d'Antibes, lui, appela.

— J'ai peut-être des nouvelles, dit l'avocat. La personne à laquelle je pensais comme candidat pour le poste dont vous m'avez parlé l'autre jour n'est pas libre pour l'instant. Il se trouve qu'il est en prison à Fresnes. Mais il doit en sortir dans quinze jours et il est attendu chez lui à Marseille peu de temps après. Je le contacterai et lui dirai où il pourra vous joindre.

— Je serai à l'Hôtel Majestic à Cannes, dit Rudolph.

— Je suis navré pour ce retard, dit l'avocat.

— On n'y peut rien. Je vous remercie de vous être donné du mal. J'attendrai qu'on m'appelle.

On n'y peut rien, se dit Rudolph en raccrochant. Voilà un bon titre pour ma biographie. On n'y peut rien.

CHAPITRE IX

L'ATTACHE DE PRESSE DU film de Gretchen au festival avait publié un article sur la femme dont la première mise en scène avait été choisie parmi les films américains qui devaient être présentés à Cannes, de sorte qu'il y avait des photographes à l'aéroport de Nice lorsque l'avion de Gretchen atterrit. Les photographes prirent des photos de Gretchen à sa descente d'avion et encore alors qu'elle saluait Billy et Rudolph après avoir passé la douane. Elle était au bord des larmes en embrassant Billy et le serra, fort.

— Ça fait si longtemps, murmura-t-elle.

Billy était gêné par la manifestation d'émotion maternelle sous les flashes et s'extirpa, doucement mais fermement, de l'étreinte de sa mère.

— Maman, dit-il, ne vaut-il pas mieux remettre la scène des retrouvailles à plus tard ?

Il n'aimait pas l'idée d'une photo de lui-même pris dans un étau familial, qui paraîtrait dans les journaux, publicité ou pas.

Alors que Gretchen faisait un pas en arrière, Billy vit que ses lèvres avaient pris le pli froid qu'il ne connaissait que trop.

— Billy, dit-elle, je voudrais te présenter Mr Donnelly. C'est lui qui a fait les décors de notre film.

Billy serra la main du jeune homme à la barbe rousse. « Enchanté, monsieur », dit-il. Encore un, pensa-t-il. Elle ne renoncera jamais. Il avait remarqué la façon possessive et protectrice dont l'homme avait tenu le bras de sa mère au moment où ils avaient fendu la petite foule assemblée autour de la sortie de la douane. Il avait eu l'intention de se montrer chaleureux et agréable lors de cette première rencontre après si longtemps, mais la vue de sa mère, toujours aussi belle dans son élégant tailleur bleu de voyage, escortée avec ostentation à sa descente d'avion par un homme qui ne semblait pas beaucoup plus âgé que lui-même, l'avait dérouté.

Puis il avait eu honte de s'être laissé aller à l'irritation. Après tout, sa mère était adulte depuis longtemps et sa vie privée ainsi que son goût en partenaires ne le regardaient pas. En marchant à côté d'elle vers la voiture avec chauffeur qui lui avait été envoyée, il lui pressa la main affectueusement, pour compenser sa réflexion au sujet de la scène des retrouvailles. Elle le regarda, surprise, puis eut un grand sourire.

— On va passer quinze jours formidables, dit-elle.

— Je l'espère. Je suis impatient de voir le film.

— Les augures sont bons. Ceux qui l'ont déjà vu ont l'air de l'aimer beaucoup.

— Encore plus que cela, intervint Rudolph. Les gens sont dithyrambiques. On m'a déjà proposé un bénéfice de cent pour cent pour ma part, et j'ai refusé.

— Frère fidèle, dit Gretchen d'un ton léger. Il place toujours son argent là où est son cœur. — Puis elle se rembrunit. — Rudy, tu n'as pas bonne mine. Tu as l'air de n'avoir pas dormi depuis des semaines. Qu'est-ce qu'il y a ?

Rudolph rit d'un air gêné.

— Rien. J'ai peut-être trop veillé au casino.

— Tu as gagné ?

— Comme toujours, dit Rudolph.

Pendant que le porteur et le chauffeur rangeaient les bagages dans le coffre, Gretchen dit :

— Je suis un peu déçue.

— Pourquoi ?

— J'avais espéré que Wesley aussi viendrait me chercher.

Rudolph et Billy échangèrent un regard.

— Il n'est pas à l'hôtel avec nous ? demanda Gretchen.

— Non, dit Rudolph.

— Il est à Cannes, non ? Une fois que le film aura été projeté, il va être assailli par les journaux et les gens de la télé pour des interviews. Il faut qu'il se *comporte* comme un acteur, même s'il croit qu'il n'en est pas un.

— Gretchen, dit Rudolph doucement, nous ne savons pas où il es Aux dernières nouvelles il était à Saint-Tropez, mais il a disparu.

— Quelque chose ne va pas ?

— Pas que nous sachions, mentit Rudolph. Ne t'en fais pas. Je suis sûr qu'il se manifestera.

— Il a intérêt à le faire, dit Gretchen, pendant qu'elle et Donnelly montaient en voiture. Sinon j'enverrai un avis de disparition.

Une fois tous les bagages dans la voiture, il n'y avait plus de place pour Rudolph. Lui et Billy allèrent vers l'endroit où était garée la Peugeot.

— Nous avons intérêt à inventer une histoire quelconque pour elle en ce qui concerne Wesley, dit Rudolph au moment où ils montaient dans la Peugeot.

— Cette fois-ci c'est toi qui l'inventeras, dit Billy, pendant qu'ils sortaient du parking. La dernière histoire que j'ai inventée a failli me faire tuer.

— Peut-être qu'en voyant la photo de Gretchen dans les journaux il se montrera. Il s'est beaucoup attaché à elle pendant le tournage.

— Je sais. C'est ce qu'il m'a dit. Quand même il ne faut pas avoir trop d'espoir. Ces jours-ci, il est surtout attaché à l'idée de retrouver un certain Yougoslave — Il tourna la tête et scruta Rudolph d'un regard curieux — Du nouveau de ton côté ?

— Je ne le saurai pas avant quelques jours.

— Tu ne veux toujours pas me dire ce que ça pourrait être ?

— Non, dit Rudolph d'un ton sans réplique. Et ne t'en mêle pas.

Billy se concentra sur la route pendant une minute ou deux. Il avait fait laver la voiture et avait mis des vêtements propres et repassés pour l'arrivée de sa mère. Il regrettait que l'absence de **Wesley** ait jeté une ombre sur l'événement.

— J'espère que, où qu'il soit et quoi qu'il fasse, il ne gâchera pas le moment de gloire de ma mère. Elle avait l'air en excellente forme à l'aéroport.

— Sauf quand tu as mis les pieds dans le plat au sujet des retrouvailles, dit Rudolph d'un ton aigre.

— La force de l'habitude.

— Eh bien, perds cette habitude.

— J'essaierai, dit Billy. En tout cas, pour ton information, je me suis racheté en allant à la voiture.

— Tu la crois dure, dit Rudolph. Eh bien, laisse-moi te dire quelque chose : elle ne l'est pas. En tout cas pas en ce qui te concerne.

— J'ai dit que j'essaierai. — Billy sourit. — Elle est très belle, hein ?

— Très.

Billy tourna de nouveau la tête pour scruter Rudolph.

— Qu'y a-t-il entre elle et ce type, Donnelly ?

— Rien que je sache, dit Rudolph d'un ton bref. Ils ont bien travaillé ensemble et maintenant il est également un de mes associés en affaires. Ne te mêle pas de ça non plus.

— Je demandais, c'est tout, dit Billy. Un souci naturel de la part d'un fils pour le bien-être de sa mère. Quelle sorte de gars est-il ?

— Des meilleurs, dit Rudolph. Doué, ambitieux, honnête, avec un problème du côté de l'alcool.

— Elle devrait y être habituée, après la vie qu'elle a eue avec mon père. Pour ce qui est de l'alcool, je veux dire.

— Elle a invité ton père à venir, aussi, dit Rudolph. Il prétend qu'il a un nouveau travail et qu'il ne peut pas quitter Chicago. Peut-être qu'il s'est enfin ressaisi ?

— Je n'en donnerais pas ma tête à couper. Enfin, il a fait au moins une chose utile pour son fils.

— Quoi donc ?

— Il m'a détourné de la boisson. — Billy rit tout bas. — Dis donc, j'ai une idée. Pas sur mon père et ma mère. Pour Wesley.

— Laquelle ?

— Tu sais que la police récupère ces formulaires qu'il faut remplir quand on s'inscrit dans un hôtel ?

— Oui.

— Je ne pense pas que Wesley connaisse quelqu'un à Cannes qui puisse l'héberger, poursuivit Billy avec conviction, de sorte qu'il est probablement dans un hôtel en ville. Nous pourrions aller voir la police et demander des renseignements. Après tout, il joue dans le film et on pourrait dire qu'on a besoin de lui pour des photos pour la presse et des interviews, des choses comme ça

— On pourrait le faire, mais on n'en fera rien, dit Rudolph. Moins la police s'intéresse à Wesley, mieux ça vaut pour nous tous.

— Ce n'était qu'une idée.

— Il nous faudra le trouver nous-mêmes. Rôder autour du port, aller dans les boîtes de nuit, et en général garder les yeux grands ouverts, dit Rudolph. En attendant, tu pourras dire à ta mère qu'il t'avait dit qu'il redoute la publicité avant que le film n'ait été montré, qu'il a peur de ne pas y être bon et que les gens se moquent de lui, qu'il préfère ne pas être dans les parages si ça doit se produire...

— Crois-tu qu'elle gobera ça ? demanda Billy d un ton indécis.

— Peut-être. Elle sait que c'est un garçon bizarre. Elle dira probablement que c'est exactement ce à quoi on pouvait s'attendre de sa part.

— Ce qui m'étonne, dit Billy, c'est qu'il ne t'ait jamais appelé et qu'il ne soit jamais venu te voir.

— J'étais presque certain qu'il ne le ferait pas, dit Rudolph. Il sait qu'il n'obtiendrait jamais de moi ce qu'il cherche.

— Tu l'as toujours ? demanda Billy. Le pistolet ?

— Oui.

Billy rit de nouveau.

— Je te parie que tu es la seule personne à ce festival qui ait un pistolet avec silencieux dans sa chambre d'hôtel.

— Voilà une distinction à laquelle je renoncerais volontiers, dit Rudolph d'un ton sombre.

Lorsqu'ils roulèrent le long de la Croisette à Cannes, Rudolph vit que parmi les affiches annonçant les films qui allaient être présentés durant les quinze jours suivants, il y avait celle de *Comédie de la Restauration* et que le nom de Gretchen s'y étalait en grands caractères.

— Ça a dû lui faire quelque chose de voir ça, dit Rudolph. A ta mère.

— Maintenant, plaisanta Billy, en plus de tous les soucis que je me fais à son sujet, il faudra que je me débrouille à assumer le rôle de fils d'une mère célèbre. Qu'est-ce que je dis si on m'interviewe et si on me demande mes impressions ?

— Dis que c'est formidable.

— Question suivante, monsieur Abbott, dit Billy. Pensez-vous que votre mère vous ait négligé dans l'intérêt de sa carrière ? Réponse : pendant dix ou quinze ans seulement.

— Tu peux blaguer de cette façon avec moi — le ton de Rudolph était sec — mais avec personne d'autre. C'est compris ?

— Oui, monsieur. C'était pour rire, bien sûr.

— De toute façon, dit Rudolph, elle n'est pas encore célèbre. Dans un endroit comme ici, on peut être célèbre un jour, et pas célèbre le lendemain. C'est un moment difficile pour ta mère sur le plan émotif et nous devrons être prudents avec elle.

— Je serai solide comme un chêne pour la soutenir, promit Billy. Elle ne reconnaîtra pas son fils capricieux et me regardera étonnée.

— Tu ne bois peut-être pas comme ton père, Billy, mais tu sembles avoir hérité de son incapacité à faire croire aux gens qu'il prend jamais quelque chose au sérieux.

— Moyen de protection, dit Billy d'un ton léger, transmis de père en ils pour ᵐ ᵤquer l'âme tendre et palpitante qui se cache là-dessous.

— Fais-la voir de temps en temps, dit Rudolph, tu n'en mourras pas.

En entrant dans le hall de l'hôtel, Rudolph demanda s'il y avait des messages pour lui. Il n'y en avait pas.

Gretchen était dans un coin du hall, entourée de journalistes et de photographes. Le gros gibier n'était pas encore arrivé à Cannes et l'attaché de presse de *Comédie de la Restauration* en profitait au maximum. Rudolph vit que Gretchen parlait paisiblement, qu'elle souriait et était à l'aise.

Gretchen les aperçut et fit un geste pour qu'ils viennent la rejoindre, mais Billy secoua la tête. « Je sors, dit-il à Rudolph. Je vais faire un tour sur le port pour chercher notre petit ange égaré. Dis à ma mère que je l'aime, mais que j'avais une course à faire. »

Rudolph s'approcha de Gretchen et elle le présenta comme son frère et l'un des financiers du film. Elle ne demanda pas où Billy était parti. Durant un moment d'accalmie entre les questions, pendant lequel un photographe pria Gretchen de poser avec Rudolph, celui-ci lui demanda où était Donnelly.

« Devine », dit-elle, en levant des yeux souriants vers Rudolph pour la photo.

Rudolph alla au bar où il vit Donnelly affalé d'un air morose, un verre de whisky devant lui.

— Vous goûtez les joies du célèbre festival ? demanda Rudolph.

Donnelly se renfrogna.

— Je n'aurais pas dû venir, dit-il.

— Pourquoi ? demanda Rudolph étonné.

— Ce gosse, son fils, Billy. Il m'a regardé de travers à l'aéroport.

— Vous vous faites des idées.

— Pas du tout. J'ai peur qu'il ne rende à Gretchen la vie impossible à cause de moi. Qu'est-ce qu'il a ? il est jaloux ?

— Non, dit Rudolph. Peut-être se fait-il du souci parce que vous êtes tellement plus jeune qu'elle et il a peur qu'elle n'en souffre.

— Il vous a dit ça ?

— Non, admit Rudolph, il n'a rien dit.

— Elle m'a parlé de lui. — Donnelly vida le fond de son verre et fit signe qu'on lui en apportât un autre. — Ça a été un emmerdeur depuis qu'il est môme.

— Il m'a dit qu'il a tourné la page.

— Il ne tournait pas de page à l'aéroport, à Nice, je peux vous dire. Et où est l'autre môme, Wesley ? Selon Gretchen ils devaient arriver ensemble d'Espagne en voiture.

— Il est dans les parages, dit Rudolph vaguement.

— Quels parages ? exigea Donnelly. Il n'était pas dans les parages quand nous sommes arrivés et il aurait dû être là, bon sang, après tout ce que Gretchen a fait pour lui. — Il attaqua son second verre avec avidité. — Je vous parie un dollar contre un vieux sou que son fils y est pour quelque chose.

— Ne faites pas une névrose pour un regard à l'aéroport, dit Rudolph. Je vous garantis que tout se passera bien.

— Ça vaudrait mieux, si ce môme gâche ces deux semaines pour sa mère, je lui casserai les reins. Et vous pouvez le lui dire de ma part Vous pouvez aussi lui dire que j'ai demandé sa mère en mariage.

— Qu'a-t-elle répondu ?

— Elle a ri.

— Félicitations.

— Je suis tellement fou d'elle que je n'y vois plus clair. dit Donnelly d'un ton boudeur.

— Vous y verriez mieux... — Rudolph tapota le verre sur le bar d'un doigt léger — si vous vous passiez un peu de ça.

— Est-ce que vous aussi vous allez m'emmerder avec ça ?

— J'imagine que Gretchen a dû faire allusion à quelque chose de ce genre en passant.

— Oui. Je lui ai promis que si elle m'épouse je ne boirai plus que du vin.

— Qu'a-t-elle dit de ça ?

— Elle a ri.

Rudolph eut un petit rire.

— Amusez-vous à Cannes, dit-il.

— Oui, dit Donnelly. Mais seulement si Gretchen s'amuse. A propos, la veille de notre départ de New York, l'avocat a téléphoné pour dire qu'à son avis il y a de bonnes chances pour que nous puissions régler l'affaire du Connecticut avant la fin de l'année.

— Tout va bien pour nous, mon pote. Cessez donc d'avoir une mine si ténébreusement irlandaise.

— Le crépuscule celtique sur la Côte d'Azur, dit Donnelly, le visage illuminé par un sourire. Je vois des démons dans l'obscurité gauloise. Passez outre, mon ami.

Rudolph donna une petite tape réconfortante et amicale sur le bras de Donnelly et sortit du bar. Dans le hall il vit que la conférence de presse était terminée, bien que l'attaché de presse fût encore là en train de rassembler des papiers. L'attaché de presse était un Américain nommé Simpson qui travaillait à Paris pour diverses sociétés de films.

— Comment ça s'est passé ? lui demanda Rudolph.

— Très bien, dit l'homme. Elle sait se servir de son charme avec ces gars. Vous savez, j'ai vu le film en projection à Paris, et à mon avis nous tenons là un gagnant.

Rudolph hocha la tête, bien qu'il n'eût jamais entendu parler d'un attaché de presse qui dise avoir un perdant dès la première semaine de travail.

— J'aimerais que vous fassiez un effort particulier, dit-il, pour diffuser la photo de Wesley Jordan.

— Pas de problème, dit l'homme. Le bruit court déjà que c'est quelqu'un de spécial. Son physique ne fera pas de mal non plus.

— Il a disparu quelque part dans les environs, et je voudrais que les gens puissent le reconnaître pour que nous, nous puissions le repérer pour des articles avant la projection du film.

— Ce sera fait, dit l'attaché de presse. D'ailleurs, quelques éléments personnels me seraient utiles à moi aussi.

— Merci, dit Rudolph.

Il monta dans sa chambre. La valise était là où il l'avait laissée sur une chaise. Il fit jouer la serrure et l'ouvrit. Le pistolet automatique était toujours là. Quel affreux ustensile, se dit-il, en refermant la valise à clef. Il se surprenait en train de monter dans sa chambre pour vérifier la valise dix fois par jour.

Il entra dans la salle de bains pour avaler deux Miltown. Depuis son arrivée à Paris il était nerveux et avait contracté le premier tic de sa vie, un spasme dans la paupière droite qu'il s'efforçait de dissimuler quand il était avec quelqu'un en se frottant l'œil comme s'il y avait quelque chose dedans. Les Miltown le soulageaient chaque fois pour une heure ou deux.

Lorsqu'il regagna la chambre à coucher, le téléphone sonnait. Il décrocha et entendit une voix féminine.

— Monsieur Rudolph Jordache, s'il vous plaît ?

— C'est moi-même.

— Vous ne me connaissez pas, dit la femme. Je suis une amie de Wesley. Je m'appelle Alice Larkin.

— Ah oui, dit Rudolph. Wesley m'a parlé de vous. D'où appelez-vous ?

— New York, dit Alice. Est-ce que Wesley est avec vous ?

— Non.

— Savez-vous où je peux le joindre ?

— Pas pour le moment, malheureusement.

— Il devait m'appeler la semaine dernière, dit Alice. J'ai essayé de faire changer les dates de mes vacances pour pouvoir venir à Cannes quelques jours. Je crois que je pourrai y arriver. Je le saurai définitivement demain, et j'aimerais savoir s'il veut toujours que je vienne.

— A mon avis il vaudrait mieux que vous attendiez avant de prendre une décision, dit Rudolph. Pour être franc avec vous, Wesley a disparu. S'il se manifeste, je lui dirai de vous appeler.

— Il a des ennuis ? demanda Alice d'un ton inquiet.

— Pas que je sache. — Rudolph parla avec prudence. — Encore que ce soit difficile à dire. C'est un garçon imprévisible.

— C'est un euphémisme. — Il y avait maintenant de la colère dans sa voix. — En tout cas, si vous le voyez, dites-lui que je lui souhaite toutes sortes de succès.

— Je n'y manquerai pas.

Rudolph raccrocha d'un geste lent. Il espérait que les Miltown feraient bientôt de l'effet. Le fardeau de Wesley et de son obsession était en train de le miner. Peut-être, pensa-t-il, que le jour où je vais le trouver je lui donnerai ce maudit pistolet et je m'en laverai les mains. Il s'approcha de la fenêtre et regarda la mer, calme et bleue, et les promeneurs en bas sur la Croisette qui goûtaient le soleil, les drapeaux au-dessus de leurs têtes claquant gaiement dans la brise tiède. Momentanément, il envia chaque promeneur dans l'avenue en dessous, simplement parce qu'ils n'étaient pas lui.

*
* *

Billy regagna sa chambre à la tombée du jour. Il avait patrouillé le vieux port tout l'après-midi, scrutant les bateaux et entrant dans les bars et les restaurants. Wesley n'était sur aucun des bateaux ni dans aucun des bars ou des restaurants. Il appela la chambre de sa mère, mais la standardiste lui dit que celle-ci n'acceptait aucune communication. Probablement au plumard, se dit-il, avec le barbu. Mieux valait ne pas y penser.

Il se déshabilla et prit une douche. La journée avait été longue et chaude et il goûta avec délices le picotement de l'eau froide, oubliant tout, sauf le fourmillement agréable sur sa peau.

En sortant de la douche il entendit frapper à la porte de sa chambre. Il mit une serviette autour de ses reins et, tout en laissant les empreintes de ses pieds mouillés sur le tapis, il alla vers la porte et l'ouvrit. Souriante, Monika se tenait là, vêtue d'une des jolies robes de coton qu'il l'avait vue porter en Espagne.

— Seigneur, dit-il.

— Je vois que tu es habillé pour recevoir des invités. Puis-je entrer ?

Il regarda derrière elle dans le couloir pour voir si elle était seule.

— Ne t'en fais pas, dit-elle, c'est une visite amicale. Il n'y a personne avec moi. — Elle le frôla en passant et il ferma la porte. — Eh bien, dit-elle, en jetant un regard autour d'elle sur la grande chambre joliment meublée. On monte l'échelle sociale, j'ai l'impression. C'est beaucoup mieux que Bruxelles, hein ? Le capitalisme te sied, mon petit vieux.

— Comment m'as-tu trouvé ? demanda Billy, ignorant ce qu'elle venait de dire à propos de l'amélioration par rapport à Bruxelles.

— C'était facile, dit-elle. Cette fois-ci, tu as laissé une adresse.

— Il faudra que je me rappelle de ne plus jamais faire ça, dit-il. Qu'est-ce que tu veux ?

Il se sentit bête, se tenant là tout mouillé, avec la serviette drapée autour de son corps de façon précaire.

— Je voulais simplement te dire bonjour. — Elle s'assit et croisa les jambes puis leva vers lui des yeux souriants. — Est-ce que ça t'ennuie si je fume ?

— Que ferais-tu si je disais que ça m'ennuie ?

— Je fumerais.

Elle rit et sortit une cigarette de son sac, mais ne l'alluma pas.

— Je vais mettre quelque chose, dit-il. Je n'ai pas l'habitude de recevoir nu des femmes inconnues.

Il essaya de passer à côté d'elle pour aller vers la salle de bains, où étaient accrochés son pantalon et sa chemise. Elle laissa tomber sa cigarette et, tendant la main, retint son bras.

— Pas besoin. Je ne suis pas si inconnue que ça. De plus, moins tu es couvert, mieux tu es. — Elle lâcha son bras et lui entoura les jambes de ses bras et le tint ainsi. Elle pencha la tête en arrière et leva les yeux vers lui. — Embrasse-moi.

Il lutta contre la pression de ses bras, mais elle le tenait serré.

— Qu'est-ce que tu veux maintenant ? dit-il d'un ton brutal, bien qu'il ressentît les sensations familières au bas-ventre.

Elle gloussa.

— Comme d'habitude

— Ce n'était pas comme d'habitude, en Espagne, dit-il, en maudissant la soudaine érection qui se dessinait clairement sous la serviette.

— J'avais d'autres préoccupations en Espagne. Et je n'étais pas seule, rappelle-toi. Maintenant je suis seule et en vacances et c'est comme d'habitude. Je crois t'avoir dit un jour que les orgasmes sont rares dans la Nouvelle Gauche. Ça n'a pas changé. — D'un geste preste, elle glissa la main sous la serviette et la posa sur son pénis. Elle eut un autre petit rire. — Je vois que ça n'a pas changé non plus.

Elle le caressa avec douceur, d'une main experte et qui se souvenait.

— Oh, bon Dieu, dit-il, certain qu'il finirait par regretter ce qu'il disait, mettons-nous au lit.

— C'était mon idée, dit-elle. — Elle se leva et ils s'embrassèrent. — Tu m'as manqué, chuchota-t-elle. Couche-toi pendant que je me déshabille.

Il alla vers le grand lit et se coucha, la serviette toujours drapée autour de lui, et la regarda passer la jolie robe par-dessus sa tête. Elle ne portait pas de soutien-gorge et la vue des ravissants petits seins le fit souffrir de plaisir. Il ferma les yeux. Une dernière fois, se dit-il, pourquoi pas ? Sa mère faisait sans doute la même chose à l'étage au-dessus. Telle mère, tel fils. Une grande soirée pour la famille. Il entendit Monika venir pieds nus vers le lit, et le clic d'un interrupteur lorsqu'elle éteignit la lumière. Il jeta la serviette au loin. Elle tomba sur lui avec un gémissement sourd et il l'entoura de ses bras.

*
* *

Plus tard, dans la chaude obscurité, il était couché sur le dos, son bras sous la nuque de Monika, alors qu'elle se pelotonnait contre lui, la tête sur son épaule, une jambe jetée en travers de son corps.

— Ce qu'il y a de mieux, dit-il, de mieux, bon sang. Que tous ceux qui sont pour disent « oui ».

— Oui, dit Monika. Dorénavant, rappelle-toi de toujours laisser une adresse.

— Oui, dit-il, bien qu'il ne fût pas certain d'être sincère en le disant. — Il en avait trop vu avec elle et le seul endroit où il se sentait en sécurité en sa compagnie était le lit. — Quelle est ton adresse à toi actuellement ?

— Pourquoi as-tu besoin de le savoir ?

— Le hasard pourrait m'amener près de ton hôtel, dit-il, et je pourrais soudain être pris d'un besoin urgent et irrésistible.

— Je te verrai ici, dit-elle, quand *moi* je serai prise d'un besoin urgent et irrésistible. Je ne veux pas être vue avec toi. Tu me verras suffisamment souvent. Mais toujours dans cette chambre.

— Merde. — Il libéra son bras de dessous sa nuque et s'assit. — Pourquoi est-ce que ça doit toujours être toi qui donnes le signal ?

- Parce que c'est comme ça que j'aime opérer, dit-elle.

— Opérer. Je n'aime pas ce mot.

— Apprends à vivre avec, mon petit vieux.

Monika s'assit, elle aussi, et chercha le paquet de cigarettes qu'elle avait mis sur la table de chevet. Elle prit une cigarette et l'alluma. La petite flamme de son allumette lui éclaira le visage et les yeux.

— Je te croyais en vacances, dit-il.

— Les vacances ont une fin.

— Si tu ne me dis pas où je peux te joindre, c'est la fin tout de suite, dit Billy avec colère.

— Je te verrai ici, dit-elle en inhalant la fumée, à la même heure demain.

— Garce.

— Ton vocabulaire m'a toujours amusée. — Elle sortit du lit et commença à s'habiller, la lueur de sa cigarette étant la seule lumière dans la chambre obscure. — A propos, j'ai vu ton cousin sortir d'un hôtel cet après-midi. Tu sais, le garçon avec qui tu jouais au tennis.

— C'est vrai ? dit Billy. Qui t'a dit que c'était mon cousin ?

— Je l'ai vérifié dans le *Who's Who*.

— Drôle, comme toujours, hein ? Quel hôtel ?

Monika hésita.

— Il n'est pas ici avec toi ?

— Non. Quel hôtel ? Il faut que nous le trouvions.

— Qui ça, nous ?

— Qu'est-ce que ça peut te faire ?

Billy s'efforça de ne pas élever la voix

— On ne peut jamais savoir ce que ça peut me faire. Qui ça, nous ?

— Laisse tomber.

— En fait, dit Monika je ne me souviens pas du nom de l'hôtel.

— Tu mens.

Elle rit.

— Peut-être. Mais il y a des chances pour que, si tu es là demain soir bien sagement, je m'en souvienne.

— Tu lui as parlé ?

— Non. Je m'intéresse à un autre membre de la famille.

— Bon sang, dit Billy, tu sais rendre le plumard compliqué.

— Le plumard ? Il fut un temps où tu employais le mot « amour ».

— Il fut un temps, dit Billy d'un ton lugubre

— Comme tu veux, mon petit vieux, dit Monika d'un ton léger. Pour l'instant, un dernier compliment — tu es mieux au lit que sur un court de tennis.

— Merci

— De rien. — Elle jeta sa cigarette s'approcha du lit, se pencha et déposa un baiser rapide sur sa queue. — Bonne nuit, mon petit vieux, dit-elle, je dois partir maintenant.

Alors que la porte se refermait derrière elle, Billy se recoucha sur les oreillers, les yeux fixés sur le plafond noir. Encore un problème. Il devait décider s'il fallait ou non dire à Rudolph qu'on avait vu Wesley sortir d'un hôtel à Cannes ce jour-là, mais qu'il ne connaissait pas le nom de l'hôtel, et qu'il risquait de l'apprendre demain. Mais alors il lui faudrait expliquer comment il l'avait su et pourquoi il lui fallait attendre jusqu'à demain. Et il ne pouvait rien expliquer sans au moins mentionner Monika. Et alors il serait obligé d'expliquer le minimum, au moins, sur Monika. Il secoua la tête avec irritation contre l'oreiller

Rudolph était suffisamment préoccupé sans avoir à s'inquiéter au sujet de Monika.

Le téléphone sonna. C'était Rudolph qui lui dit qu'ils se retrouveraient tous au bar en bas dans une demi-heure avant d'aller dîner. Après avoir raccroché, Billy prit une autre douche. Il ne voulait pas aller dîner en puant comme s'il avait participé à une orgie. Il se demanda si sa mère prenait elle aussi une douche, au même moment, à l'étage au-dessus.

CHAPITRE X

« Non, DISAIT GRETCHEN. JE ne veux pas de fête après la projection. Je suis épuisée, et la seule chose dont j'aie envie c'est de m'écrouler dans mon lit et dormir pendant quarante-huit heures. » Elle était dans le salon de sa petite suite avec Donnelly et Rudolph. Rudolph avait suggéré qu'après la soirée de *Comédie de la Restauration* ils célèbrent l'événement par un dîner de gala, auquel ils inviteraient les jurés du festival et certains representants des principales sociétés de distribution ainsi que plusieurs des journalistes avec qui Gretchen et Rudolph s'étaient liés d'amitié ces derniers jours. Gretchen se montrait de plus en plus tendue à mesure que la date approchait. Une fête pourrait l'aider à se décontracter.

— S'il y avait d'autres personnes que nous trois ici, dit Gretchen, peut-être qu'une fête s'imposerait. Mais je ne veux pas être la seule à recevoir la gloire s'il y en a, ni la seule à voir les mines longues de tous ces gens si le film est un four. Si Frances Miller et Wesley étaient ici, je dirais oui, mais cette petite garce n'a pas voulu se donner la peine de venir, vous ne pouvez pas me trouver Wesley et de toute façon je suis trop vieille pour les fêtes...

— Bon, dit Rudolph, pas de fête. On fera une gentille petite partie à quatre pour souper — nous trois et Billy — nous nous féliciterons entre nous. — Il regarda sa montre. — Il se fait tard, je te conseille de te coucher et d'essayer de dormir.

Il embrassa Gretchen en lui souhaitant bonne nuit et s'en alla vers la porte.

— Je m'en vais avec vous, dit Donnelly, moi aussi j'ai besoin de dormir. Sauf si tu veux que je reste, Gretchen...

— Non, merci, dit Gretchen. A demain matin.

Dans le couloir, en allant vers l'ascenseur, Donnelly dit :

— Il faut que je vous parle à son sujet, Rudy. Elle s'en fait trop. Elle ne peut pas dormir et elle se gave de comprimés et elle a des crises de larmes incontrôlables quand elle est seule avec moi et je ne sais pas comment l'arrêter.

— Si seulement j'étais une femme, dit Rudolph. J'aimerais pouvoir fondre en larmes moi aussi.

— Je croyais que vous étiez tranquille pour le film.

Donnelly parut surprise.

— C'est vrai, dit Rudolph. Ce n'est pas ça. Ça n'a rien à voir avec le film

— Quoi alors ?

— Une autre fois, dit Rudolph.

— Est-ce que je peux vous aider ?

— Oui, prenez soin de Gretchen.

— Ce serait peut-être une bonne idée, dit Donnelly, si, après la projection, je partais en voiture avec elle pour l'emmener faire un peu de tourisme — pour la sortir de ce cirque pendant quelques jours.

— Je serais pour, si vous pouviez la convaincre.

— J'essaierai demain matin.

— Merci, dit Rudolph, au moment où la porte de l'ascenseur s'ouvrit. Bonne nuit, David, dormez bien.

Donnelly fit demi-tour dans le couloir et s'arrêta devant la porte menant au salon de Gretchen. Aucun bruit ne venait de la pièce. Donnelly tendit la main pour frapper à la porte, puis se ravisa. Cette nuit, se dit-il, il vaut probablement mieux qu'elle dorme seule. Il retourna vers l'ascenseur et descendit au rez-de-chaussée où il entra au bar à grands pas. Il hésita lorsque le barman lui demanda ce qu'il désirait. Il commanda un whisky-soda. Le vin pouvait attendre un autre jour.

Le téléphone sonnait lorsque Rudolph ouvrit la porte de sa chambre. Il se précipita pour décrocher et dire « allô ». « Monsieur Jordache ?... » C'était une voix d'homme.

— Oui. ·

— L'avocat d'Antibes, dit l'homme en français, m'a dit que vous voulez me parler...

— Parlez-vous anglais ? dit Rudolph.

S'il s'agissait de l'homme auquel il pensait, il lui fallait comprendre chacun de ses mots. Il pourrait peut-être de justesse arranger un meurtre en anglais, mais jamais avec son français d'écolier.

— Un peu, dit l'homme. — Il avait une voix basse et rauque. — L'avocat d'Antibes a dit que nous pourrions peut-être traiter une petite affaire ensemble...

— Quand pouvons-nous nous rencontrer ?

— Maintenant, dit l'homme.

— Où ?

— A la gare. Je suis au buffet près du bar.

— Dix minutes, dit Rudolph. Comment est-ce que je vous reconnaîtrai ?

— Je suis habillé comme suit : pantalon bleu, veste marron ; je suis petit, avec un gros ventre.

— Bon, dit Rudolph, dix minutes.

Il raccrocha. Pantalon bleu, veste marron, gros ventre. Enfin, il ne choisissait pas cet homme pour sa beauté ni pour son goût vestimentaire. Il ouvrit la valise, regarda à l'intérieur. L'automatique était toujours là. Il ferma la valise à clef et sortit.

Au rez-de-chaussée, il entra dans le bureau du caissier derrière la réception et fit ouvrir son coffre-fort. Il avait fait virer dix mille dollars par sa banque à New York et les avait convertis en francs. Quoi qu'il arrivât, bon ou mauvais, cela allait coûter de l'argent, il le savait. Il considéra les paquets de billets bien nets, réfléchit un moment, puis retira cinq mille francs. Il remit les autres paquets dans le coffre et le ferma à clef. Puis il sortit de l'hôtel et monta dans un taxi. « La gare », dit-il. Il s'efforça de ne penser à rien durant le court trajet. Il sortit maladroitement quelques billets de dix francs de sa poche et sa main tremblait lorsqu'il prit la monnaie et donna un pourboire au conducteur.

Il vit le petit homme gros et brun en pantalon bleu et veste marron debout au bar, un verre de pastis devant lui. « Bonsoir, monsieur », dit-il en s'approchant de lui.

L'homme se retourna et le dévisagea d'un air grave. Il était brun avec un visage gras et des petits yeux noirs et enfoncés. Ses lèvres étaient épaisses et humides. Un incongru chapeau de golf en coton bleu pâle, trop petit, était posé en arrière de son front bombé et ridé. Ce n'était pas un visage attirant, ni un visage auquel, dans d'autres circonstances, Rudolph aurait été enclin à faire confiance.

— Nous pourrions peut-être sortir pour faire une promenade, dit l'homme avec un fort accent provençal. Cette lumière fait mal aux yeux.

Ils sortirent ensemble et s'éloignèrent de la gare par une rue étroite, obscure et déserte. Elle aurait pu se trouver à mille kilomètres du branle-bas de la foule joyeuse du festival.

— J'écoute vos propositions, dit l'homme.

— Connaissez-vous un voyou du nom de Danovic ? demanda Rudolph. Un Yougoslave, un demi-sel.

L'homme fit dix pas en silence. Puis il secoua la tête.

— Peut-être sous un autre nom. Où pensez-vous qu'il est ?

— Cannes, probablement, dit Rudolph. La dernière fois qu'on l'a vu c'était dans une boîte de nuit ici — la Porte Rose.

L'homme hocha la tête.

— Endroit mal famé. Très mal famé.

— Oui.

— Si je le trouve, qu'est-ce qui se passe ?

— Vous recevrez une certaine somme en francs si vous vous en occupez.

— Si je m'en occupe ? demanda l'homme.

— *Tuez.*

Bon Dieu, pensa Rudolph, est-ce moi qui dis cela ?

— Compris, dit l'homme. Maintenant, parlons argent. Que voulez-vous dire par une certaine somme en francs ?

— Disons — cinquante mille, dit Rudolph. Environ dix mille dollars, si vous les voulez en dollars.

— Combien d'avance ? Maintenant, pour trouver l'homme ?

— J'ai cinq mille francs sur moi, dit Rudolph. Je peux vous les donner.

L'homme s'arrêta. Il tendit une main rondouillarde.

— Je prends l'argent maintenant.

313

Rudolph sortit son portefeuille et les billets. Il regarda l'homme pendant qu'il les comptait soigneusement à la faible lueur d'un lampadaire distant de dix mètres. Je me demande ce qu'il dirait, pensa Rudolph, si je lui demandais un reçu. Il faillit éclater de rire à cette pensée. Il avait affaire à un monde où la seule garantie était la vengeance.

L'homme enfonça les billets dans une poche intérieure de sa veste.

— Quand je le trouverai, dit-il, combien est-ce que j'aurai ?

— Avant ou après le... le travail ?

— Avant.

— Vingt mille, dit Rudolph. Ça ferait la moitié du total.

— D'accord, dit l'homme. Et après, comment est-ce que je serai sûr d'être payé ?

— C'est comme vous voulez.

L'homme réfléchit un instant.

— Lorsque je dirai que je l'ai trouvé, vous mettrez vingt-cinq mille entre les mains de l'avocat. L'avocat lira dans *Nice-Matin* qu'on s'en est... quel est le mot que vous avez employé ?

— Occupé, dit Rudolph.

— Occupé, dit l'homme. Et un ami à moi ira au cabinet de l'avocat pour chercher le reste de l'argent. On la tope ?

Par le passé, Rudolph avait serré des mains pour conclure des marchés très variés et on avait fêté ça. Il n'y aurait pas de fête après de marché-ci.

— Restez près du téléphone, dit l'homme.

Il se retourna et s'en fut d'un pas rapide en direction de la gare.

Rudolph inspira profondément et se mit lentement en route vers la Croisette et son hôtel. Il pensa aux deux hommes qui l'avaient agressé dans le hall de sa maison à New York et qui avaient été si furieux parce qu'un homme à l'air aussi prospère que lui n'avait que quelques dollars sur lui pour les dédommager pour le mal qu'ils s'étaient donné. Si quelqu'un l'attaquait ce soir dans les rues sombres de Cannes, on risquerait de le laisser pour mort après avoir fouillé ses poches. Il ne lui restait guère plus que le prix d'une course en taxi.

Billy fut réveillé par un coup frappé à sa porte. Tout endormi, il sortit du lit et, pieds nus et en pyjama, il alla vers la porte et l'ouvrit. Monika se tenait là, en train de fumer une cigarette, un imperméable posé sur les épaules comme une cape. Elle entra vite, il ferma la porte et alluma une lampe.

— Bonsoir, dit Billy. Je me demandais quand tu reparaîtrais.

Sa visite remontait à quatre jours.

— Je t'ai manqué ?

Elle jeta son manteau de côté et s'assit sur le lit défait, face à lui, en souriant.

— Je te le dirai plus tard, dit Billy. Quelle heure est-il ?

— Minuit et demi, dit Monika.

— Tu as de drôles d'heures de bureau

— Mieux vaut tard que jamais, tu ne trouves pas ?

— Je te dirai ça aussi plus tard. Le fait est que je préfère les après-midi.

— Comme tu es devenu européen.

— Et *toi*, que diable fais-tu de tes après-midi ?

D'un air innocent, Monika leva vers lui des yeux souriants.

— La curiosité est un vilain défaut, dit-elle.

Billy grogna.

— Je vois que c'est ton soir de clichés. Tu te souviens du nom de l'hôtel où tu as vu mon cousin ?

— Je me donne un mal fou, dit Monika. Par moments je l'ai presque sur le bout de la langue.

— Oh, mes couilles, dit Billy.

— Quel joli mot.

Elle jeta sa cigarette par terre et l'écrasa sur le tapis. Billy fit une grimace. Sa façon de s'habiller s'était considérablement améliorée, mais ses instincts de maîtresse de maison étaient toujours au même niveau qu'à Bruxelles. Elle se leva, s'approcha de lui et l'enlaça puis l'embrassa, en faisant glisser sa langue doucement à l'intérieur de sa bouche. Son érection fut immédiate. Il s'efforça de penser à autre chose, savoir s'il était temps de faire vidanger sa voiture, s'il voulait jouer au tennis le lendemain ou pas, s'il lui fallait faire repasser son smoking pour la soirée de *Comédie de la Restauration* le surlendemain, mais cela ne servit à rien.

— Allons au lit, murmura-t-il.

— Je me demandais combien de temps il te faudrait pour dire ça, gloussa-t-elle, sûre de son emprise sur lui.

Une heure plus tard, elle dit :

— Ce n'est pas mal, la nuit, non plus, hein ?

Il l'embrassa sur la gorge. Elle se libéra de ses bras en se tortillant, se glissa hors du lit et se leva.

— Je dois partir maintenant, dit-elle.

— Pourquoi diable ne peux-tu pas passer la nuit ici ? dit-il déçu. Au moins une fois.

— D'autres rendez vous. — Elle commença à s'habiller. Cela ne lui prit pas longtemps. Elle enfila son slip, simple et blanc comme celui d'une petite fille, le long de ses jolies jambes bronzées, et passa sa robe par-dessus la tête. Se sentant dépossédé, il la regarda mettre ses ballerines et se passer un peigne dans les cheveux devant la glace. — A propos, dit-elle, nous avons décidé de mettre nos dettes en recouvrement.

Un froid de glace s'empara de lui et il tira les couvertures sur lui.

— Que veux-tu dire par-là ? dit-il en s'efforçant de garder une voix calme.

— La dette de Paris, dit-elle, en se peignant toujours. Tu t'en souviens, j'imagine ?

Il ne dit rien et resta tout à fait immobile.

— Je vais te dire ce que tu vas faire, poursuivit-elle, en tirant avec son peigne sur ses cheveux emmêlés. Après-demain soir tu iras dans un bar qui s'appelle le Voile Vert dans la rue d'Antibes à dix-huit heures. Là, il y aura un homme qui t'attendra. Il aura avec lui deux revues, *l'Express* et *le Nouvel Observateur*. Il sera en train de lire *l'Express* et *l'Observateur* sera devant lui sur la table. Tu t'assoiras à sa table et tu commanderas un verre de vin. Il mettra la main sous la table et ramassera une caméra de seize millimètres.

— Seulement ce ne sera pas une caméra de seize millimètres, dit Billy d'une voix amère.

— Tu commences à apprendre.

— Pour l'amour de Dieu, veux-tu cesser de te peigner ? dit Billy.

— Tu prendras la caméra, et quand tu entreras dans le Palais du Festival ce soir-là, tu l'ouvriras, tu sortiras ce que tu trouveras à l'intérieur et tu cacheras ça dans un endroit discret. Ce sera réglé pour exploser à neuf heures quarante-cinq.

Monika posa enfin son peigne et fit bouffer ses cheveux avec les mains en tournant son corps afin de pouvoir se regarder de côté.

— Tu es folle, dit Billy, les couvertures toujours tirées jusqu'au menton. A neuf heures quarante-cinq on passe le film de ma mère.

— Exactement, dit Monika. Personne ne te soupçonnera. Il y aura des douzaines de photographes avec toutes sortes de caméras. Tu pourras circuler partout dans le bâtiment sans que personne te pose de questions. C'est pourquoi tu as été choisi pour le boulot. Ne t'en fais pas. Personne ne sera blessé.

— Tu veux dire que ce sera une gentille bombe amicale et inoffensive ?

— Tu devrais savoir maintenant qu'il ne faut pas être sarcastique avec moi. — Monika se détourna de la glace et lui fit face. — La police sera avertie à neuf heures et on dira qu'il y a une bombe quelque part dans le bâtiment. Ils évacueront les lieux en cinq minutes. Nous ne cherchons à tuer personne. Pour cette fois.

— Que cherchez-vous à faire, alors ?

Billy avait honte du tremblement de sa voix.

— Une démonstration, dit Monika d'un ton égal, une démonstration qui aura le maximum de publicité, avec des journalistes, des équipes de télévision partout et des célébrités internationales qui se bousculeront pour sortir de là. Si quelque chose représente mieux la pourriture de tout le système que cet énorme cirque écœurant, nous ne savons pas ce que c'est.

— Et si je dis non, je ne le ferai pas ?

— On s'occupera de toi, dit Monika d'une voix tranquille. Lorsque le travail nous aura satisfaits, je crois que je me souviendrai du nom de l'hôtel où se trouve ton cousin. En attendant, je compte sur *toi* pour te rappeler — le Voile Vert, les deux revues, dix-huit heures. Bonne nuit, mon petit vieux.

Elle ramassa son sac, jeta l'imperméable sur ses épaules et sortit.

* * *

Au moment où Billy monta les marches du Palais du Festival pour la matinée de *Comédie de la Restauration*, avec Gretchen, Donnelly et

Rudolph, il dit : « Je crois que j'aimerais être à l'orchestre avec les paysans. » Les autres avaient des places réservées au balcon. Il embrassa sa mère et chuchota « merde ».

— Quoi ? demanda Gretchen étonnée.

— C'est ce qu'on dit en France dans le métier pour souhaiter bonne chance, dit-il.

Gretchen sourit et l'embrassa encore rapidement.

— J'espère que le film te plaira, dit-elle.

— Moi aussi, dit-il d'une voix grave.

Il montra son billet à l'employé près de la porte et entra dans la salle. Il y avait déjà beaucoup de monde, bien que le film ne dût commencer que dix minutes plus tard. Un endroit discret, pensa-t-il, un endroit discret. Tous les endroits qu'il voyait lui semblaient très peu discrets. Il alla aux toilettes. Pour l'instant il n'y avait personne. Il y avait une corbeille pour les serviettes en papier. S'il pouvait avoir trente secondes tout seul, il pourrait ouvrir la caméra, en sortir la bombe et la cacher. S'il pouvait trouver le moyen d'être seul pendant trente secondes.

La porte s'ouvrit et un homme en chemise fleurie entra et se dirigea vers les urinoirs. Ostensiblement, Billy se lava les mains, tira une serviette en papier et se sécha. Puis il sortit et trouva une place à l'avant de la salle, où il restait encore quelques sièges vides. Vu l'état dans lequel il se trouvait, il ne savait pas s'il serait capable de rester assis jusqu'à la fin du film, ce qui était une raison de plus pour ne pas s'asseoir à côté de sa mère durant la projection. Mais lorsque le film commença, il fut pris aussitôt et rit même, avec le reste du public, aux scènes drôles. Et il était étonné par le jeu de Wesley. C'était bien Wesley, mais un Wesley qui, en quelque sorte, avait mêlé au sien le caractère d'un autre, pour devenir un garçon caché et traqué, qui, à de rares moments émouvants, se révélait par petits bouts, par un regard, un mouvement de tête, une monosyllabe marmonnée, et était, tout au long, d'une beauté brutale tout en suggérant une douceur et une sensibilité vulnérables, même lorsque le scénario exigeait de lui de la violence et un comportement cynique.

Après le fondu final, les applaudissements furent nourris et bruyants, bien plus que pour tous les autres films dont Billy avait entendu parler depuis l'ouverture du festival. Puis les gens commencèrent à se retourner et à applaudir, et il vit qu'on applaudissait sa mère qui se tenait debout à la balustrade du balcon, avec un sourire tremblotant. Billy, lui-même au bord des larmes, applaudit comme les plus enthousiastes autour de lui. En sortant de la salle, ému par l'œuvre de sa mère, il se demanda ce qui pendant toutes ces années l'avait poussé à se conduire envers elle comme un tel salaud.

Dehors sur la Croisette, il vit un groupe de jeunes gens en train de demander des autographes à un homme qui lui tournait le dos. Qui que ce fût, il était presque caché par un grand garçon massif en blue-jean Curieux, Billy s'approcha du groupe. Puis il s'arrêta. L'homme qui donnait des autographes sur des programmes, des carnets et des bouts de papier était Wesley. Billy sourit largement. Le cabotin, pensa-t-il, j'aurais dû prévoir qu'il ne pourrait résister à l'envie de se voir Aussi

317

poliment que possible il se fraya un chemin à travers le petit attroupement entourant Wesley qui, penché, était en train de signer un carnet que lui tendait une fille de petite taille en jupe gitane.

— Monsieur Jordan, dit Billy en zozotant d'une voix aiguë et féminine, est-ce que vous pouvez signer mon programme? Je vous trouve tout simplement merveilleux.

Wesley leva les yeux du carnet.

— Va te faire foutre, Billy, dit-il, mais il avait un sourire content.

Billy saisit le bras de Wesley d'une main ferme.

— C'est tout pour l'instant, mesdames et messieurs, dit-il à voix haute. M. Jordan doit monter là-haut pour la conférence de presse. Venez avec moi, monsieur. — Il se mit en route, tenant toujours Wesley par le bras. Celui-ci résista pendant un moment, puis marcha à côté de lui. — Tu es exactement ce dont ma mère a besoin aujourd'hui, et tu ne peux pas la décevoir.

— Ouais, dit Wesley. Elle est vraiment merveilleuse, hein?

— Merveilleuse. Et tu vas le lui dire. Tu étais assez merveilleux toi aussi, tu sais.

— Pas trop mal, dit Wesley d'un ton suffisant, le sourire maintenant collé sur son visage en permanence.

Pendant qu'ils attendaient l'ascenseur pour monter à la salle de conférences, Billy demanda à voix basse :

— Tu as réussi à trouver le bonhomme?

Wesley secoua la tête.

— Tu ne crois pas qu'il serait temps de laisser tomber?

Là, Wesley ne sourit plus.

— Non, il n'est pas temps.

— Les vedettes de cinéma ne passent pas leur temps à assassiner les gens.

— Je ne suis pas une vedette de cinéma, dit Wesley d'un ton bref.

— Tout le monde à Cannes connaît maintenant ta tête. Tu ne seras plus seul assez longtemps pour pouvoir tuer une mouche sans témoins, pour ne rien dire d'un homme.

Puis il dut se taire parce que deux autres personnes se joignirent à eux pour attendre l'ascenseur.

Gretchen venait à peine de commencer à parler dans la salle de conférences, qui était envahie de journalistes et de cameramen, au moment où Billy et Wesley entrèrent. Elle les aperçut aussitôt et s'interrompit.

— Mesdames et messieurs, dit-elle, ne contrôlant pas entièrement sa voix, j'ai à l'instant une très agréable surprise. L'un des jeunes acteurs les plus prometteurs que j'aie jamais vus vient d'entrer dans la salle. Wesley, viens ici, s'il te plaît.

— Oh, zut, marmonna Wesley.

— Monte là-dessus, idiot.

Billy le poussa vers l'estrade où se tenait Gretchen. Lentement, Wesley fendit la foule et monta sur l'estrade. Gretchen l'embrassa et puis, s'adressant à la salle, dit :

— J'ai l'honneur de vous présenter Wesley Jordan.

On applaudit vigoureusement, des flashes éclatèrent de toute part et le sourire, devenu un peu vitreux, réapparut sur le visage de Wesley Billy se glissa hors de la salle. Il entendit les applaudissements qui se prolongeaient pendant qu'il se rendait d'un pas rapide vers les ascenseurs.

Dehors, il quitta la Croisette et entra dans un café où il commanda une bière, en but un peu, demanda un jeton de téléphone, puis descendit au sous-sol où se trouvait la cabine. Il chercha dans l'annuaire le commissariat de police, trouva le numéro et le composa sur le cadran. Une voix masculine dit « allô ».

— Ce soir à six heures dans un café qui s'appelle le Voile Vert, dans la rue d'Antibes, dit Billy en français, avec un fort accent méridional, qu'il n'avait utilisé jusque-là que pour amuser les gens dans des soirées, vous trouverez un homme assis à une table avec un exemplaire de *l'Express* à la main et un exemplaire du *Nouvel Observateur* devant lui sur la table...

— Un instant. — La voix du policier était excitée et il trébucha sur les mots. — Qui est à l'appareil ? Que voulez-vous ?

— Par terre sous la table, poursuivit Billy, vous trouverez une bombe.

— Une bombe ! s'écria l'homme. Que dites-vous ? Une bombe pour quoi faire ?

— Elle sera réglée pour exploser à neuf heures quarante-cinq ce soir, dit Billy. A six heures ce soir, le Voile Vert.

— Attendez une seconde, je dois..., cria le policier d'une voix plus forte.

Billy raccrocha, remonta au bar et finit sa bière.

Ils étaient dans le salon de Gretchen après la soirée du film, en train de boire du champagne, et Simpson, l'attaché de presse, disait : « On va tout rafler — meilleur film, meilleure actrice, meilleur second rôle. Je vous le garantis. » C'était un homme grand et décharné, au visage morose et marqué, qui gesticulait en parlant. « D'habitude, je suis enclin à voir les choses du mauvais côté, mais cette fois-ci... » Il secoua la tête d'un air émerveillé, comme si l'immensité du trésor qui lui était confié dépassait sa compréhension. « Je viens à Cannes depuis quinze ans et je vous dis que c'était un des publics les plus enthousiastes que j'aie jamais vus ici. Quant à vous, jeune homme — il se tourna vers Wesley, assis à côté de Billy sur un petit divan, vêtu d'un smoking trop serré et trop court pour lui que l'attaché de presse avait emprunté pour la soirée —, quant à vous, je parie ma boule gauche que vous rentrerez avec un prix. »

Wesley se contenta de rester assis, un verre de champagne à la main, avec son sourire vitreux permanent. Billy se leva et se servit un cinquième verre de champagne. Il avait assisté au début du film, un regard vide sur l'écran. Les images n'avaient aucun sens pour lui et le dialogue semblait jaillir des bouches des acteurs en syllabes dépourvues de sens. Il n'avait pas cessé de regarder sa montre jusqu'à neuf heures quarante-cinq il s'était alors enfoncé dans son fauteuil et avait fermé les yeux.

Gretchen était pâle, les traits tirés, et ne cessait d'enlever et de remettre nerveusement une bague à un de ses doigts. Le champagne que lui avait servi Billy était intact dans le verre sur la table basse à côté d'elle. Elle n'avait pas dit un mot de toute la soirée. De temps à autre Rudolph, qui était assis à côté d'elle sur le divan, tendait la main et lui tapotait le bras en un geste rassurant. Donnelly, qui était debout appuyé contre la cheminée, tirait sur sa barbe et paraissait irrité par les débordements de l'attaché de presse.

— Demain, dit Simpson, sera une journée chargée pour vous, Gretchen, et pour Wesley. Tout le monde, mais alors *tout le monde* voudra vous parler et vous photographier. Je vous donnerai l'emploi du temps à neuf heures demain matin et...

Rudolph et Donnelly échangèrent un regard et Rudolph se leva et interrompit Simpson.

— Si ça doit être une journée chargée, je pense que Gretchen a intérêt à se reposer. Nous devrions tous la laisser maintenant.

— Je pense que c'est une bonne idée, dit Donnelly.

— Bien sûr, dit Simpson, seulement, je suis tellement excité par ce que nous avons ici que...

— Nous comprenons, mon vieux, dit Rudolph. — Il se pencha et embrassa Gretchen. — Bonne nuit, ma sœur.

Elle lui adressa un pâle sourire. Alors qu'ils se préparaient tous à sortir, elle se leva, s'approcha de Donnelly et lui prit la main.

— David, dit-elle, pouvez-vous rester un moment ?

— Bien sûr, dit Donnelly.

Il dévisagea Billy d'un regard sévère. Billy s'efforça de sourire puis embrassa Gretchen sur la joue.

— Merci, maman, dit-il, pour cette merveilleuse journée.

Gretchen lui saisit brièvement le bras, puis éclata en sanglots.

— Excuse-moi. Seulement, c'est... enfin, c'est trop pour moi, tout ça. Ça ira mieux demain matin.

Wesley ouvrit la porte et était sur le point de sortir, lorsque Gretchen l'appela :

— Wesley, tu ne vas pas disparaître encore, j'espère ?

— Non, dit Wesley. Je suis deux étages plus bas, si tu as besoin de moi.

Rudolph avait essayé de le mettre dans la même chambre que Billy, mais celui-ci avait dit qu'il avait peur de dormir à côté de Wesley, on ne savait jamais ce que ce fou était capable de faire, même un soir comme celui-ci. Il n'avait pas dit à Rudolph ce qu'il craignait réellement et avec un peu de chance Rudolph ne le saurait jamais.

Lorsque la porte se referma derrière les quatre hommes et qu'ils prirent le couloir, Rudolph dit :

— Je n'ai pas sommeil. Moi aussi, j'ai une bouteille de champagne dans ma chambre. Voulez-vous m'aider à la boire ?

— J'ai des gens à voir pour demain, dit Simpson, mais allez-y, vous autres.

Il se tenait contre le fond de l'ascenseur, décharné et morose, condamné toute sa vie à louer les autres et jamais lui-même, levant une main éloquente en signe d'adieu à l'oncle et aux deux neveux qui allaient poursuivre au champagne la fête de ce soir, alors que lui, il préparerait le lendemain matin.

Pendant que Rudolph se débattait avec le bouchon de la bouteille de champagne, il remarqua que Wesley lorgnait la valise fermée à clef sur la chaise près de la fenêtre.

— Je parie, dit Wesley, au moment où le bouchon sautait et que Rudolph se mit à servir, je parie que c'est là-dedans.

— Qu'est-ce qui est là-dedans ? demanda Rudolph.

— Tu sais de quoi je parle, dit Wesley.

— Bois ton champagne.

Rudolph leva son verre. Wesley posa le sien d'un geste calculé et mit la main dans la poche de son smoking emprunté et en sortit un petit pistolet.

— Je n'en ai plus besoin, dit-il d'un ton égal. Gardez-le en souvenir.

— Toujours aussi fou, dit Billy.

— Je boirai à ça, dit Wesley.

Ils burent. Wesley remit le pistolet dans sa poche.

— Alors, dit Rudolph, tu étais assis là dans la salle toute la soirée à te regarder jouer et à faire des courbettes avec ce machin-là sur toi.

— Ouais, dit Wesley. On ne sait jamais quand la cible pourrait se présenter.

Rudolph arpenta la pièce, d'un air renfrogné.

— Wesley, dit-il, si je te disais que la question sera réglée sans que tu aies besoin de t'en mêler ?

— Qu'est-ce que ça veut dire, réglée ?

— Ça veut dire qu'en ce moment même, pendant que nous buvons du champagne dans cette chambre, un tueur professionnel est à la recherche du bonhomme.

— Je dirais que je ne tiens pas à ce que quelqu'un fasse le boulot à ma place — le ton de Wesley était froid — et je ne veux plus de cadeaux de toi ni de personne d'autre.

— J'ai l'intention de rester ici à Cannes jusqu'à la fin du festival, dit Rudolph. Ça ne fait que dix jours. Si rien n'a été fait d'ici là, je rentrerai et j'y renoncerai. Tout ce que je veux de toi est la promesse que tu ne feras rien d'ici là. Après, c'est ton affaire.

— Je ne promets rien, dit Wesley.

— Wesley..., dit Billy.

Wesley se retourna vivement vers lui.

— Toi, ne t'en mêle pas. Tu as déjà fait assez d'embrouilles.

— Calmez-vous, dit Rudolph. Tous les deux. Autre chose, Wesley. Ton amie Miss Larkin a téléphoné l'autre jour. Tu lui dois beaucoup, à elle aussi.

— Plus que tu ne sais, dit Wesley. Qu'est-ce qu'elle voulait ?

— Elle veut venir ici. Elle pense qu'elle pourra avoir un congé du magazine pour quinze jours. Elle attend que tu l'appelles.

Wesley finit son verre.

— Qu'elle attende.

— Elle a dit que tu savais qu'elle risquait de venir. Que tu voulais qu'elle vienne.

— J'avais pensé qu'à présent tout serait fini, dit Wesley. Eh bien, ce n'est pas fini. Je la verrai une autre fois.

— Et puis tant pis, dit Rudolph. Je ne vais pas jouer les Cupidon avec tout ce que j'ai en tête. Finissons la bouteille, je vais aller dormir.

— Que vas-tu faire maintenant ? demanda Billy à Wesley lorsqu'ils furent seuls devant l'hôtel.

— Patrouille de nuit, dit Wesley. Tu veux venir ?

— Non.

Wesley regarda Billy d'un air narquois.

— Que penses-tu de tout ça ? demanda-t-il.

— Je meurs de peur, dit Billy. Pour nous tous.

Wesley hocha la tête d'un air solennel.

— Je t'accompagne jusqu'au parking, dit Billy. J'ai oublié de remonter la capote de la voiture et on dirait qu'il va pleuvoir.

Wesley lui donna un coup de main pour remettre la capote et Billy remonta les fenêtres.

— Wesley, dit Billy, ce serait quand même une bonne idée si nous montions tous les deux à Paris en voiture, avec quelques escales pour jouer au tennis et faire quelques gueuletons. Tu pourrais demander à ton amie de te retrouver là-bas. Dix jours de plus, qu'est-ce que ça peut faire après tant de temps ?

— Je veux bien jouer au tennis avec toi, Billy. Ici. Bonne nuit, mon pote.

Billy regarda la haute silhouette en costume foncé s'éloigner à grands pas, une petite bosse à la poche. Il secoua la tête et rentra à l'hôtel. Dans sa chambre, il ferma sa porte à double tour.

Le lendemain matin il se réveilla de bonne heure et envoya chercher les journaux. Avec les publications du festival, le chasseur lui apporta *Nice-Matin*. En première page figurait la photo d'un homme dont le visage ne lui était pas inconn Sur la photo, l'homme portait des lunettes noires et il était encadré de deux policiers. C'était l'ami de Monika, de Düsseldorf, qui s'occupait d'aliments surgelés. Dans l'article qui accompagnait la photo, Billy lut qu'il avait été arrêté sur un enregistrement anonyme donné par téléphone, et qu'il avait été pris en possession d'une bombe cachée dans l'étui d'une caméra. L'homme qui avait donné le renseignement par téléphone, poursuivait l'article, parlait avec un fort accent méridional.

Billy sourit en lisant cela. Wesley n'était pas le seul acteur de la famille, se dit-il.

*
* *

Le lendemain matin ils jouèrent au tennis dans un club tranquille à Juan-les-Pins où ils allèrent dans la petite voiture décapotable ; Wesley, qui était en blue-jean, en chemise de coton délavée et en veste de tweed aux poignets élimés, ne ressemblait pas beaucoup à un acteur qui avait été acclamé dans la presse comme un homme qui avait une carrière passionnante devant lui. Billy avait touché avec aversion la petite bosse dans la poche et avait dit : « Tu ne peux pas laisser ce maudit objet chez toi même pour jouer au tennis ? Ça me flanque la trouille. J'ai l'impression que tu vas le sortir pour me tirer dessus si je gagne une fois de trop. »

Wesley avait souri gentiment en disant : « Là où je vais, il va aussi. » Et lorsqu'ils sortirent sur le court, il porta la veste par-dessus ses vêtements de tennis et, avant de commencer à jouer, il la plaça soigneusement sur un banc près du filet, où il pouvait la voir à tout moment.

Le premier jour, Wesley joua avec le même abandon incontrôlé, en tapant sur la balle comme un sourd, la plupart du temps dans le filet ou contre le fond du court. Au bout de deux heures, Billy dit :

— Ça suffit pour aujourd'hui. Si tu jouais comme ça au cinéma, on ne te laisserait même pas voir un film, même si tu payais ton entrée.

Wesley sourit largement.

— La bonne humeur de la jeunesse, dit-il, en mettant la veste de tweed par-dessus sa chemise trempée, je promets de me corriger.

— A partir de quand ?

— A partir de demain, promit Wesley.

Lorsqu'ils entrèrent prendre leur douche, Wesley insista pour que Billy restât dans la salle pour surveiller sa veste pendant qu'il se douchait, lui, le premier, bien qu'il n'y eût personne d'autre dans le vestiaire.

— J'ai fait des trucs idiots de mon temps, se plaignit Billy, mais c'est la première fois que je suis engagé comme surveillant de veste.

Il s'assit sur le banc en face des vestiaires pendant que Wesley se déshabillait ; les puissants muscles de son dos se détachaient nettement, les longues jambes étaient fortes, mais parfaitement proportionnées.

— Si j'étais bâti comme toi, dit Billy, je serais en finale à Wimbledon.

— On ne peut pas tout avoir. Toi tu es intelligent.

— Et toi ?

— Pas de quoi me vanter.

— Tu iras loin dans la profession que tu t'es choisie, dit Billy.

— Si je la choisis, dit Wesley en entrant dans la douche.

Un moment plus tard, Billy entendit la voix de Wesley qui, couvrant les bruits d'éclaboussures de l'eau, chantait, *Raindrops keep falling on my head...* Il avait une bonne voix juste et un talent pour phraser les paroles avec précision. Même ça, pensa Billy, avec tout ce qu'il a déjà. Une chose était certaine, si quelqu'un entrant dans le vestiaire le voyait et l'entendait, apparemment sans le moindre souci, il ne devinerait jamais qu'il portait un pistolet sur lui jour et nuit.

Alors qu'ils se dirigeaient vers l'endroit où était garée la voiture derrière le club à l'ombre des arbres, Billy dit : « Si tu pisses sur tout ça, ma mère ne te le pardonnera jamais. Moi non plus. »

Wesley ne dit rien et se borna à se laisser tomber dans le siège-baquet, en sifflant une mélodie de son film.

Le lendemain Wesley tint sa promesse et joua plus calmement. Il semblait brusquement avoir acquis la compréhension de la tactique du jeu et alternait ses balles, en calculant ses chances et en ne cherchant pas à tuer chaque balle. Au bout de deux heures, Billy était épuisé, bien qu'il eût gagné les quatre jeux. Wesley n'était même pas essoufflé, pourtant il avait couru deux fois plus que Billy. Et une fois de plus il obligea Billy à surveiller sa veste pendant qu'il prenait sa douche.

Le troisième jour ils ne purent jouer qu'une heure parce que Billy avait promis de rentrer tôt pour que Donnelly et Gretchen puissent se servir de la voiture pour aller à Mougins déjeuner tranquillement. Depuis la projection du film, Gretchen n'avait pas pu avoir un quart d'heure de paix à Cannes, et la tension commençait à laisser des traces.

Il fallut l'heure entière pour jouer un seul jeu et Billy dut se battre pour chaque point, même en gagnant six-trois.

— Oh là là, dit-il, alors qu'ils allaient vers les vestiaires. Je commence à regretter de t'avoir demandé de te calmer. Tu finiras par m'épuiser, si tu continues comme ça.

— Jeu d'enfant, dit Wesley d'un ton suffisant.

Ils étaient en train de se rhabiller après leur douche lorsqu'ils entendirent l'explosion dehors.

— Qu'est-ce que c'était donc ? demanda Billy.

Wesley haussa les épaules.

— Peut-être une conduite de gaz.

— Ce n'était pas une conduite de gaz, dit Billy.

Il se sentit chanceler et dut s'asseoir un moment. Il était assis là sans chemise lorsque le directeur du club se précipita dans les vestiaires.

— Monsieur Abbott, dit-il, en bredouillant d'une voix aiguë et affolée, vous feriez mieux de venir vite. C'était votre voiture... c'est horrible.

— J'arrive tout de suite, dit Billy, sans toutefois bouger pendant un instant. — Au loin, on entendait une sirène de police qui approchait. Billy enfila sa chemise et, lentement et méticuleusement, commença à la boutonner, pendant que Wesley se précipitait pour mettre son jean.
— Wesley, dit Billy, ne sors pas.

— Comment, ne sors pas ?

— Tu m'as entendu. La police sera là dans quelques secondes. — Billy parlait d'un ton précipité, en crachant les mots. — Tu seras dans tous les journaux. Reste ici. Et cache ce maudit pistolet. Dans un endroit discret. Et si on te pose des questions, tu ne sais rien.

— Mais je ne sais rien..., dit Wesley.

— Bon, dit Billy. Restons-en là. Maintenant je dois sortir pour voir ce qui s'est passé.

Il finit de boutonner sa chemise et, sans se presser, quitta les vestiaires.

Des gens des immeubles voisins avaient commencé à affluer vers les arbres derrière le club où la voiture était garée. Une petite voiture de police, sirène hurlante, entra à toute allure par les grilles d'accès du club et, dans un crissement de freins, s'arrêta dans l'allée. Deux policiers descendirent et coururent vers la voiture. En approchant, Billy vit qu'elle était déchiquetée, que les roues avant avaient été arrachées par l'explosion et que le capot se trouvait à quelques mètres de la carrosserie. La vue qu'avait Billy du spectacle était obstruée par les gens qui se trouvaient autour, mais il pouvait voir et entendre une femme qui gesticulait comme une folle et criait aux policiers qu'en passant devant les grilles elle avait vu un homme penché sur l'avant de la voiture, capot ouvert, et puis, quelques secondes plus tard, après avoir dépassé les grilles, elle avait entendu l'explosion.

Dans le brouhaha strident des conversations excitées, Billy entendit un des policiers demander au directeur du club de tennis qui était le propriétaire du véhicule, et le directeur qui répondait et se retournait pour indiquer Billy du doigt. Billy se fraya un chemin au milieu de la foule et ce ne fut qu'alors qu'il vit le corps mutilé et ensanglanté d'un homme étendu face contre terre près de ce qui avait été le radiateur de la Peugeot.

« Messieurs, dit Billy, c'est ma voiture. » Si le directeur, qui savait qu'il parlait français, n'avait pas été là, il aurait fait semblant de ne parler qu'anglais.

Lorsque les deux policiers commencèrent à retourner le cadavre, Billy détourna la tête. La foule recula horrifiée et il y eut un cri de femme.

— Monsieur, dit l'un des policiers à Billy, reconnaissez-vous cet homme ?

— Je préfère ne pas regarder, dit Billy, la tête toujours détournée.

— Je vous en prie, monsieur, dit le policier. — Il était jeune et pâle de frayeur et d'horreur. — Vous devez nous dire si vous connaissez cet homme. Si vous ne regardez pas maintenant, vous serez forcé de venir à la morgue plus tard et de regarder à ce moment-là.

Le second policier était agenouillé près du cadavre et explorait ce qui restait de ses poches. Le policier secoua la tête et se leva.

— Pas de papiers, dit-il.

— Je vous en prie, monsieur, implora le jeune policier.

Enfin, tournant la tête lentement, conscient d'abord des visages horrifiés des spectateurs, des sommets des arbres, du bleu du ciel, Billy se força à baisser les yeux. Il y avait un trou rouge béant là où avait été la poitrine et le visage était lacéré et un rictus tordu avait dénudé des dents cassées entre des lèvres calcinées, mais Billy reconnut néanmoins le visage. C'était l'homme qu'il avait connu à Bruxelles sous le nom de Georges. Billy secoua la tête.

— Je regrette, messieurs, dit-il, je n'ai jamais vu cet homme auparavant.

VOLUME QUATRE

BILLY ETAIT ASSIS A SON
bureau dans la salle de rédaction presque déserte, les yeux fixés sur sa machine à écrire. Il était tard le soir, il avait fini son travail de la journée et il était libre de rentrer chez lui. Mais chez lui, c'était un vilain petit studio d'une seule pièce près de l'université et il n'y avait personne qui l'attendait. Il l'avait voulu ainsi. Depuis Juan-les-Pins, il avait fui toute compagnie.

Sur le bureau, il y avait une épaisse lettre de l'oncle Rudolph, de Cannes. Elle était là depuis trois jours, sans avoir été ouverte. Son oncle écrivait trop de lettres, avec de séduisantes descriptions de la vie passionnante et bien rémunérée pour les jeunes gens intelligents à Washington, où Rudolph passait maintenant le plus clair de son temps, en y faisant un travail bénévole mais apparemment très important pour le Parti démocrate. Du moins, son nom avait commencé à paraître dans les articles des journaux de Washington, parfois associé à celui d'Helen Morison et à celui du sénateur du Connecticut qu'il accompagnait dans ses missions en Europe.

Billy allait prendre la lettre de son oncle lorsque le téléphone sonna sur sa table. Il décrocha et dit : « Abbott à l'appareil. — Billy, ici Rhoda Flynn. » C'était une voix de femme, accompagnée d'un bruit de fond de musique et de conversations.

« Bonjour, Rhoda », dit-il. Elle était reporter novice au journal, une jolie fille qui marchait mieux que lui, qui écrivait déjà sous son nom et essayait de flirter avec lui chaque fois qu'ils se rencontraient au bureau.

— Il y a une petite soirée chez moi, dit la fille, et on manque d'hommes. J'avais pensé que si tu ne faisais rien...

— Désolé, Rhoda, dit Billy. Je n'ai pas fini mon travail. Une autre fois, peut-être.

— Une autre fois. — Elle avait l'air déçue. — Ne travaille pas trop. Je sais ce qu'on te paie et tu ne devrais pas les gâter.

— Merci pour le conseil, dit-il. Mais aucun signe visible n'indique qu'ils ont l'impression que je les gâte. Amusez-vous.

Après avoir raccroché, il fixa sa machine à écrire ; seul le cliquetis d'un télex au loin rompait le silence, et les bruits de gaieté et de camaraderie qu'il avait entendus au téléphone retentissaient encore à ses oreilles. Il aurait aimé se rendre à la soirée, parler librement à une jolie fille, mais ce qu'il avait vraiment envie de dire, il ne pouvait pas le dire.

Que diable, si je ne peux parler à personne d'autre, je peux toujours me parler à moi-même. Il mit une feuille de papier dans la machine à écrire et commença à taper.

Ceci est pour le carnet 1972. Pour diverses raisons je l'ai négligé depuis l'Espagne ; je suis seul et anonyme, et j'ai peur dans la ville de Chicago ; je crois que certaines choses doivent être dites par un homme de ma génération ayant la curieuse carrière qui est la mienne, des choses qui pourraient être lues avec intérêt dans l'avenir par d'autres jeunes hommes. Comme disait le colonel à Bruxelles : « Nous sommes en première ligne de la civilisation », ce qui, si c'était vrai de Bruxelles, doit être vrai également de Chicago. Des messages émanant d'une position si importante doivent être laissés là où des survivants éventuels risqueront de les trouver.

Il fit une pause, relut ce qu'il avait écrit, se rappela qu'il avait entendu dire que le colonel n'avait pas eu d'étoile et s'était retiré en Arizona, où il pouvait désormais jouer au tennis toute l'année. Puis il se remit à taper, très vite.

Je deviens névrosé. Ou peut-être pas. Je crois tout le temps que je suis suivi. Je crois voir des hommes et des femmes que je n'ai jamais vus auparavant me dévisager avec attention dans les restaurants, j'ai pris l'habitude de me retourner inopinément en marchant dans la rue, j'ai déménagé quatre fois en six mois. Jusqu'à présent, je n'ai pris personne en flagrant délit. Peut-être que mon cerveau est prescient et me prévient contre l'avenir. Peut-être que le temps est un cercle et non pas une spirale et qu'il y a quelqu'un sur le cercle, venant en sens inverse. La névrose de William Abbott Junior, méconnue jusqu'ici par la science.

Si je suis tué ou si je meurs d'une façon étrange, la personne qui en sera responsable est une femme qui s'appelait Monika Wolner quand elle travaillait à l'O.T.A.N. comme interprète pendant que j'étais dans l'armée à Bruxelles, et Monika Hitzman quand je l'ai revue plus tard au club El Faro près de Malaga en Espagne. Elle était, et je suppose qu'elle est toujours, membre d'une organisation terroriste alors active — et probablement encore active — partout en Europe, avec, peut-être, des liens avec des organisations semblables en Amérique.

L'homme qu'on a trouvé mort après s'être fait sauter accidentellement au moment où il plaçait une bombe dans ma voiture à Juan-les-Pins en France, était un homme que je ne connaissais que sous le nom de Georges et qui était le chef de la cellule à laquelle appartenait Monika Wolner-Hitzman. Il était expert en armes légères et, jusqu'à l'accident qui causa sa mort, était comme expert en fabrication d'explosifs.

J'écris ceci dans la salle de rédaction du *Chicago Tribune*, où je suis employé depuis six mois grâce à l'amitié de mon père avec l'un des rédacteurs. Mon père saura où trouver cet assez long carnet. Avec

quelques livres, papiers, vieux vêtements et bricoles variées que j'ai
accumulés au cours de mes voyages, je conserve mon carnet dans une
cantine au sous-sol de son immeuble, puisqu'il n'y a pas de place dans
ma minuscule chambre. Il sait que dans la cantine j'ai mis des choses
que j'ai écrites, mais il n'en a rien lu. Je lui ai fait croire qu'il s'agit des
ébauches du roman qu'il m'encourage sans cesse à écrire.

Depuis que j'ai quitté Cannes, où j'ai subi un interrogatoire très serré
de la part de la police française qui, à juste titre, soupçonna un lien
quelconque entre l'homme que je connaissais sous le nom de Georges et
moi-même, mais qui n'a rien pu prouver, je n'ai vu aucun membre de
ma famille, plus par peur de ce qui pourrait leur arriver en ma
compagnie que par manque d'affection. L'idée qu'à peine vingt minutes après l'explosion de la bombe je devais prêter la voiture à ma mère
et à son ami pour déjeuner en amoureux me hante, bien que ceci soit la
première fois que je puisse écrire sur ce qui s'est passé sur la Côte
d'Azur.

Une fois de plus il cessa de taper à la machine et se souvint des
heures passées avec les deux détectives qui l'avaient interrogé, poliment et avec sympathie d'abord, puis brutalement et avec une hostilité
non déguisée. Ils avaient menacé de l'arrêter, mais il savait qu'ils
bluffaient et avait tenu bon, en répétant constamment : « Je ne peux
que répéter, en réponse à vos questions, que je ne suis venu à Cannes
que pour voir le film de ma mère, que je n'ai jamais vu cet homme
auparavant et qu'à ma connaissance je n'ai pas d'ennemis. Je ne peux
que supposer que l'homme a fait une tragique erreur. »

Finalement ils avaient laissé tomber et l'avaient relâché, avec un
dernier avertissement disant que le dossier n'était pas classé et qu'il
existait un accord d'extradition entre la France et les Etats-Unis.

Rudolph l'avait regardé d'un œil bizarre, mais c'était à prévoir après
le pistolet et le silencieux.

« Tu as de la chance, avait dit Rudolph le lendemain à l'aéroport peu
avant son embarquement sur l'avion de New York. Veille à ce que ça
dure. — Ne crains rien », avait-il répondu.

Wesley, qui était avec eux et avait perdu son sourire, lui avait serré la
main gravement, mais sans un mot.

Gretchen n'avait pas pu venir. Lorsqu'elle avait appris la nouvelle de
l'explosion — il n'y avait pas eu moyen de la lui cacher — elle s'était
effondrée et s'était alitée. Le médecin qu'ils avaient fait venir avait
diagnostiqué une forte fièvre, bien qu'il n'eût pu identifier sa maladie.
Il lui avait ordonné de garder le lit pendant au moins cinq jours.

Lorsque Billy était monté dans sa chambre pour lui dire au revoir, il
avait été frappé par son aspect. Son visage était d'un blanc bleuâtre,
elle avait l'air d'avoir rétréci en l'espace de quelques heures et sa voix
était presque inaudible lorsqu'elle avait supplié : « Billy, je t'en prie —
pour moi — sois prudent. — Oui », avait-il dit, et il s'était penché pour
embrasser le front brûlant alors qu'elle était couchée, appuyée sur des
oreillers.

Billy secoua la tête devant le flot de souvenirs et se remit à taper.

Si j'avais pu dire toute la vérité aux flics, ils m'auraient peut-être donné la Légion d'honneur. Après tout, j'avais contribué à désintégrer ou du moins à décimer une bande d'assassins qui terrorisait toute l'Europe. Bien sûr, je l'ai fait par hasard, mais les hasards comptent aussi, peut-être plus que n'importe quoi. Toute l'histoire de la famille est faite de hasards, bons ou mauvais. Peut-être est-ce le cas de toutes les familles. Bien que j'aie l'air d'éviter toute rencontre avec les membres de ma famille, ils m'écrivent souvent et me tiennent au courant de leurs affaires. Je leur réponds par des lettres gaies et bavardes, en faisant croire que mon père est sobre la plupart du temps et que j'ai un succès fou au journal. Etant donné que je couvre la préfecture de police et les petits délits dans les tribunaux locaux, ce n'est guère le cas. Tout en ne faisant pas croire à mon père que le roman que je suis supposé préparer sera un nouveau *Guerre et Paix* ni même le Grand Roman Américain, je lui confie qu'à mon avis il est en train de prendre une forme qui me satisfait.

Mon oncle Rudolph, qui est le ciment, le sauveur, la conscience et l'ange gardien de la famille, bien que, dans sa recherche perpétuelle de bonnes actions à accomplir, il fasse maintenant la navette entre Long Island, le Connecticut, Washington et les capitales d'Europe, trouve le temps d'envoyer de longues lettres d'admonitions et de conseils, que personne d'entre nous ne suit. Il est le plus fervent des correspondants et c'est par lui que j'apprends les diverses activités de lui-même, de ma mère, devenue Mrs Donnelly, et de mon cousin Wesley, qui est resté à Cannes après avoir trouvé à s'embarquer comme matelot sur un yacht. Oncle Rudolph trouve le temps d'aller voir Wesley à Cannes à cause d'une affaire que...

Il s'arrêta de taper, se leva et fit le tour du bureau. Puis il se rassit, fixa la feuille de papier sur la machine et se remit à écrire, plus lentement.

Même maintenant, je pense qu'il serait plus sage de ne pas évoquer l'obsession de Wesley. Nous tous, ma mère, mon oncle et moi, avons essayé d'éloigner Wesley de la Côte d'Azur. Aucun de nous n'a de souvenirs heureux de cet endroit, c'est le moins qu'on puisse dire. Même le festival s'est révélé décevant. Contrairement à ce qu'avait prédit l'attaché de presse, personne ne se vit attribuer quoi que ce soit par le jury et, heureusement pour Mr Simpson, personne n'a relevé son pari de donner sa boule gauche si Wesley ne rentrait pas avec un prix. Selon ma mère, qui est sur le point de tourner son second film, Wesley a refusé son offre d'un rôle, avec un très gros cachet, aussi bien que des rôles importants pour d'autres sociétés. En ce moment, Wesley est sans doute le matelot potentiellement le plus riche de la Méditerranée. Dans sa dernière lettre, Wesley m'a écrit que lorsqu'il aurait terminé ce que je dois toujours appeler son affaire sur la Côte, il travaillera suffisamment dans le cinéma pour faire des économies en vue d'acheter un bateau et de s'installer, comme l'avait fait son père, comme capitaine affréteur. Il montre une assez bonne humeur dans ses lettres, mais il se peut qu'il mente, comme je le fais moi-même, lorsque j'écris à la famille. Tout de même, il a une raison d'être de bonne humeur que je n'ai pas. A dix-huit ans il a touché trente mille dollars, moins une grosse bouchée pour le fisc, et son amie s'est débrouillée pour avoir un job au bureau de *Time* à Paris et va le voir en avion à Cannes aussi souvent que possible. Il écrit aussi qu'il joue beaucoup au tennis, sauf pendant les mois d'été, et qu'il croit pouvoir m'enfoncer s'il jouait contre moi maintenant. Je n'ai pas touché une raquette depuis Juan-les-Pins.

La police n'a jamais découvert quel était le vrai nom de Georges ni d'où il venait. Je ne peux me débarrasser du sentiment qu'un jour en levant les yeux de ma table de travail, je verrai Monika devant moi. Je rêve d'elle sans arrêt, et les rêves sont érotiques et heureux et me laissent au désespoir lorsque je me réveille.

Billy cessa de taper, se renfrogna. « Oh, zut », dit-il à haute voix. Il sortit la feuille de papier de la machine et la plaça avec les deux autres dans une grande enveloppe pour l'emporter chez lui. Il se leva et mit sa veste ; il était sur le point de partir lorsqu'il baissa les yeux et vit la grosse enveloppe que son oncle lui avait envoyée de Cannes. Tant qu'à faire, se dit-il, il faudra bien que je la lise *un jour.* Il déchira l'enveloppe. Il y avait un mot attaché avec un trombone à une page de journal qui avait été pliée souvent. Une seconde note était attachée par un trombone au verso de la page de journal. « Lis l'article entouré de rouge, avait écrit son oncle à la main, et puis lis le mot au verso. » Billy secoua la tête avec irritation. Des jeux, se dit-il. Cela ne ressemblait pas à Rudolph. Curieux, il s'assit pour pouvoir mettre la page de journal sous la lumière. En haut et à gauche de la page était imprimé en grandes lettres MARSEILLE, et en caractères plus petits, *Page Deux.* La colonne intitulée *Faits Divers* était cerclée au crayon rouge.

« *Mort d'un Voyou* », lut-il — son français était encore bon. Puis l'article :

Hier soir le cadavre d'un homme identifié plus tard par la police comme celui de Janos Danovic, ressortissant yougoslave, a été trouvé sur une jetée du Vieux-Port. Il avait reçu deux balles dans la tête. Il passait pour un membre du Milieu sur la Côte d'Azur et à Marseille, et avait été plusieurs fois arrêté pour proxénétisme et attaques à main armée, mais n'avait jamais été condamné pour aucun de ces délits. La police pense qu'il s'agit d'un nouvel incident dans la série de règlements de comptes qui l'ont occupée ces dernières semaines à Marseille.

Billy posa lentement le journal. Bon Dieu, se dit-il, il faut que Rudolph soit fou pour envoyer une telle chose par courrier. Si elle s'était égarée ou avait été ouverte par mégarde, un sale curieux se serait demandé pourquoi un conseiller d'un sénateur américain s'intéressait au meurtre d'un assassin à la petite semaine à Marseille, et se serait mis à faire une enquête déplaisante. Il était sur le point de déchirer la page en petits morceaux lorsqu'il se souvint du mot au verso.

Il retourna la page et sépara le mot du trombone. « Regarde la date du journal », avait écrit son oncle. Billy regarda le haut de la page.

C'était la première page du *Méridional* daté du samedi 24 octobre 1970
Danovic était mort depuis plus de six mois lorsque Wesley était revenu
en Europe. Billy se pencha sur son bureau, appuya ses coudes, et se prit
la tête entre les mains. Il se mit à rire. Le rire devint hystérique
Lorsqu'il réussit enfin à se calmer, il décrocha le téléphone et demanda
à la standardiste de nuit le numéro de Rhoda Flynn. Lorsque celle-ci
répondit à son appel, il dit :

— Salut, Rhoda, est-ce que la soirée dure toujours ?
— Si tu peux venir, dit Rhoda, oui.
— J'arrive. Quelle adresse ?

Elle lui donna l'adresse et il dit : « Dix minutes. Prépare-moi un
verre bien tassé. J'en ai besoin ce soir. »

En sortant du Tribune Building et en longeant Michigan Avenue à la
recherche d'un taxi, il avait l'impression d'être suivi. Il se retourna
pour regarder, mais il n'y avait que deux couples, à quelques mètres
derrière lui.

Ce serait peut-être une bonne idée, se dit-il, si je demandais à
Rudolph s'il a toujours ce pistolet. Il pourrait être utile. Puis il vit un
taxi, le héla, y monta, et alla à la soirée.

Achevé d'imprimer le 6 septembre 1979
sur presse CAMERON,
dans les ateliers de la S.E.P.C.
à Saint-Amand-Montrond (Cher)

N° d'Édition : 3954. N° d'Impression : 908.
Dépôt légal : 3ᵉ trimestre 1978.
Imprimé en France